Jane Austen

Emma

Introduzione di Ornella De Zordo
Traduzione di Pietro Meneghelli

Edizione integrale

CLASSICI
BEN.

Biblioteca Economica Newton

Emma Woodhouse e l'ambiguo piacere della libertà

Quando, nel gennaio 1815, Jane Austen inizia la stesura del suo penultimo romanzo intitolato Emma, *scrive: «Sto lavorando a un'eroina che non piacerà a nessuno se non a me»[1]. Dietro questa frase apparentemente innocua, e falsamente modesta, si nasconde la nota ironia della scrittrice, che qui è rivolta non verso il personaggio in questione, la protagonista del suo nuovo romanzo, ma verso i suoi potenziali lettori.*

Emma Woodhouse è bella, intelligente e ricca (l'unica delle eroine austeniane a possedere tutti questi pregi), ma anche viziata e un po' snob. Dovrebbe quindi, come maliziosamente diceva l'autrice, risultare poco simpatica, tanto più che è totalmente priva di quelle doti di buon senso, equilibrio e misura che erano state valorizzate nei suoi romanzi precedenti. Eppure, malgrado i difetti che la caratterizzano e gli errori che le vengono attribuiti, il personaggio è costruito in modo tale da catturare immediatamente la simpatia di lettori e lettrici, che tendono a scusarla e a parteggiare per lei in modo del tutto irragionevole. Capire come e perché questo accada, ovvero quali strategie narrative siano messe in atto e quale significato assumano, consente di penetrare sotto la superficie convenzionale della scrittura di Jane Austen e accedere al piano ironico e parodico nel quale vengono smentiti molti principi della morale del tempo.

Manteniamoci per il momento sul piano della "lettera" del testo, cioè prendiamo per buono quello che il testo esplicitamente dice, ben sapendo che nella pagina austeniana sono piuttosto l'allusione, l'ellissi, il nondetto (quando non addirittura ciò che è apertamente negato), a costituire le tracce che ci possono guidare per il percorso interpretativo del testo. Ma di questo parleremo più avanti. Se seguiamo l'intreccio, vale a dire appunto il livello dichiarato del testo, Emma *è la storia dell'educazione di una giovane ereditiera che, affermando di non essere incline a sposarsi lei stessa, trascorre il suo tempo cercando di combinare matrimoni tra amici e conoscenti. Così impiega la sua vivace immaginazione (che le fa vedere spesso la realtà diversa da quella che è), soddisfa la sua presunzione (controllando il destino degli altri) e appaga il suo narcisismo (attribuendosi il merito della felicità altrui). Ma, grazie anche all'insegnamento impartitole da Knightley, un ricco e saggio possidente amico di famiglia, l'unico a non viziare Emma e ad esprimerle chiaramente le proprie critiche, la ragazza si ravvede, e alla fine scopre di essere amata dal burbero Knightley che deciderà di sposare.*

Il romanzo sembrerebbe a una prima lettura rientrare perfettamente

[1] J.E. Austen Leigh, *A Memoir of Jane Austen*, Oxford, Chapman, 1926, p. 157.

nella tradizione del settecentesco Quixotic Novel, *un genere comico che prende il nome dalla celebre opera di Charlotte Lennox intitolata appunto* The Female Quixote, *dove si racconta la storia di Arabella e dei suoi errori di interpretazione della realtà. Riprendendo il motivo della "follia libresca" di Don Chisciotte, il romanzo di Charlotte Lennox mette in scena un personaggio – che questa volta è una donna, come evidenzia il titolo – che scambia il mondo reale con quello dei romanzi cavallereschi della cui lettura si è nutrita fin dalla prima giovinezza, e che cade in una serie infinita di errori e di equivoci finché, con l'aiuto dell'eroe della storia, ritrova la ragione e si integra nella vita sociale che la circonda.*

Numerosi i punti di contatto con Emma *di Jane Austen, che già nella sua prima opera,* L'Abbazia di Northanger, *aveva ripreso in chiave ironica questo stesso motivo[2]. Sia Emma che Arabella crescono senza una madre che si prenda cura di loro, vengono educate da un padre debole e indulgente, sono intelligenti ma presuntuose, si costruiscono un'amica a loro misura e ne esaltano i pregi inesistenti, insomma non vedono la realtà per quello che è, e solo grazie a un autorevole personaggio maschile si rendono infine conto dei loro sbagli. Ma come ormai sanno i lettori non solo dell'*Abbazia di Northanger *ma di* Ragione e sentimento *e* Mansfield Park, *il testo della scrittrice rispetta le convenzioni narrative solo per sovvertirle, e in questo caso, anziché mettere in guardia dai rischi del romanzesco,* Emma *finisce per essere un'ambigua satira di ogni pretesa razionalità. Come ha messo in rilievo Elaine Kauvar[3],* Emma *è una creazione psicologica molto più complessa di Arabella, fuorviata non dalle letture che ha fatto ma da alcune sue caratteristiche naturali e, si potrebbe aggiungere, da una situazione psicologica e sociale che il testo mette in scena con grande maestria e attraverso la quale l'autrice fa sentire, nel suo modo indiretto ed elusivo, la propria critica alla società della provincia inglese del suo tempo.*

L'azione si costruisce attraverso la modalità del fraintendimento, tanto che c'è chi ha parlato di «commedia degli equivoci» e di «monologismo» della parola di Emma[4]. Dal fraintendimento, ovvero dalla ricezione disturbata della comunicazione che porta il soggetto a equivocare e a commettere errori di valutazione, l'intreccio prende avvio e progressivamente si sviluppa fino al chiarimento finale. Della centralità di questo procedimento ci rendiamo conto, se non a una prima lettura, a una rilettura di questo piacevolissimo testo, quando meglio possiamo cogliere le allusioni, gli indizi, le informazioni lacunose di cui è disseminato e questa consapevolezza nulla toglie al piacere della lettura, anzi, secondo una consumata tecnica tipica della detection, *tiene alto l'interesse di chi, inoltrandosi nel labirintico testo austeniano, si fa sempre più curioso di sapere quando e come i personaggi si accorgeranno dei loro errori.*

---

[2] Si veda in merito l'*Introduzione* a *L'Abbazia di Northanger*, a cura di O. De Zordo, Firenze, Giunti, 1994.

[3] E. Kauvar, *Jane Austen and «The Female Quixote»*, in «Studies in the Novel», 1, 2 (Spring 1970), pp. 211-20.

[4] Si vedano rispettivamente i contributi di L. Innocenti, *La commedia degli equivoci: «Emma» di Jane Austen*, in «Textus», IV (1991), pp. 69-96, e di P. Partenza, *«As if wanting to read her thoughts»: «Emma» e le strutture dialogiche*, in AA.VV., *Dalla parte di Jane Austen*, a cura di F. Marroni, Pescara, Edizioni Tracce, 1994, pp. 207-34.

Principale soggetto di questa modalità è, come si è detto, la protagonista: in un primo momento Emma crede che il reverendo Elton sia innamorato di Harriet, mentre questi sta corteggiando proprio lei, Emma, e il suo cospicuo patrimonio, e su questo equivoco si costruiscono i vari segmenti diegetici della prima parte del romanzo. In seguito, Emma crede che Frank Churchill sia innamorato di lei e, avendo deciso di non volersi legare a lui, lo immagina come possibile futuro marito di Harriet, convincendo di questo anche la ragazza, mentre, come ormai chi legge ha intuito, Frank Churchill ama, riamato, Jane Fairfax; anche qui la serie di equivoci costituisce il motore principale dell'intreccio che si fa sempre più ingarbugliato. Infine, nell'ultima parte, Emma crede che Knightley sia innamorato di Harriet, mentre scoprirà più tardi che ama lei. Questi gli equivoci principali, a cui corrispondono sul piano della struttura, i tre libri di cui si componeva il romanzo nella sua prima edizione, e a cui si affiancano una serie di fraintendimenti minori: Emma pensa erroneamente che Jane abbia una relazione con un uomo sposato, Jane crede che Frank abbia cominciato a corteggiare Emma, e così via. Emma, a differenza di Arabella, non è infatti l'unica a equivocare la realtà in un mondo, come quello di Highbury, dove quasi tutti i rapporti interpersonali si basano su fraintendimenti: il vecchio Woodhouse continua a credere, malgrado le apparenze, che la signorina Taylor sia infelice nel suo matrimonio, Knightley è convinto che Frank Churchill sia innamorato di Emma, come del resto anche i signori Weston, e, errore ancor più clamoroso, tutti a Highbury hanno equivocato il rapporto che c'è tra Frank e Jane. Dunque, se all'inizio della narrazione il lettore poteva ingenuamente pensare che il testo si focalizzasse sull'apprendistato della giovane protagonista, alla fine deve ammettere che quella della Female Quixote *rischia di essere una pista falsa che l'autrice ha utilizzato per costruire un testo in cui è la realtà stessa a essere illogica e contraddittoria.*

A ulteriore discolpa della protagonista, il testo suggerisce anche quali siano le motivazioni che portano Emma a non interpretare correttamente la realtà; il susseguirsi di equivoci in cui resta coinvolta può essere, infatti, collegato ad una condizione psicologica che appare come la cifra del personaggio: la solitudine.

Come emblematicamente indica il titolo del romanzo (l'unico tra quelli scritti da Jane Austen a coincidere con il nome di un personaggio), tutto ruota intorno alla protagonista, che si staglia, isolata, al centro del campo visivo ed emotivo del lettore. I riferimenti alla sua solitudine sono espliciti: senza la madre, con l'unica sorella lontana, e ora anche privata della compagnia dell'amata signorina Taylor, Emma soffre per la mancanza di un'amica; ma a ben vedere il suo stato d'animo più che all'assenza di una persona lontana, è dovuto alla sua incapacità a entrare in relazione con l'altro. Emma infatti non sa comunicare neppure con chi le sta vicino: non dialoga con il padre, che lei deve costantemente rassicurare e che comunque riesce con facilità a persuadere delle proprie convinzioni, né con la signora Weston, troppo affezionata a lei per essere un'interlocutrice obiettiva, né con Harriet che essendo inferiore per età, ceto sociale e cultura, approva incondizionatamente tutto quello che Emma fa e dice, e neppure con Knightley, con cui si scontra proprio perché rifiuta un'ottica diversa dalla sua. Forse l'unica persona con cui avrebbe potuto avere uno scambio reale è Jane Fairfax, affine a lei per età ed educazione, e dotata di grande sensibilità e intelligenza, ma proprio tale rapporto viene appunto rifiutato da Emma senza apparenti motivi[5]: «Il solo nome di Jane Fairfax dà la nausea [...]. Auguro a Jane Fairfax ogni bene, però mi annoia a morte».

Mostrando gli effetti di certi meccanismi interiori del personaggio, il testo sembra suggerire che Emma tema un confronto con la perfetta Jane, sia gelosa della buona opinione che tutti hanno di lei, ed eviti per questo di avere qualsiasi contatto. Altri indizi avevano del resto già fatto sorgere il dubbio che dietro l'apparente disinvoltura e padronanza di sé, Emma soffra di una inconfessata e inconsapevole insicurezza: non è mai del tutto sicura di se stessa e convinta di essere nel giusto, cerca costanti conferme sul proprio aspetto, ha bisogno di essere rassicurata dalla vicinanza di un'amica come Harriet. Ma è soprattutto attraverso le reazioni di Emma nei confronti della signorina Bates che la penna della Austen illumina questo lato nascosto della sua eroina. Questo personaggio di vecchia zitella, logorroica e poco intelligente, dai cui discorsi sconclusionati il lettore può trarre non poche informazioni utili alla comprensione di fatti che altrimenti rimarrebbero oscuri («È stato prima del tè, no, aspettate, non poteva essere prima del tè [...]. Oh, ora mi ricordo, ci sono; è accaduto qualcosa prima del tè ma non questo. [...] È stato dopo il tè che Jane ha parlato con la signora Elton»), non ha solo questa funzione informativa, ma attiva nel testo un meccanismo che rivela l'esistenza di motivazioni inconsce nel comportamento di Emma, meccanismo che, come osserva Dorothea Barrett[6], differenzia questo da tutti gli altri romanzi di Jane Austen: è l'avversione di Emma verso la signora Bates, e la sua insolita scortesia, a farci capire che l'anziana signorina rappresenta quello che Emma, malgrado tutti i suoi discorsi sui pregi dello stato di single, teme di diventare. La signora Bates viene ritratta come una figura patetica di donna ossessionata dal desiderio di compiacere e di ingraziarsi gli altri al punto da abdicare ad una propria personalità e adattarsi camaleonticamente alle posizioni dell'interlocutore, e non è un caso che Emma si comporti esattamente nel modo opposto. La creazione di questo personaggio, che suscita nella protagonista una reazione di rifiuto apparentemente immotivata, è uno degli esempi più riusciti di come la scrittura della Austen inserisca, in un romanzo che sembra insistere sull'importanza del matrimonio, una critica sotterranea a un sistema in cui la donna non sposata deve ridursi a mendicare la simpatia e la comprensione degli altri.

Alla fine i difetti di Emma, costantemente messi in evidenza nel testo, non risultano poi così gravi: è vero, non è particolarmente colta, è stata educata da un padre troppo indulgente e da una governante più amica che istruttrice, ha una opinione di sé troppo alta e tende a interpretare la realtà secondo i propri desideri, cosicché, se prendiamo le norme impartite dai conduct-books, i popolari libri destinati nel XVIII secolo all'educa-

---

[5] Sul rapporto tra i due personaggi femminili del romanzo si veda quanto scrive M. Kirkham in *Jane Austen, Feminism and Fiction*, Brighton, The Arvester Press, 1983, pp. 139-43.

[6] D. Barrett, *Romanticismo e antiromanticismo nella narrativa femminile*, in *Storia della civiltà letteraria inglese*, a cura di F. Marenco, vol. II, Torino, UTET, 1996, p. 506.

zione delle ragazze di buona famiglia, Emma ci appare come una perfetta "anti-eroina". Ma chiaramente la scrittrice si sta beffando di quelle norme di comportamento, e costruisce un personaggio dotato di qualità che annullano i difetti: la sua eroina non solo è bella e intelligente, ma ha buon cuore e soprattutto è "libera", ed esprime con grande immediatezza quello che sente. Emma non riconosce un principio di autorità maschile e rifiuta di fare l'allieva di Knightley, ruolo che la storia sembrerebbe assegnarle, e a lui baldanzosamente espone le sue teorie poco lusinghiere sugli uomini: «e fino a che non sia provato che gli uomini sono molto più filosofici, quanto a bellezza, di quel che generalmente si creda, fino a che non si innamorino di menti piene di cultura, anziché di leggiadri faccini, una ragazza graziosa come Harriet ha la certezza di essere ammirata e desiderata, di avere la possibilità di scegliere tra molti, e conseguentemente può pretendere di fare la schizzinosa». Del resto, se le sue fantasie si rivelano irrealizzabili (il matrimonio tra Harriet ed Elton), la realtà dimostra che eventi altrettanto incredibili possono avvenire (il matrimonio tra Jane Fairfax e Frank Churchill), così che, più che condannare Emma, si è portati a giustificarla. Emma ci piace proprio perché non è perfetta, e ben lo sapeva l'autrice che dà al suo personaggio un fascino che appanna le doti delle varie eroine virtuose ma prigioniere di rigidi schemi educativi di tanti romanzi contemporanei. E lo stesso Knightley, a cui è stata affidata la parte autorevole del maestro, afferma che Emma va bene così com'è, Emma «perfetta pur con tutti i suoi difetti».

Il testo del romanzo funziona costantemente su un duplice livello: quello superficiale, nel quale vengono dichiarate alcune verità che sembrano inconfutabili e quello più sotterraneo, dal quale affiorano elementi contraddittori. Questo doppio registro fa parte della strategia testuale tipicamente austeniana in cui la voce autoriale critica senza esporsi, sovverte un ordine senza realmente infrangerlo[7]. Benché sia narrato in terza persona, nel testo di Emma non c'è infatti un narratore onnisciente che prende posizione esponendosi con giudizi e commenti, ma una voce narrativa spesso ironica, che si limita a collegare i punti di vista dei vari personaggi, ne riferisce i discorsi e ne riporta le varie posizioni, senza giudicare o fornire una sicura interpretazione dei fatti, molti dei quali rimangono oscuri nelle cause e incerti nelle conseguenze fino allo scioglimento finale[8].

Inoltre, la strategia testuale è caratterizzata, oltre che dal dialogo attraverso il quale i vari personaggi rivelano in prima persona carattere, opinioni ed emozioni, da quella particolare modalità narrativa chiamata discorso indiretto libero (che sarà poi molto usata nella narrazione modernista) con la quale le parole e i pensieri del personaggio vengono mimeticamente riportati dalla voce narrativa, tanto da lasciare chi legge nel dubbio se il discorso appartenga al narratore o al personaggio. Nel caso di Emma, poi, dietro ai pensieri riferiti, si sente talvolta l'approvazione,

---

[7] Si vedano in proposito le pagine dedicate a *Emma* nella monografia di B. Battaglia, *La zitella illetterata, parodia e ironia nei romanzi di Jane Austen*, Ravenna, Longo, 1983, pp. 199-232.

[8] La modalità narrativa che contraddistingue la scrittura di *Emma* venne definita «metodo di esposizione drammatica» da George Henry Lewes, il critico letterario che raccomandava all'amica George Eliot proprio la lettura di *Emma*, il romanzo che più di ogni altro influirà sulla formazione letteraria eliotiana.

se non la complicità della voce narrativa: «Era una cosa nuova che qualcosa in questo mondo fosse ineguale, incoerente, incongruo, o che il caso e l'occasione (come seconde cause) guidassero l'umano destino?».

Sempre le diverse voci e individualità sono riprodotte con precisione mimetica, dallo sproloquio confuso della signorina Bates, alle chiacchiere vuote della signora Elton, al discorso puntuale e autorevole di Knightley, tanto che il testo di Emma può essere definito un testo polifonico in senso bachtiniano. Così, senza una guida sicura rappresentata da un narratore autorevole e palese, chi legge deve orientarsi da sé nel labirinto di indizi, talvolta contraddittori del testo. Emma è generosa o egoista? Farà bene o male a trascurare la noiosa signorina Bates? Cambia alla fine, oppure no? Non è facile dare una risposta univoca a queste e a tante altre domande che il testo solleva, impossibile dare un giudizio razionale sulla storia di Emma, il cui finale è un'ultima stoccata dell'autrice contro ogni pretesa di ordine e razionalità.

Il momento finale della storia, che dovrebbe consistere nel riconoscimento dei propri errori da parte della protagonista, vede in realtà il trionfo di Emma, che ottiene esattamente quello che desiderava, e cioè continuare a essere la prima signora di Highbury. Questo trionfo è reso possibile dal matrimonio con Knightley, un'unione di cui il lettore non aveva mai dubitato fin dal primo ingresso di questo "cavaliere" (come dice alla lettera il suo nome) nella storia. E tuttavia, pur ponendo ancora una volta al centro della narrazione quel topos austeniano per eccellenza che è il matrimonio, non si può proprio dire che questo romanzo racconti la storia d'amore della protagonista, come avverrà invece nel romanzo scritto appena qualche mese dopo e chiamato Persuasione. Emma si sposa soprattutto per poter mantenere il suo prestigio, e infatti solo quando teme che Harriet sposando Knightley possa diventare signora di Donwell, e dunque superiore a lei, pensa per la prima volta alla sua unione con l'aristocratico proprietario: «il signor Knightley non poteva sposare altre, se non lei!». Anche dopo la dichiarazione di Knightley, le reazioni della protagonista non hanno le caratteristiche della passione amorosa e, dopo aver ben meditato sulla proposta («Più Emma pensava a quella proposta, a quel progetto di sposarsi e continuare a vivere a Hartfield, più essa le piaceva»), la accetta mostrando di saper unire la saggezza al sentimento. Alla fine della storia, tra l'altro, Emma non si dimostra affatto cambiata, perché mantiene i suoi pregi e i suoi difetti, compreso quel tanto di narcisismo che le era sempre appartenuto. Paradossalmente, con un geniale rovesciamento dei ruoli, sarà il razionale Knightley ad agire d'impulso, mosso dalla passione e dal desiderio, Knightley che era «tornato a cavallo sotto la pioggia; e subito dopo pranzo era andato a piedi a Hartfield, per vedere come la più dolce e la migliore delle creature, perfetta pur con tutti i suoi difetti, sopportasse la scoperta» e «senza scopo egoistico, senza altro scopo che di tentare, se lei gliene avesse dato l'oppurtunità, di calmarla e consolarla. Il resto era stato un prodotto del momento, l'effetto immediato, sui suoi sentimenti, di quel che aveva udito». A ben vedere, il tema della passione amorosa non è affatto assente dal testo, anche se è significativamente riservato alla coppia secondaria dell'intreccio, formata da Jane Fairfax e Frank Churchill. Se a Emma viene data un'ottima sistemazione, affetto e status sociale, al personaggio minore di Jane, ritratta come più profonda, più generosa, oggettivamente migliore, viene dato il vero amore. Lo testimoniano, oltre agli sguardi, alle ripicche e alle fughe tra i due innamorati, anche la serie di reazioni emotive e fisiche che svelano la passione della ragazza: le notti insonni, le emicranie, il dimagrimento e persino la malattia. Il rapporto d'amore tra la bellissima ma povera Jane e l'erede della prestigiosa famiglia di Ascombe contraddice ogni convenzione e prassi, e nega quella staticità sociale che sembrava regnare nell'universo di Highbury. Con questo romance incastonato nel plot principale, una vera "storia nella storia", Emma, pur trattando l'argomento ancora con qualche cautela, si avvicina al romanzo che seguirà, Persuasione, dove finalmente, senza dover più ricorrere al registro ironico, il solo valore affermato sarà quello del cuore che contraddice e vince la logica del buon senso e dell'opportunità.

ORNELLA DE ZORDO

Nota biobibliografica

CRONOLOGIA DELLA VITA E DELLE OPERE

1775. Il 16 dicembre, a Steventon nello Hampshire, nasce Jane Austen, settimogenita del reverendo George Austen, pastore del luogo, e di sua moglie, Cassandra Leigh.

1785-86. Frequenta, assieme alla sorella maggiore Cassandra, la Abbey School di Reading.

1795. Scrive *Elinor and Marianne*.

1796. Inizia a scrivere *First Impressions* (lo finirà nell'agosto del 1797).

1797. Inizia a scrivere *Sense and Sensibility*.

1798-99. Scrive *Northanger Abbey* (inizialmente l'opera è intitolata *Susan*, poi *Catherine*).

1801. A causa del ritiro del reverendo Austen dalla sua attività ecclesiastica, la famiglia si trasferisce a Bath, dove la scrittrice ambienterà alcuni dei suoi romanzi.

1805. Muore il reverendo George Austen. La Austen scrive *The Watsons* e *Lady Susan* (opere ambedue incompiute).

1807. La famiglia Austen si stabilisce, con grande gioia di Jane, che detestava Bath, a Southampton.

1809. La famiglia si trasferisce a Chawton, nello Hampshire, in una casa di proprietà del fratello Edward.

1811. Inizia a scrivere *Mansfield Park*. Pubblica *Sense and Sensibility*.

1813. Viene pubblicato *Pride and Prejudice*. Seconda edizione di *Sense and Sensibility*.

1814. Inizia a scrivere *Emma*. Pubblica *Mansfield Park*.

1815. Inizia a scrivere *Persuasion*. Pubblica *Emma* e, in Francia, *Sense and Sensibility* con il titolo *Raison et Sensibilité*.

1816. Seconda edizione di *Mansfield Park* che esce in Francia, nello stesso anno, con il titolo *Le Parc de Mansfield*. Viene pubblicato in Francia anche *Emma*, con il titolo *La nouvelle Emma*.

1817. Inizia a scrivere *Sanditon* ma, a causa della malattia che la porterà alla morte, non lo terminerà. Il 18 luglio muore a Winchester, dove si era recata, assieme alla sorella Cassandra, per tentare di curare la sua malattia (forse una forma del morbo di Addison). È sepolta nella Cattedrale.

BIBLIOGRAFIA

L'edizione critica delle opere di Jane Austen è quella a cura di R.W. Chapman, *The Novels of Jane Austen, The text based on collation of the early edition, with notes, indexes and illustrations from contemporary sources*, Oxford, Oxford University Press, 1923, 5 voll. Comprende i sei romanzi principali (o "canonici") dell'autrice, le cui prime edizioni in volume seguono la cronologia qui indicata:

Sense and Sensibility, London, T. Egerton, 1811 (ma composto negli anni 1795-97).
Pride and Prejudice, London, T. Egerton, 1813.
Mansfield Park, London, T. Egerton, 1814.
Emma, London, John Murray, 1815.
Northanger Abbey, London, 1818 (postumo; ma composto negli anni 1798-99).
Persuasion, London, John Murray, 1818 (postumo; ma composto negli anni 1815-16).

Ai cinque volumi, sopra citati, dell'edizione Chapman, ne fu aggiunto un sesto nel 1954 – *Minor Works* – che comprende tre quaderni di opere giovanili (*Volume the First*, *Volume the Second*, *Volume the Third*) e i romanzi incompiuti *Lady Susan*, *The Watsons*, *Sanditon*.

Tutte le opere di Jane Austen sono state pubblicate in varie edizioni italiane e in ottime traduzioni. Vanno particolarmente segnalate: *Emma*, a cura di M. Praz, Milano, Garzanti («I grandi libri»), 1965 e *L'Abbazia di Northanger*, a cura di O. De Zordo, trad. di A. Banti,Firenze, Giunti («Classici Giunti»), 1994.

La Newton & Compton ha inoltre pubblicato, nella collana «Classici BEN», *L'Abbazia di Northanger*, cura e trad. di E. Grillo, pref. di R. Reim, Roma 1994; *Senno e sensibilità*,cura e trad. di P. Meneghelli, Roma 1995; *Orgoglio e pregiudizio*, a cura di R. Reim, trad. di I. Castellini e N. Rosi, Roma 1996 e *Persuasione*, a cura di O. De Zordo, trad. di F. Fantaccini, Roma 1996.

Le opere complete di Jane Austen sono in corso di pubblicazione presso Theoria (Roma-Napoli), in nove volumi curati da Malcolm Skey. A tutt'oggi sono usciti: *Lettere 1796-1817*, 1992; *Amore e amicizia e altri scritti giovanili*, 1994; *L'Abbazia di Northanger*, 1982-95; *Orgoglio e pregiudizio*, 1994; *Persuasione*, 1995 e *Ragione e sentimento*, 1996.

Tra le principali traduzioni italiane di *Emma* si segnalano: V. TEDESCHI, Milano 1945; M. PRAZ, ivi 1951; B. MAFFI, ivi 1954, nuova ed., ivi 1994; D. VIRGILI, Bologna 1968 (col titolo *La famiglia Woodhouse*).

La bibliografia riguardante Jane Austen è sterminata. Si rimanda pertanto al repertorio bibliografico più completo che è quello compilato da D. Gilson, *A Bibliography of Jane Austen*, Oxford 1982.

Tra i contributi critici italiani si segnalano in particolare:

P. BELLMAN NEROZZI, *Jane Austen*, Bari, Adriatica, 1973.

R. BERTINETTI, *Ritratti di signore. Saggio su Jane Austen*, Milano, Jaca Book, 1978.

B. BATTAGLIA, *La zitella illetterata: parodia e ironia nei romanzi di Jane Austen*, Ravenna, Longo, 1983.

M. BILLI, *Jane Austen: parodia e re-invenzione del romanzo*, in Ead., *Il testo riflesso. La parodia nel romanzo inglese*, Napoli, Liguori, 1993.

F. MARRONI (a cura di), *Dalla parte di Jane Austen*, Pescara, Tracce, 1994.

EMMA

Capitolo primo

Emma Woodhouse, bella, intelligente e ricca, con una casa confortevole e un carattere allegro, sembrava riunire in sé il meglio che la vita può offrire, e aveva quasi raggiunto i ventun'anni senza subire alcun dolore o grave dispiacere.

Era la più giovane delle due figlie di un padre estremamente affettuoso e indulgente e, in seguito al matrimonio della sorella, aveva assunto molto presto il ruolo di padrona di casa. La madre era morta da troppi anni perché lei potesse conservare più che un confuso ricordo delle sue carezze, e il suo posto era stato preso da una governante, una bravissima donna, che quanto ad affetto non si era mostrata da meno di una vera madre.

La signorina Taylor era stata nella famiglia Woodhouse per sedici anni, più come amica che come governante, ed era profondamente legata a entrambe le figlie, ma soprattutto a Emma. Tra loro due esisteva un'intimità quasi fraterna. Anche prima che la signorina Taylor lasciasse l'incarico nominale di governante, la dolcezza della sua natura non le aveva consentito di imporre costrizioni di alcun genere; e da che, molto tempo prima, era svanita dalla sua persona ogni ombra d'autorità, avevano vissuto insieme come amiche, molto legate l'una all'altra. Emma poteva fare come meglio le piaceva: aveva molto rispetto per il giudizio della signorina Taylor, ma questo non le impediva di agire soprattutto in base al proprio criterio.

Il vero limite, nella situazione di Emma, era costituito proprio dal fatto che era troppo libera di fare ciò che voleva ed era portata ad avere troppa stima di sé; era questo a minacciare di turbare le sue molte gioie. Tuttavia, per il momento, un simile pericolo era così poco evidente che non lo si sarebbe certo potuto annoverare tra le sue sfortune.

Un dispiacere arrivò, un piccolo dispiacere, ma non sotto forma di un sentimento sgradevole: la signorina Taylor si sposò. E la perdita della signorina Taylor le causò il primo dolore. Fu infatti proprio il giorno delle nozze della sua tanto amata amica che, per la prima volta, dei pensieri tristi le occuparono per un certo tempo la mente. Una volta terminata la cerimonia, quando gli sposi furono partiti, Emma e il padre rimasero a pranzare insieme, senza più la prospettiva di avere una terza persona a rallegrare la lunga serata. Dopo pranzo, come al solito, il padre si lasciò cogliere dal sonno, e lei non poté far altro che rimanere a pensare a quel che aveva perduto.

Il matrimonio sembrava promettere ogni felicità alla sua amica. Il signor Weston era un uomo dal carattere irreprensibile, agiato, aveva l'età giusta e modi piacevoli; ed Emma provava soddisfazione nel considerare con quanta abnegazione e generosa amicizia lei stessa aveva sempre desiderato e favorito quel matrimonio; e tuttavia, quello era per lei un brutto giorno. La mancanza della signorina Taylor si sarebbe fatta sentire sempre più, di giorno in giorno. Emma ripensava alle passate premure dell'amica (le premure, l'affetto di sedici anni), a come la signorina Taylor l'aveva educata e a come aveva giocato con lei, da che aveva cinque anni... a quanto si era impegnata per conquistare il suo affetto e farla divertire, quando stava bene, e a come l'aveva curata durante le tante malattie dell'infanzia. Tutto ciò costituiva un grande debito di gratitudine; ma i loro rapporti negli ultimi sette anni, la parità di livello e la assoluta familiarità che erano seguite al matrimonio di Isabella, quando loro due erano rimaste sole, costituivano un ricordo ancora più tenero e caro. Emma aveva trovato in lei un'amica e una compagna come pochi ne avevano; intelligente, istruita, utile, gentile, interessata a tutte le abitudini della famiglia, attenta a tutto ciò che la riguardava e soprattutto concentrata sul benessere di Emma, tanto da interessarsi a ogni suo piacere, a ogni suo progetto; una persona a cui lei poteva confidare ogni pensiero fin dal suo primo sorgere, e che nutriva per lei un affetto quasi cieco.

Come avrebbe potuto sopportare quel cambiamento? Era vero che la sua amica andava a vivere a solo mezzo miglio da loro; ma Emma era ben consapevole che tra una signora Weston distante solo mezzo miglio e una signorina Taylor residente in casa loro ci doveva essere una gran differenza; e nonostante tutti i suoi grandi privilegi, naturali e domestici, correva un grande pericolo di soffrire per la sua solitudine intellettuale. Amava teneramente suo padre, che però non rappresentava una compagnia. Non era in grado di portare avanti una conversazione insieme a lei, seria o frivola che fosse.

L'inconveniente rappresentato della differenza d'età (e il signor Woodhouse non si era sposato presto) era molto accresciuto dal carattere e dalle abitudini che lui aveva; essendo stato tutta la vita di salute cagionevole, senza svolgere alcuna attività fisica o mentale, era molto più vecchio nei modi di quanto non lo fosse negli anni; e anche se era amato da tutti per la sua attitudine amichevole e l'indole gentile, le sue capacità mentali non costituivano di certo un'attrattiva.

La sorella, anche se col matrimonio si era allontanata relativamente poco, dato che si era stabilita a Londra, a solo sedici miglia di distanza, era comunque troppo distante per avere con lei rapporti quotidiani; bisognava dunque cercare di passare alla meglio a Hartfield molte lunghe serate d'ottobre e di novembre, prima che il Natale portasse la prossima visita di Isabella e del marito con i loro figli, che le avrebbe riempito la casa e offerto di nuovo la possibilità di godere di una piacevole compagnia.

Highbury, il grande e popoloso villaggio che aveva quasi le dimensioni di una cittadina, e a cui di fatto Hartfield, pur avendo una zona verde e un nome distinti, apparteneva, non le offriva nessuna persona della sua condizione. I Woodhouse erano i primi, quanto a posizione sociale, e tutti li guardavano con deferenza. Lì Emma aveva molte conoscenze, dato che suo padre era amabile con tutti, ma nessuna che potesse fare le veci della signorina Taylor, neppure per mezza giornata. Era un triste cambiamento; ed Emma non poté non soffrirne e desiderare cose impossibili, fino a che si svegliò suo padre, e fu necessario mostrarsi di buon umore. Lo spirito di lui aveva bisogno di sostegno. Era un uomo nervoso, portato a deprimersi per un nonnulla; affezionato a tutte le persone a cui era abituato, tanto da detestare l'idea di separarsene, in realtà aborriva ogni tipo di cambiamento. I matrimoni, che portavano trasformazioni, gli risultavano sempre sgraditi; e ancora non si era per nulla rassegnato al fatto che una delle figlie si fosse sposata, e non riusciva mai a parlare di lei se non con commiserazione, sebbene avesse fatto un matrimonio interamente d'amore, quando già era costretto a separarsi anche dalla signorina Taylor; e dalle sue abitudini di tranquillo egoismo e dalla sua totale incapacità di concepire che gli altri potessero sentire in modo diverso da lui, era quasi portato a ritenere che la signorina Taylor avesse fatto un passo non meno triste per se stessa che per loro, e che sarebbe stata assai più contenta se avesse trascorso a Hartfield il resto della sua esistenza. Emma sorrideva, e chiacchierava con tutta la gaiezza che poteva mostrare, per allontanare da lui quei pensieri; ma quando giunse l'ora del tè, inevitabilmente suo padre disse esattamente quel che già aveva detto all'ora di pranzo:

«Povera signorina Taylor... Vorrei tanto che fosse ancora qui. Che sfortuna che il signor Weston le abbia messo gli occhi addosso!».

«Non posso essere d'accordo con voi, papà; sapete bene che non posso. Il signor Weston è un uomo talmente simpatico, gradevole e dotato che merita senz'altro una buona moglie, e certo non avresti voluto che la signorina Taylor vivesse con noi per sempre, e dovesse sopportare tutte le mie bizzarrie, quando poteva avere una casa sua».

«Una casa sua! Ma a che le serve avere una casa sua? Questa è tre volte più grande... E quanto a te, tu non hai mai bizzarrie, mia cara».

«Andremo a visitarli talmente spesso, e anche loro verranno da noi! Ci vedremo di continuo! Dovremo essere noi a cominciare, andremo molto presto a fare loro la nostra visita di felicitazioni».

«Ma mia cara, come posso andare così lontano? Randalls è a una bella distanza. A piedi non sarei in grado di fare neppure metà della strada».

«No, papà, nessuno pensa che dobbiate andarci a piedi. Naturalmente ci andremo in carrozza».

«In carrozza! Ma James non vorrà attaccare i cavalli per un percorso così breve; e poi dove dovrebbero stare i poveri cavalli, mentre noi facciamo la nostra visita?»

«Li si metterà nella scuderia del signor Weston, papà. Sapete bene che abbiamo già stabilito tutto questo. Ne abbiamo discusso in modo esauriente ieri sera con il signor Weston. E per quanto riguarda James, potete stare sicuro che sarà sempre lieto di andare a Randalls, dato che ha una figlia che fa la domestica proprio lì. Anzi, mi chiedo se vorrà mai condurci altrove. Ed è stata tutta opera vostra, papà. Siete stato proprio voi a far avere a Hannah quel buon posto. Nessuno aveva pensato a Hannah fino a che non l'avete menzionata voi; e James ve ne è così riconoscente!».

«Sono molto felice di aver pensato a lei. È stata una combinazione molto fortunata, perché non mi sarebbe garbato che il povero James si ritenesse trascurato in alcun modo; e sono certo che lei sarà una eccellente cameriera; è una ragazza educata, di buone maniere; ho molta stima di lei. Ogni volta che la vedo, mi fa la riverenza e mi domanda come sto, con molta grazia; e quando l'hai fatta venire qui a cucire, ho osservato che ruota la maniglia della porta sempre nel modo giusto, e non la sbatte mai. Sono certo che sarà un'eccellente domestica; e sarà un grande conforto per la povera signorina Taylor avere intorno una persona a cui è abituata. Ogni volta che James va lì a trovare la figlia, lo sai, la signorina Taylor potrà avere nostre notizie. Lui potrà farle sapere come stiamo tutti noi».

Emma non mancò di fare tutto quel che poteva per mantenere questo più allegro corso d'idee, sperando di riuscire, con l'aiuto di qualche partita a sbaraglino, a far passare abbastanza bene la serata al padre, senza dover subire altri rimpianti che i propri. Fu portato il tavolo dello sbaraglino; ma subito dopo arrivò un visitatore e giocare divenne inutile.

Il signor Knightley, un uomo assennato di circa trentasette o trentotto anni, non solo era un vecchio e intimo amico della famiglia, ma aveva con essa dei legami particolari, in quanto fratello maggiore del marito di Isabella. Viveva a circa un miglio da Highbury, faceva visite frequenti ed era sempre il benvenuto; e quella volta fu più benvenuto che mai, visto che arrivava direttamente dai loro comuni parenti di Londra. Era ritornato, dopo alcuni giorni di assenza, in tempo per la cena, e ora aveva fatto due passi fino a Hartfield per annunciare che a Brunswick Square stavano tutti bene. La visita costituì una circostanza fortunata, che animò per un certo tempo il signor Woodhouse. Il signor Knightley aveva un modo di fare allegro che produceva sempre un effetto benefico su di lui; e le sue tante domande sulla «povera Isabella» e i suoi figli ricevettero le risposte più esaurienti. Quando questi convenevoli furono conclusi, il signor Woodhouse osservò, pieno di gratitudine:

«Siete molto gentile, signor Knightley, a uscire a quest'ora tarda per farci visita. Temo che per voi sia stata una brutta camminata».

«Per nulla, signore. È una bella notte di luna; e così mite che devo ritirarmi dal vostro gran fuoco».

«Ma dovete averla trovata molto umida e fangosa. Spero proprio che non prendiate un'infreddatura».

«Fangosa, ma signore! Guardate le mie scarpe. Non c'è un solo schizzo».

«Be'! È davvero sorprendente, perché qui abbiamo avuto tanta di quella pioggia. Ha piovuto a dirotto per mezz'ora, mentre noi stavamo facendo colazione. Volevo che rimandassero il matrimonio.»

«A proposito... non vi ho fatto le mie felicitazioni. Rendendomi conto di quanta felicità dobbiate entrambi provare, non ho avuto fretta di farvele; spero però che tutto sia andato bene. Che atteggiamento avete tenuto, tutti quanti? E chi ha pianto di più?»

«Ah, povera signorina Taylor! È una faccenda assai triste».

«Poveri signore e signorina Woodhouse, se vogliamo dirlo; ma di certo non posso dire "povera signorina Taylor". Ho molta considerazione per voi e per Emma, ma quando si parla di dipendenza o indipendenza... Comunque deve essere meglio avere da accontentare una sola persona piuttosto che due».

«Soprattutto quando una di queste due è una creatura tanto capricciosa e difficile!», disse Emma per scherzo. «È questo che pensate, lo so... ed è questo che di certo direste se non ci fosse qui mio padre».

«Credo sia proprio vero, mia cara, davvero», disse il signor Woodhouse con un sospiro. «Temo di essere assai capriccioso e difficile, qualche volta».

«Caro papà! Non penserete che volessi alludere a voi, o supporre che il signor Knightley pensasse a voi! Che idea orribile! Oh no! Intendevo me stessa. Sapete che al signor Knightley piace criticarmi, per scherzo... è solo uno scherzo. Tra di noi ci diciamo sempre tutto quello che vogliamo».

Il signor Knightley, in verità, era una delle poche persone che trovassero qualcosa da criticare in Emma Woodhouse, e l'unica che ne parlasse con lei; e anche se a Emma ciò riusciva tutt'altro che gradito, lei sapeva che lo sarebbe risultato molto meno a suo padre, e non avrebbe voluto lasciargli nemmeno sospettare che esistesse qualcuno che non la riteneva perfetta.

«Emma sa bene che non ho l'abitudine di adularla», disse il signor Knightley, «ma non volevo criticare proprio nessuno. La signorina Taylor doveva accontentare due persone; ora non ne avrà che una. È probabile che per lei sia un vantaggio».

«Ebbene», disse Emma, che voleva lasciar correre, «voi volete sapere del matrimonio, e io sarò lieta di accontentarvi, perché abbiamo tutti tenuto una condotta incantevole. Tutti puntuali, tutti in forma smagliante. Non si è vista neppure una lacrima, non un solo volto imbronciato. Oh, no, tutti quanti sentivamo che tra noi non ci sarebbe stata che una distanza di mezzo miglio, ed eravamo certi che ci saremmo visti ogni giorno».

«La cara Emma sopporta bene qualsiasi cosa!», disse il padre. «Ma, signor Knightley, le dispiace davvero tanto di perdere la povera signorina Taylor, e sono sicuro che ne sentirà la mancanza più di quanto ora non creda».

Emma volse il viso da un'altra parte, combattuta tra le lacrime e il sorriso.

«È impossibile che Emma non senta la mancanza di una compagna del genere», disse il signor Knightley. «Non ci sarebbe così simpatica, se potessimo supporlo. Ma lei conosce i vantaggi che offre il matrimonio alla signorina Taylor; sa quanto debba risultare gradevole, all'età della signorina Taylor, trovare collocazione in una casa propria, e quanto importante debba essere per lei avere la certezza di una buona sistemazione, e quindi non può consentire a se stessa di sentire più dispiacere che soddisfazione. Chiunque sia amico della signorina Taylor dovrà essere contento di vederla sposata così felicemente».

«Avete scordato di menzionare quella che per me è un'altra ragione di gioia», disse Emma, «e una ragione tutt'altro che trascurabile... ho combinato il matrimonio io stessa. L'ho combinato, sapete, quattro anni fa; e vederlo realizzato, e sapere che avevo avuto ragione, quando c'era tanta gente che diceva che il signor Weston non si sarebbe mai risposato, rappresenta una grande consolazione».

Il signor Knightley scosse la testa, ascoltandola. Il padre rispose, con affetto: «Ah, mia cara, vorrei che tu non combinassi matrimoni né prevedessi le cose, perché tutto quel che dici finisce sempre per accadere. Te ne prego, non combinare altri matrimoni».

«Vi prometto di non combinarne alcuno per me stessa, papà; ma quanto agli altri, devo farlo. È il miglior passatempo che conosca! E dopo un tale successo! Tutti dicevano che il signor Weston non si sarebbe mai risposato. Diamine! Non il signor Weston, che era vedovo da tanto tempo, e pareva trovarsi così bene senza moglie, sempre tutto preso dai suoi affari in città o tra gli amici di qui, sempre ben accolto ovunque andasse, sempre pieno d'allegria... il signor Weston non doveva passare una sola sera all'anno da solo con se stesso, se non era lui a desiderarlo. Oh, no, il signor Weston non si sarebbe mai risposato! Qualcuno menzionava addirittura una promessa fatta alla moglie sul letto di morte, e qualcun altro diceva che suo figlio e suo zio non glielo avrebbero permesso. Sull'argomento sono state dette le più solenni stupidaggini, ma io non ci ho badato affatto. A partire dal giorno (circa quattro anni fa) che la signorina Taylor e io lo abbiamo incontrato a Broadway Lane, quando, dato che cominciò a piovigginare, corse con tanta galanteria a farsi prestare per noi due ombrelli da Mitchell, il fattore, io presi la mia decisione. Fu allora che progettai il matrimonio; e visto che in questa occasione ho avuto tanto successo, caro papà, non potete proprio aspettarvi che smetta di combinare matrimoni».

«Non capisco cosa intendiate, quando parlate di "successo"», disse il signor Knightley. «Il successo presuppone uno sforzo. Avete impiegato il vostro tempo in modo davvero utile e delizioso, se negli ultimi quattro anni avete cercato di realizzare questo matrimonio. Degna occupazione per la mente di una giovane donna! Ma se, ed è questo che io immagino piuttosto, ciò che chiamate "combinare il matrimonio" significa solamente che l'avete progettato, che un giorno in cui non avevate null'altro da fare vi siete detta: "Penso sarebbe un'ottima cosa per la signorina Taylor se il signor Weston la prendesse in sposa", e che dopo d'allora avete continuato a ripetervelo di tanto in tanto... allora perché mai parlate di successo? Dov'è il vostro merito? Di cosa vi sentite orgogliosa? Avete visto giusto; quel che si può dire è solo questo».

«E non avete mai conosciuto il piacere e il trionfo di aver indovinato? Mi fate compassione... Vi credevo più sagace... perché, credete a me, una previsione azzeccata non è mai solo un prodotto della fortuna. L'intelligenza ha sempre la sua parte. E quanto alla mia povera parola "successo", su cui avete da obiettare, non so davvero se non ho il diritto di usarla. Voi avete tracciato due bei ritratti, ma credo ce ne possa essere un terzo, qualcosa che sta nel mezzo tra chi non fa niente e chi fa tutto. Se non avessi incoraggiato le visite del signor Weston in questa casa, e non avessi fornito molti piccoli incoraggiamenti e risolto molte piccole difficoltà, alla fin fine tutto avrebbe potuto risolversi in niente. Penso conosciate Hartfield abbastanza per capirlo».

«A un uomo schietto e aperto come Weston e una donna giudiziosa e spontanea come la signorina Taylor si può consentire senza alcun timore di risolvere da soli le proprie faccende. Interferendo avete corso il rischio di fare più male a voi che bene a loro».

«Emma non pensa mai a se stessa, quando può far del bene agli altri», ribatté il signor Woodhouse, che aveva capito solo per metà. «Ma, cara,

24

per favore non combinare altri matrimoni; sono stupidaggini, e sono all'origine di dolorose rotture nel circolo familiare».

«Ancora uno solo, papà, solo per il signor Elton. Povero signor Elton! A voi il signor Elton è simpatico, papà... devo trovargli una moglie. A Highbury non c'è nessuna che lo meriti; ed è stato qui un anno intero, e ha messo su una casa così confortevole che ci sarebbe da vergognarsi se rimanesse ancora celibe... e oggi, mentre univa le mani degli sposi, mi pareva di leggergli in faccia che gli sarebbe piaciuto se la stessa cerimonia fosse stata fatta per lui. Ho una grande opinione del signor Elton, e questo è l'unico modo che ho di essergli utile».

«Il signor Elton è un giovanotto molto gradevole, certo, e anche un ottimo giovanotto, e ho molta considerazione per lui. Ma se gli vuoi fare una cortesia, cara, invitalo a cenare un giorno da noi. Sarà molto meglio. Oserei dire che il signor Knightley vorrà essere tanto gentile da incontrarlo».

«Con molto piacere, quando volete», disse ridendo il signor Knightley, «e sono assolutamente d'accordo con voi che questo sarà molto meglio. Invitatelo a cena, Emma, e servitegli la miglior porzione di pesce e di pollo, ma la moglie lasciate che se la scelga da solo. Statene sicura, un uomo di ventisei o ventisette anni sa badare a se stesso».

Capitolo secondo

Il signor Weston era originario di Highbury, ed era nato da una rispettabile famiglia che durante le ultime due o tre generazioni era divenuta ricca e aristocratica. Aveva ricevuto una buona educazione, ma avendo ereditato, ancor giovane, una piccola rendita, aveva perso ogni inclinazione per le carriere più umili a cui si erano dedicati i suoi fratelli; e aveva soddisfatto la sua mente attiva e spensierata e il suo carattere socievole entrando nella guardia nazionale della contea, creata proprio allora.

Il capitano Weston era molto popolare; e quando le circostanze della vita militare gli ebbero fatto conoscere la signorina Churchill, che faceva parte di una grande famiglia dello Yorkshire, e la signorina Churchill si innamorò di lui, nessuno ne fu stupito, eccetto il fratello di lei e di sua moglie, che non lo avevano mai visto ed erano pieni di un'arroganza e di una superbia che faceva sembrare la nuova parentela come un oltraggio.

E tuttavia la signorina Churchill, che era maggiorenne e assoluta padrona della sua fortuna (anche se questa non era commisurata al patrimonio di famiglia) non volle a nessuna condizione rinunciare all'idea delle nozze, che avvennero con infinita mortificazione del signore e della signora Churchill che, con il dovuto decoro, la ripudiarono. Fu un'unione mal assortita, e non produsse molta felicità. La signora Weston avrebbe dovuto trovarcene di più, dato che aveva un marito portato dalla sua natura dolce e affettuosa a ritenere di doverle qualsiasi cosa, in cambio della grande bontà che aveva dimostrato nell'innamorarsi di lui; ma nonostante lei avesse un certo spirito, non ne aveva del migliore. Disponeva di forza d'animo sufficiente per insistere sulla sua decisione a dispetto del fratello, ma non da reprimere un irragionevole rammarico per l'irragionevole rabbia di quello stesso fratello, né un rimpianto per il lusso della casa in cui era cresciuta. Vivevano in modo più lussuoso di quanto non consentissero le loro rendite, e tuttavia non c'era paragone con Enscombe; non smise di amare il marito, ma avrebbe voluto essere allo stesso tempo la moglie del capitano Weston e la signorina Churchill di Enscombe.

Il capitano Weston, che tutti, e specialmente i Churchill, pensavano avesse fatto un fior di matrimonio, fu senz'altro, alla fine, quello che ci rimise; giacché quando la moglie morì, dopo tre anni di matrimonio, si trovò più povero di prima, e con un bambino da mantenere. Dalle spese per il piccolo, tuttavia, fu presto sollevato. Era stato il ragazzo, oltre all'attenuante della lunga infermità materna, a contribuire a una sorta di riconciliazione; e il signore e la signora Churchill, che non avevano figli propri, né altra creatura così vicina di cui prendersi cura, offrirono di provvedere completamente per il piccolo Frank subito dopo la morte della madre. È probabile che il padre rimasto vedovo provasse qualche scrupolo e qualche resistenza; ma questi furono vinti da altre considerazioni, e il bimbo fu lasciato alla cura e alla ricchezza dei Churchill, così che Weston poté pensare a fare i propri comodi e a migliorare come meglio poteva la propria situazione.

Si dimostrò auspicabile un totale cambiamento di vita. Lasciò l'esercito ed entrò nel commercio, visto che aveva dei fratelli già ben sistemati a Londra, e che questo gli consentiva un buon avviamento. Si trattava di un impegno che gli procurò proprio la quantità di lavoro che voleva. Possedeva ancora una casetta a Highbury, dove trascorreva gran parte dei giorni di vacanza, e tra il lavoro e i piaceri della compagnia passarono felicemente i successivi diciotto o vent'anni della sua esistenza. Ormai aveva messo insieme un discreto patrimonio, sufficiente ad acquistare una piccola tenuta vicino Highbury che lui aveva sempre desiderato; quanto bastava per sposare una donna del tutto priva di dote come la signorina Taylor, e per vivere secondo i desideri della sua natura cordiale e socievole.

Era già un po' di tempo da che la signorina Taylor aveva cominciato ad avere un'influenza sui suoi piani; ma visto che non si trattava della dispotica influenza di una persona giovane su un'altra, non aveva scosso la sua determinazione di non trovare una vera sistemazione fino a che non fosse stato in grado di acquistare Randalls, e aveva dovuto attendere per parecchio prima che Randalls venisse venduta; ma aveva tirato avanti senza rinunciare a raggiungere i suoi scopi fino al giorno in cui li aveva raggiunti. Costruita la sua fortuna, si era comprata la casa e aveva preso moglie, iniziando così un nuovo periodo della sua vita in cui le probabilità di essere felice erano maggiori che in qualsiasi altro periodo precedente. Non era mai stato un uomo infelice; il suo carattere lo aveva protetto, perfino durante il primo matrimonio; ma il secondo doveva dimostrargli quanto poteva essere deliziosa una donna assennata e veramente amabile, e offrirgli la prova più gradita di quanto fosse preferibile scegliere piuttosto che essere scelto, suscitare gratitudine piuttosto che sentirla.

La sua scelta doveva accontentare solo lui stesso: il patrimonio era tutto suo; giacché per quanto concerneva Frank, per lui si trattava di qualcosa di più che dell'essere tacitamente educato come l'erede dello zio; l'adozione era diventata talmente chiara che con la maggiore età gli era stato fatto prendere il nome Churchill. Era dunque del tutto improbabile che avesse mai bisogno dell'aiuto del padre. Questi non nutriva timori a tale riguardo. La zia era una donna capricciosa, e teneva il marito completamente soggiogato; ma non era nella natura del signor Weston immaginare che un capriccio potesse essere tanto forte da avere conseguenze per una persona così cara e, ne era convinto, così giustamente cara. Vedeva il figlio a Londra ogni anno, e ne era orgoglioso; e l'affettuosa descrizione che ne faceva, come di un giovane di prim'ordine, aveva fatto sì che anche Highbury provasse una specie d'orgoglio. Ritenevano che facesse parte del luogo a sufficienza perché i suoi meriti e il suo avvenire costituissero una sorta di interesse comune.

Il signor Frank Churchill era una delle glorie di Highbury, e c'era una curiosità intensa e generalizzata di vederlo, anche se tali sentimenti erano tanto poco contraccambiati che lui in vita sua non ci era mai andato. Si era spesso parlato di una sua visita al padre, che però non si era mai realizzata.

Ora, in occasione del matrimonio del padre, era stato suggerito da moltissime persone che, quale più che opportuno segno di rispetto, la visita dovesse avere luogo. A tale proposito non c'era alcun parere dissenziente, tanto quando la signora Perry prendeva il tè dalla signora e dalla signorina Bates, quanto quando la signora e la signorina Bates restituivano la visita. Era il momento in cui il signor Frank Churchill avrebbe dovuto venire tra di loro; e la speranza divenne più forte quando si seppe che per l'occasione aveva scritto alla sua nuova madre. Per qualche giorno, durante ogni visita mattutina, a Highbury, non si mancò di fare cenno alla bella lettera che la signora Weston aveva ricevuto. «Immagino sappiate della bella lettera che il signor Frank Churchill ha scritto alla signora Weston. Mi dicono che si tratta proprio di una gran bella lettera. Me ne ha parlato il signor Woodhouse. Il signor Woodhouse ha visto la lettera, e afferma di non avere mai visto una lettera così bella in vita sua».

Ed era davvero una lettera molto apprezzabile. La signora Weston, naturalmente, si era fatta un'idea estremamente favorevole del giovanotto; una simile, gradita attenzione era una prova inequivocabile del suo buon senso, e aggiungeva qualcosa a tutta la felicità che il matrimonio le aveva già procurato. Si sentì una donna molto fortunata, ed aveva vissuto a sufficienza per sapere fino a che punto potesse considerarsi tale, laddove l'unico motivo di rammarico era nella parziale separazione dai suoi amici, i cui sentimenti verso di lei non si erano mai raffreddati, e che mal sopportavano la separazione.

Sapeva che certe volte la sua mancanza sarebbe stata sentita; e non poteva pensare senza pena che Emma dovesse perdere un solo piacere o soffrire un'ora di noia per la mancanza della sua compagnia: ma la cara Emma non era debole di carattere; era all'altezza della situazione, più di quanto lo sarebbero state la maggior parte delle ragazze, e aveva giudizio, energia e spirito, che prevedibilmente l'avrebbero aiutata a superare bene e felicemente le piccole difficoltà e i piccoli sacrifici. E poi era consolante che tra Randalls e Hartfield la strada fosse così breve, tanto da rendere facile una visita anche a una donna che volesse percorrerla da sola, e da accordarsi con la natura e la situazione del signor Weston; così che nulla avrebbe impedito che nella stagione che si approssimava potessero passare insieme la metà delle serate della settimana.

La sua situazione era quindi, per la signora Weston, motivo di ore di gratitudine, con solo qualche momento di rammarico; e la sua soddisfazione (anche se si trattava di qualcosa di più che soddisfazione) la sua felicità era così giusta ed evidente che Emma, pur conoscendo bene suo padre, certe volte era sorpresa nel vederlo ancora commiserare «la povera signorina Taylor», quando la lasciavano a Randalls tra ogni comodità domestica, o la vedevano andar via la sera accompagnata alla sua carrozza dal suo gradevole marito. Ma non capitava mai che se ne andasse senza che il signor Woodhouse facesse un cortese sospiro e dicesse:

«Ah! Povera signorina Taylor! Sarebbe così contenta di poter restare!».

Non era possibile riavere la signorina Taylor, né era probabile che si smettesse di compiangerla; ma poche settimane portarono qualche sollievo al signor Woodhouse. Le felicitazioni dei vicini erano finite; lui non veniva più tormentato dagli auguri di gioia futura per un avvenimento così penoso; e la torta nuziale che gli aveva provocato tanta sofferenza era stata tutta mangiata. Il suo stomaco non poteva sopportare i cibi sostanziosi, e lui non riusciva a credere che gli altri fossero diversi da lui. Quello che era poco salutare per lui, lo considerava nocivo per tutti; e quindi non aveva risparmiato gli sforzi per persuaderli a non farla proprio, la torta nuziale; dimostratisi vani tutti gli sforzi, aveva messo lo stesso impegno nel cercare di impedire a chiunque altro di mangiarla. Si era preso la briga di consultare a tale proposito il signor Perry, il farmacista. Il signor Perry era un uomo intelligente e dai modi signorili, le cui frequenti visite erano uno dei motivi di soddisfazione nella vita del signor Woodhouse; quando gli fu posta la questione, questi non poté non riconoscere (pur a dispetto delle proprie inclinazioni, a quel che parve) che la torta nuziale può senz'altro risultare indigesta a molti, forse ai più, a meno che non la si mangi con moderazione. Con una tale opinione a suffragare la sua, il signor Woodhouse sperava di influenzare ogni persona che venisse a far visita alla nuova coppia; e tuttavia la torta continuava a essere mangiata; e non ci fu tregua per i suoi nervi, così bendisposti verso il prossimo, fino a che non fu completamente finita.

A Highbury c'era una strana voce su tutti i piccoli Perry che erano stati visti con in mano una fetta della torta nuziale della signora Weston; ma il signor Woodhouse non volle mai crederci.

Capitolo terzo

A suo modo, il signor Woodhouse amava la compagnia. Gli piaceva molto che gli amici andassero a fargli visita; e per vari motivi, per via della sua lunga permanenza a Hartfield, del suo buon carattere, del suo patrimonio, della sua casa, e di sua figlia, poteva esigere le visite della sua piccola cerchia di conoscenze quasi a suo piacere. Oltre a quella cerchia non aveva molti rapporti con altre famiglie: il suo terrore di far tardi la sera e di partecipare a cene con troppi invitati gli rendevano impossibile coltivare altre conoscenze, al di là di quelle disposte a venire a visitarlo nei modi che lui preferiva. Per sua fortuna c'erano parecchie persone del genere a Highbury, inclusa Randalls, che era nella stessa parrocchia e l'abbazia di Donwell nella parrocchia limitrofa, dove abitava il signor Knightley. Non capitava di rado che, su suggerimento di Emma, invitasse a pranzo alcuni degli eletti e dei favoriti, ma quelle che preferiva erano le riunioni serali e, se non gli capitava di sentirsi proprio del tutto non propenso alla compagnia, era difficile ci fosse una sera della settimana in cui Emma non riuscisse a mettere insieme per lui una partita a carte.

Un affetto sincero, di antica data, portava a casa sua i Weston e il signor Knightley; e quanto al signor Elton, un giovanotto che viveva da solo senza ricavarne alcun piacere, difficilmente questi avrebbe mancato di cogliere il privilegio di scambiare una qualsiasi vuota serata della sua solitudine con l'eleganza e la compagnia del salotto del signor Woodhouse, e con i sorrisi della sua graziosa figliola.

Dopo di questi veniva un secondo gruppo; qui, tra i più disponibili, c'erano la signora e la signorina Bates e la signora Goddard: quasi sempre queste tre consideravano un invito da Hartfield come un ordine, e le si mandava a prendere e le si riportava a casa talmente spesso che il signor Woodhouse non riteneva fosse una fatica per James o per i cavalli. Se la cosa fosse avvenuta solo una volta all'anno ci sarebbe stato motivo di lamentele.

La signora Bates, vedova del defunto vicario di Highbury, era molto anziana, e non aveva interesse quasi per null'altro che il tè e la quadriglia. Viveva molto modestamente con una figlia nubile, ed era circondata da tutto il riguardo e il rispetto che può suscitare un'innocua vecchia signora che si trovi in circostanze così sfavorevoli. La figlia godeva di un grado di popolarità davvero eccezionale, per una donna che non era né giovane, né graziosa, né ricca, né maritata. La signorina Bates si trovava nelle condizioni peggiori per ottenere simpatia; non aveva superiorità intellettuale a far da contraltare alle sue deficienze, o intimidire, o costringere al rispetto, sia pure esteriore, quanti avrebbero potuto detestarla. Non aveva mai vantato bellezza né intelligenza. La sua giovinezza era passata senza alcuna distinzione, e la sua mezza età era dedicata alle cure di una madre le cui forze scemavano e al tentativo di far bastare quanto più poteva una piccola rendita. E tuttavia era una donna felice, e nessuno parlava di lei senza mostrare benevolenza. Erano la sua stessa benevolenza verso tutti e la sua natura gaia a fare il miracolo. Amava tutti; si interessava della felicità di tutti, vedeva subito i meriti di ciascuno, si riteneva una creatura fortunatissima, che godeva dell'avere una madre tanto eccellente, tanti buoni vicini e amici e una casa in cui non mancava nulla. La semplicità e la contentezza della sua natura, il suo spirito felice e grato erano una raccomandazione per tutti e una miniera di felicità per lei stessa. Non si stancava mai di parlare delle piccole cose, e questo era proprio quel che ci voleva per il signor Woodhouse, pieno di informazioni banali e di innocui pettegolezzi.

La signora Goddard era maestra in una scuola (non in un educandato, o un'istituzione, o qualcosa che professasse, con lunghe frasi tanto raffinate quanto insensate, di combinare un'istruzione liberale con una morale elegante, sulla base di nuovi princìpi e nuovi sistemi; e dove, pagando una retta altissima, le signorine potessero a poco a poco perderne in salute e acquistarne in vanità) ma di un vero, onesto convitto di quelli all'antica, dove una quantità ragionevole di cognizioni veniva venduta a un prezzo ragionevole, e dove si potevano mandare le ragazze perché si togliessero dai piedi e perché facendo sacrifici acquistassero un po' d'istruzione, senza rischiare di tornare a casa trasformate in prodigi. La scuola della signora Goddard godeva un'ottima reputazione (e molto meritatamente, perché Highbury era considerata un posto particolarmente salubre: lei aveva una grande casa con giardino, dava alle bambine cibo sano e abbondante, le lasciava correre intorno un bel po' durante l'estate, e d'inverno curava i loro geloni con le sue mani. Non c'era da stupirsi, quindi, che un gruppo di venti coppie di ragazzine adesso le andasse dietro in chiesa. Era un tipo di donna ordinaria, materna, che aveva lavorato duro da giovane, e ora pensava di potersi concedere, ogni tanto, la distrazione di una visita all'ora del tè; e dato che in passato era stata molto obbligata dalla bontà del signor Woodhouse, sentiva che lui aveva un diritto speciale a chiederle di lasciare ogni volta che poteva il suo impeccabile salottino tutto pieno di decorazioni per andare a vincere, o a perdere, qualche monetina accanto al suo focolare.

Erano queste le signore che Emma si trovava a poter convocare di frequente; ed era felice di poterlo fare, per amore di suo padre; anche se, per quanto concerneva lei, ciò non poteva compensare l'assenza della signora Weston. Era felice di vedere contento suo padre, e si rallegrava con se stessa di essere capace a combinare le cose tanto bene; ma le tranquille chiacchiere di tre donne del genere le facevano sentire che ogni serata passata a quel modo si svolgeva proprio nel modo che lei aveva, con qualche timore, previsto.

Una mattina, mentre se ne stava lì con la prospettiva di concludere la giornata proprio in questo modo, fu portato un biglietto della signora Goddard che, in termini estremamente rispettosi, chiedeva di poter condurre con sé la signorina Smith; una richiesta molto ben accetta: perché la signorina Smith era una giovane di diciassette anni che Emma conosceva benissimo di vista e verso la quale nutriva da tempo interesse, per via della sua bellezza. Venne inviato un graziosissimo invito, e l'idea della serata non destò più alcun timore nella bella padrona di casa.

Harriet Smith era la figlia naturale di qualcuno. Qualcuno l'aveva inserita, vari anni prima, nella scuola della signora Goddard, e ultimamente qualcuno l'aveva promossa dalla condizione di scolara a quella di ospite della direttrice. Questo è quel che si sapeva della sua storia. Non aveva amici conosciuti, a parte quelli che si era fatti a Highbury, e ora era appena ritornata da un lungo soggiorno in campagna presso certe signorine che erano state là a scuola con lei.

Era una ragazza molto graziosa, e la sua bellezza era proprio del tipo che Emma ammirava di più. Era piccolina, paffuta e chiara di pelle, con un bel colorito, occhi azzurri, capelli biondi, lineamenti regolari e uno sguardo pieno di dolcezza; e prima della fine della serata Emma si sentì conquistata tanto dai suoi modi quanto dalla sua persona, e decisa a coltivare la sua conoscenza.

Non fu colpita da nulla di particolarmente brillante nella conversazione della signorina Smith, però la trovò nell'insieme molto attraente: non troppo timida, senza alcuna resistenza a comunicare eppure tutt'altro che invadente, e pronta a mostrare un'opportuna e giusta deferenza, oltre che una evidente gratitudine per essere stata ammessa a Hartfield, e così ingenuamente colpita dall'aspetto così superiore di ogni cosa, rispetto a ciò cui era avvezza, da dare l'impressione di essere molto assennata e di meritare un incoraggiamento. E un incoraggiamento doveva esserle dato. Quei dolci occhi azzurri e quelle grazie naturali non dovevano essere rovinati dall'ambiente scadente di Highbury e dalle sue relazioni. Le conoscenze che la giovane aveva già erano indegne di lei. Gli amici da cui si era staccata solo poco tempo prima, benché fosse tutta gente molto buona, dovevano risultarle nocivi. Si trattava di una certa famiglia Martin, di cui Emma sapeva, per sentito dire, che aveva affittato una grande fattoria del signor Knightley, e che abitava, godendo di un'ottima reputazione, a quanto le risultava, nella parrocchia di Donwell; sapeva che il signor Knightley ne aveva molta stima. Dovevano però essere persone rozze e incolte, assai poco adatte a costituire gli amici intimi di una ragazza a cui non mancava che un po' più di istruzione e di eleganza per essere del tutto perfetta. Lei l'avrebbe circondata di attenzioni; l'avrebbe migliorata; l'avrebbe staccata dalle sue cattive amicizie e l'avrebbe inserita nella buona società; avrebbe plasmato le sue opinioni e le sue maniere. Sarebbe stata un'impresa interessante e certamente molto meritevole; più che mai adatta alla sua posizione, al suo tempo libero e alle sue doti.

Era così presa dall'ammirazione per quegli occhi azzurri, dal parlare e dall'ascoltare, e nei momenti di pausa dal pensare a tutti quei progetti, che la serata volò via con rapidità inconsueta; e la cena, che sempre concludeva quelle riunioni, che lei era solita aspettare con impazienza, era bell'apparecchiata, col tavolo accostato al focolare, prima che se ne rendesse conto. Con un'alacrità che andava al di là del normale impulso di uno spirito che non era mai insensibile al merito di fare ogni cosa nel modo giusto e appropriato, con l'autentico zelo di una mente che si compiaceva delle proprie idee, Emma fece dunque tutti gli onori della cena, e servì e consigliò il pollo tritato e le ostriche impanate con una sollecitudine che, lo sapeva, sarebbe riuscita ben accetta, data l'ora non inoltrata e i cortesi scrupoli dei suoi ospiti.

In occasioni del genere i sentimenti del povero signor Woodhouse subivano un triste conflitto. Gli piaceva vedere la tovaglia spiegata, perché così si faceva al tempo della sua giovinezza; ma d'altra parte le sue convinzioni circa la totale nocività delle cene lo riempiva alquanto di preoccupazione, quando ci vedeva porre sopra qualcosa; e mentre il suo senso d'ospitalità avrebbe voluto che i suoi visitatori facessero onore a tutte le portate, la sua preoccupazione per la loro salute gli rendeva penoso vederli mangiare.

Una scodelletta di leggera pappa d'orzo come la sua era tutto ciò che in coscienza lui poteva consigliare, anche se mentre le signore facevano piazza pulita di cose ben più appetitose si sforzava di dire:

«Signora Bates, vi suggerirei di arrischiarvi con una di queste uova. Un uovo bollito morbido non può far male. Serle sa bollire un uovo meglio di chiunque altro. Non consiglierei un uovo bollito da un'altra persona... non dovete aver paura... sono così piccole, vedete, uno di questi nostri ovettini non potrà nuocervi. Signorina Bates, consentite che Emma vi dia un pezzettino di torta... piccolo piccolo. Le nostre sono tutte torte di mele. Con noi non c'è da temere conserve indigeste. Non vi consiglio la crema. Signora Goddard, cosa ne direste di mezzo bicchiere di vino? Mezzo bicchierino...: in un bicchiere d'acqua? Non penso vi farebbe star male».

Emma lasciava che il padre parlasse, ma serviva gli ospiti in modo molto più soddisfacente; e quella sera provò una soddisfazione particolare nel farli contenti. Anche la signorina Smith rimase soddisfatta, proprio come lèi si era ripromessa. La signorina Woodhouse era una persona tanto importante a Highbury che la prospettiva di esserle presentata aveva provocato non meno timori che piacere, ma l'umile e grata fanciulla se ne andò con l'animo indicibilmente soddisfatto, conquistata dall'affabilità con cui la signorina Woodhouse l'aveva trattata per tutta la sera; alla fine le aveva perfino stretto la mano!

Capitolo quarto

Harriet Smith prese assai presto familiarità con Hartfield. Pronta e risoluta com'era, Emma non pose indugi nell'invitarla, nell'incoraggiarla, e nel dirle di tornare spesso; e a mano a mano che la loro conoscenza si approfondiva, aumentava la soddisfazione che ricavavano l'una dall'altra. Emma aveva subito previsto quanto avrebbe potuto riuscirle utile come compagna di passeggiate. A questo proposito la perdita della signora Weston era stata notevole. Il padre di Emma non andava mai oltre il vivaio, dove due ripartizioni dei campi gli erano sufficienti per la sua passeggiata lunga o per quella corta, a seconda della stagione; così, dopo il matrimonio della signora Weston, Emma aveva fatto troppo poco movimento. In un'occasione si era avventurata da sola fino a Randalls, ma non era stato piacevole; quindi una Harriet Smith, una che lei avrebbe potuto invitare in qualsiasi momento a fare una passeggiata, avrebbe costituito un'apprezzabile incremento dei suoi privilegi. Ma sotto ogni rispetto, più la vedeva e più la stimava, e riconfermava le sue intenzioni benevole.

Certo Harriet non disponeva di particolari talenti, ma aveva una natura dolce, mansueta, riconoscente; era del tutto libera dalla presunzione; e desiderava solo essere guidata da chiunque avesse un ascendente su di lei. La facilità con cui si era affezionata a Emma era molto gradevole; mentre la sua inclinazione per la buona compagnia e la sua capacità di apprezzare ciò che era elegante e intelligente dimostravano che non era priva di gusto, anche se non ci si potevano aspettare da lei grandi prove d'intelligenza. Nel complesso, Emma si era persuasa che Harriet Smith fosse proprio la giovane amica che le ci voleva: proprio quel che era necessario alla sua felicità domestica. Un'amica come la signora Weston era fuori questione. Non se ne sarebbe mai potuta trovare una seconda. Né lei l'avrebbe desiderato. Era una cosa molto differente: un sentimento diverso e indipendente. La signora Weston era oggetto di una considerazione che trovava il suo fondamento nella gratitudine e nella stima. Harriet sarebbe stata amata come una persona a cui lei poteva risultare utile. Non c'era nulla che si dovesse fare per la signora Weston; per Harriet c'era da fare tutto. I suoi primi tentativi di riuscirle utile furono tesi a scoprire chi fossero i suoi genitori; ma Harriet non lo sapeva. Era pronta a dire tutto ciò che poteva, ma su quel punto fare domande era inutile. Emma doveva accontentarsi di immaginare quel che più le piaceva, ma non riusciva a credere che, se si fosse trovata *lei* in quella situazione, non sarebbe riuscita a scoprire la verità. Harriet non aveva capacità di penetrazione. Si era accontentata di sentire e di credere né più né meno di quel che alla signora Goddard era parso opportuno dirle; e non aveva indagato oltre.

La signora Goddard, le insegnanti, le altre ragazze, e in genere gli affari della scuola, costituivano, come è naturale, gran parte della sua conversazione, e se non fosse stato per la sua amicizia con i Martin, della fattoria del Mulino dell'Abbazia, questo sarebbe stato tutto. I Martin però occupavano parecchio i suoi pensieri; aveva passato presso di loro due mesi felici, e adesso non si stancava di parlare di quanto era stato piacevole quel soggiorno, e di descrivere le tante comodità e meraviglie del luogo. Emma incoraggiava la sua loquacità, trovando divertenti quelle descrizioni di una categoria di persone diverse, e godendo dell'ingenuità giovanile di Harriet, che poteva parlare con tale entusiasmo dei *due* salotti della signora Martin (proprio due bellissimi salotti, uno grande proprio quanto quello della signora Goddard) e della prima cameriera della signora Martin, che era stata con lei per venticinque anni, e delle sue otto vacche, due di razza Alderney e una gallese... una piccola vacca gallese, e così carina, e lei le era così affezionata che la signora Martin diceva che si doveva chiamarla la *sua* vacca... e del bel padiglione che avevano nel giardino, dove un giorno o l'altro dell'anno successivo avrebbero tutti preso il tè... un gran bel padiglione, in grado di ospitare una dozzina di persone.

Per un po' di tempo Emma si divertì, senza rifletterci più di tanto; ma appena venne a sapere meglio di che famiglia si trattava, sorsero altri sentimenti. Si era fatta un'idea errata, immaginando si trattasse di una madre e una figlia, un figlio e la moglie di lui, che abitavano insieme; quando apparve chiaro che il signor Martin, che veniva citato spesso nei racconti, e sempre veniva elogiato per il suo gran buon carattere nel far questo o quello, era scapolo; e che non c'era una giovane signora Martin, non c'era nessuna moglie, lei sospettò che tutta quell'ospitalità e cortesia nascondessero qualche pericolo per la sua piccola amica; e che se non la si teneva d'occhio le sarebbe stato chiesto di degradarsi per sempre.

Con quest'idea guida, le sue domande aumentarono di numero e divennero più rilevanti; in particolare portò Harriet a parlare di più del signor Martin, cosa che evidentemente a lei non dispiaceva. Harriet non si fece chiedere due volte di raccontare la parte che lui aveva avuta nelle loro passeggiate al chiaro di luna e negli spensierati giochi serali; e si perdeva a descrivere il suo buon carattere e la sua gentilezza. Un giorno aveva fatto un giro di tre miglia per portarle delle noci, solo perché lei aveva detto che ne andava pazza... e anche per tutto il resto era così servizievole! Una sera aveva fatto venire in salotto il figlio del suo pastore apposta per cantare per lei. Il canto le piaceva enormemente. Lui stesso sapeva cantare un pochino. Lei lo riteneva molto bravo, e capace di capire qualsiasi cosa. Aveva un bellissimo gregge; e nel tempo che era rimasta con loro, gli era stato offerto per la sua lana più che a chiunque altro in paese. Era convinta che tutti parlassero bene di lui. La madre e le sorelle gli erano molto affezionate. Un giorno la signora Martin le aveva detto (e arrossiva ripetendolo) che era impossibile trovare un figlio migliore di lui; e quindi era sicura che sposandosi sarebbe riuscito un marito eccellente. Non che lei desiderasse di vederlo prendere moglie. Non c'era nessuna fretta.

"E brava signora Martin!", pensò Emma. "Sapete il fatto vostro, voi!".

E quando Harriet era venuta via, la signora Martin era stata così gentile da mandare alla signora Goddard una bellissima oca; la più bella che la signora Goddard avesse mai visto. Una domenica la signora Goddard l'aveva cucinata e aveva invitato a cena tutte e tre le insegnanti: la signorina Nash, la signorina Prince e la signorina Richardson.

«Il signor Martin, suppongo, conosce solo quello che impara dal suo mestiere. Non legge?»

«Oh, certo!... Cioè, no... non so... ma credo abbia letto un bel po'... ma non cose a cui voi attribuireste importanza. Legge i *Resoconti Agricoli* e qualche altro libro che si trova sotto il sedile di una finestra... li legge tutti quanti per conto suo. Ma qualche volta la sera, prima di metterci a giocare a carte, leggeva ad alta voce qualcuno degli *Estratti Eleganti*... molto divertente. E so che ha letto il *Vicario di Wakefield*. Non ha mai letto il *Romanzo della foresta*, o *I bambini dell'abbazia*. Non ha mai sentito nominare libri del genere prima che gliene parlassi io, ma adesso è ben deciso a procurarseli appena possibile».

La domanda successiva fu:

«Ma che aspetto ha il signor Martin?»

«Oh! Non è bello... no davvero. All'inizio mi pareva molto brutto, ma ora non mi sembra più così poco attraente. Succede così, sapete, dopo un certo tempo. Ma non l'avete mai visto? Ogni tanto viene a Highbury, e non manca mai di passarci a cavallo ogni settimana, quando va a Kingston. È passato qui davanti parecchie volte».

«Può darsi... magari lo avrò visto una cinquantina di volte, ma senza avere idea di come si chiamasse. Un giovane agricoltore, a cavallo o a piedi, è proprio l'ultimo tipo di persona in grado di suscitare la mia curiosità. I coltivatori sono proprio il genere di gente con cui sento di non poter avere niente a che fare. Quelli che si trovano un gradino o due più in basso, e hanno un aspetto degno, possono interessarmi; potrei sperare di riuscire utile alle loro famiglie, in un modo o nell'altro. Ma un agricoltore non può aver bisogno del mio aiuto, e quindi è tanto al di sopra della mia attenzione, da un certo punto di vista, quanto ne è al di sotto da ogni altro».

«Sicuramente. Oh! Sì, non è probabile che lo abbiate mai osservato... lui però vi conosce proprio bene... di vista, intendo».

«Non dubito che sia un giovanotto per bene. Anzi mi risulta che lo è; e quindi gli auguro ogni fortuna. Quale immaginate sia la sua età?»

«L'otto giugno scorso aveva ventiquattro anni, e il mio compleanno è il ventitré... quindici giorni di differenza! Il che è strano davvero!».

«Solo ventiquattro anni! È troppo giovane per sistemarsi. Sua madre ha completamente ragione a non avere fretta. Sembra che stiano benissimo così, e se lei dovesse darsi la pena di farlo ammogliare, probabilmente poi se ne pentirebbe. Di qui a sei anni, se dovesse incontrare una brava ragazza della sua stessa condizione, con un po' di denaro, potrebbe essere una cosa molto desiderabile».

«Di qui a sei anni! Ma mia cara signorina Woodhouse, allora avrebbe trent'anni».

«Ebbene, la maggior parte degli uomini che non vivono di rendita non possono permettersi di sposarsi prima di quell'età. Il signor Martin, immagino, deve ancora costruirselo del tutto, il suo patrimonio; e quindi non può essere in anticipo sugli altri. Qualunque sia la somma di denaro che erediterà alla morte di suo padre, quale che sia la sua porzione del patrimonio di famiglia, presumo che essa sia tutta in movimento, tutta investita nelle provviste e via dicendo; e, anche se con impegno e fortuna potrà col tempo diventare ricco, è quasi impossibile che abbia già messo insieme qualcosa».

«È senz'altro così. Però vivono molto comodamente. Anche se non hanno in casa un uomo di servizio, non manca loro nulla e la signora Martin parla di prendere un ragazzo il prossimo anno».

«Spero non vi troverete in imbarazzo, Harriet, quando finirà per prendere moglie... voglio dire, nel dover stabilire un rapporto con la sposa; giacché, sebbene le sue sorelle, grazie all'educazione superiore, non possano incontrare una totale disapprovazione, questo non vuol dire che lui sia destinato a sposare una persona che a voi convenga frequentare. La disgrazia della vostra nascita dovrebbe rendervi particolarmente circospetta quanto alle persone con cui fate amicizia. Non ci può essere dubbio che voi siate la figlia di un gentiluomo, e dovete sostenere la vostra pretesa a questa condizione con ogni mezzo in vostro potere, o ci sarà un'infinità di gente che trarrà soddisfazione dal degradarvi».

«Certo, sì... penso ce ne sia. Ma mentre faccio visita a Hartfield, e voi siete così buona con me, signorina Woodhouse, non ho paura di quel che può fare la gente».

«Voi comprendete assai bene, Harriet, l'influenza dell'ambiente; vorrei però vedervi stabilita nella buona società in modo così solido da essere indipendente perfino da Hartfield e dalla signorina Woodhouse. Voglio vedervi avviare delle buone relazioni in modo duraturo, e a tal fine sarà consigliabile che abbiate il minor numero possibile di rapporti non convenienti; sostengo perciò che, se doveste essere ancora da queste parti quando si sposa il signor Martin, preferirei che dall'intimità con le sue sorelle non foste indotta a divenire amica di sua moglie, che probabilmente non sarà altro che la figlia di qualche semplice agricoltore, priva di educazione».

«Certamente. Sì. Non che io creda che il signor Martin sposerebbe una che non abbia una certa istruzione... e che sia stata educata come si deve. Però non voglio davvero mettere la mia opinione contro la vostra... e sono sicura che non desidererò fare amicizia con sua moglie. Avrò sempre una grande considerazione per le signorine Martin, soprattutto per Elizabeth, e mi dispiacerebbe assai rinunciare a loro, perché non sono meno bene educate di me. Se però lui sposa una donna molto ignorante e volgare, sarà senz'altro meglio che io non vada a farle visita, se mi sarà possibile».

Emma la osservò mentre faceva questo discorso, e non vi scoprì tracce allarmanti di amore. Il giovanotto era stato il primo ammiratore, ma confidò che non ci fossero altri motivi di attaccamento, e che da parte di Harriet non ci sarebbero state serie difficoltà se avesse sistemato lei le cose in modo amichevole.

Incontrarono il signor Martin proprio il giorno successivo, mentre passeggiavano per la strada di Donwell. Se ne andava a piedi, e dopo aver rivolto a Emma uno sguardo rispettoso, guardò la sua compagna con soddisfazione più che sincera. Emma fu contenta di avere questa opportunità di esaminarlo; avanzò di pochi metri, e mentre Harriet e il signor Martin parlavano insieme il suo sguardo acuto poté farsi in poco tempo un'idea adeguata del giovanotto. Aveva un aspetto molto lindo, e pareva un giovane assennato, ma la sua persona non presentava altre attrattive; quando lo si fosse messo a confronto con dei signori, pensò Emma, avrebbe perduto tutto il terreno che aveva guadagnato nella simpatia di Harriet. Harriet era sensibile alle buone maniere; aveva spontaneamente notato la gentilezza del padre di Emma, con ammirazione mista a stupore. Mentre il signor Martin aveva l'aspetto di una persona che non sapeva neppure cosa fossero, le belle maniere.

Non rimasero insieme che pochi minuti, perché non si doveva far attendere la signorina Woodhouse; poi Harriet venne verso di lei correndo, con un sorriso sul volto e piena di un'agitazione che la signorina Woodhouse sperava di poter prontamente sedare.

«L'avreste detto, che avremmo incontrato proprio lui! Com'è strano! È stato proprio un caso, ha detto, che non abbia preso per Randalls. Non pensava che noi passassimo mai per questa strada. Credeva che andassimo quasi sempre a passeggiare in direzione di Randalls. Non è ancora riuscito a procurarsi il *Romanzo della foresta*. Aveva così tanto da fare, l'ultima volta che è stato a Kingston, che se n'è dimenticato, ma ci tornerà domani. Com'è strano che ci sia successo di incontrarlo! Beh, signorina Woodhouse, è come lo immaginavate? Cosa pensate di lui? Vi pare davvero un tipo poco attraente?»

«È assai poco attraente, non c'è dubbio, lo è davvero; ma questo è niente, in confronto alla sua completa mancanza signorilità. Non avevo diritto di aspettarmi granché, e infatti non mi facevo illusioni; ma non avevo idea che fosse un tale bifolco, così assolutamente privo di distinzione. Me l'ero immaginato, debbo confessarlo, un grado o due più vicino a dei modi signorili».

«Certo», disse Harriet, in tono mortificato, «non è signorile come un vero signore».

«Penso, Harriet, che da quando avete fatto la nostra conoscenza siate stata in compagnia di signori autentici con una frequenza sufficiente perché voi stessa rimaniate colpita dalla differenza che c'è con il signor Martin. A Hartfield avete visto ottimi esempi di uomini istruiti e di bei modi. Sarei stupita se, dopo averli visti, poteste ancora stare in compagnia del signor Martin senza accorgervi che è un essere molto inferiore, anzi senza rimanere sorpresa di averlo potuto trovare simpatico prima. Cominciate a capirlo adesso? Non siete rimasta colpita? Sono certa che dovete essere rimasta colpita dalla sua goffaggine e dai suoi modi rozzi, e dalla mancanza di grazia della sua voce, che alla distanza a cui mi trovavo, sentivo era del tutto priva di modulazione».

«Certo, non assomiglia al signor Knightley. Non ha l'aria così signorile e il modo di camminare del signor Knightley. Si vede la differenza, certo. Ma il signor Knightley è un uomo così elegante!».

«Il signor Knightley ha un'aria così eccezionalmente superiore che non è giusto paragonare il signor Martin a lui. Non ne troverete uno su cento che porti così chiaramente scritta in fronte la sua signorilità come il signor Knightley. Ma non è il solo signore che abbiate avvicinato negli ultimi tempi. Che ne pensate del signor Weston e del signor Elton? Paragonate il signor Martin con l'uno o l'altro. Mettete a confronto il loro portamento, il loro modo di camminare, di parlare, di tacere. Dovrete ben notare la differenza».

«Oh, certo! C'è una grande differenza. Ma il signor Weston è quasi un vecchio. Il signor Weston deve essere tra i quaranta e i cinquanta».

«E ciò rende ancora più preziose le sue buone maniere. Più si invecchia, Harriet, più conta avere buone maniere, più si fa notare e risulta sgradevole ogni chiassosità, ogni rozzezza, ogni goffaggine. Quel che è tollerabile in un giovane, è riprovevole più avanti negli anni. Il signor Martin è goffo e rozzo adesso; come sarà quando avrà l'età del signor Weston?»

«Dio solo lo sa, davvero!», rispose Harriet, con una certa solennità.

«Ma è molto facile indovinarlo. Sarà un agricoltore del tutto grossolano e volgare, del tutto incurante delle apparenze e che pensa solo al guadagno e alle perdite».

«Sarà così? Allora sarà una pessima cosa».

«Quanto i suoi affari lo assorbano, già adesso, è molto evidente dal fatto che si è scordato di cercare il libro che gli avevate raccomandato. Pensava troppo al suo commercio per tenere in testa qualcos'altro... ma in fondo è del tutto giusto che sia così, per un uomo che deve costruirsi una fortuna. Che ha a che fare lui con i libri? Non ho alcun dubbio che lui se la costruirà, la fortuna, e un giorno sarà un uomo molto ricco; ma la sua mancanza di cultura e la sua rozzezza non devono turbare noi».

«Mi stupisce che non si sia ricordato del libro», fu tutto quel che riuscì a rispondere Harriet, e lo disse con un'aria di tale delusione da convincere Emma che questo sentimento si sarebbe fatto strada da solo. Così non disse nulla per qualche tempo. Poi riprese:

«Da un certo punto di vista, forse le maniere del signor Elton sono superiori a quelle del signor Knightley o del signor Weston. Sono più rifinite. Si potrebbe tranquillamente raccomandarle come modello. Nel signor Weston c'è un'onestà, una prontezza, quasi una schiettezza, che *in lui* piace a tutti, perché si accompagna a tanta bonomia; ma questo non ne fa certo un modello da imitare. E neppure le maniere dirette, decise, autoritarie del signor Knightley, anche se *a lui* si addicono alla perfezione; il suo aspetto, la sua figura, la sua posizione paiono permetterla; ma se un giovanotto si mettesse a imitarlo non sarebbe tollerabile. Al contrario, credo si potrebbe senza rischio raccomandare a un giovane di prendere a modello il signor Elton. Il signor Elton ha un buon carattere, è allegro, servizievole e gentile. Mi pare che ultimamente si sia fatto più raffinato che mai. Non so se abbia un atteggiamento tanto pieno di dolcezza perché ha in mente di entrare nelle grazie di una di noi due, Harriet, ma mi pare di notare che i suoi modi sono diventati più dolci di quel che solevano. Se ha qualcosa in mente, deve essere per piacere a voi. Non vi ho ripetuto quel che ha detto di voi l'altro giorno?».

E a questo punto riferì un caldo apprezzamento personale che aveva sentito dal signor Elton, a cui ora rese pienamente giustizia; Harriet arrossì e sorrise, e disse che il signor Elton le era sempre sembrato simpatico.

Il signor Elton era proprio la persona su cui Emma contava per scacciare dal cuore di Harriet il giovane agricoltore. Credeva che quello sarebbe stato un eccellente matrimonio; fin troppo manifestamente auspicabile, naturale e probabile, perché dal progettarlo a lei ne venisse molto merito. Temeva fosse proprio ciò a cui tutti pensavano e prevedevano. Non era però verosimile che qualcuno l'avesse anticipata, nel fare quel progetto, perché le era passato per la mente proprio la prima sera che Harriet era venuta a Hartfield. Più ci pensava, più si persuadeva della sua convenienza. La situazione del signor Elton era più che mai indicata: era un vero signore, senza bassi legami di parentela; al tempo stesso, non apparteneva a una famiglia che potesse legittimamente fare obbiezione alla dubbia nascita di Harriet. Disponeva, per lei, di una casa piena di ogni comodità e, immaginava Emma, di una rendita più che sufficiente; poiché, anche se la parrocchia di Highbury non era ampia, si sapeva che aveva delle proprietà personali; Emma confidava molto anche sul fatto che fosse un giovane allegro, benintenzionato, rispettabile, che non mancava di comprendere o sapere, del mondo, tutto ciò che era utile.

Si era già sincerata del fatto che lui riteneva Harriet una bella ragazza e ciò, lei confidava, con occasioni così frequenti di incontrarsi a Hartfield, costituiva una base sufficiente, da parte di lui; da parte di Harriet, non c'era da dubitare che l'idea di essere scelta da lui avrebbe avuto tutto il peso e l'effetto che sono consueti in casi del genere. Lui era davvero un giovane molto simpatico, un giovane che avrebbe potuto piacere a ogni donna non troppo difficile. Era considerato molto avvenente; la sua persona era in genere molto ammirata, anche se non da Emma, visto che mancava, ai suoi lineamenti, l'eleganza di cui lei non sapeva fare a meno... ma la ragazza che poteva esser soddisfatta di un Robert Martin che se ne andava a cavallo per la campagna a cercarle noci, avrebbe senz'altro sopportato di lasciarsi conquistare dall'ammirazione del signor Elton.

Capitolo quinto

«Non so cosa possiate pensarne voi, signora Weston», disse il signor Knightley, «su questa grande intimità tra Emma e Harriet Smith, ma a me pare una brutta cosa».

«Una brutta cosa! Davvero pensate che sia una brutta cosa? E perché mai?»

«Credo che nessuna delle due possa esser d'aiuto all'altra».

«Mi sorprendete! Emma deve far del bene a Harriet; e col fornirle un nuovo oggetto d'interesse, si può dire che anche Harriet faccia del bene a Emma. Ho visto crescere la loro intimità con molto piacere. Come la pensiamo diversamente... Credere che non possano far del bene l'una all'altra! Questo sarà certamente l'inizio di una delle nostre discussioni intorno ad Emma, signor Knightley».

«Forse pensate che io sia venuto apposta per litigare con voi, sapendo che Weston è fuori, e che dovete difendervi da sola».

«Il signor Weston mi sosterrebbe senz'altro, se fosse qui, poiché su questo punto la pensa esattamente come me. Ne parlavamo non più tardi di ieri, ed eravamo d'accordo sul fatto che fosse una gran fortuna per Emma che ci fosse a Highbury una ragazza come Harriet, per farle compagnia. Signor Knightley, consentitemi di dirvi che in questo caso non siete un giudice obiettivo. Siete così abituato a vivere da solo che non conoscete il valore di un compagno; e forse nessun uomo può essere un buon giudice, quanto al conforto che prova una donna quand'è in compagnia di una creatura del proprio sesso, dopo esserci stata abituata per tutta la vita. Posso immaginare perché Harriet Smith desta le vostre obiezioni. Non è il tipo della fanciulla superiore, come dovrebbe essere l'amica di Emma. Ma d'altra parte, visto che Emma desidera che diventi più istruita, questo servirà a stimolarla a leggere di più lei stessa. Leggeranno insieme. Ha questa intenzione, lo so per certo».

«Emma ha sempre avuto intenzione di leggere di più, da quando aveva dodici anni. Ho visto tantissime liste, da lei compilate in varie epoche, di libri che intendeva leggere da cima a fondo, ed erano ottime liste, molto ben scelte e ordinate con grande precisione, talvolta in ordine alfabetico, altre volte secondo un diverso criterio. Ricordo che la lista che ha compilato quando aveva appena quattordici anni faceva tanto onore al suo giudizio che la conservai per un certo tempo; e si può star certi che adesso avrà compilato una lista eccellente. Ma ho rinunciato ad attendermi da Emma un piano di letture metodiche. Non si sottometterà mai a qualcosa che richiede impegno e pazienza, e una subordinazione della fantasia all'intelletto. Dove la signorina Taylor non è riuscita a stimolare, posso affermare con sicurezza che nemmeno Harriet Smith potrà aver effetto. Voi non siete mai riuscita a persuaderla a leggere la metà di quel che desideravate. Sapete che non potevate farlo».

«Oserei dire», ribatté la signora Weston sorridendo, «che allora la pensavo così; ma da quando ci siamo separate, non riesco a ricordare una sola occasione in cui Emma abbia trascurato di fare quel che volevo».

«Non desidero certo rinfrescare una memoria come quella...», disse il signor Knightley con calore, e si interruppe per un momento. «Ma io», aggiunse subito, «che non sono stato accecato da un tale incanto, ancora non posso fare a meno di vedere, di sentire e di ricordare. Emma è viziata per via del fatto che è l'ingegno più vivace della famiglia. A dieci anni ha avuto la disgrazia di riuscire a rispondere a domande che mettevano in difficoltà sua sorella, che ne aveva diciassette. Emma è sempre stata pronta e sicura di sé; Isabella lenta e diffidente. E a partire dal suo dodicesimo anno Emma è stata padrona della casa e di tutti voi. Con la madre ha perso l'unica persona che poteva tenerle testa. Eredita il talento di sua madre, e a lei sarebbe stata sottomessa».

«Sarei stata dispiaciuta, signor Knightley, di dovermi rimettere alla *vostra* raccomandazione, se avessi lasciato la famiglia del signor Woodhouse, per cercare un altro posto; non credo avreste detto a nessuno una parola in mio favore. Sono certa che voi mi avete sempre ritenuta inadeguata al compito che mi era affidato».

«Sì», disse lui sorridendo, «voi sareste stata meglio *qui*; più che adatta come moglie, ma niente affatto come governante. Ma per tutto il tempo che siete stata a Hartfield vi siete preparata a essere un'ottima moglie. Può darsi che non abbiate dato a Emma quella educazione completa che le vostre capacità parevano promettere; ma di certo avete ricevuto *da lei* un'ottima educazione, su quel capitolo importantissimo del matrimonio che consiste nel sottomettere la propria volontà e nel fare quel che viene ordinato; e se Weston mi avesse chiesto di raccomandargli una moglie, di certo avrei fatto il nome della signorina Taylor».

«Grazie. Ma c'è ben poco merito nell'essere una buona moglie per un uomo come il signor Weston».

«Ebbene, a dire il vero, ho paura che siate alquanto sprecata, e che, pur essendo tanto disposta a sopportare, non dobbiate sopportare nulla. Non disperiamo, però. Weston potrebbe diventare bisbetico proprio a causa delle troppe comodità, oppure suo figlio potrebbe divenire un cruccio».

«*Questo* spero che non succeda. Non è verosimile. No, signor Knightley, non dovete prevedere difficoltà da quella parte».

«No davvero. Mi limito a parlare delle varie possibilità. Non pretendo di avere il talento di Emma per prevedere e indovinare. Spero con tutto il cuore che quel giovanotto possa divenire un Weston per merito, e un Churchill per patrimonio... Ma Harriet Smith... non ho ancora detto neppure la metà di quello che voglio dire su Harriet Smith. Penso sia il peggiore tipo di compagna che potrebbe capitare a Emma. Non sa un bel nulla, e ritiene Emma onnisciente. Non fa che adularla; e il fatto che non lo faccia di proposito è fin peggio. La sua ignoranza è una continua adulazione. Come può Emma pensare di avere lei stessa da imparare qualcosa, mentre Harriet le offre lo spettacolo di una tale deliziosa inferiorità? E quanto a Harriet, oso dire che non ha nulla da guadagnare da una tale amicizia. Hartfield non farà che farle considerare con distacco tutti gli altri posti a cui lei appartiene. Diventerà abbastanza sofisticata da trovarsi a disagio con coloro che appartengono all'ambiente in cui la nascita e le circostanze l'hanno collocata. O mi sbaglio di molto, o gli insegnamenti di Emma non servono né a dare forza d'animo né a portare una ragazza ad adattarsi razionalmente ai cambiamenti della sua situazione nella vita. Danno solo una patina di belle maniere».

«Forse io confido più di voi nel giudizio di Emma, o forse mi preoccupo di più del suo attuale benessere; di certo, non riesco a deplorare una tale amicizia. Che bell'aspetto aveva ieri sera!».

«Oh, voi preferite parlare della sua persona, piuttosto che del suo spirito, eh? Molto bene; non intendo certo negare che Emma sia carina».

«Carina! Dite bella, piuttosto. Potete immaginare qualcosa di più prossimo di Emma alla perfetta bellezza, nel suo complesso, viso e figura?»

«Non so cosa potrei immaginare io, ma confesso che raramente ho visto un viso o una figura più attraenti dei suoi. Io però ho la parzialità di un vecchio amico».

«Che occhi! I veri occhi color nocciola, e così pieni di luce! Lineamenti regolari, viso aperto, e un colorito! Oh, che salute fiorente, e che altezza, che proporzioni aggraziate; che figura solida, dritta! Emanano salute non solo il suo incarnato, ma anche la sua aria, la sua testa, il suo sguardo. Alle volte si sente dire, di un bambino, che è il ritratto della salute; ebbene, Emma mi fa sempre l'affetto di essere il vero ritratto della salute adulta. È la grazia fatta persona. Non è forse così, signor Knightley?»

«Non vedo certo alcun difetto nella sua persona», rispose lui. «Credo sia tutto come dite voi. Mi piace guardarla, e aggiungerò questa lode: non credo abbia alcuna vanità per la sua persona. Considerando quanto è bella, sembra se ne curi poco; la sua vanità è altrove. Signora Weston, non mi toglierete di mente la mia disapprovazione per la sua intimità con Harriet Smith, o la mia paura che essa sia dannosa a entrambe».

«E io, signor Knightley, sono allo stesso modo irremovibile nella mia fiducia che tale intimità non sia per nulla dannosa a nessuna delle due. Con tutti i suoi difettucci, la nostra Emma è una creatura eccellente. Dove trovare una figliola migliore, o una sorella più affettuosa, o una vera amica? No, no; possiede qualità su cui si può contare; non indurrà mai nessuno a comportamenti sbagliati; non commetterà errori irreparabili; se Emma sbaglia una volta, è nel giusto cento volte».

«Sta bene, non vi assillerò più. Emma sarà un angelo, e io mi terrò per me il mio malumore finché Natale porterà qui John e Isabella. John nutre per Emma un affetto ragionevole, e dunque non cieco, e Isabella la pensa sempre come lui; eccetto quando lui non sente abbastanza apprensione per i bambini. Sono certo che la penseranno come me».

«So che tutti voi le volete davvero troppo bene per essere ingiusti o duri nei suoi confronti; ma scusate, signor Knightley, se io mi prendo la libertà (sapete che ritengo di avere il privilegio di poter dire le cose che direbbe la madre di Emma)... la libertà di alludere al fatto che non credo qualcosa di buono possa scaturire dal fatto che discutiate molto tra di voi l'intimità con Harriet Smith. Vi prego di scusarmi, ma anche immaginando che ci sia da temere, da una tale intimità, qualche piccolo inconveniente, non ci si può aspettare che Emma, dovendo rispondere solo a suo padre, che approva interamente la relazione, ci ponga fine, fintanto che per lei essa costituisce una fonte di piacere. Per molti anni dare consigli è stato compito mio, e quindi non potete rimanere stupito, signor Knightley, di questo prolungamento del mio impegno».

«Oh no, per nulla», esclamò lui, «anzi ve ne sono obbligato. È un ottimo consiglio, e avrà sorte migliore di quanta non ne abbiano spesso avuta i vostri consigli, visto che lo terrò ben presente».

«La signora Knightley si allarma facilmente, e potrebbe crucciarsi per la sorella».

«State tranquilla», disse lui, «non farò scalpore. Terrò per me il mio cattivo umore. Nutro per Emma un interesse del tutto sincero, e la sento vicina almeno quanto la stessa Isabella, che pur essendo mia cognata, non ha mai destato in me altrettanto interesse. C'è dell'ansia, della curiosità in quel che uno sente nei confronti di Emma. Mi chiedo cosa sarà di lei».

«Anch'io lo faccio», disse con dolcezza la signora Weston, «moltissimo».

«Dice sempre che non si sposerà mai, e questo naturalmente non vuol dire niente. Ma ho l'impressione che non abbia ancora incontrato un uomo che la interessi. Non sarebbe male se si innamorasse moltissimo della persona giusta. Mi piacerebbe vedere Emma innamorarsi, e dubitare che il suo amore sia ricambiato; le farebbe bene. Ma qui non c'è nessuno che possa catturarla; e si allontana così raramente da casa!».

«Sembra proprio che ci sia ben poco, per il momento, che possa tentarla a infrangere la sua decisione», disse la signora Weston, «e fintanto che è così felice a Hartfield, non posso desiderare che avvii un legame che creerebbe tante difficoltà, in considerazione del povero signor Woodhouse. Per ora non consiglio a Emma il matrimonio, anche se, ve lo assicuro, non intendo parlare male dello stato coniugale».

41

In parte, il suo scopo era nascondere quanto più possibile certe valutazioni, sue e del signor Weston, in proposito. A Randalls si formulavano auspici sul destino di Emma, ma non era desiderabile che gli altri lo sospettassero; e il tranquillo passaggio che il signor Knightley fece subito dopo, dicendo: «Che ne pensa Weston del tempo? Avremo pioggia?», la convinse che non aveva nient'altro da dire o da ipotizzare circa Hartfield.

Capitolo sesto

Emma non dubitava minimamente di non avere dato all'immaginazione di Harriet una direzione appropriata e di non aver innalzato a un ottimo obiettivo la sua vanità giovanile, perché la trovò decisamente più sensibile di prima al fatto che il signor Elton fosse davvero un bell'uomo, dai modi piacevolissimi; e visto che non ebbe alcuna esitazione ad assecondare, con qualche accenno lusinghiero, la convinzione che lui l'ammirasse, ben presto si convinse di avere creato tanta simpatia, da parte di Harriet, quanta ne permettevano le circostanze. Emma era del tutto convinta che il signor Elton fosse sul punto di innamorarsi, se non lo era già. Non aveva scrupoli nei suoi confronti. Lui parlava di Harriet, e la lodava così caldamente che Emma non poteva supporre che mancasse nulla che non sarebbe venuto, con un po' di tempo. Il fatto che notasse lo straordinario miglioramento dei modi di Harriet, da che era stata introdotta a Hartfield, non era, tra le prove del suo crescente affetto, una delle meno gradite.

«Avete dato alla signorina Smith tutto quello di cui aveva bisogno», disse, «l'avete resa aggraziata e disinvolta. Era una bella creatura prima di venire da voi, ma, a mio parere, le attrattive che voi avete aggiunto sono incommensurabilmente superiori a quelle che ha ricevuto dalla natura».

«Sono felice che pensiate che io le sia stata utile; ma l'unica cosa di cui Harriet aveva bisogno era che si tirasse fuori quel che in lei già c'era, e di ricevere pochi, davvero pochissimi suggerimenti. Aveva in sé tutta la grazia naturale della dolcezza e della semplicità. Io ho fatto molto poco».

«Se fosse consentito contraddire una signora...», disse il galante signor Elton.

«Può darsi che io le abbia dato un po' più risolutezza di carattere, e le ho insegnato a pensare a cose su cui non le era successo di soffermarsi prima».

«Proprio così; è proprio questa la cosa che più di tutte mi colpisce. Una tale maggiore risolutezza di carattere! Quant'è stata abile la vostra mano!».

«Il piacere è stato grande, ve lo assicuro. Non mi sono mai imbattuta in un carattere più autenticamente amabile».

«Non ne dubito». E questo fu detto con una specie di sospirosa animazione, che pareva proprio quella di un innamorato. Un altro giorno, Emma rimase altrettanto soddisfatta del modo in cui il signor Elton assecondò un suo improvviso desiderio, quello di avere un ritratto di Harriet.

«Vi siete mai fatta fare un ritratto, Harriet», disse Emma; «avete mai posato per un quadro?».

Harriet, che stava lasciando la stanza, si fermò solo per dire, con un'ingenuità incantevole:

«Oh Dio, no... mai!».

Appena fu scomparsa, Emma esclamò:

«Che cosa deliziosa sarebbe avere un buon ritratto di Harriet! Pagherei non so quanto per averlo. Avrei quasi voglia di tentare io stessa di ritrarla. Immagino che voi non lo sappiate, ma due o tre anni fa avevo un grande desiderio di fare ritratti, e provai con parecchi dei miei amici; in genere mi veniva riconosciuto un certo occhio. Ma, per una ragione o per l'altra, me ne stufai e rinunciai. Però quasi mi azzarderei a farlo, se Harriet volesse posare per me. Sarebbe un tale piacere avere la sua immagine!».

«Consentitemi di implorarvi», esclamò il signor Elton. «Sarebbe davvero un tale piacere! Consentitemi di implorarvi, signorina Woodhouse, di applicare un talento così affascinante in favore della nostra amica. Conosco i vostri disegni. Come avete mai potuto pensare che non li conoscessi? Non è forse questa camera ricca di esempi dei vostri fiori e dei vostri paesaggi? E non ha la signora Weston, nel suo salotto di Randalls, alcuni inimitabili studi di figura?»

"Sì, amico mio", pensò Emma, «ma che cosa ha a che fare tutto questo con l'eseguire ritratti? Voi non vi intendete affatto di disegno. Non fate finta di andare in visibilio davanti ai miei. Tenete in serbo le vostre estasi per il viso di Harriet». Poi disse: «Ebbene, se mi date incoraggiamenti tanto cortesi, signor Elton, credo tenterò. I lineamenti di Harriet sono molto delicati, e ciò rende difficile fare un ritratto somigliante; eppure, c'è qualcosa di particolare, nella forma degli occhi e nelle linee intorno alla bocca, che si dovrebbe riuscire a catturare».

«Esattamente... la forma degli occhi e le linee intorno alla bocca... non dubito sul vostro successo. Ve ne prego, ve ne prego, tentate. Dato il modo in cui eseguirete il ritratto, esso sarà davvero, per usare le vostre parole, una cosa deliziosa da avere».

«Temo però, signor Elton, che a Harriet non piacerà posare. Fa talmente poco conto della sua bellezza! Non avete notato in che modo mi ha risposto? Intendeva dirlo chiaro e tondo: perché mai mi si dovrebbe fare un ritratto?»

«Oh sì, l'ho notato, ve lo assicuro, non mi è sfuggito. E tuttavia non riesco a immaginare come potrà non lasciarsi convincere».

Presto Harriet ritornò, e la proposta venne avanzata quasi immediatamente; e i suoi scrupoli non poterono resistere molti minuti di fronte alle calorose insistenze degli altri due. Emma desiderava mettersi subito al lavoro, così tirò fuori la cartella che conteneva i suoi vari tentativi di ritratti, giacché nessuno di essi era mai stato finito, per decidere il formato più indicato per Harriet. Furono esibite molte delle opere da lei iniziate. Di volta in volta, aveva fatto prove di miniature, busti, ritratti in piedi, disegni a matita, pastelli, acquerelli. Aveva sempre voluto sperimentare tutto, e aveva fatto più progressi nel disegno e nella musica di quanti ne avrebbero fatti molte altre, data la poca resistenza che aveva nell'assoggettarsi alla fatica. Suonava e cantava, e disegnava quasi in ogni stile; le era sempre mancata, però, la costanza; e in nulla si era avvicinata al grado di perfezione che sarebbe stata contenta di possedere, e a cui non sarebbe venuta a meno. Non si ingannava di molto in merito alla sua abilità di artista o di musicista, ma non sentiva dispiacere nell'indurre gli altri a ingannarsi, o nel sapere che l'idea che si facevano della sua abilità spesso era più alta di quanto non meritasse.

In ciascun disegno c'era qualche merito, forse soprattutto in quelli meno finiti; il suo stile era pieno di brio; ma anche se ce ne fosse stato molto meno, o dieci volte tanto, il piacere e l'ammirazione dei suoi due compagni sarebbero stati uguali. Entrambi andarono in estasi. Un ritratto somigliante piace a tutti; e le opere della signorina Woodhouse dovevano essere superbe.

«Qui non c'è molta varietà di facce», disse Emma. «Non avevo altro che la mia famiglia su cui fare studi. Ecco mio padre, ed eccone un altro di mio padre; però l'idea di posare per il suo ritratto lo ha reso così nervoso che ho potuto coglierne i lineamenti solo di nascosto; quindi né l'uno né l'altro ritratto gli somiglia molto. La signora Weston, ancora e ancora, e poi un'altra volta, vedete. Cara signora Weston! Sempre la mia più buona amica, in ogni occasione. Posava in qualsiasi momento glielo chiedessi. Ed ecco mia sorella; è proprio la sua elegante figuretta! E la faccia non è troppo diversa. L'avrei fatta molto somigliante, se avesse posato più a lungo, ma aveva tanta fretta che facessi un ritratto ai suoi quattro bambini che non stava ferma. Ed ecco qui tutti i miei tentativi di rendere tre dei quattro bambini: ecco Henry e John e Bella, da una parte all'altra del foglio, e ognuno di loro potrebbe rappresentare uno qualsiasi degli altri. Lei ci teneva tanto che facessi loro il ritratto che non ho potuto rifiutare; ma non è possibile far stare fermi dei bambini di tre o quattro anni, sapete: e non è facile rendere le loro sembianze, al di là dell'atteggiamento e del colorito, a meno che non abbiano espressioni assai più rozze di quelle che hanno in genere i figli di buona famiglia. Questo è il mio schizzo del quarto, che era un lattante. L'ho ritratto mentre dormiva sul sofà, e la rassomiglianza della cuffietta non potrebbe essere maggiore. Teneva la testa appoggiata nel modo più comodo. È somigliantissimo. Sono piuttosto orgogliosa del piccolo George. L'angolo del sofà è ottimo. Ed ecco il mio ultimo», disse mostrando un grazioso schizzo, di piccolo formato, di una figura intera, «il mio ultimo e il migliore; mio cognato, il signor John Knightley. Questo non ci sarebbe voluto molto a finirlo, quando l'ho messo da una parte in un momento di malumore, e ho fatto voto di non fare più ritratti. Non ho potuto fare a meno di irritarmi, perché dopo tutte le mie fatiche, e proprio quando ce l'avevo fatta a catturare la somiglianza (la signora Weston ed io eravamo d'accordo nel ritenerlo molto somigliante)... solo troppo bello, troppo adulatorio... ma questo era quasi un merito... dopo tutto questo è venuta la fredda approvazione della povera cara Isabella, secondo la quale sì, gli somigliava un po', ma di certo non gli rendeva giustizia. Ci è voluta molta fatica per persuaderlo a posare. Ci è stato concesso, come un grande favore; nel complesso la cosa superava il limite della mia sopportazione, cosicché non ho mai voluto finirlo, per poi dover sentire che in Brunswick Square ci si scusava per la sua scarsa somiglianza con ogni visitatore mattutino; e, come ho detto, allora rinunciai a fare altri ritratti. Ma per amore di Harriet, o piuttosto per amor mio, dato che in questo caso per il momento non ci sono di mezzo né mariti né mogli, verrò meno alla mia decisione».

Il signor Elton sembrò molto colpito e deliziato dall'idea, e andò avanti a ripetere: «In questo caso, per il momento, né mariti, né mogli, come potete notare. Proprio. Né mariti, né mogli», con un atteggiamento talmente curioso che Emma prese a chiedersi se non avrebbe fatto meglio a lasciare i due insieme immediatamente. Ma dato che voleva disegnare, quell'annuncio doveva attendere un altro po'.

Decise presto il formato e il tipo del ritratto. Doveva essere a figura intera, ad acquerello, come quello del signor John Knightley, e, se fosse dipeso da lei, sarebbe stato destinato a occupare un posto molto onorevole sulla mensola del caminetto.

La seduta cominciò; e Harriet, sorridendo e arrossendo, e con la paura di non riuscire conservare la sua posizione e l'espressione, offrì una dolce mescolanza di atteggiamenti giovanili allo sguardo concentrato dell'artista. Ma non si riusciva a combinare nulla, con il signor Elton che si agitava dietro di lei e osservava ogni tocco. Emma gli riconosceva il merito di essersi messo in un punto da cui poteva guardare e riguardare senza dare fastidio; ma poi fu costretta a metter fine a quella situazione, chiedendogli di sistemarsi da un'altra parte. E subito le venne in mente di impiegarlo per una lettura.

Glielo disse: se avesse fatto loro il favore di leggere sarebbe stata davvero una cortesia. L'avrebbe distratta dalle difficoltà del suo compito, e avrebbe diminuito la noia della signorina Smith.

Il signor Elton non chiedeva di meglio. Harriet ascoltava, ed Emma disegnava in pace. Doveva consentirgli di venire, ogni tanto, a dare un'occhiata; meno di tanto sarebbe stato troppo poco per un innamorato; e lui era pronto, alla minima pausa della matita, a saltare su per verificare come procedeva il ritratto, e a rimanerne incantato. Non c'era rischio di rimanerci male, con un tale incoraggiamento, perché la sua ammirazione gli faceva vedere una somiglianza quasi prima che fosse possibile coglierla. Lei non poteva attribuire troppo credito al suo occhio, ma il suo amore e il suo desiderio di fare cosa gradita erano fuor di dubbio.

La seduta fu nel complesso molto soddisfacente, ed Emma rimase tanto contenta dello schizzo del primo giorno da sentire il desiderio di continuare. La rassomiglianza non mancava, la posa era ben scelta, e visto che intendeva introdurre un lieve miglioramento alla figura, conferendole un po' più di statura, e molta più eleganza, sperava che alla fine sarebbe venuto fuori un disegno grazioso, e che sarebbe andato a occupare il posto a cui era destinato a vantaggio di entrambe: un perenne ricordo della bellezza dell'una, dell'abilità dell'altra, e dell'amicizia di entrambe; con tutte le altre gradevoli associazioni che probabilmente avrebbe aggiunto l'assai promettente attaccamento del signor Elton.

Harriet doveva posare di nuovo il giorno dopo; e il signor Elton, proprio come avrebbe dovuto, pregò che gli venisse concesso di assistere, e leggere ancora per loro.

«Ma certamente. Saremo felicissime di considerarvi parte integrante della compagnia».

Gli stessi convenevoli e le stesse manifestazioni di cortesia, lo stesso successo, la stessa soddisfazione, si ripeterono il giorno successivo, e accompagnarono i progressi del ritratto, che furono veloci e felici. Tutti quanti lo vedevano rimanevano contenti, e il signor Elton continuava ad andare in estasi, e lo difendeva da ogni critica.

«La signorina Woodhouse ha conferito alla sua amica l'unica bellezza che le mancava», gli diceva la signora Weston, senza minimamente sospettare di rivolgersi a un innamorato. «L'espressione degli occhi è proprio quella, però la signorina Smith non ha quelle ciglia e quelle sopracciglia. Il fatto che non le abbia rappresenta un difetto del suo viso».

«Voi credete?», rispondeva lui. «Non posso essere d'accordo con voi. A me pare una rassomiglianza perfetta, in ogni lineamento. In vita mia non ho mai visto una tale somiglianza. Bisogna tenere presente l'effetto dell'ombra, sapete».

«L'avete fatta troppo alta, Emma», disse il signor Knightley.

Emma lo sapeva, ma non voleva ammetterlo, e il signor Elton aggiunse con calore:

«Oh, no! Di sicuro non è troppo alta; nemmeno per sogno. Considerate che è seduta, il che naturalmente fa una certa differenza... questo insomma dà precisamente l'idea... e le proporzioni devono essere rispettate, sapete. Proporzioni, prospettiva... Oh, no! dà precisamente l'idea di una statura uguale a quella della signorina Smith. Precisamente così, proprio!».

«È molto grazioso», disse il signor Woodhouse. «Eseguito con una tale grazia! Come sempre sono i tuoi disegni, mia cara. Non conosco nessuno che sappia disegnare come te. L'unica cosa che non mi persuade è che pare seduta all'aperto, con solo un piccolo scialle sulle spalle, e viene da pensare che debba prendersi un raffreddore».

«Ma, caro papà, si suppone sia estate; una calda giornata estiva. Guardate l'albero».

«Ma, mia cara, non è mai prudente sedere all'aperto».

«Signore, potete dire quel che volete», esclamò il signor Elton, «ma io devo confessarvi che a me pare un'idea felicissima quella di piazzare la signorina Smith all'aperto; e l'albero è abbozzato con una vivacità inimitabile! Qualsiasi altro sfondo sarebbe stato molto meno appropriato. L'ingenuità dell'atteggiamento della signorina Smith... e insomma... Oh, è ammirevole! Non riesco a staccare gli occhi. Non ho mai visto una tale rassomiglianza».

Il passo successivo era quello di mettere in cornice il ritratto; e qui nacquero delle difficoltà. Doveva essere fatto immediatamente; doveva essere fatto a Londra; l'ordinazione doveva essere trasmessa tramite una persona intelligente, sul cui gusto si potesse contare, e non bisognava rivolgersi a Isabella, che abitualmente si incaricava di tutte le commissioni, perché era dicembre, e il signor Woodhouse non poteva sopportare l'idea che Isabella uscisse di casa con la nebbia dicembrina. Ma appena quella difficoltà venne a conoscenza del signor Elton si trovò la soluzione. La sua galanteria era sempre in attesa di mostrarsi. Se si fossero fidati di dare a lui l'incarico, che immenso piacere avrebbe provato nel compierlo! Poteva andare a cavallo fino a Londra in qualsiasi momento volessero. Era impossibile dire quanto sarebbe stato lieto di essere impiegato per una tale commissione.

Era troppo buono! Emma non poteva sopportare l'idea! Per niente al mondo avrebbe voluto dargli una simile scocciatura! Tutte quelle proteste fecero sì che, come ci si attendeva, venissero ribadite preghiere e assicurazioni, e in pochi minuti l'accordo fu concluso.

46

Il signor Elton avrebbe portato il disegno a Londra, avrebbe scelto la cornice e avrebbe dato le necessarie direttive; Emma pensò a impacchettare il ritratto in modo da assicurarsi che viaggiasse al sicuro senza provocare a lui troppo disagio, mentre lui pareva temere soprattutto di non essere incomodato abbastanza.

«Che prezioso deposito!», disse con un tenero sospiro, mentre lo riceveva.

«Quest'uomo è quasi troppo galante per essere innamorato», pensò Emma. «È questo che direi, se non supponessi che possano esistere cento differenti modi di essere innamorati. È un giovanotto eccellente e risulterà più che adatto a Harriet; sarà "Precisamente così", come dice lui; tuttavia sospira, si illanguidisce e si studia di far complimenti più di quanto sopporterei io, se fossi l'oggetto delle sue attenzioni. Ma pure nella mia parte di secondo piano, di attenzioni me ne spetta una bella porzione. Come manifestazione della sua gratitudine per via di Harriet».

Capitolo settimo

Fu proprio la giornata in cui il signor Elton andò a Londra a fornire a Emma una nuova occasione per rendere un servizio all'amica. Harriet, come al solito, era arrivata a Hartfield subito dopo la colazione del mattino; e dopo un po' era andata a casa, per tornare a pranzo: arrivò prima di quanto non fosse attesa, e con un'aria agitata e frettolosa che rivelava che era accaduto qualcosa di eccezionale, che lei desiderava riferire. Nel giro di mezzo minuto fu detto tutto. Harriet aveva sentito, appena tornata dalla signora Goddard, che il signor Martin era stato là un'ora prima, e visto che lei non era in casa, e che non si sapeva quando sarebbe tornata, aveva lasciato un pacchettino per lei, da parte di una delle sue sorelle, ed era andato via; aperto il pacchetto, aveva trovato, oltre alle due canzoni che aveva prestato a Elizabeth perché potesse copiarle, una lettera per lei; la lettera veniva da lui, dal signor Martin, e conteneva una esplicita proposta di matrimonio. Chi avrebbe potuto immaginarlo? Era così sorpresa che non sapeva cosa fare. Sì, era proprio una proposta di matrimonio, ed era anche una bella lettera, almeno così sembrava a lei. Scriveva proprio come se la amasse moltissimo... ma lei non sapeva... e così, era venuta più presto che aveva potuto, per chiedere alla signorina Woodhouse cosa dovesse fare... Emma sentì quasi vergogna per la sua amica, vedendola tanto lusingata e tanto esitante.

«Parola d'onore», esclamò, «il giovanotto è deciso a non rischiare di perdere qualcosa per aver trascurato di chiederlo. Vuole fare un buon matrimonio, se possibile».

«Volete leggere la lettera?», esclamò Harriet. «Ve ne prego, vorrei che lo faceste».

A Emma non dispiacque essere sollecitata. Lesse, e rimase stupita. Lo stile della lettera era molto al di sopra di quel che si aspettava lei. Non soltanto non c'erano errori di grammatica, ma come composizione non avrebbe fatto fare brutta figura a un gentiluomo; il linguaggio, seppur semplice, era forte e privo di affettazione, e i sentimenti che riportava facevano molto onore allo scrivente. Era breve ma esprimeva buon senso, affetto, liberalità, proprietà e perfino delicatezza di sentimenti. Emma ci indugiò sopra, mentre Harriet la osservava, attendendo con ansia la sua opinione, con un: «Ebbene, ebbene?», e alla fine si sentì costretta ad aggiungere: «È una bella lettera? O è troppo corta?»

«Sì, è proprio una bellissima lettera», rispose Emma alquanto lentamente, «una lettera talmente bella, Harriet, che tutto considerato penso una delle sorelle debba averlo aiutato. Non riesco a comprendere come il giovanotto che ho visto parlare con voi l'altro giorno avrebbe potuto esprimersi tanto bene, se avesse dovuto contare solo sulle proprie risorse; e tuttavia questo non è uno stile femminile; no davvero, è troppo forte e conciso; non si diffonde a sufficienza per essere di una donna. Senza dubbio è un uomo assennato, e immagino abbia un talento naturale per... Pensa con vigore e chiarezza, e quando prende in mano la penna i suoi pensieri trovano da soli le parole. Con certi uomini è così. Sì, capisco la sua mentalità. È vigorosa, decisa, e i suoi sentimenti sono, fino a un certo punto, tutt'altro che rozzi. Si tratta di una lettera scritta meglio, Harriet», disse restituendola, «di quanto non mi sarei aspettata».

«Ebbene», disse Harriet, ancora in attesa, «ebbene... e... e cosa devo fare?»

«Cosa dovete fare! In che senso? Volete dire in merito a questa lettera?»

«Sì».

«Ma qual è il vostro dubbio? Naturalmente dovrete rispondere, e presto».

«Sì. Ma cosa devo dire? Cara signorina Woodhouse, datemi un consiglio».

«Oh, no, no! È meglio che la lettera sia tutta vostra. Vi esprimerete nel modo più appropriato, ne sono sicura. Non c'è alcun pericolo che non risultiate comprensibile, e questa è la prima cosa. Quel che volete dire non deve rimanere ambiguo; né dubbi né incertezze, ed espressioni di gratitudine e ansia per la pena che infliggete, così come richiede la convenienza, si presenteranno spontaneamente alla vostra mente, ne sono certa. Non c'è bisogno che vi si suggerisca di scrivere con un'aria di dispiacere per la sua delusione».

«Credete dunque che dovrei dirgli di no?», disse Harriet, gli occhi a terra.

«Dovrei dirgli di no! Mia cara Harriet, cosa volete dire? Avete qualche dubbio su questo punto? Io pensavo... Ma vi chiedo perdono, forse mi sono sbagliata. Certo non vi ho capita, se avete dei dubbi in merito al tenore della vostra risposta. Credevo chiedeste il mio consiglio solo sul modo di formularla».

Harriet taceva. Con atteggiamento un po' riservato, Emma continuò:

«Deduco che intendete dare una risposta favorevole».

«No, per nulla; e cioè, non intendo... Cosa devo fare? Cosa mi consigliereste di fare? Vi prego, cara signorina Woodhouse, ditemi cosa dovrei fare».

«Non vi darò alcun consiglio, Harriet. Non ho niente a che fare con questa faccenda. Questo è un punto che dovete decidere in base ai vostri sentimenti».

«Non avevo proprio idea di piacergli tanto», disse Harriet, contemplando la lettera. Per alcuni attimi Emma insistette nel suo silenzio; ma poi cominciò a temere che l'accattivante lusinga rappresentata da quella lettera potesse essere troppo forte, e pensò fosse meglio parlare.

«Credo sia una regola generale, Harriet, che se una donna *dubita* se accettare o no un uomo, dovrebbe senz'altro rifiutarlo. Se si trova a esitare a rispondere "sì", dovrebbe dire immediatamente "no". Il matrimonio non è una situazione che si possa impunemente affrontare con animo dubbioso, con il cuore diviso. Ho creduto fosse mio dovere, come amica e come persona che ha più anni di voi, dirvelo. Ma non pensate che voglia influenzarvi».

«Oh no! Sono sicura che siete troppo buona per... ma se voleste solo consigliarmi su cosa sarebbe meglio fare... No, no, non voglio dire questo... Come dite voi, si dovrebbe essere sicuri... non si dovrebbe esitare... È una cosa molto seria... Forse sarebbe più prudente dire "no"... Credete farei meglio a dire "no"?»

«Per niente al mondo», disse Emma sorridendo con grazia, «vorrei consigliarvi in un modo o nell'altro. Dovete essere voi il miglior giudice della vostra felicità. Se preferite il signor Martin a qualsiasi altra persona, se lo ritenete l'uomo più simpatico di cui siete stata in compagnia, perché mai dovreste esitare? State arrossendo, Harriet... Vi sta forse capitando poprio in questo momento di pensare a qualcun altro che abbia un simile requisito? Harriet, Harriet, non traete in inganno voi stessa; non lasciatevi trascinare dalla gratitudine e dalla compassione. In questo momento a chi state pensando?».

I sintomi erano favorevoli; invece di rispondere, Harriet girò le spalle, confusa, e si fermò a riflettere davanti al fuoco; e anche se la lettera era ancora tra le sue mani, ora la rigirava meccanicamente, senza riguardi. Emma attese il risultato con impazienza, ma non senza forti speranze. Infine, con qualche esitazione, Harriet disse:

«Signorina Woodhouse, visto che non volete darmi la vostra opinione, dovrò fare da sola come meglio posso; e adesso mi sento del tutto risoluta, davvero ho quasi deciso... di dire di no al signor Martin. Pensate che io abbia ragione?»

«Perfettamente, perfettamente ragione, carissima Harriet; state facendo proprio quello che dovreste. Mentre eravate incerta io ho tenuto per me i miei sentimenti, ma adesso che siete così completamente decisa non ho alcuna esitazione ad approvare. Cara Harriet, ne sono molto contenta. Mi sarebbe dispiaciuto perdere la vostra amicizia, perché tale sarebbe stata la conseguenza di un vostro matrimonio con il signor Martin. Mentre eravate, sia pur di poco, incerta, io non l'ho menzionato, perché non volevo influenzarvi; per me però sarebbe stata la fine di un'amicizia. Non avrei potuto andare a visitare la signora Robert Martin della fattoria del Mulino dell'Abbazia. Ora son sicura di voi per sempre».

Harriet non aveva sospettato di correre quel pericolo, ma l'idea la colpì fortemente.

«Non avreste potuto venire a farmi visita!», esclamò con aria atterrita. «No, certo non avreste potuto; ma non ci avevo mai pensato prima. Sarebbe stato veramente atroce. Che fortuna averla scampata! Cara signorina Woodhouse, non rinuncerei al piacere e all'onore di esservi amica per nulla al mondo».

«Sul serio, Harriet, sarebbe stato un brutto colpo perdervi; e tuttavia sarebbe stato inevitabile. Vi sareste esclusa da tutta la buona società. Avrei dovuto rinunciare a voi».

«Dio! Come sarei mai riuscita a sopportarlo? Non poter mai più venire a Hartfield mi avrebbe uccisa!».

«Cara, affettuosa creatura!... *Voi* confinata alla fattoria del Mulino dell'Abbazia! *Voi* reclusa tra la gente incolta e volgare per tutta la vita! Mi chiedo come abbia potuto, quel giovanotto, avere il coraggio di chiederlo. Deve avere davvero una grande opinione di se stesso!».

«Eppure non credo sia presuntuoso, in generale!», disse Harriet, la cui coscienza rifiutava quella critica. «Perlomeno ha un ottimo carattere, e io gli sarò sempre molto obbligata, e avrò molta stima per lui... ma questa è cosa molto diversa da... E, sapete, anche se io posso piacergli, non ne consegue che io deva... e certamente devo confessare che da quando ho cominciato a frequentare questa casa ho visto persone... e se li mettiamo a confronto, le persone e le loro maniere, non c'è davvero confronto: *uno* è così attraente e gradevole. Tuttavia, penso veramente che il signor Martin sia un giovanotto molto amabile, e ho una grande stima di lui; e il fatto che si senta così attratto verso di me... e che abbia scritto una lettera come quella... ma lasciare voi, questa è una cosa che non farei per nessuna ragione».

«Grazie, grazie, mia dolce, piccola amica. Non ci troveremo separate. Una donna non deve sposare un uomo solo perché riceve una proposta, o perché lui nutre affetto per lei e sa scrivere una lettera accettabile».

«Oh no! E poi non è che una lettera breve».

Emma percepì il cattivo gusto dell'amica, ma ci passò sopra con un «Verissimo»; e poi sarebbe stato di ben poca consolazione, a compensare i modi rustici che avrebbero potuto offenderla a ogni ora del giorno, sapere che il marito era capace di scrivere una bella lettera.

«Oh, proprio! Nessuno si cura di una lettera; quel che conta è essere sempre felici, con una compagnia piacevole. Sono proprio determinata a dire di no. Ma come posso farlo? Cosa devo dire?».

Emma le assicurò che non sarebbe stato così difficile rispondere, e consigliò di scrivergli subito, al che Harriet acconsentì, nella speranza di essere aiutata da lei; e anche se Emma continuò a protestare che non c'era alcun bisogno di aiuto, esso venne di fatto dato nella formulazione di ognuna delle frasi. Il dare un'altra occhiata alla lettera di lui, nel rispondere, produsse un tale intenerimento che fu assolutamente necessario rianimarla con poche espressioni risolutive; Harriet era talmente preoccupata dall'idea di renderlo infelice, e si dava così tanto pensiero di quello che avrebbero pensato e detto la madre e le sorelle, ed era così ansiosa che non avessero a ritenerla un'ingrata, che Emma credette che se il giovanotto si fosse presentato in quel momento, sarebbe stato, dopotutto, accettato.

Tuttavia la lettera fu scritta, e sigillata, e spedita. La faccenda era conclusa e Harriet era in salvo. La giovane rimase alquanto abbattuta per tutta la sera, ma Emma seppe lasciare spazio al suo amabile rammarico, e cercò di alleviarlo, talvolta parlando del suo affetto, talaltra accennando all'idea del signor Elton.

«Non sarò mai più invitata al Mulino dell'Abbazia», disse Harriet, con tono alquanto addolorato.

«Ma se anche lo foste, non potrei tollerare di separarmi da voi, mia cara Harriet. Siete troppo indispensabile a Hartfield perché vi si possa cedere, sia pure per poco, al Mulino dell'Abbazia».

«E poi di certo io non sentirò mai alcun desiderio di andarci; perché mi sento felice solo a Hartfield».

E dopo un po': «Credo che la signora Goddard sarebbe molto sorpresa se sapesse dell'accaduto. Sono sicura che se ne meraviglierebbe anche la signorina Nash, perché la signorina Nash crede che sua sorella abbia fatto un ottimo matrimonio, e non è che un commerciante di stoffe».

«Ci si dovrebbe dispiacere a vedere un orgoglio o una finezza maggiori in una maestra di scuola, Harriet. Immagino che la signorina Nash vi invidierebbe una simile occasione di matrimonio. Perfino una conquista del genere avrebbe un'attrattiva ai suoi occhi. E quanto alla possibilità di un partito migliore per voi, suppongo ne sia totalmente all'oscuro. Le attenzioni di una certa persona non possono ancora essere oggetto dei pettegolezzi di Highbury. Fino a ora, credo che voi e io siamo le uniche persone a cui i suoi sguardi e i suoi modi si siano mostrati per quel che vogliono dire».

Harriet arrossì e sorrise, poi disse qualcosa su quanto la meravigliava il fatto di piacere così tanto alla gente. L'idea del signor Elton era di certo confortante, eppure, dopo un po' di tempo, si sentì nuovamente intenerire il cuore per il respinto signor Martin.

«A questo punto ha ricevuto la mia lettera», disse con dolcezza. «Chissà cosa stanno facendo i Martin... se lo sanno le sorelle... se lui è infelice, lo saranno pure loro. Spero che non ne risenta troppo».

«Pensiamo a quelli, tra i nostri amici assenti, che sono impegnati in cose più liete», esclamò Emma. «Forse in questo momento il signor Elton sta mostrando il vostro ritratto a sua madre e alle sorelle, e sta dicendo loro fino a che punto sia più bello l'originale, e dopo che gli è stato chiesto cinque o sei volte, fa sentire loro il suono del vostro nome, del vostro caro nome».

«Il mio ritratto! Ma il mio ritratto lo ha lasciato in Bond Street».

«Ma davvero? Allora io non conosco per nulla il signor Elton. No, mia cara piccola e modesta Harriet, statene pur certa, il ritratto non sarà in Bond Street se non un attimo prima che lui rimonti a cavallo domani. Gli tiene compagnia per tutta questa sera, è il suo conforto, la sua delizia. Svela i suoi progetti alla sua famiglia, vi presenta a essa, diffonde nel circolo delle persone care quei sentimenti di intensa curiosità e di cordiale anticipazione che sono tra i più piacevoli della nostra natura. Come devono essere allegre, animate, sospettose, e impegnate le fantasie di tutte quante loro!».

Harriet sorrise di nuovo, e i suoi sorrisi divennero più decisi.

Capitolo ottavo

Quella notte Harriet dormì a Hartfield. Erano parecchie settimane che passava lì più di metà del suo tempo, e a poco a poco le era stata riservata una camera da letto; ed Emma riteneva che al momento la cosa migliore, da ogni punto di vista, la più sicura e la più cortese, fosse tenerla presso di loro il più possibile. La mattina successiva fu costretta ad andare per un'ora o due dalla signora Goddard, ma in quell'occasione fu deciso che sarebbe poi tornata a Hartfield per rimanervi, come ospite, per alcuni giorni.

Mentre era via, capitò in visita il signor Knightley, che per un po' di tempo rimase con il signor Woodhouse ed Emma, fino a che il signor Woodhouse, che aveva già precedentemente deciso di fare una passeggiata, fu convinto dalla figlia a non rimandarla ulteriormente, e fu spinto, dalle sollecitazioni di entrambi, pur contro gli scrupoli dettati dalla sua cortesia, ad abbandonare il signor Knightley per rispettare il suo programma. Il signor Knightley, che non aveva nulla di affettato, offriva con le sue risposte brevi e decise un divertente contraltare alle interminabili scuse e alle cortesi esitazioni dell'altro.

«Ebbene, credo che se vorrete scusarmi, signor Knightley, se non vorrete convincervi che sto facendo una grande scortesia, ascolterò il consiglio di Emma e uscirò per un quarto d'ora. Ora che è venuto fuori il sole, credo sarebbe bene che io facessi i miei due passi, fintanto che posso. Non faccio cerimonie con voi, signor Knightley. Noi invalidi pensiamo di avere dei privilegi».

«Mio caro signore, non trattatemi come un estraneo».

«Lascio, con mia figlia, un eccellente sostituto. Emma sarà felice di intrattenervi. E quindi credo vi presenterò le mie scuse e farò i miei due passi... la mia passeggiata invernale».

«Non potreste fare cosa migliore, signore».

«Richiederei il piacere della vostra compagnia, signor Knightley, ma come camminatore sono lentissimo, e la mia andatura vi risulterebbe noiosa; inoltre, avete davanti un'altra lunga camminata fino all'abbazia di Donwell».

«Grazie, signore, grazie; anch'io me ne andrò tra un momento; e ritengo che più presto andate meglio è. Vado a prendervi il soprabito e ad aprirvi la porta del giardino».

Alla fine il signor Woodhouse se ne andò; ma il signor Knightley, invece di andarsene subito anche lui, si sedette di nuovo, e parve propenso a fare un altro po' di chiacchiere. Cominciò a parlare di Harriet, e a tesserne gli elogi in modo più deciso di quanto Emma non lo avesse sentito fare prima.

«Non posso valutare quanto voi la sua bellezza», disse, «però è una creaturina assai graziosa, e sono propenso a giudicare molto favorevolmente il suo atteggiamento. Il suo carattere dipende dalla gente che ha intorno; ma in buone mani diverrà una donna squisita».

«Sono felice che la pensiate così; e le buone mani, spero, non mancheranno».

«Avanti», disse lui, «voi desiderate un complimento, e quindi vi dirò che l'avete migliorata. L'avete guarita da quelle sue sciocche risatine da scolaretta; vi fa davvero onore».

«Grazie. Sarei proprio mortificata se non credessi di esserle stata un pochino utile; ma non tutti riversano lodi dove potrebbero. *Voi*, per esempio, non me ne attribuite davvero molto spesso».

«L'attendete di nuovo qui stamattina, avete detto?»

«Da un momento all'altro. È già stata via più di quanto intendessimo».

«Dev'essere accaduto qualcosa che l'ha trattenuta; forse qualche visita».

«Comari di Highbury! Disgraziate attaccabottoni!».

«Forse Harriet non considera noiosi tutti quelli che a voi paiono tali».

Emma era consapevole che questo era fin troppo vero per contraddirlo, così non disse nulla. Poco dopo lui aggiunse, con un sorriso: «Non pretendo di sapere nulla di preciso, ma vi devo dire che ho delle buone ragioni per pensare che la vostra piccola amica verrà presto a conoscenza di una cosa molto vantaggiosa».

«Davvero! Ma come? Di che tipo?»

«Di un genere molto serio, ve l'assicuro», rispose lui, sempre sorridendo.

«Molto serio! Non posso pensare che una cosa... Chi è innamorato di lei? Chi fa di voi il suo confidente?».

Emma sperò fortemente che il signor Elton gli avesse fatto qualche accenno. Il signor Knightley era una specie di amico e di consigliere generale, e lei sapeva che il signor Elton aveva molto rispetto per lui.

«Ho motivo di credere», rispose, «che presto Harriet Smith riceverà un'offerta di matrimonio, e da parte di una persona a posto: si tratta di Robert Martin. Pare che la visita che lei ha compiuto al Mulino dell'Abbazia, la scorsa estate, lo abbia sistemato come si deve. È disperatamente innamorato, e intende sposarla».

«È molto cortese», disse Emma, «ma è certo che Harriet sia disposta a sposarlo?»

«Be', be'... diciamo allora che intende farle un'offerta. Va bene così? È venuto all'abbazia due sere fa, per chiedermi consiglio sulla questione. Sa che ho molta considerazione per lui e la sua famiglia, e penso che mi ritenga uno dei suoi migliori amici. È venuto a domandarmi se credevo fosse un'imprudenza da parte sua metter su casa così presto; se pensavo che lei fosse troppo giovane; in poche parole, se nel complesso approvavo la sua scelta; aveva infatti qualche timore che la ragazza fosse ritenuta (in particolar modo dopo che *voi* l'avete così trasformata) come di un ambiente superiore al suo. Mi è piaciuto moltissimo tutto quel che ha detto. Non ho mai sentito parole più assennate di quelle che uscivano dalle labbra di Robert Martin. Parla sempre a proposito; franco, diretto, e molto giudizioso. Mi ha detto ogni cosa; la sua situazione e i suoi progetti, e quel che tutti loro intendevano fare nel caso del suo matrimonio. È un ottimo giovanotto, sia come figlio che come fratello. Non ho avuto alcuna esitazione nel consigliargli di sposarsi. Mi ha dimostrato che poteva permetterselo; e stando così le cose, mi sono convinto che non poteva fare di meglio. Ho anche tessuto l'elogio della fanciulla, e insomma lo ho visto andar via tutto felice. Se pure non avesse tenuto in gran conto prima la mia opinione, a quel punto avrebbe pensato molto bene di me; e, oserei dire, ha lasciato la casa ritenendomi il migliore amico e confidente che si sia mai avuto. Questo è accaduto due sere fa. Adesso, come si può facilmente ipotizzare, non vorrà lasciar passare molto tempo prima di parlare alla signorina, e dato che non sembra che le abbia parlato ieri, è probabile che oggi si trovi dalla signora Goddard; quindi può ben essere che Harriet sia trattenuta da un visitatore, senza dover necessariamente ritenere che costui sia un seccatore».

«Di grazia, signor Knightley», disse Emma, che durante gran parte di questo discorso aveva sorriso tra sé, «come sapete che il signor Martin ieri non ha detto nulla?»

«In verità», rispose lui, sorpreso, «non ne ho la certezza; ma si può dedurre. Non è forse rimasta tutto il giorno con voi?»

«Avanti», disse lei, «vi farò una confidenza, in cambio di quella che mi avete fatto voi. Le ha parlato ieri... cioè le ha scritto. Ed è stato respinto».

Lo dovette ripetere, prima che lui potesse convincersene; e il signor Knightley diventò rosso dallo stupore e dal dispiacere, mentre si ergeva indignato, dicendo:

«Allora è più sciocca di quanto non abbia mai creduto. Cosa crede, quella stolta ragazza?»

«Oh! Di certo», esclamò Emma, «un uomo trova sempre inaccettabile che una donna rifiuti un'offerta di matrimonio. Un uomo pensa sempre che una donna debba esser pronta per chiunque la chieda».

«Sciocchezze! Un uomo non immagina niente del genere. Ma cosa vuol dire questo? Harriet Smith che rifiuta Robert Martin? Se è così, è una follia; ma spero vi sbagliate».

«Ho visto la risposta di lei, e nulla poteva essere più chiaro».

«Avete visto la sua risposta! L'avete anche scritta! Emma, questa è opera vostra. L'avete persuasa voi a respingerlo».

«Se anche l'avessi fatto (il che tuttavia sono ben lontana dal riconoscere), non riterrei di avere agito male. Il signor Martin è un giovanotto molto rispettabile, ma non posso concedere che sia al pari di Harriet; e sono veramente alquanto stupita che si sia azzardato a farle la proposta. A quel che dite, pare che abbia avuto degli scrupoli. È un peccato che ci sia passato sopra».

«Non è al pari di Harriet!», esclamò il signor Knightley a tutta voce e con trasporto; e con più fredda durezza aggiunse, dopo qualche attimo: «No, davvero non è al pari di lei, perché le è di molto superiore, tanto quanto a giudizio che a posizione. Emma, la vostra infatuazione per quella ragazza vi rende cieca. Come può pretendere Harriet Smith, data la sua nascita, la sua natura o educazione, un matrimonio migliore di quello con Robert Martin? È figlia naturale di chi sa chi, probabilmente senza alcuna dote, e di certo senza parentele degne di rispetto. È considerata solo come ospite pagante della direttrice di una scuola. Non è una ragazza assennata né colta. Non le è stato insegnato niente di utile, ed è troppo giovane e semplice per avere imparato qualcosa da sola. Alla sua età non può disporre di esperienza, e con il suo scarso giudizio è poco probabile che ne acquisti in misura tale che le possa essere utile. È graziosa, e ha un buon carattere, e questo è tutto. Il mio unico scrupolo nel consigliare il matrimonio era in considerazione di lui, perché la ritenevo al di sotto di quel che lui meritava: un cattivo matrimonio. Sentivo che, quanto a beni materiali, con tutta probabilità potrebbe trovare qualcosa di molto migliore; e che, come compagna spirituale o utile assistente, non potrebbe trovare di peggio. Ma non potevo dire cose del genere a un innamorato, ed ero disposto a confidare che in lei non ci fosse nulla di sbagliato, che lei avesse quel tipo di carattere che, in mani buone, come quelle di lui, avrebbe potuto essere guidato facilmente e riuscir bene. Sentivo che il vantaggio del matrimonio era tutto dalla parte della donna; e non avevo il benché minimo dubbio (né ne ho ora) che tutti si sarebbero meravigliati della gran fortuna della ragazza. Ero perfino certo della vostra soddisfazione. Ho avuto subito l'idea che non avreste avuto rimpianti se la vostra amica avesse lasciato Highbury per metter su casa così bene. Ricordo di essermi detto: "Anche Emma, con tutta la sua propensione per Harriet, penserà che è un buon matrimonio"».

«Non posso fare a meno di stupirmi di quanto poco conosciate Emma, per dire una cosa del genere. Che! Pensare che un agricoltore (e con tutta la sua assennatezza e il suo merito il signor Martin non è nulla più di questo) sia un buon partito per la mia intima amica! Non avere rimpianti nel vederla lasciare Highbury per sposare un uomo che non potrei mai accogliere nella cerchia delle mie conoscenze! Mi meraviglia che mi riteniate capace di sentimenti simili. Vi assicuro che i miei sono molto differenti. Devo ritenere molto ingiusto quello che affermate. Non fate giustizia ai meriti di Harriet. Essi verrebbero valutati in modo ben diverso anche da altri, oltre che da me; il signor Martin può essere il più ricco tra loro due, ma è senz'altro inferiore a lei per statura sociale. L'ambiente che frequenza lei è molto al disopra del suo. Per lei sarebbe un degradarsi».

«Un degradarsi fino all'illegittimità e all'ignoranza, sposare un agricoltore distinto, rispettabile e intelligente!».

«Quanto alle circostanze della sua nascita, anche se legalmente la si può chiamare "figlia di nessuno", la cosa non regge, di fronte al buon senso. Non deve pagare per le colpe degli altri con l'essere ritenuta al di sotto del livello di quelli con cui viene educata. Ci possono essere assai pochi dubbi che suo padre sia un gentiluomo... e un gentiluomo ricco. Dispone di una rendita generosa; non è stato mai risparmiato nulla, per la sua istruzione o per il suo benessere. Che sia figlia di un gentiluomo, per me è indubbio; che abbia per compagne figlie di gentiluomini, nessuno, ritengo, vorrà negarlo. È quindi superiore al signor Robert Martin».

«Quali che siano i suoi genitori», disse il signor Knightley, «e chiunque sia ad averne la tutela, non sembra abbiano progettato di introdurla in quella che voi chiamereste la buona società. Dopo aver ricevuto un'educazione assai sommaria, viene affidata alle mani della signora Goddard perché se la cavi come meglio può; per far parte, in breve, all'ambiente della signora Goddard, e godere dell'amicizia di questa. Evidentemente coloro a cui stava a cuore la sorte della ragazza pensavano che questo fosse sufficiente per lei; e di fatto *lo era*. Lei stessa non voleva nulla di più. Fino a che voi non avete deciso di fare di lei la vostra amica, la sua mente non sentiva alcun disgusto per il suo ambiente, né desiderava lasciarlo. Durante l'estate era al culmine della felicità con i Martin. Allora non sentiva alcuna superiorità. Se adesso ce l'ha, siete stata voi a dargliela. Non siete stata un'amica per Harriet Smith, Emma. Robert Martin non sarebbe mai arrivato tanto in là, se non fosse stato persuaso di non essere sgradito alla ragazza. Lo conosco bene. Ha sentimenti troppo autentici per fare proposte a una donna solamente per compiacere passioni egoistiche. E quanto alla presunzione, ne è più lontano di qualsiasi altro uomo che io conosca. Credetemi, ha ricevuto degli incoraggiamenti».

Era molto conveniente per Emma non dare una risposta diretta a questa affermazione; preferì quindi riprendere il filo del suo ragionamento.

«Siete davvero un buon amico per il signor Martin; ma, come dicevo poco fa, siete ingiusto verso Harriet. Le pretese di Harriet di fare un buon matrimonio non sono così poco degne di considerazione come voi le presentate. Non è una ragazza dotata di particolari talenti, ma ha più giudizio di quanto pensiate, e non merita che si parli tanto alla leggera della sua intelligenza. Ma anche lasciando da parte questo punto, e supponendo che sia come voi la descrivete, solo graziosa e di buon carattere, lasciate che vi dica che nella misura in cui le possiede, queste non sono doti di poco conto, agli occhi del mondo in generale, perché di fatto è una bella ragazza, e novantanove persone su cento devono considerarla tale; e fino a che non sia provato che gli uomini sono molto più filosofici, quanto a bellezza, di quel che generalmente si creda, fino a che non si innamorino di menti piene di cultura, anziché di leggiadri faccini, una ragazza graziosa come Harriet ha la certezza di essere ammirata e desiderata, di avere la possibilità di scegliere tra molti, e conseguentemente può pretendere di fare la schizzinosa. E poi il suo buon carattere non è un merito così trascurabile, dato che vuol dire una autentica, totale dolcezza d'animo e di modi, un'opinione di sé molto modesta, e una grande facilità a trovare simpatici gli altri. Sbaglierei di molto se il vostro sesso, in generale, non ritenesse una tale bellezza e un tale carattere le qualità più grandi che una donna può possedere».

«Parola mia, Emma, a sentirvi maltrattare così la vostra intelligenza mi sentirei quasi pronto a pensarla così anch'io. Meglio essere privi di giudizio che farne il cattivo uso che ne fate voi».

«Già», esclamò lei, scherzosa. «So che *questo* è quel che sentite tutti voi. So che una ragazza come Harriet è proprio quel che fa la delizia di ogni uomo; quel che al tempo stesso affascina i suoi sensi e soddisfa il suo criterio. Oh! Harriet può scegliere come meglio crede. Se voi stesso doveste mai prender moglie, è proprio la donna che fa per voi. E dovrebbe destare meraviglia che adesso, a diciassette anni, e quando è appena entrata nella vita e comincia appena a farsi conoscere, non accetti la prima proposta che le viene fatta? No, di grazia, lasciatele il tempo di guardarsi intorno».

«L'ho sempre ritenuta un'intimità molto sciocca», disse il signor Knightley a questo punto, «anche se ho tenuto per me il mio pensiero; ma ora mi accorgo che sarà una vera sfortuna per Harriet. La riempirete di tali idee sulla sua bellezza, e su quel che può pretendere, che presto nessuno alla sua portata sarà sufficientemente buono per lei. Quando la vanità si mette all'opera in una testa debole produce ogni genere di disastri. Nulla di più facile per una fanciulla che avere aspettative troppo alte. Può darsi il caso che la signorina Harriet Smith non disponga di tanta abbondanza di proposte di matrimonio, anche se è una ragazza molto carina. Gli uomini assennati, dite pure quel che vi pare, non vogliono mogli sciocche. Gli uomini di buona famiglia non sarebbero così entusiasti all'idea di imparentarsi con una ragazza di nascita tanto oscura, e gran parte degli uomini prudenti avrebbero paura della posizione scomoda e del discredito a cui potrebbero andare incontro quando si venisse a sapere del mistero che circonda la sua nascita. Che sposi Robert Martin, e sarà al sicuro, rispettabile e felice per sempre; se però la incoraggiate ad attendersi di fare un gran matrimonio, se le insegnate a non accontentarsi di nulla se non di un uomo importante e ricco, potrà restare a pensione presso la signora Goddard per il resto della sua vita, o almeno (visto che Harriet Smith è destinata a maritarsi, prima o poi), fino a che non ne possa più e sia felice di agguantare il figlio del vecchio scrivano».

«La pensiamo in modo talmente differente su questo punto, signor Knightley, che tentare di convincerci l'un l'altro non serve proprio a niente. Non faremmo che irritarci sempre di più. Ma che io le consenta di sposare Robert Martin è impossibile; gli ha detto di no, e in modo così risoluto, immagino, da rendere impossibile un nuovo tentativo. Dovrà sopportare le conseguenze dell'averlo respinto, quali che possano essere; e quanto al rifiuto in se stesso, non fingerò di non avere influito un po' su di lei; ma vi assicuro che c'era ben poco che me ne restasse da fare, a me o a chiunque altro. L'aspetto di Martin è così contro di lui, e le sue maniere così brutte, che se anche lei fosse mai stata disposta a vederlo con favore, ora non lo è più. Posso pensare che, prima di incontrare persone superiori a lui, Harriet potesse tollerarlo. Era il fratello delle sue amiche, e si dava da fare per piacerle; e insomma, non avendo visto nessuno che fosse migliore (dev'essere stato soprattutto questo ad aiutarlo), potrà averlo trovato simpatico, mentre era ospite al Mulino dell'Abbazia. Adesso però le cose sono cambiate. Adesso lei sa come sono fatti i gentiluomini; e solo chi sia un gentiluomo per educazione e per maniere può incontrare il favore di Harriet».

«Sciocchezze, assurde sciocchezze, le più grandi che mai siano state dette!», esclamò il signor Knightley. «I modi di Robert Martin hanno, a loro favore, senno, sincerità e bonomia; e il suo spirito ha più signorilità di quanto possa comprendere Harriet Smith».

Emma non rispose, e tentò di darsi un'aria spensierata e indifferente, mentre in realtà si sentiva imbarazzata, e non vedeva l'ora di andar via. Non si pentiva di quel che aveva fatto; continuava a ritenere di saper giudicare meglio di lui su un problema che riguardava i diritti e l'educazione femminili; nutriva tuttavia una specie di abituale rispetto per il giudizio di lui in generale, che faceva in modo che non le garbasse di averlo così apertamente contro; e vederselo seduto davanti arrabbiato era molto spiacevole. Trascorsero alcuni minuti di questo penoso silenzio, interrotto solamente da un tentativo di Emma di parlare del tempo, a cui lui non rispose. Stava pensando. Il risultato delle sue riflessioni si rivelò finalmente in queste parole:

«Robert Martin non ci perde molto, se solo riuscirà a convincersene; e spero che non gli ci vorrà molto per farlo. È meglio che teniate per voi i vostri progetti per Harriet; ma visto che non fate segreto del vostro desiderio di combinare matrimoni, non si sarà lontano dal vero se si supporrà che di progetti, piani e disegni ne abbiate già; e come amico, farò solo accenno al fatto che se è a Elton che pensate, credo sarà fatica sprecata».

Emma rise, e fece un cenno di diniego. Lui continuò:

«Siatene pur sicura, Elton non è quello giusto. Elton è un uomo eccellente, e come vicario di Highbury è rispettabilissimo, ma non sarà certo lui a fare un matrimonio imprudente. Sa meglio di tanti altri quanto valga una buona rendita. Elton potrà parlare da sentimentale, ma si comporterà razionalmente. Conosce benissimo i propri meriti, almeno quanto voi quelli di Harriet. Sa di essere un giovanotto molto attraente, e di risvegliare grandi simpatie ovunque vada; e dal modo in cui in genere si esprime, nei momenti di confidenza, alla presenza di soli uomini, sono convinto che non intenda affatto buttarsi via. L'ho sentito parlare con molta animazione di una numerosa schiera di signorine, amiche delle sue sorelle, ognuna delle quali ha ventimila sterline».

«Vi sono molto riconoscente», disse Emma ridendo di nuovo. «Se avessi voluto far maritare Harriet al signor Elton, sarebbe stato molto gentile aprirmi gli occhi; ma per il momento voglio tenere Harriet tutta per me. Ho veramente finito di combinare matrimoni. Non potrei mai sperare di ripetere il successo di Randalls. Lascerò il gioco mentre le cose mi vanno bene».

«Buongiorno», disse il signor Knightley alzandosi e lasciando di colpo la stanza. Era molto seccato. Si preoccupava per la delusione del giovanotto, ed era mortificato di esserne stato la causa, per via dell'approvazione che aveva dato; e la parte che era convinto Emma avesse avuto nella faccenda lo irritava enormemente.

Anche Emma era preoccupata; ma le cause del suo umore non erano altrettanto chiare. Non si sentiva, come il signor Knightley, sempre così del tutto soddisfatta di sé e completamente convinta che le sue opinioni fossero giuste e quelle dell'avversario sbagliate. Lui se ne era andato provando un'approvazione di sé più completa di quanta non ne lasciasse per lei. Non era però così sostanzialmente abbattuta da non poter trovare una consolazione appropriata, dopo un po' di tempo, e con il ritorno di Harriet. La lunga assenza di lei cominciava a preoccuparla. La tormentava il pensiero della possibilità che il giovanotto andasse dalla signora Goddard quella mattina, e incontrasse Harriet e difendesse con lei la propria causa. La paura di un tale fallimento, dopo tutto quel che era accaduto, diventò la sua preoccupazione principale; e quando comparve Harriet, d'ottimo umore, e senza dare spiegazioni di quel genere per la sua lunga assenza, provò una soddisfazione che le mise l'anima in pace, e la persuase che, qualsiasi cosa pensasse o dicesse il signor Knightley, lei non aveva fatto nulla che l'amicizia di una donna e i sentimenti di una donna non potessero giustificare.

Lui l'aveva un po' spaventata rispetto al signor Elton; ma quando pensò che il signor Knightley non poteva averlo osservato come aveva fatto lei, né con l'interesse, né (questa affermazione se la poteva permettere, nonostante le pretese del signor Knightley) con l'acume di un'osservatrice qual'era lei per faccende del genere, quando pensò che lui aveva detto quelle parole di furia e in preda all'ira, riuscì a convincersi che avesse detto tutto quel che nel suo risentimento desiderava fosse vero, piuttosto che quel che sapeva con sicurezza. Poteva essere, sì, che avesse sentito il signor Elton confidare più di quanto avesse sentito lei, e che il signor Elton non avesse tendenze imprudenti, sconsiderate in fatto di denaro; poteva anzi essere per natura alquanto circospetto in proposito; però il signor Knightley non teneva nel giusto conto l'influenza di una forte passione in conflitto con tutti i motivi d'interesse. Il signor Knightley non la vedeva, una simile passione, e naturalmente non ne valutava minimamente gli effetti; ma lei la vedeva anche troppo, per nutrire dei dubbi in merito al fatto che avrebbe prevalso su tutte le esitazioni che una ragionevole prudenza avrebbe potuto all'origine suggerire; ed era del tutto sicura che il signor Elton, quanto a prudenza, non ne avesse più di quanto fosse giusto e ragionevole.

L'allegria che c'era nell'aspetto e nell'atteggiamento di Harriet la contagiarono: Harriet tornava non per pensare al signor Martin, ma per parlare del signor Elton. La signorina Nash le aveva detto qualcosa che lei ripeté subito con gran piacere. Il signor Perry era stato dalla signora Goddard per far visita a una bambina malata, la signorina Nash l'aveva visto, e lui aveva detto alla signorina Nash che il giorno prima, mentre stava tornando dal parco di Clayton, aveva incrociato il signor Elton, e con sua grande meraviglia era venuto a sapere che Elton era proprio in viaggio per Londra, e non intendeva tornare fino al giorno successivo, anche se quella era la serata del circolo del whist, a cui prima d'allora lui non aveva mancato nemmeno una volta; e il signor Perry se ne era lamentato con lui e gli aveva detto quale viltà fosse da parte sua assentarsi, visto che era il loro miglior giocatore, e aveva tentato in tutti i modi di convincerlo a rimandare il suo viaggio di un giorno; ma non c'era riuscito; il signor Elton era ben deciso a proseguire, e aveva dichiarato con aria davvero molto *particolare* che andava per una questione che non avrebbe voluto rimandare per nulla al mondo, e qualcosa intorno a una commissione molto invidiabile, e sul fatto che portava un oggetto enormemente prezioso. Il signor Perry non riusciva a capire bene, ma era del tutto certo che nella faccenda dovesse entrarci una signora, e glielo aveva detto; e il signor Elton aveva preso un'aria molto consapevole e sorridente, ed era schizzato via al trotto, più allegro che mai. La signorina Nash le aveva raccontato tutto questo, e aveva parlato ancora per un pezzo del signor Elton; e poi aveva detto, guardandola in modo molto significativo, che lei non pretendeva di capire quale fosse la faccenda del signor Elton, ma che sapeva soltanto che quale che fosse la donna che il signor Elton avrebbe scelto, lei l'avrebbe considerata la più fortunata della terra; perché, senza alcun dubbio, il signor Elton non aveva eguale, per bellezza e per garbo.

Capitolo nono

Il signor Knightley poteva litigare con lei, ma Emma non poteva litigare con se stessa. Lui era così irritato che passò più tempo del consueto prima che tornasse a Hartfield; e quando si incontrarono, il suo atteggiamento grave le fece capire che non l'aveva perdonata. Emma era dispiaciuta, ma non poteva pentirsi. Al contrario, i suoi progetti e le sue azioni erano sempre più giustificati, e resi a lei più cari da quel che generalmente apparve nei giorni che seguirono immediatamente.

Il ritratto, in un'elegante cornice, arrivò loro sano e salvo poco dopo il ritorno del signor Elton, e appena fu appeso sul caminetto del soggiorno, lui si alzò per osservarlo, e sospirò le sue mezze frasi d'ammirazione, proprio come ci si aspettava; e quanto ai sentimenti di Harriet, andavano visibilmente prendendo la forma di un affetto così forte e costante quanto lo consentivano la sua gioventù e la sua conformazione mentale. Emma fu ben presto del tutto convinta che il signor Martin non fosse ricordato se non per l'evidente contrasto che c'era tra lui e il signor Elton, a tutto vantaggio di quest'ultimo.

Il suo progetto di migliorare la mente della sua piccola amica con una buona dose di utili letture e conversazioni non aveva fino ad allora portato che alla lettura di pochi capitoli preliminari e all'intenzione di andare avanti il giorno dopo. Era assai più facile conversare che studiare; molto più piacevole abbandonarsi alla sua fantasia e pianificare la fortuna di Harriet che faticare ad allargare la sua intelligenza o a esercitarla su fatti positivi; e l'unica occupazione letteraria che al momento teneva occupata Harriet, l'unico nutrimento intellettuale che stava ricevendo, in vista della sera della vita, era quella di raccogliere e trascrivere tutti quanti gli indovinelli in cui si imbatteva, di qualsiasi tipo fossero, in un sottile in-quarto di carta pressata, fabbricato dalla sua amica e ornato di cifre e composizioni.

Nella nostra epoca portata alla letteratura non sono infrequenti raccolte del genere su vasta scala. La signorina Nash, prima maestra alla scuola della signora Goddard, ne aveva scritte almeno trecento; e Harriet, che aveva preso l'idea da lei, sperava, con l'assistenza della signorina Woodhouse, di raccoglierne assai di più. Emma veniva in suo aiuto con la sua fantasia, la sua memoria e il suo buon gusto; e visto che Harriet aveva una calligrafia molto elegante, questa prometteva di essere una raccolta di prim'ordine, tanto per la forma quanto per la quantità.

Il signor Woodhouse aveva per quell'opera quasi altrettanto interesse delle ragazze, e molto spesso tentava di ricordare qualcosa che valesse la pena di essere incluso. C'erano così tanti begli indovinelli quando lui era giovane... diceva meravigliandosi di non riuscire a ricordarli. Sperava però di riuscirci, prima o poi. E finiva sempre col dire: «Kitty, una bella ma gelida damina».

Anche il suo buon amico Perry, a cui aveva parlato della cosa, attualmente non ricordava niente, quanto a indovinelli; aveva però chiesto a Perry di stare accorto, e siccome quello andava molto in giro, il signor Woodhouse pensava che da parte sua avrebbe potuto venire qualcosa di buono.

Non era per nulla desiderio di sua figlia che tutti gli intelletti di Highbury dovessero dare un contributo. Il signor Elton fu il solo a cui chiese aiuto. Lui fu invitato a collaborare con qualsiasi enigma, sciarada o rebus davvero buono che potesse tornargli in mente; e lei ebbe la soddisfazione di vederlo concentrarsi nel tentativo di ricordare; allo stesso tempo, come lei ebbe modo di notare, era attentissimo a che nulla di poco galante, nulla che esprimesse se non complimenti al bel sesso, gli uscisse dalle labbra. Dovettero a lui i due o tre rompicapo più cortesi; e la gioia e l'esultanza, quando alla fine ricordò e recitò, con atteggiamento alquanto sentimentale, quella ben nota sciarada,

> Il mio primo dichiara l'afflizione
> Che il secondo è costretto a sentire,
> E il mio intero è il rimedio migliore
> Per lenire e guarir tale afflizione...

fecero rimanere male Emma, nel riconoscere che l'avevano già trascritta in una pagina precedente.

«Perché non ne scrivete una voi stesso per noi, signor Elton?», chiese

Emma. «Sarebbe l'unica garanzia che sia nuova; e niente potrebbe risultarvi più facile».

Ma no, lui non aveva scritto mai, quasi mai, niente di simile in vita sua. Era proprio un testone! Aveva paura che neppure la signorina Woodhouse (qui fece una pausa) o la signorina Smith l'avrebbero potuto ispirare.

Tuttavia il giorno successivo produsse evidenti segni di ispirazione. Fece una visita di pochi minuti, solo per lasciare sul tavolo un foglio che conteneva, a quel che disse, una sciarada che un suo amico aveva dedicato a una giovane signora che aveva suscitato la sua ammirazione; ma dal suo atteggiamento Emma si convinse subito che l'avesse scritto lui.

«Non l'offro per la raccolta della signorina Smith», disse. «Dato che è del mio amico, non ho nessun diritto di proporla in alcun modo al pubblico; forse però non vi dispiacerà darci un'occhiata».

Quel discorso era diretto più a Emma che a Harriet, come Emma capì. Il signor Elton era molto impacciato, e trovava più facile incontrare lo sguardo di lei che quello della sua amica. Un attimo dopo se n'era già andato. Dopo un altro istante di pausa:

«Prendetelo», disse Emma, sorridendo. E spingendo il foglio verso Harriet: «È vostro. Prendete quel che vi appartiene».

Ma Harriet tremava d'eccitazione, e non poteva toccarlo; allora Emma, a cui non dispiaceva mai essere la prima, dovette esaminare lei stessa il foglio:

Alla signorina...

SCIARADA

Il mio primo mostra la ricchezza e la pompa dei re,
E il fasto e il lusso dei signori della terra!
Altra visione però mostra il mio secondo,
Eccolo arrivare, il dominatore dei mari!

Ma ah! Se li uniamo, qual rovescio abbiamo!
Ogni libertà e potere dell'uomo scompaiono di botto;
Il dominatore della terra e del mare si piega, schiavo,
E sol la dama, sol la sua bella dama regnerà.

Il pronto ingegno tuo l'intero presto troverà,
E che possano i dolci occhi tuoi mandarmi un segno!

Emma ci poggiò sopra lo sguardo, ragionò, colse il significato, lesse di nuovo per essere del tutto sicura e completamente padrona dei versi, e poi tendendola a Harriet sedette, sorridendo felice, e dicendo tra sé, mentre Harriet si spremeva le meningi sul foglio, nella confusione di speranza e incapacità a capire: "Molto bene, signor Elton, molto bene. Ho letto sciarade peggiori. *Corteggiamento*[1], un'allusione più che appropriata. Ve ne rendo merito. Volete tastare il terreno. Questo dice molto chiaramente: 'Di grazia, signorina Smith, consentitemi di farvi la corte. Approvate la mia sciarada e le mie intenzioni con lo stesso sguardo'".

E che possano i dolci occhi tuoi mandarmi un segno!

"È proprio Harriet. Dolci, proprio la parola adatta a descrivere gli occhi di lei; di tutti gli epiteti, il più giusto che si potesse trovare".

Il pronto ingegno tuo l'intero presto troverà.

[1] In inglese *courtship* (*court* 'corte' e *ship* 'nave').

"Bah!... il pronto ingegno di Harriet! Meglio così. Un uomo deve essere proprio innamorato per descriverla così. Ah! signor Knightley, vorrei che lo vedeste anche voi; credo che vi convincerebbe. Per una volta almeno nella vostra vita vi vedreste costretto a confessare di esservi sbagliato. Una sciarada davvero eccellente, perfetta per l'occasione. Ora le cose dovranno arrivare presto al punto critico".

Fu obbligata a interrompere tali piacevoli riflessioni, che altrimenti, dato il loro carattere, sarebbero andate per le lunghe, dall'incalzare delle domande sconcertate di Harriet:

«Cosa mai può essere, signorina Woodhouse?... Cosa può essere? Non ne ho idea... Non riesco proprio a indovinare. Cosa sarà? Cercate di capire, signorina Woodhouse. Datemi una mano. Non mi sono mai trovata di fronte a una cosa così difficile. È forse un "regno"? Mi chiedo chi sia stato l'amico... e chi possa essere la signorina! Credete che sia buona? Può essere "dama"?

> E sol la sua dama, sol la sua bella dama regnerà.

Può essere Nettuno?

> Eccolo arrivare, il dominatore dei mari!

O un tridente? Oppure una sirena? O uno squalo? Ah, no! Squalo è una parola troppo corta. Deve essere molto intelligente, altrimenti non lo avrebbe portato. Oh! Signorina Woodhouse, credete che riusciremo mai a trovare la soluzione?».

«Sirene e squali! Che sciocchezze! Mia cara Harriet, a cosa state pensando? A che servirebbe portarci una sciarada fatta da un amico su una sirena o uno squalo? Passatemi il foglio e statemi a sentire.

Alla signorina...: leggete signorina Smith

> Il mio primo mostra la ricchezza e la pompa dei re,
> E il fasto e il lusso dei signori della terra!

Questa è "corte".

> Altra visione però mostra il mio secondo,
> Eccolo arrivare, il dominatore dei mari!

Questo è "nave": non potrebbe essere più chiaro. E ora veniamo alla crema:

> Ma ah! Se li uniamo, qual rovescio abbiamo!
> Ogni libertà e potere dell'uomo scompaiono di botto;
> Il dominatore della terra e del mare si piega, schiavo,
> E sol la dama, sol la sua bella dama regnerà.

Un complimento molto appropriato!... Segue la richiesta che, mia cara Harriet, credo capirete senza troppe difficoltà. Leggetevela per il vostro conforto. Non ci può esser dubbio: è stata scritta per voi, e a voi».

Harriet non poté resistere a lungo a una persuasione tanto lusinghiera. Lesse i versi finali e divenne tutta agitazione e felicità. Non riusciva a proferire parola. Ma non le veniva chiesto di parlare. Bastava che sentisse. Fu Emma a parlare per lei.

«C'è un significato tanto personale, tanto particolare in questo complimento», disse Emma, «che non dubito neppure un attimo delle intenzioni del signor Elton. Siete voi il suo obiettivo; e presto ne riceverete la prova definitiva. Lo immaginavo che dovesse essere così. Sapevo che non mi potevo ingannare; ma adesso la cosa è chiara; la condizione del suo animo è così chiara e decisa quanto lo sono i miei desideri a riguardo, dal primo momento in cui vi ho conosciuta. Sì, Harriet, per tutto questo tempo non ho fatto altro che desiderare proprio la situazione che adesso si è offerta. Non sono mai riuscita a dire se un attaccamento tra voi e il signor Elton sarebbe stato più auspicabile o più naturale. La sua probabilità e la sua desiderabilità si sono di fatto equilibrate. Ne sono contentissima. Mi congratulo con voi, mia cara Harriet, con tutto il cuore. Questo è un attaccamento che una donna può veramente andar fiera di aver creato. Questo è un legame che non può offrire che bene. Vi darà tutto quello di cui avete bisogno: considerazione, indipendenza, una casa vera; vi collocherà nel centro di tutte le vostre amicizie autentiche, vicina a Hartfield e a me, e confermerà per sempre la nostra amicizia. Questa, Harriet, è un'unione che non potrà mai far arrossire nessuna di noi due».

«Cara signorina Woodhouse...», e ancora, «cara signorina Woodhouse...», fu tutto quel che Harriet, tra molti dolci abbracci, riuscì inizialmente ad articolare; ma quando arrivarono a qualcosa di più somigliante a una conversazione, fu sufficientemente chiaro alla sua amica che Harriet vedeva, sentiva, prevedeva e ricordava proprio come avrebbe dovuto. La superiorità del signor Elton ebbe il più ampio riconoscimento.

«Qualsiasi cosa diciate è sempre giusta», esclamò Harriet, «per cui immagino, e credo, e spero, che sia così; in caso contrario non avrei potuto immaginarlo. È talmente al di là dei miei meriti... il signor Elton, che potrebbe sposare chiunque volesse! Su di lui non possono esserci due opinioni diverse... È una persona talmente superiore. Pensate solo a quei dolci versi... "Alla signorina..." Dio mio, che abilità!... Ma veramente possono essere destinati a me?»

«Non voglio fare domande, o sentirne fare, su questo. È una certezza. Affidatevi al mio giudizio. È una sorta di prologo a una recita teatrale, un'epigrafe in testa a un capitolo; e presto sarà séguito da una prosa concreta».

«È una cosa di un tipo che nessuno si sarebbe atteso. Sono sicura che un mese fa non ci avrei nemmeno pensato. Succedono le cose più strane!».

«Quando le signorine Smith e i signori Elton si conoscono... succedono davvero; ed è davvero strano; è fuori dall'ordinario che quel che è così chiaramente, così evidentemente auspicabile, quello che sollecita i buoni uffici degli altri, debba prendere da sé la propria forma con tanta prontezza. Voi e il signor Elton siete chiamati insieme dalla situazione; appartenete l'uno all'altra a seguito di tutte le circostanze delle vostre rispettive case. La vostra unione sarà pari a un matrimonio a Randalls. Pare che nell'aria di Hartfield ci sia qualcosa che dà all'amore proprio la giusta direzione, e lo indirizza proprio nel canale in cui dovrebbe scorrere.

Mai vero amore ebbe agevol corso...[2].

Un'edizione di Shakespeare stampata a Hartfield dovrebbe portare una lunga nota su quei versi».

«Che il signor Elton deva essere davvero innamorato di me... di me, che

[2] W. Shakespeare, *Sogno di una notte d'estate*, I, 1, 134.

lo scorso autunno non lo conoscevo neppure, e non gli rivolgevo la parola! E lui, il più bell'uomo che ci sia mai stato, e uno che tutti considerano con rispetto, né più né meno del signor Knightley! La sua compagnia è così apprezzata che a quanto tutti dicono non deve consumare un solo pasto da solo, se non lo desidera; e ha più inviti di quanti non siano i giorni della settimana. E così bravo in Chiesa! La signorina Nash ha preso nota di tutti i testi sui quali ha fatto sermoni da che è venuto a Highbury. Mio Dio! Quando ripenso alla prima volta che l'ho visto! Quanto ero lontana dal pensare... Le due Abbot e io siamo corse alla stanza che affaccia sulla strada e abbiamo spiato da dietro le tendine quando lo abbiamo sentito passare, e la signorina Nash è venuta e ci ha rimproverato facendoci allontanare, e poi è rimasta e si è messa lei stessa a guardare, e ha lasciato guardare anche me, il che è stato molto generoso da parte sua. E che bell'aspetto ci è parso avesse! Stava a braccetto con il signor Cole».

«È un'unione che chiunque, quali che siano i vostri amici, quale che sia la loro posizione, dovranno trovare di loro gradimento, se solo hanno giudizio; e noi non ci aspettiamo che siano gli sciocchi a giudicare la nostra condotta. Se loro si fan pensiero di vedervi sposata *felicemente*, ecco un uomo dotato di un carattere amabile che offre ogni garanzia; se vogliono che vi stabiliate nello stesso ambiente in cui hanno voluto sistemarvi, ecco che il loro volere è soddisfatto; se il loro unico desiderio è, secondo l'espressione comune, che vi sposiate *bene*, ecco qui la ricchezza piena di vantaggi, la tradizione di rispettabilità, l'ascesa nella scala sociale che deve soddisfarli».

«Sì, è proprio vero. Come parlate bene; è un piacere starvi ad ascoltare. Voi comprendete ogni cosa. Voi e il signor Elton siete entrambi ugualmente brillanti. Questa sciarada... Se anche l'avessi studiata per dodici mesi, mai sarei riuscita a mettere insieme una cosa del genere».

«Lo immaginavo che avrebbe voluto provare la sua abilità, visto il modo in cui si è tirato indietro ieri».

«Credo sia, senza alcun dubbio, la migliore sciarada che ho letto».

«Certo non ne ho mai letta una più appropriata».

«Ed è anche lunga quasi come tutte quelle che avevamo già».

«Non credo che la sua lunghezza sia un pregio. Di solito queste composizioni più sono brevi e meglio è».

Harriet era troppo assorta nei versi per ascoltare. Le venivano in mente i confronti più lusinghieri.

«Una cosa», disse in quel momento, le guance in fiamme, «è possedere un'intelligenza di tipo ordinario, come chiunque altro, e se si ha qualcosa da dire sedersi a tavolino e scrivere una lettera, e limitarsi a dire quel che si deve in poche parole; e altra cosa è scrivere versi e sciarade come questa».

Emma non avrebbe potuto desiderare da lei un più vivace rifiuto della prosa del signor Martin.

«Versi così teneri!», continuava Harriet, «quegli ultimi due! Ma come potrò mai restituire questo foglio, o dire che l'ho trovato? Oh, signorina Woodhouse, cosa possiamo fare?»

«Lasciate fare a me. Voi non fate nulla. Lui verrà qui stasera, ci scommetto, e allora glielo restituirò, e ci diremo qualche sciocchezzuola, e voi non vi comprometterete. I vostri dolci occhi sceglieranno il loro momento per sorridergli. Fidatevi di me».

«Oh, signorina Woodhouse, che peccato che io non possa trascrivere nel mio libro questa bella sciarada! Sono certa di non averne una che valga la metà di questa».

«Omettete gli ultimi due versi, e non c'è motivo per cui non dobbiate trascriverla nel vostro libro».

«Oh, ma quei due versi sono...».

«...i migliori. D'accordo... per quanto riguarda la possibilità di goderne in privato; e dunque teneteli per il vostro godimento privato. Non smetteranno di essere scritti, se li togliete, sapete. Quella conclusione continua a esistere, e il suo significato non cambia. Ma eliminatela, e cade ogni riferimento personale; rimane una graziosa sciarada galante, che potrebbe far parte di qualsiasi collezione. Datemi retta, non gli piacerebbe vedere la sua sciarada tenuta in poco conto, più che vedere tenuta in poco conto la sua passione. Un poeta innamorato deve ricevere incoraggiamento in entrambi i suoi ruoli, o in nessuno dei due. Datemi qua il libro, la trascriverò io, così a voi non ne potrà venire alcun pregiudizio».

Harriet si affidò all'amica, anche se la sua mente non riusciva a separare le due parti, così da sentirsi sicura che la sua amica non stesse copiando una dichiarazione d'amore. Sembrava un'offerta troppo preziosa per ricevere alcun tipo di pubblicità.

«Non lascerò mai che quel libro si allontani dalle mie mani», disse.

«Molto bene», rispose Emma, «sentimento molto naturale; più dura, più ne sarò lieta. Ma ecco che arriva mio padre: non avrete nulla in contrario a che io legga la sciarada a lui. Gli darà tanto piacere! Adora le cose di questo genere, in particolar modo tutto ciò che ha l'aria di un omaggio alle signore. Ha il più tenero spirito di galanteria verso noi tutte! Dovete consentirmi di leggergliela».

Harriet assunse un'aria grave.

«Mia cara Harriet, non dovete far troppo caso a questa sciarada... Tradireste i vostri sentimenti in modo inopportuno, se vi mostrerete consapevole e troppo svelta, se sembrerete attribuire alla sciarada troppo peso, o, magari, tutto il peso che può venirle attribuito. Non lasciatevi vincere da un così piccolo omaggio di ammirazione. Se lui fosse stato ansioso di mantenere il segreto, non avrebbe lasciato lì il foglio mentre io ero vicina; anzi, lo ha spinto verso di me, più che verso di voi. Non prendiamo queste cose troppo sul serio. Ha abbastanza incoraggiamento per continuare, senza che noi ci si metta a esalare l'anima su questa sciarada».

«Oh no... Spero di non divenire ridicola in merito a essa. Fate come volete».

Entrò il signor Woodhouse, e ben presto ricondusse il discorso su quel tema, ripetendo la sua molto frequente domanda: «Ebbene, mie care, come va avanti il vostro libro? Avete trovato qualcosa di nuovo?»

«Sì, papà, dobbiamo leggervi qualcosa, qualcosa di completamente nuovo. Questa mattina è stato trovato sul tavolo un foglio (lo ha lasciato cadere, pensiamo, una fata) che contiene una graziosissima sciarada, e abbiamo appena finito di ricopiarla».

Emma gliela lesse, nel modo in cui a lui piaceva sentirsi leggere le cose, lentamente e con chiarezza, due o tre volte, offrendo spiegazioni di ogni parte a mano a mano che procedeva; e lui rimase molto soddisfatto, e, come lei aveva previsto, particolarmente colpito dal complimento conclusivo.

«Sì, proprio giustissimo, e detto molto bene. Molto vero! "Sol la sua dama, sol la sua bella dama". È una sciarada così graziosa, mia cara, che posso facilmente indovinare qual'è la fata che l'ha portata. Nessuno avrebbe potuto scrivere con tanta grazia se non tu stessa, Emma».

Emma si limitò a fare un cenno col capo, e sorrise. Dopo un attimo di riflessione, e un tenerissimo sospiro, lui aggiunse:

«Ah! Non è difficile vedere da chi hai preso! La tua cara mamma riusciva talmente bene in tutte queste cose! Oh, se solo avessi la sua memoria! Ma non riesco a ricordare niente; nemmeno quell'indovinello di cui mi hai sentito parlare; riesco solo a ricordare la prima strofa, e ce ne sono varie:

> Kitty, una bella ma gelida damina
>   Accese una fiammella che mi fa soffrire;
> Al fanciullo col cappuccio chiesi aiuto,
> Sebbene dell'approccio suo fossi impaurito,
>   Tanto fatale era al mio manto[3].

E questo è tutto ciò che riesco a ricordare... ma l'indovinello è tutto molto ben concepito. Credo però, mia cara, che tu mi abbia detto di averlo già».

«Sì, papà, è stato trascritto nella nostra seconda pagina. Lo abbiamo copiato dagli *Estratti eleganti*. Era di Garrick, sapete».

«Sì, verissimo. Come mi piacerebbe ricordarmene di più!

> Kitty, una bella ma gelida damina.

Il nome mi fa pensare alla povera Isabella; giacché per poco non le fu dato il nome di Catherine, il nome della nonna. Speriamo di averla qui la prossima settimana. Hai pensato, mia cara, dove sistemarla... e che stanza dare ai bambini?»

«Oh, sì! Avrà la sua camera, naturalmente, la camera che ha sempre; e per i bambini c'è la stanza dei bambini, come al solito, lo sapete. Perché dovrebbero esserci cambiamenti?»

«Non lo so, mia cara, ma è così tanto tempo che non viene! Almeno dalla Pasqua scorsa, e allora è rimasta solo pochi giorni. È una grande seccatura che il signor John Knightley sia avvocato. Povera Isabella! Viene tenuta così lontano da tutti noi! E quanto le dispiacerà, quando viene, non trovare più qui la signorina Taylor!».

«Almeno, papà, non rimarrà sorpresa».

«Non so, mia cara. Io di certo sono rimasto molto stupito quando ho sentito che stava per sposarsi».

«Dobbiamo invitare a pranzo il signore e la signora Weston, mentre Isabella è con noi».

«Sì, cara, se ce n'è il tempo... Ma», con tono molto afflitto, «viene solo per una settimana. Non ci sarà tempo per nulla».

«È un peccato che non possa rimanere più a lungo, ma pare un caso di

---

[3] La soluzione dell'indovinello, che gioca su doppi sensi irriproducibili in italiano (in particolare tra la "fiamma" del camino e quella dell'amore) è "spazzacamino".

necessità. Il signor John Knightley deve essere di nuovo a Londra il ventotto, e dobbiamo esser riconoscenti, papà, di avere noi tutto il tempo che possono passare fuori città, e che non ci vengano tolti due o tre giorni per l'abbazia. Il signor Knightley promette di rinunciare al suo diritto, per questo Natale... anche se, lo sapete, è passato più tempo da quando sono stati da lui che da noi».

«Sarebbe proprio un gran dispiacere, mia cara, se la povera Isabella dovesse stare in un posto che non sia Hartfield».

Il signor Woodhouse non voleva accettare che il signor Knightley avesse dei diritti sul fratello, o che altri, oltre lui, ne avesse qualcuno su Isabella. Ci pensò un po', poi disse:

«Ma non vedo perché la povera Isabella dovrebbe essere obbligata ad andarsene così presto, anche se lui deve farlo. Credo, Emma, che cercherò di persuaderla a restare più a lungo con noi. Lei e i bambini potrebbero benissimo rimanere».

«Ah, papà, questo è quel che non siete mai riuscito a ottenere, e non credo ci riuscirete mai. Isabella non sopporta l'idea di non accompagnare il marito».

Questo era troppo vero perché lo si potesse contraddire. Per sgradito che fosse, il signor Woodhouse non poté far altro che sospirare, rassegnato; ed Emma, vedendo che il suo umore si intristiva all'idea dell'affetto di sua figlia per il marito, portò subito il discorso su un tema destinato a risollevarlo.

«Harriet dovrà darci il più possibile la sua compagnia mentre sono qui mio cognato e mia sorella. Sono certa che le piaceranno i bambini. Siamo molto orgogliosi dei bambini, non è così, papà? Mi chiedo quale troverà più bello, Henry o John?».

«Già, anch'io me lo chiedo. Poveri piccini, come saranno contenti di venire! Sono così entusiasti di stare a Hartfield, Harriet».

«Non ho dubbi che lo siano, signore. Sono certa che chiunque lo sarebbe».

«Henry è un bel ragazzo, ma John assomiglia molto alla mamma. Henry è il maggiore, gli è stato dato il mio nome, non quello del padre. È stato John, il secondo, a ricevere il nome paterno. Alcuni rimangono sorpresi, credo, che questo nome non sia andato al maggiore, ma Isabella ha voluto che il primo si chiamasse Henry, e questo ci è parso molto carino da parte sua. Ed è proprio un ragazzino intelligente. Sono tutti molto brillanti, e hanno delle maniere davvero carine! Vengono accanto alla mia potrona e dicono: "Nonno, me lo dai un pezzo di spago?", e una volta Henry mi ha chiesto un coltello, ma io gli ho detto che i coltelli erano fatti solo per i nonni. Credo che loro padre sia troppo duro con loro, molto spesso».

«Vi sembra duro», disse Emma, «perché voi siete così tenero; ma se poteste paragonarlo con altri padri, non lo trovereste duro. Vuole che i suoi ragazzi siano attivi e forti e, se si comportano male, ogni tanto potrà dire loro qualche parola brusca; ma è un padre affettuoso... sì, non c'è dubbio che il signor John Knightley sia un padre affettuoso. I bambini gli vogliono tutti bene».

«Poi arriva il loro zio e li lancia verso il soffitto in un modo che fa proprio spavento!».

«Ma a loro piace, papà, non c'è nulla che a loro piaccia altrettanto. Si divertono talmente che se lo zio non avesse messo la regola che devono darsi il cambio, quello che ha iniziato non vorrebbe mai dare il posto all'altro».

«Mah! Non riesco a capirlo».

«È il caso di tutti noi, papà. La metà del mondo non riesce a capire i piaceri dell'altra».

Più avanti nella mattinata, e proprio quando le ragazze erano sul punto di separarsi, per prepararsi al solito pranzo delle quattro, arrivò di nuovo l'eroe dell'inimitabile sciarada. Harriet volse il viso da un'altra parte, ma Emma fu in grado di riceverlo con il solito sorriso, e il suo sguardo svelto non tardò a scoprire in quello di lui la consapevolezza di essersi messo a rischio, di aver tratto un dado; e lei immaginò che fosse venuto a vedere come fosse andata. Il motivo apparente, tuttavia, era di chiedere se quella sera la riunione del signor Woodhouse potesse essere tenuta senza di lui, o se la sua presenza fosse, sia pur di poco, indispensabile lì a Hartfield. Se lo era, ogni altra cosa sarebbe passata in second'ordine; in caso contrario, invece, il suo amico Cole aveva tanto insistito perché cenasse con lui; dava alla cosa una tale importanza che lui gli aveva promesso che, se solo fosse stato possibile, sarebbe andato.

Emma lo ringraziò, ma non poteva tollerare che desse una delusione al suo amico a causa loro; suo padre non rischiava di dover annullare la sua partita a bridge. Lui ribadì di sentirsi obbligato, lei di nuovo si dichiarò pronta a scusarlo, e lui pareva sul punto di fare la sua riverenza quando, prendendo il foglio dal tavolo, Emma glielo restituì:

«Oh, ecco la sciarada che siete stato tanto cortese da lasciarci; vi siamo grati per avercela fatta vedere. L'abbiamo ammirata così tanto che mi sono azzardata a trascriverla nella collezione della signorina Smith. Il vostro amico non se la prenderà, spero. Naturalmente ho trascritto solamente i primi otto versi».

Di certo il signor Elton non sapeva molto bene cosa dire. Assunse un'aria alquanto dubbiosa, alquanto confusa; disse qualcosa a proposito dell'«onore», lanciò un'occhiata a Emma e a Harriet, e poi, vedendo il libro aperto sul tavolo, lo raccolse e lo esaminò molto attentamente. Per superare il momento d'imbarazzo, Emma disse, con un sorriso:

«Dovete fare le mie scuse al vostro amico; ma una sciarada così buona non deve essere conosciuta esclusivamente da una persona o due. Fintanto che scrive con tanta galanteria, può star certo dell'approvazione di ogni donna».

«Non ho alcuna esitazione nel dire», rispose il signor Elton, pur esitando molto nel parlare, «non ho alcuna esitazione a dire... perlomeno se il mio amico ha gli stessi sentimenti che ho io... non ho il minimo dubbio che, se lui potesse vedere la sua espressione poetica onorata come io la vedo», guardando di nuovo il libro, e ricollocandolo sul tavolo, «considererebbe questo il momento più bello della sua vita».

Dopo questo discorso se ne andò il più presto possibile. A Emma non parve l'ora; giacché, nonostante tutte le buone e amabili qualità del signor Elton, nei suoi discorsi c'era una sorta di pomposità che rischiava di farla ridere. Corse via, per abbandonarsi al desiderio di farlo, lasciando a Harriet la parte più tenera e sublime del piacere.

Capitolo decimo

Sebbene si fosse già a metà dicembre, il tempo non aveva ancora impedito alle due signorine di fare le loro passeggiate in modo abbastanza regolare; e il giorno successivo Emma doveva fare una visita di beneficenza a una famiglia povera che viveva un po' fuori di Highbury.

Il loro percorso verso l'isolata casetta scendeva per la stradina della canonica, una stradina che si staccava ad angolo retto dalla larga ma irregolare via principale del paese, e che, come si può ben indovinare, conteneva il rifugio benedetto del signor Elton. Prima si passava davanti ad alcune case più povere, poi, a circa un quarto di miglio lungo la stradina, sorgeva la canonica; una casa antica e non molto comoda, vicinissima alla strada. Non aveva una bella posizione; ma l'attuale proprietario l'aveva resa molto più graziosa; e, per come era collocata, non sarebbe stato possibile che le due amiche vi passassero di fronte senza rallentare il passo e volgere gli occhi a essa. Il commento di Emma fu:

«Eccola lì. Ecco dove finirete uno di questi giorni, voi e il vostro libro d'indovinelli».

Quello di Harriet fu:

«Oh, che casa deliziosa! Com'è bella! Ecco lì le tendine gialle che la signorina Nash ammira tanto!».

«*Adesso* non passo da questa parte molto spesso», disse Emma, intanto che proseguivano, «ma *quel giorno* ci sarà uno stimolo a farlo, e a poco a poco finirò per conoscere intimamente tutte le siepi, i cancelli, gli stagni e le piante dalle cime recise di questa parte di Highbury».

Harriet, scoprì, in vita sua non era mai stata nel vicariato, e la sua curiosità era tale che, a giudicare dalle manifestazioni esteriori e dalle probabilità, Emma poteva solo classificarla, come una prova d'amore, insieme all'opinione del signor Elton in merito al "pronto ingegno" di Harriet.

«Vorrei che potessimo farcela», disse lei, «ma non riesco a immaginare alcun pretesto accettabile per entrare: nessuna della servitù di cui desideri informazioni dalla sua governante, nessun messaggio da parte di mio padre».

Ci rifletté, ma non poté escogitare niente. Dopo un reciproco silenzio di alcuni minuti, Harriet riprese:

«Mi sorprende molto, signorina Woodhouse, che non siate sposata, o sul punto di esserlo! Affascinante come siete!».

Emma rise, e rispose:

«Il fatto di essere affascinante, Harriet, non è sufficiente per indurmi al matrimonio; devo trovare anch'io affascinanti gli altri... almeno uno. E non solo non mi sto per sposare, ma ho ben poche intenzioni di sposarmi mai».

«Ah! Così dite voi, ma io non posso crederci».

«Dovrei vedere una persona molto superiore a tutti quelli che ho visto finora, per sentirmi tentata; il signor Elton, sapete», proseguì riprendendo il controllo di sé, «è fuori discussione; e non desidero di vedere una persona del genere. Preferirei non essere tentata. Non posso proprio vivere meglio di così. Se dovessi sposarmi, dovrei prepararmi a pentirmene».

«Dio! È talmente strano sentir parlare così una donna!».

«Non sono sensibile a nessuna delle attrattive al matrimonio che sentono le donne. Se dovessi innamorarmi, di sicuro la cosa sarebbe differente! Però non mi sono innamorata mai; non è una mia tendenza, non è nel mio carattere; e non credo lo sarà mai. E, senza amore, sono certa sarei una sciocca a modificare una situazione come la mia. Di denaro non ho bisogno; di un'occupazione non ho bisogno; di posizione sociale non ho bisogno; credo che poche donne sposate siano padrone, a casa dei loro mariti, la metà di quanto sono io a Hartfield; e mai e poi mai potrei sperare di essere tanto veramente amata e importante; così perennemente la prima e perennemente infallibile per gli occhi di un uomo come lo sono per quelli di mio padre».

«Ma poi finire zitella, come la signorina Bates!».

«Non potevate presentare immagine più efficace, Harriet; e se potessi mai assomigliare alla signorina Bates, così sciocca, così soddisfatta di sé, così sorridente, così noiosa con le sue chiacchiere, così priva di discernimento e raffinatezza, e così pronta a raccontare tutto quanto riguarda tutti quelli intorno a me, mi sposerei subito domani. Ma, rimanga tra noi, sono persuasa che non ci possa essere alcuna somiglianza, se non per il fatto di non essere sposate».

«Ma pure, rimarrete zitella! E questo è così terribile!».

«Non fa nulla, Harriet, non sarò una povera vecchia zitella; e poi è solo la miseria che rende il celibato spregevole agli occhi di un pubblico generoso! Una donna sola, con una rendita limitatissima, deve essere una ridicola, sgradevole vecchia zitella! Il vero spasso di ragazzi e giovinette; mentre una donna sola ma ricca è sempre rispettabile, e può essere giudiziosa e gradevole come chiunque altro. E la distinzione non va veramente tanto contro la franchezza e il buon senso del mondo come sembra a tutta prima, perché una rendita molto limitata tende a chiudere la mente e a inasprire il carattere. Quelli che sopravvivono con difficoltà e che sono costretti a stare in un ambiente molto piccolo e di solito molto inferiore, possono certo essere ottusi e difficili. Questo, però, non calza per la signorina Bates; lei è solo troppo bonacciona e sciocca per andarmi a genio ma, in genere, piace moltissimo a tutti, anche se è nubile e povera. La povertà non le ha certo chiuso la mente; io credo proprio che se avesse un solo scellino, probabilmente ne darebbe via la metà; e nessuno ha paura di lei: e ciò costituisce una grande attrattiva».

«Dio! Ma che farete? Come passerete il vostro tempo, quando sarete vecchia?»

«Se mi conosco, Harriet, la mia è una mente attiva, impegnata, con tantissime risorse indipendenti; e non vedo perché dovrei stare senza fare nulla a quaranta o a cinquant'anni più che a ventuno. Le solite occupazioni delle percezioni, delle mani e della mente di una donna saranno alla mia portata allora come adesso; o forse con qualche variazione senza importanza. Se disegnerò di meno, leggerò di più; se lascerò da parte la musica, mi occuperò di tappezzeria. E quanto a persone a cui interessarmi e affezionarmi, la cui mancanza è davvero il grande male, la grande ragione di inferiorità da evitare nella condizione di nubile, ne sarò ben fornita, con il darmi cura di tutti i bambini di una sorella che amo tanto. Ce ne sarà a sufficienza, con ogni probabilità, per provvedere tutte le sensazioni di cui può aver bisogno una vita al suo declino. Ce ne sarà a sufficienza per ogni speranza e per ogni timore; e anche se il mio affetto per uno o l'altro di loro non potrà esser pari a quello di un genitore, questo corrisponde alle mie idee di benessere più di quel che è maggiormente caldo e cieco. I miei nipoti e le mie nipotine! Avrò spesso con me una nipotina».

«Conoscete la nipote della signorina Bates? Cioè, so che dovete averla vista un centinaio di volte... ma vi siete conosciute?»

«Oh sì! Siamo costrette a incontrarci ogni volta che lei viene a Highbury. Tra l'altro, questo sarebbe quasi sufficiente a disgustarmi di una nipote. Dio ci scampi! Per lo meno, spero di non dovere mai scocciare il prossimo con tutti i Knightley messi assieme, la metà di quanto fa lei con Jane Fairfax. Il solo nome di Jane Fairfax dà la nausea. Ogni sua lettera viene letta una quarantina di volte; i complimenti che fa a tutti i suoi amici vengono ripetuti all'infinito; e se manda alla zia il modello di una pettorina, o se cuce un paio di giarrettiere per la nonna, non si sente parlare d'altro per un mese. Auguro a Jane Fairfax ogni bene, però mi annoia a morte».

Stavano adesso avvicinandosi alla casetta, e tutti gli argomenti oziosi furono messi in disparte. Emma era piena di compassione; le sventure dei poveri ricevevano sempre l'omaggio del suo interessamento e della sua bontà, dei suoi consigli e della sua pazienza, oltre che della sua borsa. Ci sapeva fare con loro, era indulgente per la loro ignoranza e le loro tentazioni, non coltivava aspettative romantiche di virtù straordinarie da parte di quelli per i quali l'educazione aveva fatto così poco; si immedesimava con simpatia pronta nei loro malanni, e offriva sempre il suo aiuto, con intelligenza pari alla sua benevolenza. Nel caso presente, veniva a visitare allo stesso tempo malattia e povertà; e dopo essere rimasta là tutto il tempo che le fu possibile a dare conforto e assistenza, lasciò la casetta, così impressionata dalla scena che disse a Harriet, mentre riprendevano la loro strada:

«Questi, Harriet, sono gli spettacoli che ci fanno bene. Come fanno sembrare sciocca ogni altra cosa! Adesso mi sento come se non potessi pensare ad altro che a queste povere creature per tutto il resto della giornata; eppure, chi può dire quanto poco ci metterà tutto questo a svanire dalla mia mente?».

«Com'è vero», disse Harriet. «Povere creature! Non si riesce a pensare ad altro».

«E in verità non credo che l'impressione svanirà tanto presto», disse Emma, mentre attraversava la bassa siepe e l'instabile gradino nel punto in cui finiva lo stretto passaggio che le riportava alla stradina. «Non credo svanirà», ripeté, fermandosi a guardare un'altra volta tutto lo squallore esterno del posto, e a considerare lo squallore ancora più grande che aveva visto all'interno.

«Oh, no davvero, mio Dio!», disse la sua compagna.

Continuarono a camminare. La stradina faceva una leggera curva; quando l'ebbero superata, apparve immediatamente il signor Elton; e così vicino da dare a Emma solamente il tempo di aggiungere:

«Ah! Harriet, ecco che si presenta una prova improvvisa per la nostra perseveranza nei pensieri buoni. Bene», disse sorridendo, «mi auguro si possa dare per scontato che se la compassione ha portato un incoraggiamento e un aiuto ai sofferenti, ha fatto tutto quello che conta veramente.

Se noi partecipiamo alle sofferenze degli infelici, basta fare tutto ciò che possiamo per loro, il resto sono futili dichiarazioni di simpatia, il cui solo risultato è quello di deprimerci».

Harriet ebbe appena il tempo di rispondere: «Oh, Dio, ma certo», prima che il gentiluomo si unisse a loro. Tuttavia, i bisogni e le sofferenze della povera famiglia furono il primo argomento che affrontarono. Lui stava andando proprio a fare visita a quella famiglia. Decise di rimandare quella visita; ebbero però un'interessantissima conversazione su quel che si poteva e si doveva fare. Poi il signor Elton tornò sui suoi passi per accompagnarle.

"Imbattersi l'uno nell'altro durante una simile commissione", pensò Emma, "incontrarsi durante un programma di beneficenza: questo produrrà un grande aumento dell'amore, da entrambe le parti. Non mi meraviglierei se dovesse portare a una dichiarazione. Dovrebbe, se non fossi qui. Vorrei poter essere da un'altra parte".

Ansiosa di separarsi da loro il più possibile, Emma poco dopo si incamminò per un viottolo un po' rialzato a fianco della strada, lasciando questa tutta a loro. Ma non era lì da due minuti che vide che l'abitudine alla dipendenza e all'emulazione di Harriet portavano lassù anche lei e che, insomma, nel giro di un momento entrambi sarebbero stati dietro di lei. Così non andava; si fermò immediatamente, col pretesto di riallacciarsi uno stivaletto, e tutta piegata, così da sbarrare completamente il sentiero, li pregò di avere la bontà di andare avanti; lei li avrebbe seguiti nel giro di mezzo minuto. Fecero come veniva detto loro; e quanto Emma ritenne ragionevole concludere col suo stivaletto, ebbe il conforto di potere allungare il suo indugio, perché la raggiunse una bambina proveniente dalla casetta, che, secondo gli ordini, stava andando con la brocca a prendere del brodo a Hartfield. Camminare accanto a quella bambina, parlare a lei e farle domande, era la cosa più naturale del mondo, o lo sarebbe stata, se in quell'occasione Emma avesse agito senza premeditazione; e in questo modo gli altri potevano andare ancora avanti senza l'obbligo di attenderla. Tuttavia, senza volere, si stava avvicinando a loro; il passo della bambina era veloce, e quello dei due piuttosto lento; ed Emma se ne dispiacque, in particolare modo perché erano chiaramente impegnati in una conversazione che li interessava. Il signor Elton parlava animatamente; Harriet lo ascoltava con attenzione soddisfatta; ed Emma, che aveva mandato avanti la bambina, cominciava a pensare a come potere rimanere indietro un po' di più, quando entrambi si volsero, e lei fu costretta a raggiungerli.

Il signor Elton stava ancora parlando, ancora impegnato a riferire qualche interessante particolare; ed Emma provò non poco disappunto quando si accorse che stava solo raccontando alla sua bella compagna dell'incontro che aveva avuto luogo il giorno precedente dal suo amico Cole, e come lei stessa era arrivava al momento dei formaggi Stilton e del Wiltshire settentrionale, del burro, del sedano, della barbabietola e di tutti i dessert.

"Ciò avrebbe presto condotto a qualcosa di meglio, naturalmente", rifletté consolandosi. "Ogni cosa diventa interessante, tra persone che si amano; e ogni cosa può servire a introdurre l'argomento che ci sta a cuore. Se solo avessi potuto starmene lontana un po' di più!".

Loro continuarono a camminare insieme tranquillamente, fino a che apparve allo sguardo il recinto della canonica, e allora l'improvvisa decisione di fare almeno entrare Harriet in quella casa fece sì che Emma si accorgesse nuovamente che c'era qualcosa che non andava con la sua scarpa, e rimanesse indietro per sistemarla un'altra volta. Poi strappò il laccio, e quando l'ebbe gettato astutamente in un fosso, fu obbligata a pregarli di fermarsi, e a riconoscere la sua incapacità a sistemarsi in modo da potere camminare fino a casa senza troppo disagio.

«Un pezzo del mio laccio si è perduto», disse, «e non so come fare. Sto proprio diventando una compagna scomoda per voi, ma spero di non essere spesso così male attrezzata. Signor Elton, devo chiedervi il permesso di fare sosta a casa vostra, e di domandare alla vostra governante un pezzo di nastro o di spago, o qualunque altra cosa possa servire a sistemare la mia scarpa».

A tale proposta il signor Elton si illuminò di gioia, e nulla poté superare la sua premura e la sua attenzione nel portare le due donne in casa e nel tentare di fare apparire ogni cosa in una luce favorevole. La stanza in cui vennero introdotte era quella in cui lui principalmente soggiornava, e aveva la finestra sulla facciata; dietro ce n'era un'altra, con cui comunicava direttamente; la porta tra le due era aperta, e Emma la passò con la governante per ricevere l'aiuto di costei nel modo più comodo. Fu costretta a lasciare la porta socchiusa come l'aveva trovata; contava però senz'altro che il signor Elton la chiudesse. Ma non venne chiusa, rimase sempre come lei l'aveva lasciata; impegnando la governante in un'incessante conversazione, sperò allora di rendere possibile al signor Elton, nella stanza accanto, la scelta dell'argomento. Per dieci minuti Emma non riuscì a sentire altro che la sua stessa voce. Poi l'espediente non poté protrarsi ulteriormente. Emma fu costretta a concludere e a fare di nuovo la sua comparsa.

Gli innamorati stavano insieme a una delle finestre. La cosa sembrava promettere bene; e per mezzo minuto Emma sentì la soddisfazione di essere ricorsa a un felice stratagemma. Ma no, nemmeno stavolta ci si era riusciti; non si era venuti al punto. Era stato piacevolissimo, delizioso; aveva detto a Harriet di averle viste passare e di averle seguite intenzionalmente; erano state fatte cadere altre piccole galanterie e allusioni, ma niente di serio.

«Cauto, molto cauto», pensò Emma; «va avanti di un passo per volta, e non vuole rischiare nulla fino a che non si reputa sicuro».

E tuttavia, anche se il suo ingegnoso espediente non era riuscito del tutto, Emma non poteva non sentirsi lusingata che esso avesse offerto a entrambi l'occasione di passare insieme un quarto d'ora di felicità, e che dovesse condurli più vicino al grande evento.

Capitolo undicesimo

Ora il signor Elton doveva essere lasciato a se stesso. Non era più in potere di Emma soprintendere alla sua felicità o affrettare i suoi tempi. L'arrivo della famiglia della sorella di Emma era così vicino che prima nelle aspettative, poi nella realtà, esso divenne da quel momento il suo primo motivo d'interesse; e durante i dieci giorni del loro soggiorno a Hartfield non ci si poteva aspettare (lei stessa non se lo aspettava) che offrisse agli innamorati più che un aiuto occasionale e fortuito. Se volevano, tuttavia, potevano fare veloci progressi, e, lo volessero o no, in un modo o nell'altro dovevano pur andare avanti. E poi lei non lo desiderava nemmeno, aver più tempo da dedicare a quei due. Ci sono persone che, quanto più si fa per loro, meno fanno per se stessi.

Il signore e la signora Knightley, che erano rimasti assenti dal Surrey più a lungo del solito, suscitavano naturalmente un interesse maggiore dell'ordinario. Fino a quell'anno ogni lunga vacanza, dall'epoca del loro matrimonio, era stata divisa tra Hartfield e l'abbazia di Donwell; ma tutte le vacanze di quell'autunno erano state dedicate ai bagni di mare dei bambini, così che vari mesi erano passati da quando non erano stati visti con regolarità dai loro parenti nel Surrey, o visti dal signor Woodhouse, che non si lasciava persuadere a recarsi a Londra, nemmeno per via della povera Isabella, e che conseguentemente era adesso, nella sua felicità per questa visita, così attesa e tanto breve, più che mai nervoso e apprensivo.

Pensava molto ai rischi che il viaggio presentava per lei, e non pensava affatto alla stanchezza dei suoi cavalli e del suo cocchiere, che doveva trasportare alcuni degli ospiti per la seconda parte della strada; ma il suo allarme fu inutile, visto che le sedici miglia furono felicemente percorse, e il signore e la signora Knightley, i loro cinque bimbi e un numero adeguato di bambinaie raggiunsero tutti quanti Hartfield sani e salvi. Il trambusto e la felicità di un tale arrivo, le molte persone che dovevano essere intrattenute, accolte, incoraggiate e distribuite di qua e di là per essere sistemate, produssero un baccano e una confusione che i suoi nervi non avrebbero potuto tollerare per nessun'altra causa, né sopportare molto più a lungo, nemmeno per questa; ma le abitudini di Hartfield e i sentimenti del padre erano così rispettati dalla signora Knightley che (nonostante la sollecitudine materna per l'immediato sollazzo dei piccoli, e perché essi ricevessero subito tutta la libertà e l'attenzione, tutto il cibo e le bevande, il sonno e il gioco che potessero desiderare, senza frapporre alcun indugio) a quei bambini non era mai concesso di recare disturbo a lui per molto tempo, né per loro stessi né per qualcuna delle incessanti attenzioni che dovessero richiedere.

La signora Knightley era una donnina graziosa ed elegante, di maniere gentili e calme e di carattere molto amabile ed affettuoso; tutta concentrata sulla sua famiglia; moglie devota, madre piena d'adorazione, così teneramente affezionata al padre e alla sorella che, non fosse stato per quei legami più importanti, un amore più completo sarebbe sembrato impossibile. Non riusciva a cogliere difetti in nessuno di loro. Non era una donna di grande intelligenza, o pronta; e insieme a questa somiglianza al padre, ereditava anche molto della sua costituzione; era di salute delicata, troppo preoccupata per quella dei figli, aveva molte paure e molti motivi di ansia, ed era talmente affezionata al suo signor Wingfield a Londra quanto il padre poteva esserlo al signor Perry. Si assomigliavano, inoltre, in una generale bonomia e in un'inguaribile abitudine a mostrare riguardo per ogni vecchia conoscenza.

Il signor John Knightley era alto, distinto e molto brillante; aveva fatto strada nella sua professione, amava la casa ed era pieno di rispettabilità nella sua vita privata; ma le sue maniere riservate gli impedivano di piacere a tutti; e alle volte era capace di essere di cattivo umore. Non era di carattere difficile, né si irritava senza validi motivi tanto spesso da meritare un tale rimprovero; ma il carattere non era la cosa migliore che avesse, e con una moglie che lo adorava in quel modo, non era possibile che i difetti naturali del suo carattere non finissero per accentuarsi. L'estrema dolcezza dell'indole di lei doveva riuscire dannosa a quella di lui. Il signor Knightley aveva tutta la chiarezza e l'intelligenza pronta che mancavano a lei, e poteva alle volte comportarsi in modo sgarbato, o dire una parola severa. Non era troppo apprezzato dalla sua bella cognata. Nessuno dei suoi difetti gli sfuggiva. Era pronta a cogliere i piccoli torti che faceva a Isabella, e di cui Isabella non si accorgeva neppure. Forse sarebbe stata più tollerante se i modi di lui fossero stati maggiormente lusinghieri per la sorella di Isabella, ma questi erano solo quietamente cortesi come quelli di un fratello o di un amico, senza lode e senza eccessivo trasporto; ma poi nessuna cerimoniosità verso di lei le avrebbe fatto dimenticare la colpa, che ai suoi occhi era la maggiore di tutte, in cui talvolta cadeva: la mancanza di rispettosa sopportazione nei confronti di suo padre. A tale proposito non aveva sempre la pazienza che si poteva auspicare. Le manie e i nervosismi del signor Woodhouse provocavano a volte in lui una rimostranza ragionata o delle secche repliche, offerte con mal garbo. Ciò non succedeva spesso; giacché il signor Knightley in fondo aveva un gran rispetto per il suocero, e in genere un forte senso dei suoi doveri verso di lui; ma era troppo spesso per l'affetto filiale di Emma, soprattutto dato che frequentemente c'era da sopportare il fastidio provocato dall'apprensione, anche se poi la temuta scortesia non si verificava. A ogni modo all'inizio di ogni visita non venivano alla luce che i sentimenti più corretti, e visto che questa visita era necessariamente breve, c'era da sperare che scorresse in un clima di ininterrotta cordialità. Non erano stati a lungo seduti tranquilli, quando il signor Woodhouse, scuotendo malinconicamente il capo e sospirando, portò l'attenzione della figlia sul triste cambiamento avvenuto a Hartfield dall'ultima volta che lei c'era stata.

«Ah, mia cara», disse, «povera signorina Taylor... È una faccenda dolorosa!».

«Oh, sì, davvero, signor padre», esclamò lei con pronta simpatia, «come deve mancarvi! E anche alla cara Emma... Che terribile perdita per voi due! Ne sono stata tanto spiacente per voi. Non riesco a immaginare come possiate fare, senza di lei... È proprio un triste cambiamento. Ma spero che lei si trovi abbastanza bene, signor padre».

«Sì, sta bene, mia cara, spero... Sta proprio bene. Non so come sia, ma pare che la nuova sistemazione le risulti abbastanza tollerabile».

A questo punto il signor John Knightley chiese tranquillamente a Emma se ci fossero dubbi circa l'aria di Randalls.

«Oh, no, per nulla! Non ho mai visto la signora Weston in migliore salute, e con un aspetto più florido. Papà esprime solo il suo rammarico».

«Ciò fa onore a entrambi», fu la graziosa risposta.

«E la vedete, signor padre, abbastanza spesso?», chiese Isabella con il tono lamentoso che più si confaceva a suo padre.

Il signor Woodhouse esitò. «Non tanto spesso, mia cara, quanto potrei desiderare».

«Oh, papà, siamo stati senza vederli per un'intera giornata solo una volta da quando si sono sposati. Ogni giorno, la mattina o la sera, eccetto uno, abbiamo visto o il signor Weston o la signora Weston, e in genere entrambi, o a Randalls o qui... e come puoi supporre, Isabella, il più delle volte qui. Sono molto, molto cortesi nelle loro visite. In verità il signor Weston è gentile quanto lei. Papà, se ne parlate con tanta tristezza darete a Isabella un'idea falsa di tutti noi. Dobbiamo tutti capire che ormai bisogna fare a meno della signorina Taylor, ma dovremmo anche essere rassicurati sul fatto che il signore e la signora Weston riescono di fatto a impedire che si senta la mancanza di lei quanto temevamo; e questa è nient'altro che la pura verità».

«Proprio così dovrebbe essere», disse il signor John Knightley, «e proprio così speravo fosse, dalle vostre lettere. Il suo desiderio di usarvi riguardi non può esser messo in dubbio, e il fatto che sia un uomo libero da impegni e socievole rende semplice la cosa. Ti ho sempre detto, amor mio, che non ritenevo che il cambiamento fosse tanto importante per Hartfield quanto tu temevi; e adesso che Emma ti ha detto come stanno le cose, spero sarai soddisfatta».

«Sì, certamente», disse il signor Woodhouse, «sì, senza dubbio... non posso negare che la signora Weston, la povera signora Weston, non venga a vederci molto spesso... ma poi... è sempre costretta a andarsene di nuovo».

«Sarebbe molto doloroso per il signor Weston se non lo facesse, papà. Dimenticate completamente il povero signor Weston».

«Eh già, credo», disse con garbo John Knightley, «che il signor Weston abbia pure qualche diritto. Tu ed io, Emma, ci azzarderemo a prendere le parti di quel povero marito. Visto che io sono un marito, e tu non sei una moglie, è probabile che i diritti dell'uomo ci colpiscano con eguale forza. Quanto a Isabella, è stata sposata abbastanza a lungo per capire la convenienza di mettere da parte, quanto più può, tutti i signori Weston».

«Io, amor mio?», esclamò la moglie, sentendo e capendo solo a metà. «Stai parlando di me? Sono sicura che nessuno dovrebbe essere, o possa essere un più grande sostenitore del matrimonio di quanto non lo sia io, e se non fosse stato per il dolore della sua separazione da Hartfield, non avrei pensato alla signorina Taylor se non come alla donna più fortunata della terra; e quanto a tenere in poco conto il signor Weston, quell'ottimo signor Weston, credo che nessuna lode sia sufficiente. Credo sia uno degli uomini dal carattere più buono che mai siano esistiti. Eccetto te e tuo fratello, non ne conosco l'eguale, quanto a bontà di carattere. Non dimenticherò mai come fece volare l'aquilone di Henry, in quel giorno di vento, la scorsa Pasqua; e da quando mi ha usato quella grande cortesia, è stato un anno lo scorso settembre, di scrivere quel biglietto a mezzanotte per rassicurarmi che a Cobham non c'era la scarlattina, sono stata convinta che non potesse esistere un cuore più sensibile, o un uomo migliore. Se c'è una donna che può meritarlo, quella deve essere la signorina Taylor».

«Dov'è il figliolo?», chiese John Knightley. «È venuto qui in questa occasione, o no?»

«Non è ancora venuto», rispose Emma. «C'era molta aspettativa, si pensava che venisse subito dopo il matrimonio, ma è finita in nulla; e di recente non ho più sentito parlare di lui».

«Ma dovresti dir loro della lettera, mia cara», disse il padre. «Ha scritto una lettera alla povera signora Weston, per congratularsi con lei, ed era una lettera molto adeguata e bella. Lei me l'ha fatta vedere. Mi è sembrato un bel gesto da parte sua. Se poi l'idea veniva proprio da lui, sapete, non si può dire. È molto giovane, e forse suo zio...».

«Papà caro, ha ventitré anni. Dimenticate che il tempo passa».

«Ventitré anni... Ma davvero? Ebbene, non l'avrei immaginato; e non aveva che due anni quando ha perso la sua povera mamma! Ah, il tempo fugge proprio... e la mia memoria è pessima! A ogni modo era una lettera proprio bella e garbata, e ha fatto un grande piacere ai signori Weston. Rammento che era scritta da Weymouth, e datata ventotto settembre, e iniziava con "Mia cara signora", ma non ricordo come continuava; era firmata "F. C. Weston Churchill". Questo lo ricordo perfettamente».

«Quant'è stato amabile e giusto da parte sua!», esclamò la buona signora Knightley. «Non dubito minimamente che sia un giovanotto piacevolissimo. Ma com'è triste che non viva a casa di suo padre. C'è qualcosa che proprio disturba all'idea di un figlio strappato ai genitori e al suo ambiente naturale! non mi rendo conto di come il signor Weston si sia potuto staccare da lui. Rinunciare al proprio figlio! Non riesco proprio a pensare bene di uno che proponga a un altro una cosa del genere».

«Nessuno ha mai pensato bene dei Churchill, immagino», osservò con freddezza il signor John Knightley. «Ma non devi immaginare che il signor Weston abbia sentito quel che sentiresti tu, se dovessi rinunziare a Henry o a John. Il signor Weston è più un tipo dal carattere facile e allegro che una persona di forti sentimenti; prende il mondo come viene, e ne ricava piacere in un modo o nell'altro, cercando le sue soddisfazioni, sospetto, molto più su quel che si chiama "società", cioè sulla possibilità di mangiare e bere e giocare a whist con i suoi vicini cinque volte la settimana, che sull'affetto della famiglia, o su qualunque cosa offra la vita domestica».

Emma non poteva gradire quella che pareva quasi una critica al signor Weston, e stava per ribattere; ma si trattenne, con uno sforzo, e lasciò andare. Voleva mantenere la pace, se possibile; e poi c'era qualcosa di dignitoso e di prezioso nelle forti abitudini domestiche del cognato, nel fatto che gli fosse del tutto sufficiente la sua casa, cosa da cui veniva quella tendenza a guardare dall'alto in basso i consueti rapporti sociali, e coloro ai quali parevano importanti... quella tendenza meritava la più ampia tolleranza.

Capitolo dodicesimo

Il signor Knightley doveva cenare con loro, alquanto contro l'inclinazione del signor Woodhouse, a cui non piaceva che qualcuno dovesse dividere con lui quel primo giorno di Isabella. Tuttavia il senso di giustizia di Emma lo aveva deciso; e oltre alla considerazione di quanto era dovuto ad ognuno dei due fratelli, costei aveva provato un piacere speciale, data la circostanza del recente disaccordo tra lei e il signor Knightley, a fargli avere l'invito che gli spettava.

Sperava che ora avrebbero rifatto amicizia. Pensava fosse tempo di riconciliarsi. Anzi, non si poteva parlare di riconciliazione. Di certo lei non aveva avuto torto, e lui non avrebbe mai ammesso di essersi sbagliato. Non era proprio il caso di fare concessioni; era invece l'ora di far vedere di dimenticare che avevano avuto un litigio; ed Emma si augurava che il fatto che quando lui entrò nella stanza lei aveva con sé una bimba, la più piccina, avrebbe contribuito a restaurare l'amicizia; la bimba era una graziosa pargoletta di circa otto mesi, che faceva adesso la sua prima visita a Hartfield, e che era contenta di sentirsi tra le braccia della zia. E la situazione fu effettivamente d'aiuto; perché sebbene il signor Knightley cominciasse col muso lungo e con domande brevi, presto fu portato a parlare di tutti loro nel solito modo, e a toglierle di braccio la bambina con tutta la familiarità della perfetta intesa. Emma sentì che erano di nuovo amici; e quando questa convinzione fece sì che prima si sentisse molto soddisfatta, e poi un po' impertinente, non poté trattenersi dal dire, mentre lui ammirava la bambina:

«Che consolazione, che abbiamo le stesse idee in merito ai nipoti e alle nipotine! Quanto agli uomini e alle donne, le nostre opinioni sono qualche volta molto diverse; ma riguardo a questi bambini, noto che non siamo mai in disaccordo».

«Se foste altrettanto guidata dalla natura, nella vostra valutazione degli uomini e delle donne, e altrettanto libera dall'influsso della fantasia e del capriccio nei vostri rapporti con loro quanto lo siete quando si tratta di questi bambini, potremmo sempre pensarla allo stesso modo».

«Sì, i nostri disaccordi devono sempre sorgere perché io sono nel torto».

«Sì», disse lui sorridendo, «e c'è una buona ragione. Avevo sedici anni quando siete nata».

«Una differenza importante, dunque», rispose lei, «e senza dubbio mi eravate di molto superiore, quanto a giudizio, in quel periodo delle nostre vite, ma il fatto che siano passati ventuno anni non porta i nostri intelletti un bel po' più vicino?»

«Sì... un bel po' più vicino».

«Eppure, non abbastanza vicino da darmi la possibilità di avere ragione, se la pensiamo in modo differente».

«Ho comunque su di voi il vantaggio dato da un'esperienza di sedici anni, e dal fatto di non essere una graziosa fanciulla e una figlia viziata. Avanti, mia cara Emma, torniamo amici e non ne parliamo più. Dite a vostra zia, piccola Emma, che dovrebbe darvi un esempio migliore invece di lasciarvi rinnovare vecchi torti, e che se non ha sbagliato prima, sbaglia adesso».

«Vero», esclamò lei, «verissimo. Piccola Emma, diventa una donna migliore di tua zia. Sii infinitamente più brava e molto meno vanitosa. Ora, signor Knightley, ancora una parola o due e ho finito. Quanto a buone intenzioni, avevamo ragione *tutti e due*, e io devo dire che nessuna conseguenza, dal mio punto di vista, ha ancora dimostrato che io abbia avuto torto. Voglio solo una conferma che il signor Martin non abbia riportato una delusione troppo amara».

«Non c'è uomo più deluso di lui», fu la succinta, esauriente risposta.

«Ah!... Mi spiace davvero moltissimo. Avanti, diamoci la mano».

Si erano appena stretti la mano, e con grande cordialità, quando comparve John Knightley, e frasi del tipo: «Come stai, George?» e «John, come va?» si succedettero nella genuina maniera inglese, celando sotto quella calma che pareva indifferenza l'autentico affetto che avrebbe spinto ciascuno di loro due, se fosse stato necessario, a fare qualsiasi cosa per il bene dell'altro.

La serata fu tranquilla e dedicata alla conversazione, giacché il signor Woodhouse rinunciò completamente alle carte per chiacchierare, a suo agio, con la cara Isabella, e la piccola compagnia si divise naturalmente in due; da una parte lui e sua figlia; dall'altra i due fratelli Knightley; gli argomenti erano del tutto diversi, o molto di rado si mescolavano, ed Emma si accostava all'uno o all'altro gruppo solo ogni tanto.

I fratelli parlarono dei loro interessi e delle loro occupazioni, ma soprattutto di quelle del maggiore, il cui carattere era di gran lunga il più comunicativo, e che era sempre quello che parlava di più. Nella sua qualità di magistrato, generalmente aveva qualche punto di legge su cui consultare John, o perlomeno, qualche aneddoto curioso da raccontare; e nella sua qualità di agricoltore, di amministratore della fattoria domestica di Donwell, aveva da riferire quale sarebbe stato il raccolto di ogni campo l'anno successivo, e da riportare tutte quelle informazioni locali che non potevano non risultare interessanti per un fratello che l'aveva considerata come la propria casa per gran parte della sua vita, e che provava un forte senso d'attaccamento. Il progetto di un canale di scarico, il cambiamento di un recinto, il taglio di un albero e la destinazione di ogni iugero a frumento, a rape, a grano, furono discussi da John con tutto l'interesse reso possibile dalle sue maniere più riservate; e se il suo compiacente fratello gli lasciava mai qualche punto su cui rivolgere domande, queste acquistavano perfino un certo tono pieno d'intensità.

Mentre loro erano così piacevolmente occupati, il signor Woodhouse si abbandonò con gioia al pieno fluire di felici rimpianti e di timoroso affetto con la figlia.

«Mia povera e cara Isabella», diceva, prendendole teneramente la mano e interrompendo, per qualche attimo, la diligente opera di lei in favore di qualcuno dei cinque bambini, «quanto tempo è passato, che tempo spaventosamente lungo, da che sei stata qui l'ultima volta! E quanto devi essere stanca, dopo il viaggio! Devi andartene a letto presto, mia cara... e ti raccomando un po' di pappa diluita d'avena, prima di andartene a letto. Io e te prenderemo una buona scodella di pappa insieme... Mia cara Emma, ti piacerebbe se prendessimo tutti quanti un po' di pappa d'avena?»

Emma non poteva accettare un'idea del genere, giacché sapeva che entrambi i fratelli Knightley erano tanto irremovibili quanto lei su quel punto; così furono ordinate solo due scodelle. Dopo aver speso un altro po' di parole per esaltare la pappa d'avena ed avere espresso il suo stupore perché non ne prendevano tutti quanti un po' ogni sera, proseguì con un'aria di grave riflessione:

«È stata una vera scocciatura, mia cara, che tu abbia dovuto passare l'autunno a South End invece che venire qui. Non ho mai avuto una grande opinione dell'aria di mare».

«Il signor Wingfield ce l'ha raccomandata molto calorosamente, signor padre, altrimenti non ci saremmo andati. L'ha raccomandata per tutti i bambini, ma in particolar modo per la debolezza di gola della piccola Bella; aria di mare e bagni».

«Ah, mia cara, però Perry nutriva molti dubbi che il mare le potesse fare bene; e quanto a me, è da un pezzo che sono perfettamente convinto, anche se forse non te l'ho mai detto prima, che molto raramente il mare fa bene a qualcuno. Sono certo che a me, una volta, mi ha quasi ammazzato».

«Avanti, avanti», esclamò Emma, accorgendosi che questo era un argomento scabroso, «debbo pregarvi di non parlare del mare. Mi rende invidiosa e infelice... non l'ho mai visto, il mare! Insomma South End è proibito, d'accordo? Mia cara Isabella, non ti ho ancora sentito fare neppure una domanda sul signor Perry; e lui non ti dimentica mai».

«Oh, il buon signor Perry... Come sta, signor padre?»

«Oh, abbastanza bene; non proprio bene, però. Il povero Perry soffre di fegato, e non ha tempo di curarsi, mi dice che non ne ha proprio il tempo... il che è triste... perché lo vogliono di continuo di qua e di là, nei paesi della zona. Immagino che non ci sia da nessuna parte un uomo così in gamba».

«E la signora Perry, e i bambini come stanno? I bambini crescono? Ho molta stima del signor Perry. Spero ci faccia presto una visita. Sarà così contento di vedere i miei piccoli!».

«Spero venga qui domani, perché ho una o due domande piuttosto importanti da fargli su di me. E, cara, quando viene, faresti bene a mostrargli la gola della piccola Bella».

«Oh, mio caro signor padre, la sua gola è talmente migliorata che non sono più preoccupata al riguardo. O i bagni le hanno giovato moltissimo, o tutto si deve attribuire a un'ottima frizione del signor Wingfield, che ho applicato di tanto in tanto da agosto in poi».

«Non è molto probabile, mia cara, che i bagni possano averle fatto bene... e se avessi saputo che avevi bisogno d'una frizione, ne avrei parlato con...».

«Mi sembra che ti sia dimenticata della signora e della signorina Bates», disse Emma. «Non ti ho ancora sentito chiedere notizie di loro».

«Oh, le brave Bates... mi vergogno proprio... ma tu le ricordi in quasi tutte le lettere. Spero stiano bene. Buona, vecchia signora Bates... domani andrò a farle una visita, e porterò con me i bambini. Sono sempre così contente di vedere i miei bambini... E quell'ottima signorina Bates! Che gente a posto! Come stanno, signor padre?»

«Be', abbastanza bene, mia cara, nel complesso. La povera signora Bates però ha avuto un brutto raffreddore, circa un mese fa».

«Quanto me ne dispiace! Non ci sono mai stati tanti raffreddori come quest'autunno. Il signor Wingfield mi ha detto che non gli è mai successo di vederne di più, o di più gravi, se non quando si trattava di una vera e propria influenza».

«E questo è stato, nel complesso, il caso, mia cara; ma non fino al grado che dici tu. Perry sostiene che i raffreddori sono stati molto diffusi, ma non tanto gravi quanto quelli che lui ha visto molto spesso in novembre. Perry non la vede come una stagione veramente nociva alla salute».

«No, non credo che il signor Wingfield la consideri molto nociva per la salute, eccetto...».

«Ah, mia povera, cara figliola, la verità è che a Londra è sempre stagione di cattiva salute. Nessuno gode buona salute a Londra, nessuno ne può godere. È una cosa terribile che tu sia costretta a vivere là... così lontana!... E in un'aria così cattiva!».

«Ma no davvero... non abbiamo affatto un'aria cattiva. La nostra parte di Londra è così superiore a quasi tutte le altre! Non dovete confonderci con Londra in generale, caro signor padre. Le vicinanze di Brunswick Square sono molto diverse da quasi tutto il resto. C'è così tanta aria! Non mi garberebbe, lo confesso, vivere in qualsiasi altra parte della città; non ce n'è altra dove sarei contenta di tenere i miei bambini: la nostra è così ariosa! Il signor Wingfield crede che le vicinanze di Brunswick Square siano decisamente le più favorevoli, quanto ad aria».

«Ah, mia cara, non è come Hartfield. Cerchi di adattartici... ma quando avete passato una settimana a Hartfield, prendete tutti un aspetto diverso; non avete più la stessa cera. E non posso dire che adesso tra voi ce ne sia uno che ha una bella cera».

«Mi dispiace sentirvelo dire, signor padre; ma vi assicuro che eccetto quei piccoli mali di testa e palpitazioni nervose di cui non sono del tutto libera in nessun posto, sto proprio bene; e se i bambini erano un po' pallidi prima di andare a letto, era solo perché si sentivano un po' più stanchi del solito, per il viaggio e per la felicità di venire qui. Spero cambierete idea domani sul loro aspetto; giacché vi assicuro che il signor Wingfield mi ha detto che non credeva di averci mai visti partire in migliori condizioni di salute. Almeno, oso sperare che non pensiate che il signor Knightley ha una brutta cera...», girando gli occhi con affettuosa ansietà dalla parte del marito.

«Metà e metà, mia cara; non posso certo farti i miei complimenti. Penso che il signor John Knightley abbia tutt'altro che una bella cera».

«Cosa c'è, signore? Mi avete rivolto la parola?», esclamò il signor John Knightley sentendo fare il suo nome.

«Mi dispiace tanto di sentire, amor mio, che mio padre non crede che tu abbia bella cera... spero però che dipenda solo da un po' di stanchezza. Avrei potuto augurarmi, però, che tu ti facessi vedere dal signor Wingfield, prima che partissimo da casa».

«Mia cara Isabella», esclamò lui in fretta, «ti prego di non preoccuparti della mia cera. Accontentati di avere buona cura di te e i bambini, e lasciami avere la cera che mi pare».

«Non ho capito bene cosa stavate dicendo a vostro fratello», intervenne Emma, «sul desiderio del vostro amico signor Graham, che intenderebbe fare venire un fattore dalla Scozia per amministrare la sua nuova tenuta. Ma sarà la cosa giusta? Non sarà troppo forte il vecchio pregiudizio?».

Parlò in questo modo tanto a lungo e con successo che quando fu costretta a dare di nuovo la sua attenzione al padre e alla sorella non le capitò di sentire nulla di peggio delle cortesi domande di Isabella su Jane Fairfax; e, anche se di solito lei non era troppo nelle sue grazie, in quel momento fu molto felice di contribuire a farne le lodi.

«Quella dolce, amabile Jane Fairfax!», disse la signora Knightley. «È tanto che non la vedo, eccettuati i brevi incontri casuali, di quando in quando, in città! Che felicità deve essere per la sua buona vecchia nonna e per la sua eccellente zia, quando viene a fare loro visita! Mi spiace sempre tanto, per la cara Emma, che non possa stare di più a Highbury; ma adesso che la loro figliola si è sposata, immagino che il colonnello e la signora Campbell non riusciranno proprio a staccarsi affatto da lei. Sarebbe una compagnia così deliziosa per Emma!».

Il signor Woodhouse fu del tutto d'accordo, ma aggiunse:

«Però la nostra piccola amica Harriet Smith anche lei è proprio una graziosa giovinetta. Harriet ti piacerà. Emma non potrebbe trovare una compagna migliore di Harriet».

«Sono molto lieta di sentirlo... però sappiamo che Jane Fairfax è così compita, una ragazza così superiore! E ha proprio l'età di Emma».

Questo argomento fu dibattuto con molto garbo, e fu seguito da altri della stessa rilevanza, che si alternarono con uguale armonia; ma la serata non si chiuse senza un piccolo ritorno d'agitazione. Arrivò la pappa d'avena e offrì l'occasione a molti discorsi: molte lodi e molti commenti, inconfutabile asserzione della sua salubrità per ogni costituzione, e tirate assai severe contro le molte case in cui non la si trovava mai preparata in modo soddisfacente; sfortunatamente, però, tra gli esempi di insuccesso citati dalla figlia, il più recente, e quindi il più notevole, era stato quello della sua stessa cuoca a South End, una ragazza presa a servizio temporaneamente, che non era mai riuscita a comprendere cosa intendesse Isabella parlando di una scodella di buona, morbida pappa d'avena, diluita sì, ma non troppo. Nonostante la si desiderasse e ordinasse assai spesso, non era mai riuscita a ottenere una cosa accettabile. Questo era uno spunto pericoloso.

«Ah!», disse il signor Woodhouse scuotendo la testa e puntando gli occhi su di lei con tenera sollecitudine. Questa esclamazione significava, all'orecchio di Emma: «Ah! Le tristi conseguenze del tuo viaggio a South End non finiscono mai. Non è nemmeno il caso di parlarne». E per un po' sperò che lui non ne avrebbe parlato, e che qualche riflessione silenziosa sarebbe stata sufficiente a restituirlo al godimento della sua morbida pappa d'avena. Dopo qualche minuto d'intervallo, però, lui cominciò con:

«Mi dispiacerà sempre moltissimo che quest'autunno tu sia andata al mare, invece di venire qui».

«Ma perché dovrebbe dispiacervi, signor padre? Vi assicuro, ha fatto molto bene ai bambini».

«E poi, se proprio dovevi andarci, al mare, sarebbe stato meglio non scegliere South End. South End è un luogo insalubre. Perry è rimasto sorpreso che tu decidessi per South End».

«So che molti la pensano così, ma è davvero proprio uno sbaglio, signor padre. Noi tutti abbiamo goduto di una perfetta salute, e non abbiamo avuto il minimo inconveniente per via della melma; e il signor Wingfield dice che è completamente sbagliato supporre che il luogo sia insalubre; e sono certa che ci si possa fidare di lui, perché capisce a meraviglia la natura dell'aria, e suo fratello c'è andato più volte con la famiglia».

«Avresti dovuto andare a Cromer, mia cara, se proprio dovevi andare al mare. Perry una volta è stato per una settimana a Cromer, e lo considera il migliore di tutti i posti di bagni di mare. Bel mare aperto, dice, e aria purissima. E, a quel che intendo, lì avresti potuto trovare un alloggio lontano dal mare, a un quarto di miglio... molto comodo. Avresti dovuto consultare Perry».

«Ma caro signor padre, pensate a quanto sarebbe stata diversa la lunghezza del viaggio; considerate solo quanto lungo sarebbe stato. Cento miglia, forse, invece di quaranta».

«Ah! Mia cara, come dice Perry, quando c'è in ballo la salute, si dovrebbe passare sopra a qualsiasi altra considerazione, e se uno deve viaggiare c'è poco da scegliere tra quaranta miglia e un centinaio. È meglio non spostarsi affatto, meglio rimanersene a Londra che percorrere quaranta miglia per trovare un'aria peggiore. Ecco quel che ha detto Perry. A lui è parsa una decisione molto avventata».

I tentativi di Emma di fare tacere suo padre erano stati vani; e quando lui fu giunto a questo punto, non poté meravigliarsi del fatto che suo cognato intervenisse:

«Il signor Perry», disse con voce molto irritata, «farebbe meglio a tenere per sé le sue opinioni. Cosa gliene importa di ciò che facciamo noi? Che io porti la famiglia in una parte o un'altra della costa? Spero di poter avere il mio criterio, come il signor Perry ha il suo. Non ho bisogno dei suoi consigli come non ne ho delle sue medicine.» Fece una pausa, e recuperando in un momento la sua freddezza, aggiunse solo, con tono secco e sarcastico: «Se il signor Perry può spiegarmi come portare una moglie e cinque bambini a una distanza di centotrenta miglia senza una maggiore spesa o maggiori inconvenienti che alla distanza di quaranta, sarò ben disposto, come lui, a preferire Cromer a South End».

«Vero, vero», esclamò il signor Knightley, subito pronto a interporsi, «molto vero. Questa è proprio una considerazione da fare. Ma, John, a proposito di quanto ti stavo dicendo sul mio proposito di spostare il sentiero di Langham, di portarlo più a destra, così che non tagli i prati intorno alla casa, non ci vedo nessuna difficoltà. Non ci proverei, se la cosa dovesse significare un inconveniente per la gente di Highbury, ma se tu ricordi con precisione l'attuale percorso del sentiero... l'unico modo di dimostrarlo, tuttavia, sarà di ricorrere alle nostre carte. Spero di vederti domattina all'abbazia, e allora studieremo le carte, e tu mi dirai la tua opinione».

Il signor Woodhouse era alquanto agitato per quelle aspre critiche al suo amico Perry, a cui aveva di fatto, pur se inconsapevolmente, attribuito molti dei suoi sentimenti e delle sue parole; ma le tranquillizzanti premure delle sue figlie allontanarono a poco a poco il male presente, e la pronta vigilanza di uno dei due fratelli, e la migliore memoria dell'altro, fecero sì che non avesse a ripetersi.

Capitolo tredicesimo

Non ci poteva essere al mondo creatura più felice della signora Knightley durante quella breve visita a Hartfield: andava più o meno ogni mattina dalle sue vecchie conoscenze con i cinque bambini, e ogni sera chiacchierava con il padre e la sorella di quel che aveva fatto. Non desiderava null'altro, se non che i giorni passassero meno rapidamente. Fu una visita incantevole; perfetta, proprio per via della sua brevità.

In generale le loro serate erano meno impegnate con gli amici delle loro mattine: ma un impegno completo per una cena, e anche fuori di casa, non era possibile evitarlo, anche se si era sotto le feste di Natale. Il signor Weston non avrebbe tollerato un rifiuto; dovevano pranzare tutti a Randalls un giorno; e perfino il signor Woodhouse venne persuaso a considerarla una cosa possibile, da preferirsi a una divisione del loro gruppo.

Sul come andare tutti quanti fin là egli avrebbe creato una difficoltà, se gli fosse riuscito, ma dato che la carrozza e i cavalli del genero e della figlia si trovavano proprio a Hartfield, non gli fu possibile fare, su questo punto, altro che una semplice domanda, che non metteva veramente in dubbio la cosa; né ci volle molto, a Emma, per convincerlo che in una delle carrozze avrebbero potuto trovare il posto anche per Harriet.

Harriet, il signor Elton e il signor Knightley, la loro speciale cerchia d'amici, furono le uniche persone invitate a trovarsi con loro a quel pranzo; l'ora non doveva essere tarda, e il numero dei convitati ridotto, giacché per ogni cosa si faceva capo alle abitudini e alla disposizione del signor Woodhouse.

La sera prima di questo grande evento (era infatti un grande evento che il signor Woodhouse cenasse fuori il ventiquattro di dicembre) Harriet l'aveva passata a Hartfield, ed era andata a casa così indisposta con un'infreddatura che, se non avesse desiderato intensamente essere curata dalla signora Goddard, Emma non avrebbe potuto permetterle d'uscire. Emma andò a visitarla il giorno dopo, e trovò che la sua sorte, quanto a Randalls, era già segnata. Era tutta febbricitante e aveva un pessimo mal di gola: la signora Goddard era piena di premure e di affetto, si parlò del signor Perry, e la stessa Harriet era troppo malata e debole per opporsi all'autorità che la escludeva da quel delizioso invito, anche se non riusciva a parlare della sua perdita senza molte lacrime.

Emma rimase con lei più che poté, per assisterla durante le inevitabili assenze della signora Goddard, e per cercare di rincuorarla facendole osservare quanto sarebbe rimasto male il signor Elton quando avesse appreso il suo stato; la lasciò alla fine abbastanza riconfortata, al dolce pensiero che lui avrebbe passato una serata quanto mai sconsolata, e che tutti loro avrebbero sentito molto la sua mancanza. Emma non si era allontanata di molti passi dalla porta della signora Goddard quando si imbatté proprio nel signor Elton, che evidentemente stava andando lì, e mentre camminavano lentamente insieme parlando della malata (della quale lui, che aveva sentito parlare di condizioni preoccupanti, veniva a informarsi, per portare notizie di lei a Hartfield) furono raggiunti dal signor John Knightley, che tornava dalla sua quotidiana visita a Donwell con i suoi due figli maggiori, i cui visi sani e rubicondi mostravano il beneficio ricavato da una corsa in campagna, e sembravano assicurare che avrebbero divorato in un baleno il montone arrostito e il budino di riso che facevano affrettare loro il cammino verso casa. I sopraggiunti si unirono ai due, e tutti quanti proseguirono insieme. Emma, per descrivere la natura dell'indisposizione dell'amica, parlò di una gola molto infiammata, un bel po' di febbre, un polso veloce e debole e così via, e disse che le era dispiaciuto sentire dalla signora Goddard che Harriet aveva una predisposizione a forti mal di gola, che spesso l'avevano fatta allarmare... il signor Elton parve molto agitato dalla situazione, ed esclamò:

«Un mal di gola! Spero non infettivo. Spero non si tratti di setticemia. L'ha vista il signor Perry? Dovreste proprio avere riguardo per voi stessa, non meno che per la vostra amica. Lasciate che vi preghi di non correre rischi. Perché il signor Perry non viene a vederla?».

Emma, che non era per nulla spaventata lei stessa, tranquillizzò questo eccesso di preoccupazione con delle parole rassicuranti sull'esperienza e le premure della signora Goddard; ma dato che doveva rimanere un po' d'inquietudine che lei non poteva desiderare di dissolvere, e anzi avrebbe voluto piuttosto alimentare e assecondare, aggiunse subito dopo, come se stesse parlando di tutt'altro argomento:

«Fa tanto, ma tanto freddo, e c'è un'aria di neve che, se si trattasse di un qualsiasi altro posto, o di un qualsiasi altro invito, oggi cercherei proprio di non uscire, e di dissuadere mio padre dall'azzardarsi ad andare fuori; ma visto che ha preso questa decisione, e non sembra sentire lui stesso il freddo, non ho desiderio di intromettermi, perché so che questo darebbe un'enorme delusione al signore e alla signora Weston. Ma, parola mia, signor Elton, se fossi in voi cercherei senz'altro di tirarmi indietro. Già mi sembrate un po' rauco, e se pensate a quanto dispendio di voce e a quanta fatica vi saranno richiesti domani, credo che stasera non sarebbe altro che un'elementare prudenza rimanersene a casa e riguardarsi».

Il signor Elton assunse l'aria di uno che non sapesse esattamente cosa rispondere, e infatti questo era il caso; poiché, sebbene fosse molto lusingato per la gentile premura di una così bella signora, e gli dispiacesse opporsi a un suo consiglio, non provava il minimo desiderio di rinunciare alla visita; ma Emma, troppo presa dalle sue idee per ascoltarlo con imparzialità, o vedere in modo chiaro, rimase molto soddisfatta della sua ammissione a mezza voce secondo cui era «molto freddo, senz'altro molto freddo»; e continuò a camminare, rallegrandosi di averlo liberato da Randalls e di avergli consentito la possibilità di mandare a chiedere notizie di Harriet a ogni ora della serata.

«Fate proprio bene», disse; «presenteremo le vostre scuse al signore e la signora Weston».

Ma aveva appena finito di parlare che sentì suo cognato offrire gentilmente un posto nella sua carrozza, se il tempo era l'unico ostacolo del signor Elton, e il signor Elton che di fatto accettava l'offerta con immediata soddisfazione. Era cosa fatta. Il signor Elton ci sarebbe andato, e la sua larga e bella faccia non aveva mai comunicato piacere più evidente; il suo sorriso non era mai stato più pronunciato, né i suoi occhi più esultanti, di quando, poco dopo, si voltò a guardarla.

"Be'!", disse Emma tra sé. "Questo è proprio strano! Dopo che l'avevo aiutato così bene a disimpegnarsi, che preferisca andare in società, lasciando Harriet a casa malata! Proprio strano davvero! Ma c'è in molti uomini, credo soprattutto negli scapoli, una tale inclinazione, una tale predisposizione a mangiare fuori casa, un invito occupa un posto così importante tra i loro piaceri, i loro passatempi, le loro prerogative, se non addirittura tra i loro doveri, che ogni altra cosa passa in secondo ordine, e questo deve essere il caso del signor Elton; un giovanotto di certo apprezzabilissimo, piacevolissimo, e innamorato di Harriet; eppure non sa dire di no a un invito, deve cenare fuori ogni volta che glielo chiedono. Che cosa strana è l'amore! Riesce a cogliere un 'pronto ingegno' in Harriet, ma non vuole cenare da solo per amore di lei".

Poco dopo il signor Elton li lasciò, e lei non poté non rendergli la giustizia di accorgersi che c'era un bel po' di calore nel modo in cui nominò Harriet al momento di accomiatarsi, nel tono della sua voce, mentre le assicurava che sarebbe andato dalla signora Goddard per avere notizie della sua bella amica, l'ultima cosa che avrebbe fatto, prima di prepararsi al piacere d'incontrarla un'altra volta, e allora sperava di dare notizie migliori; e si allontanò con un sospiro e un sorriso, così da far pendere la bilancia dell'approvazione molto in suo favore.

Dopo qualche minuto di completo silenzio tra di loro, John Knightley cominciò con:

«In vita mia non ho mai visto un uomo più preoccupato di rendersi piacevole del signor Elton. Ci mette molto impegno quando si tratta di signore. Con gli uomini riesce a essere giudizioso e disinvolto, ma quando deve accattivarsi le signore ogni suo lineamento si mette all'opera».

«I modi del signor Elton non sono perfetti», rispose Emma, «ma dove c'è la voglia di piacere, ci si dovrebbe passare sopra, e si passa sopra a parecchie cose. Quando un uomo fa del suo meglio, pur avendo capacità modeste, sarà avvantaggiato rispetto alla superiorità negligente. Il signor Elton dispone di un carattere così positivo e di tanta buona disposizione che non si possono non apprezzare».

«Sì», disse subito il signor Knightley, con una certa malizia, «sembra abbia un bel po' di buona disposizione verso di voi».

«Me!», rispose lei con un sorriso meravigliato, «credete che il signor Elton pensi a me?»

«Mi è venuta quest'idea, Emma, lo confesso; e se a voi non è mai venuta in mente prima d'ora, farete bene a rifletterci adesso».

«Il signor Elton innamorato di me... Che idea!».

«Non dico che lo sia del tutto; ma fareste bene a chiedervi se lo sia o meno, e a regolare il vostro atteggiamento di conseguenza. Credo che i vostri modi con lui siano incoraggianti. Vi parlo da amico, Emma. Fareste meglio a sorvegliarvi, e a pensare a quel che fate e a quello che intendete fare».

«Vi ringrazio; ma vi assicuro che siete del tutto fuori strada. Il signor Elton e io siamo buoni amici, e null'altro», e continuò a camminare, divertendosi a pensare agli errori che spesso scaturiscono da una conoscenza parziale delle situazioni, agli sbagli in cui non finiscono mai di cadere persone che si presumono giudiziose; e non molto soddisfatta dell'atteggiamento del cognato, che la reputava cieca e ignorante, e bisognosa di consigli. Lui non disse altro.

Il signor Woodhouse era stato così conquistato dall'idea della visita, che nonostante il freddo crescente non pareva che pensare a eludere l'impegno, e alla fine partì con la figlia maggiore, nella sua carrozza, con perfetta puntualità, e parve accorgersi meno degli altri del clima rigido, troppo pieno dell'eccitazione destata dalla spedizione e dal piacere che avrebbe dato a Randalls per accorgersi che era freddo, e troppo bene imbacuccato per sentirlo. Il freddo, però, era intenso; e proprio quando la seconda carrozza partì, cominciarono a cadere alcuni fiocchi di neve, e il cielo ne sembrò così carico che sarebbe bastato un soffio d'aria più mite per stendere in brevissimo tempo una coperta candida su tutto quanto.

Emma si accorse ben presto che il suo compagno non era nelle condizioni migliori. Prepararsi e uscire con un tempo simile, rinunciando alla compagnia dei suoi figli dopo cena, erano mali, o perlomeno inconvenienti, che non piacevano proprio al signor John Knightley; dalla visita non si attendeva nulla che valesse tanti disagi; e tutto il tempo necessario a raggiungere la canonica fu da lui passato a esprimere la sua scontentezza.

«Un uomo», disse, «deve avere un'opinione molto alta di se stesso, per invitare la gente a lasciare il proprio focolare, e affrontare una giornata come questa, per andare a fargli visita. Deve reputarsi una persona quanto mai piacevole; io non mi sentirei di fare una cosa del genere. È una vera assurdità... Adesso incomincia addirittura a nevicare!... Che pazzia non lasciare che la gente se ne stia a proprio agio in casa... che pazzia che la gente non se ne rimanga comodamente a casa propria, fintanto che può! Se fossimo costretti a uscire in una serata simile per dovere o per combinare un affare, parleremmo di una vera disgrazia! E invece eccoci qui, probabilmente vestiti più leggeri del solito, a uscire di nostra propria volontà, senza alcuna scusa, sfidando la voce della natura, che dice all'uomo, in tutto ciò che si offre alla sua vista o ai suoi sentimenti, di rimanersene a casa, e tenere al riparo tutto ciò che può; eccoci qui, mentre usciamo per passare cinque ore di noia nella casa di qualcun altro, senza nulla da dire o da sentire che non sia già stato detto e sentito ieri, e che non possa essere detto e sentito di nuovo domani. Uscire con un tempo orribile, per tornare con un tempo probabilmente ancora peggiore; quattro cavalli e quattro servitori tirati fuori solamente per portare cinque creature oziose e tremanti in stanze più fredde e in compagnia peggiore di quella che avrebbero avuto a casa propria».

Emma non si sentì in grado di assentire con tutta la convinzione che indubbiamente lui era abituato a ricevere, e di imitare il «Proprio così, amore mio», che doveva solitamente venirgli da quella che gli era compagna di viaggio; ebbe però abbastanza forza per trattenersi dal dare alcuna risposta. Non poteva convenire, e temeva di dovere discutere: il suo eroismo non andò oltre il silenzio. Lo lasciò parlare, sistemò i vetri della carrozza e si avvolse ben bene, senza aprire bocca.

Arrivarono, la carrozza girò, fu calato il predellino, e il signor Elton, tutto lindo, nero e sorridente, fu subito con loro. Emma pensò con piacere a un mutamento di argomento. Il signor Elton era tutto servizievole e allegro; in verità era così allegro nei suoi convenevoli che lei cominciò a pensare che dovesse avere avuto notizie diverse da quelle che erano arrivate a lei su Harriet. Lei aveva mandato a chiedere notizie mentre si vestiva per uscire, e la risposta era stata: «Lo stesso, nessun miglioramento».

«Le informazioni che ho avuto dalla signora Goddard», disse lei adesso, «non erano tanto buone quanto speravo. La risposta che ho ricevuto io è stata: "Nessun miglioramento!"».

Il viso di lui si allungò immediatamente, e la sua voce era piena di sentimento mentre rispondeva.

«Oh, no... sono dolente di aver trovato... stavo per dirvi che quando ho chiesto notizie alla porta della signora Goddard, che è l'ultima cosa che ho fatto prima di tornare a vestirmi, mi è stato detto che la signorina Smith non stava meglio, non stava affatto meglio, anzi, stava alquanto peggio. Molto addolorato e preoccupato... mi ero illuso che potesse stare meglio dopo il cordiale che sapevo le era stato dato la mattina».

Emma sorrise e rispose: «La mia visita ha alleviato, spero, la parte nervosa della sua infermità; ma neanche io conosco l'incantesimo che può far passare il mal di gola; è proprio un'infreddatura molto grave. Il signor Perry è stato a visitarla, come probabilmente sapete».

«Già... lo immaginavo... cioè, non sapevo...».

«È abituato a curarla da simili indisposizioni, e spero che la mattina di domani porti a me e a voi notizie più confortanti. Ma è impossibile non provare inquietudine. Che perdita, per il nostro incontro di oggi!».

«Terribile!... Proprio, davvero... Ne sentiremo la mancanza in ogni momento».

Ciò era molto appropriato; il sospiro che l'accompagnò era proprio apprezzabile; avrebbe però dovuto durare di più. Emma rimase alquanto sgomenta quando, solo mezzo minuto dopo, lui iniziò a parlare d'altro, e con una voce piena di vivacità e godimento.

«Che bella trovata», disse, «l'uso del vello di pecora per le carrozze! Come le fanno comode... è impossibile sentire freddo con simili precauzioni. Le invenzioni di oggigiorno hanno proprio reso una carrozza signorile perfettamente completa. Si è così protetti e difesi contro il maltempo che non un solo soffio d'aria può farsi strada senza il permesso. Il tempo finisce per non avere nessuna importanza. È un pomeriggio freddissimo, ma in questa carrozza non ce ne accorgiamo proprio. Ah, c'è un po' di neve, vedo».

«Sì», disse John Knightley, «e credo che ne avremo parecchia».

«Tempo da Natale», notò il signor Elton. «In accordo con la stagione, d'altra parte; e possiamo dirci proprio fortunati che non sia cominciato ieri, e non abbia impedito l'incontro di oggi, come avrebbe potuto benissimo fare, perché difficilmente il signor Woodhouse si sarebbe azzardato a uscire se ci fosse stata molta neve a terra; ma ormai non ha nessuna importanza. Questo è veramente il tempo migliore per ritrovarsi con gli amici. Per Natale ognuno invita a casa propria gli amici e nessuno si preoccupa, nemmeno del tempo più cattivo. Una volta, in casa di un amico, sono rimasto bloccato dalla neve per una settimana. Niente avrebbe potuto essere più piacevole. Ci sono andato solo per una notte, e non ho potuto ripartire se non lo stesso giorno, una settimana dopo».

Il signor John Knightley prese l'aria di chi non comprendeva un tale piacere, ma disse solo, con molta freddezza: «Non posso desiderare di rimanere bloccato dalla neve a Randalls».

In circostanze diverse Emma avrebbe potuto trovare la cosa divertente, ma ora era troppo meravigliata dell'allegria del signor Elton per provare altri sentimenti. Sembrava che Harriet fosse del tutto uscita dai suoi pensieri, nell'attesa di una piacevole serata.

«Si può stare sicuri che ci sarà un bel fuoco», continuò lui, «e che tutto sarà completamente confortevole. Persone incantevoli, e lui ha proprio le doti che si apprezzano, così ospitale, così amante dello stare insieme; sarà un gruppo piccolo, ma quando i piccoli gruppi sono costituiti da persone scelte, forse sono i più piacevoli di tutti. Nella camera da pranzo del signor Weston non ci si sta comodi in più di dieci; e per parte mia, mi piacerebbe di più, in circostanze del genere, che fossimo due in meno piuttosto che due in più. Penso concorderete con me», e si rivolse a Emma con aria tenera, «penso che non mancherò di riscuotere la vostra approvazione, anche se forse il signor Knightley, abituato com'è a grandi ritrovi a Londra, potrà non condividere proprio il nostro sentimento».

«Non so nulla delle grandi riunioni di Londra, signore; non vado mai a cena con nessuno».

«Davvero!», disse lui in tono di meraviglia e compassione. «Non avrei creduto che la professione legale fosse una schiavitù così grossa. Ebbene, signore, verrà certo il momento in cui sarete ripagato di tanti sacrifici, quando avrete da faticare poco e divertirvi molto».

«Il mio primo divertimento», rispose John Knightley mentre passavano attraverso il cancello, «sarà quello di ritrovarmi sano e salvo a Hartfield».

Capitolo quattordicesimo

Un qualche cambiamento d'espressione era necessario, per ognuno dei due signori, al loro ingresso nel salotto della signora Weston: il signor Elton doveva moderare la sua espressione allegra, e il signor John Knightley allontanare il suo malumore. Il signor Elton doveva sorridere di meno, e il signor John Knightley di più, perché fossero in sintonia con l'ambiente. Solo Emma poteva essere come le suggeriva la natura, e mostrarsi contenta come si sentiva. Per lei, trovarsi con i Weston costituiva un vero piacere. Il signor Weston le risultava molto simpatico, e non c'era persona al mondo a cui lei parlasse così apertamente come alla moglie di lui: non c'era nessuno a cui raccontasse, con tanta convinzione di essere ascoltata e capita, di risultare sempre interessante e sempre comprensibile, i piccoli affari, le decisioni, le perplessità e i piaceri di suo padre e i suoi. Non poteva dire nulla di Hartfield per cui la signora Weston non sentisse un autentico interesse; e mezz'ora di ininterrotta comunicazione di tutte quelle piccole faccende da cui dipende la felicità quotidiana della vita domestica era una delle prime soddisfazioni per entrambe.

Era questo un piacere che forse la visita di un'intera giornata avrebbe potuto non offrire, che certamente non apparteneva alla mezz'ora presente; ma il solo vedere la signora Weston, il suo sorriso, il suo contatto, la sua voce, era gradito a Emma, e decise di pensare il meno possibile alla bizzarria del signor Elton, o a qualsiasi altra cosa spiacevole, e di ricavare quanto più poteva da quel che c'era da godere.

La sfortuna dell'infreddatura di Harriet era stata discussa ed esaurita prima dell'arrivo di Emma. Il signor Woodhouse era rimasto comodamente seduto abbastanza a lungo per narrarne la storia, e narrare inoltre tutta la storia della sua venuta con Isabella e di quella di Emma che sarebbe seguita, e aveva finito di dichiarare la sua soddisfazione per il fatto che James venisse a fare visita alla figlia, quando apparvero gli altri, e la signora Weston, che era stata impegnata quasi completamente dal rivolgergli ogni attenzione, riuscì a disimpegnarsi e a dare il benvenuto alla sua cara Emma.

Il progetto di Emma di dimenticare, per un po', il signor Elton fece sì che rimanesse piuttosto male, quando tutti ebbero preso i loro posti, nello scoprire che le sedeva proprio accanto. Le risultava molto difficile togliersi di mente la strana insensibilità del signor Elton nei confronti di Harriet, mentre lui non solo le sedeva gomito a gomito, ma non smetteva di metterle sotto gli occhi l'espressione contenta del suo volto, e di rivolgersi a lei pieno di premure in ogni occasione. Il contegno di lui era tale che, invece di dimenticarlo, lei non poté evitare di avvertire dentro di sé il sospetto: «Ma che sia proprio come ha immaginato mio cognato? È possibile che costui stia iniziando a trasferire il suo affetto da Harriet a me? Assurdo, intollerabile!». E tuttavia lui era talmente ansioso che lei si sentisse perfettamente calda, dimostrava tanto interesse per il padre di lei, era così affascinato dalla signora Weston; e alla fine cominciò ad ammirare i disegni di lei con tanto calore e con così poco senso critico da assomigliare terribilmente a un potenziale innamorato, e la obbligò a compiere un lieve sforzo per mantenere le sue buone maniere. Per amore di se stessa non poteva essere scortese; e per amore di Harriet, nella speranza che tutto potesse ancora finire bene, fu perfino affabile; era però uno sforzo; specialmente perché gli altri stavano parlando di qualcosa a cui lei desiderava particolarmente porgere ascolto, proprio nel momento più intollerabile delle sciocchezze del signor Elton. Sentì a sufficienza per accorgersi che Weston dava notizie di suo figlio; sentì le parole «mio figlio» e «Frank» e «mio figlio», ripetute varie volte; e da poche altre mezze sillabe ricavò proprio l'impressione che stesse annunciando una imminente visita del figlio; ma prima che lei potesse calmare il signor Elton, l'argomento era stato a tal punto messo da parte che ogni domanda per ritirarlo fuori sarebbe risultata inopportuna.

Ora, capitava che nonostante la decisione di Emma di non sposarsi mai, c'era qualcosa nel nome, nell'idea del signor Frank Churchill che non smetteva mai di interessarla. Aveva pensato spesso (in particolare modo da quando il padre di Frank si era sposato con la signorina Taylor) che se avesse dovuto sposarsi, lui sarebbe stato la persona adatta per età, indole e condizione. Pareva proprio, a causa di questa relazione tra le due famiglie, che lui le appartenesse. Non poteva fare a meno di supporre che quello fosse un matrimonio a cui dovevano pensare tutti i loro conoscenti. Era pienamente convinta che il signore e la signora Weston ci pensassero; e anche se non intendeva lasciarsi indurre da lui, o da chiunque altro, a rinunciare a una situazione che credeva più ricca di benessere di tutte quelle con cui avesse potuto scambiarla, nutriva tuttavia una grande curiosità di vederlo, una decisa intenzione di trovarlo piacevole, di andare a genio a lui fino a un certo punto, e provava una specie di piacere all'idea di loro due uniti nell'immaginazione dei loro amici.

Con sentimenti del genere le attenzioni del signor Elton erano terribilmente inopportune; Emma ebbe però la consolazione di apparire molto cortese, mentre si sentiva davvero irritata, e di pensare che il resto della serata non sarebbe forse passato senza gettare nuovamente sul tappeto la stessa notizia, o la sostanza di essa, da parte dello schietto signor Weston. E così accadde; giacché quando si fu felicemente liberata del signor Elton, e fu seduta presso il signor Weston, durante la cena, questi approfittò del primo intervallo nei suoi doveri d'ospite, del primo momento consentitogli dalle costolette d'agnello, per dirle:

«Ci vorrebbero solo altre due persone per fare il numero giusto. Mi piacerebbe vedere qui altri due ospiti, la vostra graziosa piccola amica, la signorina Smith, e mio figlio; allora direi che saremmo proprio al completo. Credo non mi abbiate sentito mentre dicevo agli altri in salotto che stiamo aspettando Frank. Ho ricevuto una sua lettera stamattina: sarà da noi tra due settimane».

Emma rispose con un più che appropriato grado di piacere; annuì pienamente alla sua affermazione secondo cui il signor Frank Churchill e Miss Smith avrebbero completato il loro gruppo.

«Voleva venire da noi», continuò il signor Weston, «fino dallo scorso settembre: ogni sua lettera non parlava d'altro; ma non può disporre del suo tempo come crede: deve accontentare quelli che devono essere accontentati, e che (rimanga tra noi) alle volte si possono accontentare solo a costo di molti sacrifici. Ma ora non ho dubbi che lo vedrò qui verso la seconda settimana di gennaio».

«Che grande gioia sarà per voi! E la signora Weston desidera tanto conoscerlo che deve essere quasi felice quanto voi».

«Sì, lo sarebbe, se non temesse un altro ritardo. Non conta quanto me sulla sua venuta: ma lei non conosce le persone in questione come le conosco io. Vedete, si dà il caso (ma questo rimanga tra noi; non ne ho fatto parola nell'altra stanza: ci sono segreti in tutte le famiglie, sapete)... si dà il caso che un gruppo di amici sia invitato a fare una visita a Enscombe in gennaio; e che la venuta di Frank dipenda dal rinvio di tale visita. Se questa non viene rimandata, lui non si può muovere. Ma so che sarà rinviata, perché si tratta di una famiglia per cui una certa signora influente di Enscombe nutre una speciale antipatia: e anche se si ritiene necessario invitarli una volta ogni due o tre anni, quando viene il momento la visita è rinviata. Non ho il minimo dubbio su quel che accadrà. Ho tanta fiducia di vedere qui Frank prima della metà di gennaio quanta di esserci io stesso: ma la vostra buona amica là in fondo», e fece un cenno con la testa verso il posto a capotavola, «ha così pochi grilli per la testa, e a Hartfield è stata così poco avvezza a essi, che non può prevedere i loro effetti, come invece capita di fare a me da molto tempo».

«Mi spiace che ci possa essere un'ombra di dubbio nella faccenda», rispose Emma, «ma sono portata a essere della vostra opinione, signor Weston. Se pensate che verrà, lo penserò anch'io; perché voi conoscete Enscombe».

«Sì... posso ben vantarmi di conoscerlo, anche se in vita mia non ci sono mai stato... È una donna ben strana, quella! Ma non mi lascio andare mai a dirne male, a causa di Frank; credo infatti che lei gli voglia molto bene. Ero abituato a credere che fosse incapace di volere bene ad alcuno, eccetto che a se stessa; ma è stata sempre buona con lui (a suo modo, con i suoi piccoli vezzi e i suoi capricci, e aspettandosi di averle tutte vinte). Ed è tutto merito di lui, essere riuscito a provocare un simile affetto; perché, anche se non mi piacerebbe dirlo a nessun altro, lei non ha più cuore di una pietra per le persone in generale; e ha un carattere tremendo».

A Emma l'argomento piaceva così tanto che lo affrontò con la signora Weston non appena si furono trasferiti in salotto: augurandole che tutto andasse bene, ma notando anche che sapeva che il primo incontro doveva renderla piuttosto agitata. La signora Weston annuì; aggiunse però che sarebbe stata molto felice di avere la certezza di subire l'ansia di un primo incontro alla data di cui si era parlato: «perché non posso far conto sulla sua venuta. Non riesco a essere ottimista come il signor Weston. Temo proprio che finisca in niente. Il signor Weston, oserei dire, ti ha detto esattamente come stanno le cose».

«Sì... sembra non dipenda che dal malumore della signora Churchill, che immagino sia la cosa più certa del mondo».

«Emma cara!», rispose sorridendo la signora Weston, «che certezza può esserci nel capriccio?». Poi, rivolgendosi a Isabella, che prima non era stata a sentire: «Dovete sapere, cara signora Knightley, che non siamo per nulla certi, a parer mio, di vedere il signor Frank Churchill come pensa suo padre. Dipende per intero dallo stato d'animo e dal piacere di sua zia; in una sola parola, dal suo umore. A voi, alle mie due figlie, posso rischiare di dire la verità. La signora Churchill dispone ogni cosa a Enscombe, ed è una donna di umore assai bizzarro; e la venuta del signor Frank Churchill adesso dipende da lei, se può fare a meno di lui».

«Oh, la signora Churchill, tutti conoscono la signora Churchill», rispose Isabella, «e io non riesco proprio a pensare mai a quel povero ragazzo senza una grande compassione. Vivere sempre con una persona di cattivo carattere deve essere terribile. È un'esperienza che noi, per fortuna, non abbiamo mai fatto; ma deve essere una vita infame. Per fortuna non ha mai avuto figli! Povere creature, come le avrebbe rese infelici!».

Emma avrebbe voluto poter rimanere sola con la signora Weston. Allora ne avrebbe saputo di più: la signora Weston le avrebbe parlato con una schiettezza che non si sarebbe azzardata a mostrare con Isabella; e pensava davvero che non avrebbe cercato di nasconderle nulla che concernesse i Churchill, a parte quelle opinioni in merito al giovanotto che la sua fantasia le aveva già consentito di conoscere istintivamente. Ma al momento non c'era altro da dire. Poco dopo il signor Woodhouse le seguì nel salotto. Stare a lungo seduto a tavola dopo pranzo era una costrizione che lui non riusciva a tollerare. Né il vino né la conversazione rappresentavano per lui un'attrattiva; e fu lieto di andare a raggiungere quelli con cui si sentiva sempre a suo agio.

Tuttavia, mentre parlava con Isabella, Emma trovò il modo di dire:

«Dunque voi non ritenete per nulla certa questa visita del vostro figliastro. Me ne dispiace. Il momento in cui verrete presentata a lui, in qualsiasi momento debba venire, dovrà essere sgradevole; ma più presto verrà superato, meglio sarà».

«Sì, e ogni rinvio fa temere che ve ne saranno altri ancora. Anche se questa famiglia, i Braithwaite, verrà messa da parte, ho ancora paura che si possa trovare qualche scusa per disilluderci. Non posso sopportare di immaginare riluttanza da parte di lui; sono però sicura che i Churchill desiderano molto tenerlo per loro. Si tratta di gelosia. Sono gelosi anche della considerazione che lui ha verso il padre. In breve, non conto minimamente sulla sua visita, e vorrei che il signor Weston fosse meno ottimista».

«Dovrebbe venire», disse Emma. «Anche se dovesse rimanere solo un paio di giorni, dovrebbe venire ugualmente; non si può pensare che un giovanotto non abbia nemmeno la facoltà di fare questo. Una giovane *donna*, se cade in cattive mani, può essere tenuta a freno, e costretta a stare lontano da quelli con i quali desidera stare; ma non si può accettare che un giovane *uomo* venga schiacciato in modo tale da non potere passare una settimana con il padre, se lo desidera».

«Bisognerebbe stare a Enscombe, e conoscere le abitudini della famiglia, prima di decidere cosa possa fare lui», rispose la signora Weston. «Forse si dovrebbe mostrare la stessa cautela nel giudicare la condotta di qualunque individuo in qualsiasi famiglia; ma Enscombe, a quel che credo, non deve certo essere giudicato secondo i criteri generali: quella donna è così irragionevole, e tutto si piega ai suoi desideri».

«Ma è così affezionata al nipote: è veramente il suo pupillo. Ora, per l'idea che ho della signora Churchill, sarebbe più che naturale se mentre non fa nessun sacrificio per il benessere del marito, a cui deve tutto, e mentre verso di lui si abbandona a continui capricci, dovesse poi lasciarsi spesso guidare dal nipote, a cui non deve nulla».

«Emma cara, non pretendere, con il tuo carattere dolce, di comprenderne uno cattivo, o di stabilirne le leggi: devi lasciarlo andare per la sua strada. Non dubito che lui non abbia, alle volte, un'influenza notevole; ma può rimanergli perfettamente impossibile sapere anticipatamente *quando* sarà».

Emma ascoltò, poi disse, con freddezza: «Se non viene, non sarò soddisfatta».

«Può darsi abbia parecchia influenza per certi aspetti», proseguì la signora Weston, «e pochissima per altri: e tra questi ultimi, in cui lei è irremovibile, è certamente molto probabile ci sia proprio il fatto che lui li lasci per venire a far visita a noi».

Capitolo quindicesimo

Il signor Woodhouse fu presto pronto per il suo tè; e quando l'ebbe bevuto si sentì pronto per tornare a casa; e tutto ciò che poterono fare le sue tre compagne fu tentare di distrarlo dall'idea che fosse tardi, prima che comparissero gli altri signori. Il signor Weston era gioviale e comunicativo, e poco pronto a lasciare andar via presto gli amici; ma alla fine il gruppo in salotto aumentò di numero. Il signor Elton, di ottimo umore, fu tra i primi a entrare. La signora Weston ed Emma sedevano insieme su di un sofà. Lui si unì subito a loro, e senza nemmeno essere invitato sedete tra le due.

Emma, anche lei di buonumore, per il divertimento offerto alla sua mente dall'attesa del signor Frank Churchill, era pronta a dimenticare le recenti uscite importune del signor Elton e a essere contenta di lui come prima, e quando quello cominciò per prima cosa a parlare di Harriet, era pronta ad ascoltare con i più amichevoli sorrisi. Lui si professò estremamente preoccupato per la bella amica di Emma, la sua bella, graziosa, amabile amica. Aveva forse qualche notizia? Aveva sentito nulla a proposito di lei, da quando erano a Randalls? Provava molta ansia, e doveva confessare che la natura della sua infermità lo rendeva molto allarmato. Continuò a parlare in questo modo per un po', molto appropriatamente, senza badare troppo alle risposte, ma nel complesso sufficientemente preoccupato dal pericolo di un brutto mal di gola; ed Emma si sentì molto ben disposta verso di lui.

Alla fine però la cosa sembrò prendere una brutta piega; all'improvviso parve che lui avesse paura che si trattasse di un brutto mal di gola più per lei che per Harriet; era più ansioso che lei evitasse l'infezione, piuttosto che preoccupato che la malattia non fosse di natura infettiva. Cominciò con grande calore a implorarla di astenersi dal fare ancora visita alla stanza dell'inferma, per il momento; a pregarla di *promettergli* di non esporsi a un simile rischio fino a che lui non avesse visto il signor Perry e sentito cosa ne pensava; e anche se lei cercò di prendere in ridere la cosa, e di riportare il discorso nella direzione più indicata, non ci fu verso di mettere fine alla sua sconfinata premura per lei. Emma ne fu seccata. Pareva proprio (non c'era da nascondersela) come se volesse mostrare di essere innamorato di lei, invece che di Harriet; se questo fosse stato vero, la sua incostanza sarebbe stata quanto mai spregevole e odiosa! Emma trovava difficile non perdere la pazienza. Lui si rivolse alla signora Weston per chiedere il suo aiuto. Non voleva dargli man forte? Non avrebbe aggiunto i suoi argomenti a quelli di lui, per convincere la signorina Woodhouse a non andare dalla signora Goddard finché non fosse sicuro che la malattia della signorina Smith non era infettiva? Non sarebbe stato soddisfatto se non ci fosse stata una promessa... non avrebbe lei esercitato la sua influenza per fargliela ottenere?

«Così scrupolosa per gli altri», continuò lui, «e tuttavia così noncurante per se stessa! Voleva che io mi riguardassi per la mia infreddatura rimanendo a casa, oggi, eppure non vuole promettere di evitare il pericolo di buscare lei stessa un mal di gola ulceroso! È forse giusto, signora Weston? Stabilitelo voi. Non ho forse il diritto di lamentarmi? Sono certo del vostro gentile sostegno e del vostro aiuto».

Emma vide la sorpresa della signora Weston, e sentì che doveva essere grande, di fronte a una preghiera che, nelle parole e nello stile, attribuiva a lui il diritto di un interesse primario per lei; quanto a se stessa, era troppo seccata e offesa per potere dire direttamente qualcosa in merito. Riuscì solo a lanciargli uno sguardo; era uno sguardo che lei pensava sufficiente a farlo rinsavire; poi lasciò il sofà e andò a prendere posto accanto alla sorella, a cui dette tutta la sua attenzione.

Non ebbe il tempo di vedere come il signor Elton reagisse al rimprovero, tanto rapidamente sopraggiunse un altro argomento; perché a quel punto rientrò nella stanza il signor John Knightley, dopo avere esaminato il tempo, e si rivolse a tutti quanti, informandoli che il terreno era coperto di neve, che ancora nevicava forte, con un forte vento di tempesta; concluse con queste parole, dirette al signor Woodhouse:

«Minaccia di essere un esordio alquanto animato dei vostri impegni sociali invernali, caro signore. Una nuova esperienza, per il vostro cocchiere e i vostri cavalli, farsi strada in una tempesta di neve!».

Il povero signor Woodhouse rimase muto dalla costernazione, ma tutti quanti avevano qualcosa da dire; ciascuno di loro era sorpreso, o nient'affatto sorpreso, ed aveva da rivolgere qualche domanda, o da porgere qualche conforto. La signora Weston e Emma si misero d'impegno a rianimarlo e a distogliere la sua attenzione dal genero, che cercava impietosamente di ottenere il suo trionfo.

«Ho ammirato molto la vostra decisione, signore», disse, «nell'arrischiarvi a uscire con un tempo simile, perché di sicuro prevedevate che presto sarebbe venuta giù la neve. Ho ammirato il vostro coraggio, e immagino che giungeremo a casa senza incidenti. È difficile che un'altra ora o due di neve possa rendere impraticabile la strada, e noi abbiamo due carrozze; se una si rovescia nella parte scoperta del pascolo comunale, ci sarà lì pronta quell'altra. Oserei dire che arriveremo tutti sani e salvi a Hartfield prima di mezzanotte».

Il signor Weston, con un trionfo d'altro genere, confessò che lui sapeva da qualche tempo che nevicava, ma non aveva detto niente, perché il signor Woodhouse non si agitasse e non usasse quella scusa per andare via presto. Che fosse caduta, o stesse per cadere, neve in quantità tale da impedire il loro ritorno, era per lui solo uno scherzo; anzi temeva che non avrebbero trovato alcuna difficoltà. Auspicava che la strada potesse essere impraticabile, così da poterli trattenere tutti quanti a Randalls; e con la migliore buona volontà, era certo che si sarebbe potuto ospitarli tutti, e chiedeva alla moglie se era d'accordo sul fatto che, con qualche piccolo sacrificio, si poteva trovare alloggio per tutti; come riuscirci, però, lei non avrebbe saputo, dato che sapeva che nella casa non c'erano più di due stanze libere.

«Cosa dobbiamo fare, cara Emma? Cosa dobbiamo fare?», fu la prima esclamazione del signor Woodhouse, e tutto quel che riuscì a dire, per un certo tempo. Si rivolgeva a lei per ricavarne conforto; e le sue assicurazioni che non c'era pericolo, il suo ricordargli l'ottima forma dei cavalli e di James, e il fatto che avevano intorno tanti amici, gli ridettero un po' di coraggio.

Lo sgomento della figlia maggiore era pari al suo. L'orrore di restare bloccata a Randalls, mentre i bambini erano a Hartfield, le occupava tutti i pensieri; e immaginando che la strada fosse ancora appena praticabile per tipi amanti dell'avventura, ma in condizioni tali da non ammettere alcun indugio, sollecitava che si decidesse che suo padre ed Emma restassero a Randalls, mentre lei e il marito dovevano partire subito, sfidando tutti i cumuli di neve portata dal vento che avrebbero potuto ostacolarli.

«Faresti meglio a ordinare subito le carrozze, amore mio», disse, «immagino riusciremo a passare, se partiamo subito; e se ci troviamo in difficoltà serie, posso scendere e andare a piedi per metà del cammino. Potrei cambiarmi le scarpe, lo sai, appena arrivata a casa; non è questo il tipo di cose che mi fa raffreddare».

«Ma davvero!», rispose lui. «Allora, mia cara Isabella, è il tipo di cose più eccezionale che ci sia, visto che di solito basta un niente per farti raffreddare. Fino a casa a piedi! Hai proprio le scarpe adatte per andare a casa a piedi, stanne pur certa. Non sarà uno scherzo nemmeno per i cavalli!».

Isabella si rivolse alla signora Weston, perché approvasse il suo piano. E la signora Weston non poté far altro che approvare. Allora Isabella andò da Emma: ma Emma non sapeva rinunciare del tutto alla speranza che potessero partire tutti quanti; e stavano ancora dibattendo questo punto quando il signor Knightley, che li aveva informati della neve, rientrò e disse che era stato fuori a esaminare la situazione, e che non c'era proprio nessuna difficoltà per il ritorno a casa, quando volessero, né subito né di lì a un'ora. Si era portato oltre la curva, avanti lungo la strada di Highbury, e in nessun punto la neve era più alta di mezzo pollice; in molti punti non ce n'era nemmeno a sufficienza da imbiancare il terreno; ora cadevano pochissimi fiocchi, ma le nuvole si aprivano e tutto lasciava credere che presto avrebbe smesso di nevicare. Aveva visto i cocchieri, e tutti e due erano d'accordo con lui che non ci fosse nulla da temere.

A Isabella queste notizie portarono un grande sollievo, e più o meno altrettanto gradite risultarono a Emma, per via del padre, che subito si calmò tanto, a questo riguardo, quanto permetteva la sua costituzione nervosa; l'allarme destato però non poteva essere sedato al punto da restituirgli la tranquillità fino a che rimaneva a Randalls. Si era rassicurato che non esisteva alcun pericolo presente per il ritorno a casa, ma nessuna assicurazione bastava a convincerlo che fosse prudente restare; e mentre gli altri esercitavano varie pressioni e facevano raccomandazioni, il signor Knightley ed Emma risolsero la cosa con queste poche parole:

«Vostro padre non sarà tranquillo; perché non andate?»

«Sono pronta, se lo sono anche gli altri».

«Devo suonare il campanello?»

«Sì, fatelo».

Così venne suonato il campanello e furono chieste le carrozze. Pochi minuti ancora, ed Emma contava di vedere depositato a casa sua un compagno irritante, perché recuperasse la lucidità e si calmasse, e di vedere l'altro riacquistare il suo buonumore e l'allegria, una volta finita la penosa visita.

Vennero le carrozze; e il signor Woodhouse, che rimaneva la prima persona a cui pensare in circostanze del genere, fu premurosamente accompagnato alla sua carrozza dal signor Knightley e dal signor Weston; ma tutto quel che loro poterono dire non bastò a evitare che si ripresentasse un po' d'allarme alla vista della neve che era di fatto caduta, e alla scoperta di una notte molto più buia di quanto si aspettava. Aveva paura che sarebbe stato un viaggio difficile. Aveva paura che non sarebbe piaciuto affatto alla povera Isabella. E poi nella carrozza dietro ci sarebbe stata la povera Emma. Non sapeva proprio cosa fosse meglio fare. Dovevano tenersi il più possibile accostati. Parlò con James, a cui venne chiesto di andar molto piano, e di attendere l'altra carrozza.

Isabella salì in carrozza dietro al padre; John Knightley, dimenticando di non fare parte di quel gruppo, salì con molta naturalezza dietro alla moglie; così Emma si trovò a essere accompagnata e seguita nella seconda carrozza dal signor Elton; lo sportello venne debitamente chiuso dietro di loro; avrebbero fatto parte del tragitto da soli. Non ci sarebbe stato un solo momento d'imbarazzo, anzi, sarebbe stato un piacere, prima dei sospetti sopraggiunti proprio quel giorno; avrebbe potuto parlargli di Harriet, e quei tre quarti di miglio non sarebbero sembrati che uno. Ora però avrebbe preferito che non fosse accaduto. Pensava che lui avesse bevuto fin troppo del buon vino del signor Weston, e si sentiva certa che avrebbe avuto voglia di dire sciocchezze.

Per trattenerlo quanto più possibile con i suoi modi, si stava preparando a parlare con calma e gravità squisite del tempo e della notte; ma aveva appena iniziato, avevano giusto passato il cancello delle carrozze, unendosi all'altra vettura, che si sentì togliere di bocca le parole, prendere la mano, richiedere la sua attenzione, e si accorse che il signor Elton le stava facendo la corte in modo disperato: approfittando della preziosa opportunità, dichiarava sentimenti che supponeva lei ben conoscesse... sperava... temeva... adorava... era pronto a morire se lei lo respingeva; ma si illudeva che il suo ardente affetto e il suo ineguagliabile amore e la sua passione senza precedenti non avrebbero mancato di riportare qualche risultato; in breve, era più che deciso a farsi seriamente accettare al più presto possibile. Ed era proprio così. Senza scrupoli, senza scuse, senza molta apparente esitazione, il signor Elton, l'innamorato di Harriet, si dichiarava innamorato *di lei*. Emma tentò di fermarlo, ma inutilmente; lui voleva arrivare fino in fondo. Pur seccata com'era, dopo un momento di riflessione decise di frenare le sue parole. Sentiva che, per metà, quella idiozia doveva essere dovuta all'ubriachezza, e quindi poteva sperare fosse una cosa passeggera. Così, con misto di serietà e ilarità che sperava fosse il più adatto alla sua condizione mezzo e mezzo, rispose:

«Sono davvero sbalordita, signor Elton. Questo, *a me*! Non sapete quel che fate... mi scambiate per la mia amica... qualunque cosa abbiate da dire alla signorina Smith, sarò lieta di riferirla: ma basta dire queste cose *a me*, per favore».

«Signorina Smith... Dire alla signorina Smith... Cosa mai vuol dire!». E ripeteva le parole di lei con tale sicurezza d'accento, tale ostentazione di meraviglia, che lei non poté fare altro che rispondere in fretta:

«Signor Elton, questo è un comportamento davvero straordinario! E posso spiegarmelo solo in una maniera; voi non siete in voi stesso,.o non potreste parlare a me, o di Harriet, in questo modo. Cercate di controllarvi quanto basta per non dire altro, e cercherò di dimenticare tutto».

Ma il signor Elton aveva bevuto solo tanto vino quanto bastava per renderlo euforico, non però tanto da confondergli la mente. Sapeva benissimo quello che voleva dire; e dopo avere protestato con calore contro il sospetto di lei, definendolo molto offensivo, e avere menzionato il rispetto che nutriva per la signorina Smith, come per un'amica di lei (e tuttavia confessando il suo stupore per il fatto che la signorina Smith dovesse venire ricordata), ritornò a parlare della sua passione, insistendo per ottenere una risposta favorevole.

Più si convinceva che non fosse ubriaco, e più era colpita dalla sua incostanza e dalla sua presunzione; e senza più tanto sforzarsi di essere gentile, ribatté:

«È impossibile per me nutrire altri dubbi. Vi siete spiegato a sufficienza. Signor Elton, la mia meraviglia va oltre la mia possibilità di espressione. Dopo un comportamento come quello che ho visto con i miei occhi tutto il mese passato nei confronti della signorina Smith, dopo le premure che mi è capitato di notare ogni giorno, parlare a me in questo modo... è un'incostanza di carattere, proprio, che non avrei mai ritenuto possibile! Credetemi, signore, sono tutt'altro, veramente tutt'altro che lieta di essere oggetto di tali profferte».

«Dio mio!», esclamò il signor Elton. «Ma cosa può voler dire questo? La signorina Smith! Ma io non ho mai pensato alla signorina Smith in tutta la mia vita... non le ho mai usato dei riguardi se non perché era vostra amica: non mi è mai importato nulla se fosse viva o morta se non in quanto era vostra amica. Se lei ha immaginato qualcosa di diverso, i suoi desideri l'hanno ingannata, e ne sono molto spiacente... ne sono veramente spiacente... Ma che dite, la signorina Smith! Oh, signorina Woodhouse, chi può pensare alla signorina Smith, quando si ha accanto la signorina Woodhouse! No, parola mia, non c'è nessuna incostanza di carattere. Ho pensato solo a voi. Affermo di non avere rivolto la minima attenzione a nessun'altra. Qualsiasi cosa io abbia detto o fatto, da molte settimane, è stato al solo fine di mettere in evidenza la mia adorazione per voi. Di questo non potete proprio, sul serio, dubitare. No!», concluse con un accento che voleva essere insinuante, «sono certo che abbiate visto e compreso quello che provavo».

Risulterebbe impossibile descrivere quello che provò Emma nell'udire queste parole; quale, tra tutte le sue spiacevoli sensazioni, predominasse. Era troppo completamente sopraffatta per sentirsi in grado di rispondere subito. E pochi attimi di silenzio bastarono a incoraggiare lo stato d'animo appassionato del signor Elton, che tentò di riprenderle la mano, esclamando con gioia:

«Mia incantevole signorina Woodhouse! Consentitemi di interpretare questo toccante silenzio. È la confessione che mi avete capito da molto tempo».

«No, signore», esclamò Emma, «non confesso nulla del genere. Sono ben lontana dall'avervi capito da molto tempo; mi sono sbagliata nel modo più completo circa le vostre intenzioni, fino a questo momento. Quanto a me, mi dispiace davvero che abbiate dato libero sfogo a qualsiasi sentimento... Niente potrebbe essere più lontano dai miei desideri... il vostro affetto per la mia amica Harriet... il vostro farle la corte, giacché questo sembrava essere, mi facevano molto piacere, e vi auguravo vivamente ogni successo: ma se avessi immaginato che non era lei quel che determinava la vostra attrazione per Hartfield, di certo avrei pensato che fosse sbagliato che le vostre visite fossero così frequenti. Devo dunque credere che non abbiate mai cercato di piacere in modo specifico alla signorina Smith? Che non abbiate mai pensato sul serio a lei?»

«Mai, signora», esclamò lui, sentendosi a sua volta oltraggiato. «Mai, ve lo assicuro! Io pensare seriamente alla signorina Smith!... La signorina Smith è davvero una brava ragazza; e sarei lieto di vederla felicemente maritata. Le auguro ogni bene, e, di certo, ci sono uomini che potrebbero non aver nulla da obiettare a... Ciascuno ha il suo livello: quanto a me, non penso di essere così mal ridotto. Non devo disperare tanto totalmente in un matrimonio con una mia pari da dovermi indirizzare alla signorina Smith! No, signora, le mie visite a Hartfield erano solo per voi, e l'incoraggiamento che ho ricevuto...».

«Incoraggiamento! Io, incoraggiarvi! Signore, vi siete completamente sbagliato, nel supporre ciò. Io vi ho considerato solo un ammiratore della mia amica. Sotto nessun'altra luce avreste potuto essere per me qualcosa di più di un amico come tanti altri. Sono estremamente spiacente: ma è bene che l'errore finisca, quando finisce. Se il vostro comportamento fosse andato avanti, la signorina Smith avrebbe potuto essere portata a fraintendere le vostre intenzioni, non essendo consapevole, più di quanto non lo sia io, della grande disparità a cui siete tanto sensibile. Ma, per come stanno le cose, la delusione è solo da parte vostra, e spero che non sia duratura. Per ora non ho nessuna intenzione di sposarmi».

Lui era troppo arrabbiato per dire un'altra parola; l'atteggiamento di lei era troppo risoluto per sollecitare una supplica; e in questo stato di risentimento crescente, e di profonda reciproca mortificazione, dovevano restare insieme ancora per qualche minuto, giacché le apprensioni del signor Woodhouse li avevano costretti ad avanzare a passo d'uomo. Se non ci fosse stata tanta irritazione, ci sarebbe stato un terribile imbarazzo; ma le loro emozioni così pronunciate e dirette non lasciavano spazio per i piccoli ondeggiamenti dell'imbarazzo. Senza rendersi conto di quando la carrozza svoltò per la strada della canonica, o di quando si fermò, si trovarono improvvisamente alla porta della casa di lui, che uscì prima che potesse essere scambiata un'altra sillaba. Emma allora ritenne indispensabile augurargli la buona notte. L'augurio fu appena ricambiato, con freddezza e orgoglio; e, in uno stato di indescrivibile irritazione, Emma fu ricondotta a Hartfield.

Là fu accolta, con estrema gioia, dal padre, che non aveva fatto che tremare per i rischi del viaggio solitario dalla strada della canonica (svoltare un angolo a cui non poteva pensare senza terrore), mentre era affidata alle mani di un estraneo, non di James; pareva ci volesse solo il ritorno di Emma perché tutto andasse bene; giacché il signor John Knightley, vergognandosi del suo cattivo umore, adesso era tutto gentilezze e premure; e così particolarmente preoccupato del benessere del padre di lei, da sembrare, se non addirittura pronto a fargli compagnia per una scodella di pappa d'avena, del tutto convinto delle incomparabili qualità di un tal cibo; e la giornata terminava in pace e benessere per tutto il loro piccolo gruppo, eccetto che per Emma. Il suo spirito non aveva mai subìto un tale turbamento, e le ci volle molta fatica per sembrare attenta e allegra fino a quando la solita ora della separazione le consentì il sollievo di una tranquilla riflessione.

Capitolo sedicesimo

I capelli furono arricciati, la cameriera fu mandata via, ed Emma sedette a pensare e a tormentarsi. Era davvero una brutta storia! Un tale rovesciamento di tutto ciò che aveva desiderato! Un tale emergere di tutto ciò che le era più sgradito! Un tale colpo per Harriet! Questo era il peggio. Comunque la si considerasse, la situazione portava pena e umiliazione, di un genere o di un altro; però, in confronto al male che significava per Harriet, tutto il resto era poca cosa; e lei si sarebbe volentieri rassegnata a sentire di avere compiuto uno sbaglio ancora più grosso, di avere fatto un errore ancora più grave, e a sentirsi ancora più screditata da quella erronea valutazione, di quanto non fosse realmente, se gli effetti delle sue sventatezze avessero potuto ricadere solo su di lei.

"Se non fossi stata proprio io a convincere Harriet a trovare attraente quell'uomo, avrei potuto sopportare ogni cosa. Avrebbe anche potuto raddoppiare la sua presunzione nei miei confronti... Ma la povera Harriet!".

Come aveva potuto ingannarsi in quel modo! Lui affermava di non avere mai pensato seriamente a Harriet... mai! Tentò di guardare al passato recente come meglio poté, ma tutto era confusione. Si era convinta di quell'idea, supponeva, e aveva piegato a essa ogni cosa. Tuttavia le maniere di lui dovevano essere state indefinite, oscillanti, dubbie, altrimenti lei non avrebbe potuto sbagliarsi in quel modo.

Il ritratto! Che fervore aveva mostrato in merito al ritratto! E la sciarada! E cento altre circostanze... con quanta chiarezza erano parse indicare Harriet! Certo, la sciarada, col suo «pronto ingegno»... ma d'altra parte quei «teneri occhi»... in realtà, non si addiceva né all'una né all'altra; era un pasticcio senza gusto o verità. Chi avrebbe potuto capirci qualcosa, in tutte quelle situazioni sconclusionate?

Certo aveva notato spesso, specialmente negli ultimi tempi, che i suoi modi verso di lei erano inutilmente galanti; ma questo era stato scambiato per una sua maniera, per un semplice errore di giudizio, di comprensione, di gusto, come una prova fra tante che lui non aveva sempre vissuto nella migliore società, che con tutta la gentilezza del suo modo di atteggiarsi alle volte gli mancava la vera eleganza; ma fino a quel giorno, non aveva mai sospettato, neppure un attimo, che questo significasse qualcosa di più di un riconoscente rispetto verso di lei, quale amica di Harriet.

Era da attribuirsi al signor John Knightley il fatto che le fosse venuta una prima idea delle vere intenzioni del signor Elton, la prima avvisaglia della sua possibilità. Non si poteva negare che quei fratelli avessero penetrazione. Si ricordava ciò che le aveva detto una volta il signor Knightley del signor Elton, l'avvertimento che le aveva fatto, la convinzione da lui espressa che il signor Elton non avrebbe fatto mai un matrimonio poco giudizioso; e arrossiva, pensando fino a che punto questo rivelasse una conoscenza del suo carattere molto maggiore di quella a cui era giunta lei. Era terribilmente mortificante; ma il signor Elton si dimostrava, per molti versi, proprio l'opposto di quello che lei l'aveva voluto e creduto; orgoglioso, altezzoso, pieno di sé; molto compreso dei propri diritti, e ben poco preoccupato dei sentimenti degli altri.

Al contrario di quel che normalmente succede, il desiderio del signor Elton di corteggiarla lo aveva fatto scadere nella sua opinione. Le sue perorazioni e le sue proposte non gli giovavano. Dell'attaccamento di lui non gliene importava nulla, anzi, si sentiva oltraggiata dalle sue speranze. Lui voleva fare un buon matrimonio, e, avendo l'arroganza d'alzare gli occhi fino a lei, faceva l'innamorato; ma lei si sentiva perfettamente tranquilla sul fatto che lui non soffrisse di alcuna delusione che lo rendesse degno di riguardi. Non c'era stato vero affetto né nelle sue parole né nelle sue maniere. C'erano stati tanti sospiri e molte belle parole; ma lei non avrebbe potuto immaginare un genere di espressioni, o immaginare un tono di voce, meno rivelatori del vero amore. Non doveva darsi pena di avere compassione per lui. Voleva soltanto migliorare le sue condizioni e arricchire; e se la signorina Woodhouse di Hartfield, l'ereditiera di trentamila sterline, non poteva essere agguantata così facilmente come aveva immaginato, avrebbe presto tentato la signorina Qualcun'altra, con venti, o magari con diecimila.

Ma... che dovesse parlare d'incoraggiamento, che dovesse considerare lei consapevole dei suoi progetti, pronta ad accettare le sue attenzioni e (in una parola) a sposarlo! Che dovesse supporre d'essere uguale a lei per stato sociale o per intelletto! Guardare dall'alto in basso la sua amica, rendendosi così bene conto delle differenze di livello sociale al di sotto di lui, ed essere così cieco per quelle al di sopra da credere di non mostrare presunzione facendo la corte a lei! Questo era quanto mai irritante.

Forse non era giusto attendersi da lui che sentisse quanto era inferiore a lei nell'ingegno e in tutte le raffinatezze dello spirito. Poteva essere proprio la mancanza di questa eguaglianza a impedire che lui se ne accorgesse; ma doveva pur sapere che per ricchezza e importanza sociale lei gli era molto superiore. Doveva sapere che i Woodhouse avevano risieduto a Hartfield per molte generazioni, ramo cadetto di una famiglia antichissima... mentre gli Elton non erano nessuno. Le proprietà terriere di Hartfield certo erano insignificanti, non essendo che una specie di ritaglio nella tenuta dell'abbazia di Donwell, cui apparteneva tutto il resto di Highbury; ma grazie ad altre rendite il loro patrimonio era tale da non farli figurare secondi nemmeno all'abbazia di Donwell, per qualsiasi altro rispetto di importanza sociale; e i Woodhouse per molto tempo avevano avuto un'alta posizione nella considerazione di quell'ambiente in cui il signor Elton era entrato da meno di due anni, per farsi strada al meglio che poteva senza altre parentele che tra commercianti, e senza nient'altro, a renderlo degno di nota, se non la sua posizione e la sua gentilezza di modi. Ma s'era figurato che lei fosse innamorata di lui; doveva essere questa, evidentemente, la conclusione a cui era giunto; e dopo avere per un po' sfogato la sua rabbia pensando questa apparente incoerenza di modi gentili e presunzione, Emma, per un senso di normale onestà, fu costretta a fermarsi e ammettere che la sua condotta verso di lui era stata talmente compiacente e affabile, così piena di gentilezza e di premure, da giustificare (qualora non fosse stato chiaro il reale motivo!) in un uomo dotato di una capacità ordinaria di osservazione e delicatezza, come il signor Elton, la fantasia di essere decisamente un favorito. Se lei aveva inteso così male i sentimenti di lui, aveva ben poco diritto di meravigliarsi che lui, accecato com'era dal proprio interesse, si fosse sbagliato a proposito dei sentimenti di lei.

Il primo errore, e il peggiore, era da imputare a lei. Era una stupidaggine, era un vero e proprio sbaglio darsi parte così attivamente al tentativo di mettere insieme due persone. Voleva dire avventurarsi troppo oltre, presumere troppo, prendere alla leggera quello che doveva essere serio, giocare d'astuzia su ciò che doveva essere semplice. Emma era molto preoccupata e umiliata, e si propose di non fare più cose del genere.

"Ecco qui", si diceva, "a forza di discorsi ho convinto la povera Harriet a sentire molto attaccamento per quest'uomo. Non fosse stato per me, forse non avrebbe mai pensato a lui; e di certo non avrebbe mai costruito speranze su di lui, se non l'avessi assicurata del suo interessamento, perché lei possiede la modestia e l'umiltà che attribuivo a lui. Oh, se mi fossi limitata a persuaderla a non accettare il giovane Martin! Su quel punto avevo pienamente ragione. Lì ho agito bene; ma a questo mi sarei dovuta fermare, e avrei dovuto lasciare il resto al tempo e al caso. La stavo presentando nella buona società, dandole l'opportunità di piacere a qualcuno che valesse la pena di conquistare; non avrei dovuto tentare di più. Ma adesso, povera figliola, la sua pace è distrutta per qualche tempo. Non sono stata, per lei, una vera amica; e se anche *non* dovesse sentire profondamente questa delusione, non saprei davvero chi altri potrebbe rappresentare un partito auspicabile per lei... William Coxe... Oh, no! Non potrei sopportare William Coxe... un giovane avvocato insolente".

Si fermò, arrossendo e ridendo per la sua ricaduta, poi tornò a riflettere, e in modo più serio e desolante, su quel che era stato, e che poteva essere, e che doveva essere. La dolorosa spiegazione che doveva offrire a Harriet, e tutto quel che avrebbe sofferto la povera Harriet, oltre all'imbarazzo degli incontri futuri, le difficoltà di continuare o di chiudere i rapporti, di controllare i sentimenti, di nascondere i risentimenti e di evitare lo scandalo, furono sufficienti a tenerla occupata in riflessioni molto malinconiche per un altro po', e alla fine andò a letto senza essere giunta a nessuna conclusione, se non al convincimento di avere fatto un terribile sbaglio.

A una giovinezza e un'allegria naturale come quelle di Emma, sebbene di notte possano subire un temporaneo offuscamento, il ritorno della luce non può fare a meno di portare nuova vivacità. La giovinezza e l'allegria del mattino offrono una felice analogia, e operano in modo poderoso; e se l'infelicità non è così pronunciata da far tenere gli occhi aperti, di sicuro porteranno a sentire alleviata la pena e accresciuta la speranza.

Emma si alzò la mattina successiva più pronta a consolarsi di quando si era coricata, più disposta a riconoscere la possibilità di alleviare il male che doveva affrontare, e a confidare di poterne uscire in modo accettabile.

Era una grande consolazione che il signor Elton non fosse davvero innamorato di lei, o così particolarmente amabile da rendere penoso il doverlo deludere (e anche che l'indole di Harriet non fosse di quella specie superiore in cui i sentimenti sono estremi e tenacissimi); che non fosse necessario che qualcuno venisse informato di quel che era accaduto, se non le tre persone interessate; e soprattutto che suo padre dovesse subire un momento di inquietudine.

Questi pensieri erano assai confortanti; e la vista di un bel po' di neve per terra le portò un altro motivo di sollievo, giacché ogni cosa che potesse giustificare la separazione di loro tre, per il momento, era la benvenuta.

Il tempo l'aiutava molto; sebbene fosse Natale, non poteva andare in chiesa. Il signor Woodhouse si sarebbe sentito molto infelice se sua figlia si fosse arrischiata a farlo, così era impossibilitata a provocare o a ricevere idee spiacevoli e non opportune. Il suolo coperto di neve e l'atmosfera in quello stato incerto tra il gelo e il disgelo, che tra tutti è il meno propizio al movimento, iniziando ogni mattina con pioggia o neve, e apprestandosi ogni sera a gelare, fecero in modo che per parecchi giorni lei rimanesse in una onorevolissima prigionia. Nessun rapporto possibile con Harriet, se non tramite messaggi scritti; e nessun bisogno di trovare scuse per l'assentarsi del signor Elton.

Era un tempo che avrebbe ben potuto obbligare chiunque a rimanere in casa; e anche se lei sperava e credeva che lui in verità trovasse conforto in qualche compagnia, era molto piacevole avere suo padre così contento di starsene solo a casa sua, troppo cauto per mettere il naso fuori; e sentirlo dire ciò al signor Knightley, che nessun tempo avrebbe potuto tenere del tutto lontano da loro.

«Ah, signor Knightley, perché non ve ne restaste a casa come il povero signor Elton?».

Quei giorni di forzata reclusione, se non ci fossero state le sue perplessità personali, avrebbero potuto essere molto confortevoli, perché quell'appartarsi si confaceva a meraviglia a suo cognato, i cui sentimenti dovevano essere sempre molto importanti per i suoi compagni; aveva, inoltre, eliminato così completamente il suo cattivo umore di Randalls, che la sua amabilità non venne mai meno durante il resto del suo soggiorno a Hartfield. Era sempre piacevole e cortese, e parlava affabilmente di tutti. Ma pur con tutte le speranze di allegria, e tutta la consolazione offerta al momento dalla necessità dell'indugio, era tuttavia così sospeso su di lei quel temibile momento della spiegazione con Harriet, che a Emma riusciva impossibile avere l'anima in pace.

Capitolo diciassettesimo

Il signore e la signora John Knightley non furono trattenuti a lungo a Hartfield. Presto il tempo migliorò quanto bastava a permettere di partire a coloro che dovevano partire; e il signor Woodhouse, dopo avere, come al solito, tentato di persuadere la figlia a rimanere con tutti i suoi bambini, fu costretto a vedere andar via tutta la comitiva, e a tornare a lamentarsi per il destino della povera Isabella; la quale povera Isabella, che passava la sua vita con quelli che adorava, piena dei loro meriti, cieca ai loro difetti, e sempre innocentemente affaccendata, avrebbe potuto essere un modello di onesta felicità femminile.

La sera dello stesso giorno in cui partirono, portò una lettera del signor Elton al signor Woodhouse, una lettera lunga, cortese, cerimoniosa, che recava, con i migliori saluti del signor Elton, l'informazione che lui intendeva lasciare Highbury la mattina seguente per andare a Bath, dove, cedendo alle insistenze di alcuni amici, si era impegnato a passare alcune settimane, ed era molto spiaciuto dell'impossibilità nella quale si trovava, per varie situazioni dovute al maltempo e agli affari, di salutare personalmente il signor Woodhouse, per la cui affabile gentilezza avrebbe sempre conservato gratitudine: e se il signor Woodhouse aveva qualche cosa da chiedergli, lui sarebbe stato felice di servirlo.

Fu una sorpresa assai piacevole per Emma. L'assenza del signor Elton, in quel momento, era proprio quel che si poteva desiderare. Lo ammirò molto per averla predisposta, anche se non riusciva ad attribuirgli molto credito per il modo in cui veniva annunciata. Non si sarebbe potuto esprimere risentimento in forma più lampante che in quella cortesia verso suo padre, da cui lei era tanto chiaramente esclusa. Non aveva nemmeno parte nei suoi convenevoli iniziali. Il nome di lei non veniva fatto; e in tutto ciò c'era un cambiamento così impressionante, e una tale sconsiderata solennità nelle dimostrazioni di gratitudine che accompagnavano il suo commiato, che all'inizio lei pensò che non sarebbero potuti sfuggire ai sospetti di suo padre.

Ma sfuggirono. Il padre fu tutto preso dalla meraviglia per un viaggio così improvviso, e dai suoi timori che il signor Elton potesse non riuscire ad arrivare sano e salvo alla meta, che non vide niente di straordinario nel suo linguaggio. Fu una lettera molto utile, perché fornì loro un materiale fresco a cui pensare e di cui parlare per tutto il resto della loro solitaria serata. Il signor Woodhouse parlò delle sue paure, ed Emma era dell'umore adatto per poterle dissipare con tutta la sua solita prontezza.

Adesso decise di non tenere più all'oscuro Harriet. Aveva delle ragioni per ritenerla quasi guarita della sua infreddatura, ed era auspicabile che avesse tutto il tempo possibile per superare l'altro suo problema prima che quel signore ritornasse. Quindi il giorno immediatamente successivo andò dalla signora Goddard per sottoporsi alla necessaria pena della comunicazione; e fu una pena severa. Dovette distruggere tutte le speranze che si era ingegnata di alimentare; presentarsi nella parte antipatica di colei che era stata preferita, e riconoscere che aveva valutato male, e che tutte le sue idee in proposito, tutte le sue osservazioni, le sue convinzioni, le sue profezie delle ultime sei settimane erano completamente sbagliate.

La confessione rinnovò per intero la sua prima sensazione di vergogna, e la vista delle lacrime di Harriet le fece pensare che non avrebbe mai potuto perdonarselo.

Harriet sopportò la notizia molto bene, senza dare la colpa a nessuno, e dimostrando in tutto e per tutto una schiettezza di carattere e un'umiltà nell'opinione che aveva di se stessa che in quel momento non poterono non colpire molto favorevolmente l'amica.

Emma era in una tale condizione d'animo da apprezzare più che mai la semplicità e la modestia; e tutto ciò che era amabile e che avrebbe dovuto attrarre l'affetto, sembrava trovarsi dalla parte di Harriet, non dalla sua. Harriet non pensava di doversi lamentare di nulla. L'affetto di un uomo come il signor Elton avrebbe rappresentato una distinzione troppo grande. Lei non avrebbe mai potuto meritare il signor Elton... e solo un'amica così parziale e gentile come la signorina Woodhouse lo avrebbe potuto credere possibile.

Le sue lacrime scesero copiose, ma il suo dolore era così ingenuo che nessuna dignità avrebbe potuto renderlo più rispettabile agli occhi di Emma, che ascoltò Harriet e tentò di darle consolazione con tutto il cuore e l'intelletto, del tutto convinta, per il momento, che Harriet fosse, di loro due, la donna superiore, e che rassomigliarle avrebbe contribuito al suo benessere e alla sua felicità più di quanto non potessero farlo il talento o l'intelligenza.

Era un po' troppo tardi per lei per apprestarsi a essere ingenua e ignorante; ma lasciò Harriet sentendo confermata ogni sua precedente decisione di essere umile e circospetta, e di tenere a freno la fantasia per tutto il resto della sua vita. Ora, il suo secondo dovere, inferiore solo a quello verso il padre, era di pensare al benessere di Harriet, e cercare di dimostrarle il suo affetto con qualche sistema migliore che tentare di combinarle un matrimonio. La fece venire a Hartfield e le offrì prova della più costante bontà, facendo in modo di tenerla occupata e divertirla, e di farle passare di mente il signor Elton con i libri e la conversazione.

Ci sarebbe voluto del tempo, lo sapeva, perché questo avvenisse completamente; e poteva valutarsi solo un giudice mediocre, riguardo a simili faccende in generale, e in particolare assai poco capace di simpatizzare con un attaccamento per il signor Elton; ma le sembrava ragionevole che all'età di Harriet, e con la completa fine di ogni speranza, si sarebbe potuto ottenere un miglioramento tale verso una condizione di tranquillità, per il momento del ritorno del signor Elton, da permettere loro di incontrarsi di nuovo nei normali rapporti di conoscenza senza alcun pericolo di tradire i loro sentimenti o di esasperarli.

Harriet riteneva Elton del tutto perfetto, e sosteneva che non avesse l'uguale per attrattive fisiche o bontà e, in verità, si mostrava più decisamente innamorata di quanto Emma avesse previsto; e tuttavia le sembrava così naturale, così inevitabile lottare contro un'inclinazione del genere, non contraccambiata, che Emma non poteva capire come potesse continuare ancora per molto con la stessa forza.

Se il signor Elton, al suo ritorno, avesse reso la sua indifferenza così evidente e chiara come lei non poteva dubitare che sarebbe stato ansioso di fare, non poteva immaginare che Harriet continuasse a porre la sua felicità nel vederlo o nel ricordarlo.

Il loro essere fissi, e fissi in modo tanto assoluto, nello stesso posto, era un male per tutti e tre. Nessuno di loro poteva allontanarsi, o fare un sostanziale cambiamento d'ambiente. Dovevano continuare a incontrarsi, e adattarsi a quella situazione.

Un'altra disgrazia per Harriet era il tono delle sue compagne presso la signora Goddard; giacché il signor Elton era l'idolo di tutte le maestre e delle ragazze più grandi nella scuola; e solo a Hartfield poteva capitarle di sentir parlare di lui con una moderazione capace di raffreddare i sentimenti o con una verità capace di cancellarli. Quello in cui era stata provocata la ferita, quello era il luogo più adatto per trovare la cura; ed Emma sentiva che, fino a che non avesse visto Harriet ristabilita, non avrebbe potuto sentirsi veramente in pace lei stessa.

Capitolo diciottesimo

Il signor Frank Churchill non venne. Quando si avvicinò la data stabilita, le apprensioni della signora Weston furono giustificate dall'arrivo di una lettera di scuse. Per il momento la sua presenza a Enscombe era necessaria, con sua grandissima mortificazione e rammarico; tuttavia sperava ardentemente di visitare Randalls in un tempo non lontano.

La signora Weston ci rimase estremamente male, molto più male, effettivamente, di suo marito, anche se la sua aspettativa di vedere il giovanotto era stata assai più moderata: ma un'indole ottimista, seppure si aspetti sempre più bene di quanto non ne venga, non sconta sempre le sue speranze con una delusione proporzionata. Ben presto sorvola sull'insuccesso attuale, e comincia a sperare di nuovo. Il signor Weston rimase sorpreso e spiacente per una mezz'ora; poi cominciò ad accorgersi che la venuta di Frank due o tre mesi più tardi rappresentava un progetto molto più attraente; migliore stagione; tempo più buono; e allora avrebbe potuto, senza dubbio, restare con loro per un periodo notevolmente più lungo che se fosse venuto prima.

Questi sentimenti gli ridettero presto il buonumore, mentre la signora Weston, che aveva un carattere più apprensivo, non prevedeva altro che rinnovate scuse e indugi; e con tutta la sua preoccupazione per quello che avrebbe sofferto suo marito, soffriva molto di più lei.

Emma, in questo periodo, non era nello stato d'animo adatto a preoccuparsi della mancata visita del signor Frank Churchill, se non in quanto ciò costituiva una delusione a Randalls. Il fatto di conoscerlo, per il momento, non aveva per lei alcuna attrattiva. Voleva, invece, starsene tranquilla e lontana dalle tentazioni; e tuttavia, visto che era auspicabile apparire non diversa dal solito, fece in modo di manifestare tanto interesse nella situazione, e di prendere parte tanto intensamente alla delusione dei Weston quanto loro potevano naturalmente attendersi data la loro amicizia.

Fu lei a darne notizia per prima al signor Knightley; e deplorò quanto necessario (o forse anche più, giacché recitava una parte) il comportamento dei Churchill nel tenere lontano Frank. Passò poi a dire un bel po' di quel che sentiva, del vantaggio di una tale aggiunta al loro ambiente limitato del Surrey; del piacere di vedere una persona nuova; del giorno di festa di cui avrebbe goduto tutta Highbury vedendolo; e terminando con altre critiche ai Churchill, si trovò in netto disaccordo con il signor Knightley; e, con suo grande divertimento, si accorse di difendere nella questione la parte opposta a quella che era il suo reale pensiero, e di utilizzare gli argomenti della signora Weston contro se stessa.

«Probabilmente i Churchill sono in colpa», disse il signor Knightley con freddezza; «ma ritengo che lui potrebbe ben venire, se lo volesse».

«Non comprendo perché diciate questo. Desidera moltissimo venire, ma suo zio e sua zia non sanno fare a meno di lui».

«Non posso credere che non avrebbe la possibilità di venire, se davvero lo volesse. È troppo improbabile perché io ci creda senza una prova».

«Come siete bizzarro! Cosa ha fatto il signor Frank Churchill, perché lo supponiate un essere così snaturato?»

«Non lo suppongo affatto un essere snaturato, quando sospetto che possa avere imparato a sentirsi al disopra dei rapporti di parentela, e a curarsi ben poco d'altro che del suo proprio piacere, a forza di vivere con persone che gliene hanno sempre dato l'esempio. È naturale, molto più naturale di quanto ci si potrebbe augurare, che un giovanotto, educato da gente superba, amante del lusso ed egoista, divenga anche lui superbo, amante del lusso ed egoista. Se Frank Churchill avesse voluto vedere suo padre, avrebbe fatto in modo di farlo tra settembre e gennaio. Un uomo della sua età (quanti anni ha... ventitré o ventiquattro), non può non trovare il mo jo per fare una cosa come questa. È impossibile».

«È presto detto, e voi fate presto a sentirla così, visto che siete sempre stato padrone dei vostri movimenti: siete il peggiore giudice del mondo, signor Knightley, delle difficoltà causate dal dipendere da altri. Voi non sapete cosa voglia dire avere degli umori da compiacere».

«Non è concepibile che un uomo di ventitré o ventiquattro anni non abbia tanta libertà mentale o fisica. Il denaro non può mancargli, il tempo libero nemmeno. Sappiamo, anzi, che ha entrambi, e così in abbondanza da essere lieto di disfarsene nei più oziosi ritrovi del regno. Non facciamo che sentire della sua presenza a questa o quest'altra stazione di villeggiatura. Un po' di tempo fa era a Weymouth. Questo dimostra che può lasciare i Churchill».

«Sì, alle volte può farlo».

«E questo capita ogni volta che lui pensa ne valga la pena; ogni volta che è tentato da qualche piacere».

«È molto ingiusto giudicare la condotta di qualcuno senza conoscere la sua situazione. Nessuno che non sia vissuto dentro una famiglia può dire

106

quali siano le difficoltà di uno dei suoi membri. Dovremmo conoscere Enscombe e il carattere della signora Churchill, prima di presumere di accertare cosa possa fare suo nipote. Qualche volta può essere capace di fare molto di più di quel che non possa fare qualche altra».

«C'è una cosa, Emma, che un uomo può sempre fare, se vuole: il suo dovere. Non con espedienti e astuzie, ma con il vigore e la risolutezza. Il dovere di Frank Churchill è di mostrare questo riguardo per il padre. Le sue promesse e le sue lettere dimostrano che se ne rende conto; ma se volesse potrebbe farlo. Un uomo di retti sentimenti direbbe subito, con semplicità e determinazione, alla signora Churchill: "Ogni sacrificio che riguardi un mero piacere mi troverete sempre pronto a farlo per compiacervi; ma devo andare a incontrare mio padre immediatamente. So che soffrirebbe se mancassi di dargli questa prova di rispetto, nella situazione presente. Dunque partirò domani". Se dicesse così subito, col tono deciso che si confà a un uomo, non ci sarebbe alcuna opposizione alla sua partenza».

«No», disse Emma ridendo; «ma forse potrebbe esserci al suo ritorno. Che modo d'esprimersi sarebbe, per un giovanotto interamente dipendente! Solo voi, signor Knightley, potete immaginarlo possibile. Non avete proprio idea di quelle che sono le richieste di una situazione diametralmente opposta alla vostra. Il signor Frank Churchill fare un discorso del genere allo zio e alla zia, che lo hanno allevato, e debbono provvedere per lui! Già, rimanendo in piedi nel mezzo della stanza, immagino, e parlando il più forte possibile! Come potete immaginare realizzabile un tale comportamento?»

«Siatene pure certa, Emma, un uomo di giudizio non troverebbe alcuna difficoltà. Si sentirebbe nel giusto; e la dichiarazione, fatta, naturalmente, come la farebbe un uomo giudizioso, nel modo opportuno, gli porterebbe più giovamento, facendolo salire nella stima e accrescendo l'attaccamento della gente da cui dipende, di quel che non possa fare tutta una serie di espedienti e di ripieghi. All'affetto si aggiungerebbe il rispetto. Sentirebbero di poter riporre in lui la loro fiducia, giacché il nipote che si comportasse bene col padre si comporterebbe bene con loro; giacché sanno, come lo sa lui, e come devono saperlo tutti, che ha il dovere di fare questa visita a suo padre; e mentre fanno un uso meschino del loro potere per ritardarla, in cuor loro non pensano bene di lui, proprio perché si sottomette ai loro capricci. Tutti sentono rispetto per la condotta giusta. Se lui agisse in questo modo, per principio, con coerenza e regolarità, le loro piccole menti si piegherebbero alla sua».

«Ne dubito alquanto. A voi piace molto piegare le piccole menti; ma quando queste piccole menti appartengono a gente ricca che ha l'autorità, credo abbiano il vezzo di gonfiarsi, fino a che diventano intrattabili quanto le menti grandi. Posso immaginare che se voi, per come siete, signor Knightley, foste trasportato e messo tutt'a un tratto nella situazione del signor Frank Churchill, sareste in grado di dire e fare proprio quello che avete consigliato per lui, e la cosa potrebbe avere un ottimo effetto. I Churchill potrebbero non trovare nulla da replicare; voi però non avreste antiche abitudini di obbedienza e di lunga deferenza da infrangere. A chi le ha, può non riuscire così facile alzarsi improvvisamente fino alla perfetta indipendenza, e non tenere conto di tutte le loro pretese alla gratitudine e al rispetto. Lui potrebbe avere un senso non meno forte di voi per ciò che sarebbe giusto, senza essere all'altezza, in certe pàrticolari situazioni, di agire in conseguenza».

«Allora non si tratterebbe di un senso così forte. Se non dovesse produrre lo sforzo di essere coerente, non potrebbe essere una convinzione altrettanto forte».

«Oh, la differenza di situazione e di abitudini! Vorrei che cercaste di comprendere quello che può sentire un giovanotto amabile nell'opporsi in modo diretto a quelli che non ha fatto che venerare da bambino e da adolescente».

«Il vostro amabile giovanotto è un giovanotto molto debole, se questa è la prima occasione che gli si offre di rendere operante una decisione di agire rettamente contro la volontà altrui. A questo punto avrebbe dovuto essere per lui un'abitudine quella di seguire la via del dovere, invece di pensare alla convenienza. Posso giustificare i timori del bambino, non quelli dell'uomo. Una volta all'età della ragione, avrebbe dovuto svegliarsi e liberarsi di quel che c'era, nella loro autorità, di indegno. Avrebbe dovuto opporsi al primo tentativo da parte loro di fargli tenere in scarsa considerazione il padre. Se avesse cominciato come avrebbe dovuto, ora non ci sarebbe stata alcuna difficoltà».

«Non saremo mai d'accordo su di lui», esclamò Emma, «ma non c'è niente di straordinario. Non penso minimamente che sia un giovanotto debole; sono anzi certa che non lo è. Il signor Weston non sarebbe cieco davanti a un comportamento insipiente, fosse pure in suo figlio; ma probabilmente ha un carattere più arrendevole, docile e accondiscendente di quanto si convenga alla vostra idea della perfezione virile. Credo sia così; e anche se ciò può precludergli certi vantaggi, gliene garantirà molti altri».

«Sì, tutti i vantaggi dello starsene seduto mentre dovrebbe muoversi, e di condurre una vita di puro ozio, e di ritenersi estremamente abile a trovare scuse. Può mettersi a tavolino e scrivere una bella lettera fiorita, piena di affermazioni e di falsità, e persuadersi di avere trovato il metodo migliore del mondo per conservare la pace in famiglia e impedire al padre di avere alcun motivo di lamentarsi. Trovo le sue lettere disgustose».

«I vostri sentimenti sono molto soggettivi. Quelle lettere sembrano soddisfare tutti gli altri».

«Sospetto che non soddisfino la signora Weston. Non possono soddisfare una donna di tale buon senso e acuta sensibilità, che si trova al posto di una madre, ma non ha i sentimenti di una madre ad accecarla. È a causa di lei che è doppiamente doveroso avere dei riguardi per Randalls, e lei deve certo risentire doppiamente dell'omissione. Se fosse stata una persona importante in società, scommetto sarebbe venuto; e, fosse venuto o no, non avrebbe scritto. Potete pensare che la vostra amica non sia all'altezza di questo genere di considerazioni? Supponete che non dica spesso tutto ciò a se stessa? No, Emma, il vostro amabile giovanotto può esser amabile solo in francese, non in inglese. Può esser molto amabile, avere maniere eccellenti ed essere assai piacevole; ma non può avere una delicatezza inglese verso i sentimenti altrui: non ha nulla di veramente amabile».

«Sembrate deciso a pensare male di lui».

«Io! Affatto!», rispose il signor Knightley, alquanto seccato, «non voglio pensare male di lui. Sarei pronto come ogni altro a riconoscere i suoi meriti; ma non ne sento nominare alcuno, se non quelli che sono puramente personali; che è ben fatto e di bella presenza, e ha modi disinvolti e appropriati».

«Ebbene, se anche non avesse altro a raccomandarlo, sarebbe comunque un tesoro per Highbury. Non capita di frequente di vedere giovanotti beneducati e piacevoli. Non dobbiamo fare i difficili, e chiedere di trovare anche tutte le virtù. Non potete immaginarvi, signor Knightley, che sensazione produrrà il suo arrivo? Non ci sarà che un unico argomento per le intere parrocchie di Donwell e Highbury; non ci sarà un solo interesse, un solo oggetto di curiosità; ci sarà solo il signor Frank Churchill; non penseremo né parleremo d'altro».

«Mi consentirete di esimermi dal rimanere così soggiogato. Se lo trovo di buona conversazione, sarò lieto di avere fatto la sua conoscenza, ma se è solo un vanesio chiacchierone, non occuperà molto del mio tempo o dei miei pensieri».

«La mia idea di lui è che può adattare la sua conversazione al gusto di ognuno, e ha la facoltà, nonché il desiderio, di riuscire ben accetto a tutti. A voi parlerà di agricoltura, a me di disegno o di musica, e così via a tutti quanti, possedendo quella cultura generale su tutti gli argomenti che gli consentirà di assecondare le iniziative altrui, o di prenderne lui stesso, secondo quel che è più opportuno, e di parlare in modo estremamente adeguato su ogni cosa; ecco l'idea che ho di lui».

«E la mia», disse il signor Knightley con fervore, «è che se risulterà essere qualcosa di simile, sarà l'individuo più insopportabile della terra! Che! A ventitré anni, essere re del suo gruppo, il grand'uomo, il politico navigato, che può leggere il carattere di tutti, e fare in modo che i talenti di tutti portino a mettere in mostra la sua superiorità; dispensare tutt'intorno le sue adulazioni, per fare sembrare tutti sciocchi in confronto a lui! Mia cara Emma, il vostro buon senso non potrebbe sopportare un bellimbusto del genere, nella realtà».

«Non dirò altro di lui», esclamò Emma, «voi girate tutto in male. Abbiamo tutti e due un pregiudizio: voi contro di lui, io in suo favore; e non avremo modo di metterci d'accordo, fino a che non sarà qui».

«Pregiudizio! Io non ne ho affatto».

«Ma io sì, e molto, e non me ne vergogno. Il mio affetto per il signore e la signora Weston mi trasmette un deciso pregiudizio in suo favore».

«È uno a cui non mi capita di pensare proprio mai», disse il signor Knightley con una certa irritazione, che fece sì che Emma parlasse subito d'altro, anche se non riusciva a capire perché dovesse irritarsi. Pigliare in antipatia un giovanotto solo perché pareva di carattere diverso dal suo era indegno dell'autentica apertura mentale che lei era solita riconoscergli; perché non aveva mai immaginato neppure per un istante che l'alta opinione che lui aveva di sé, che pure lei gli aveva spesso rimproverato, potesse renderlo ingiusto verso i meriti di un'altra persona.

Capitolo diciannovesimo

Emma e Harriet avevano camminato insieme una mattina e, a parere di Emma, avevano parlato a sufficienza del signor Elton per quel giorno. Non poteva pensare che il conforto di Harriet o i suoi propri peccati richiedessero di più; stava cercando quindi di liberarsi dell'argomento, mentre tornavano, ma esso si riaffacciò proprio quando credeva di esserci riuscita, e dopo aver parlato per un po' di quelle che dovevano essere le sofferenze dei poveri durante l'inverno, senza ricevere altra risposta se non un lamentoso: «Il signor Elton è così buono con i poveri!», vide che bisognava fare qualcos'altro.

Si stavano avvicinando alla casa in cui abitavano la signora e la signorina Bates. Emma decise di fare loro visita e di cercare soccorso da un gruppo di persone. Per una cortesia come quella non mancavano mai le ragioni; la signora e la signorina Bates amavano ricevere visite, e lei sapeva che quei pochissimi che presumevano di trovare in lei dei difetti la consideravano piuttosto negligente sotto quell'aspetto, poco propensa a contribuire quanto avrebbe dovuto ad accrescere il numero delle loro poche distrazioni.

Aveva avuto molti accenni da parte dal signor Knightley e alcuni altri dal suo stesso cuore, quanto a questa sua manchevolezza; ma nessun accenno aveva potuto vincere la persuasione che si trattasse di cosa molto sgradevole, una perdita di tempo, donne noiose, e poi tutto l'orrore di correre il pericolo di mescolarsi alle persone di secondo e terz'ordine di Highbury, che non finivano mai di fare visita alle Bates; così Emma raramente si accostava a loro. Ma adesso prese l'improvvisa decisione di non passare davanti alla loro porta senza entrare, notando, mentre proponeva la cosa a Harriet, che, secondo i suoi calcoli, adesso avrebbero dovuto essere assolutamente al riparo da una lettera di Jane Fairfax.

La casa apparteneva a gente in affari. La signora e la signorina Bates occupavano il primo piano e lì, nell'appartamento di dimensioni assai modeste, che per loro era tutto, le visitatrici furono ricevute molto cordialmente e perfino con gratitudine; la linda e pacifica vecchia signora, che stava seduta con la sua calza nell'angoletto più caldo, voleva perfino cedere il posto alla signorina Woodhouse, e la figlia, più attiva e ciarliera, era quasi sul punto di sopraffarle con premure e gentilezze, ringraziamenti per la visita, sollecitudine per le loro calzature, ansiose domande sulla salute del signor Woodhouse, allegre notizie su quella della madre, e fette di torta dal buffet. La signora Cole era stata lì un attimo prima, per una visitina di dieci minuti, e aveva avuto la bontà di rimanere con loro per un'ora, e aveva preso un pezzo di torta, e aveva avuto la cortesia di dire che le piaceva molto; così sperava che la signorina Woodhouse e la signorina Smith avrebbero fatto loro il piacere di mangiarne anche loro una fetta.

Una volta nominati i Cole, si poteva essere sicuri che sarebbe seguito il nome del signor Elton. C'era una certa dimestichezza di rapporti tra loro, e il signor Cole aveva avuto notizie dal signor Elton dopo la sua partenza. Emma sapeva cosa stava per arrivare; dovettero riesaminare la lettera, e stabilire quanto tempo era stato via, e quanto fosse impegnato in società, e che simpatie riscuotesse in tutti i posti in cui andava, e come era stato affollato il ballo del Maestro delle Cerimonie; Emma riuscì a cavarsela bene, esibendo tutto l'interesse e facendo tutti gli elogi che si rendevano opportuni, e facendosi sempre avanti lei, per evitare che Harriet fosse obbligata a dire una parola.

A questo era preparata, entrando in quella casa; ma intendeva, una volta discusso a fondo il signor Elton, non essere disturbata oltre da altri argomenti imbarazzanti, e potersi muovere liberamente tra tutte le signore e le signorine di Highbury e le loro partite a carte. Non si era preparata a vedere che dopo il signor Elton veniva Jane Fairfax; ma lui fu effettivamente allontanato in fretta da Miss Bates, che alla fine passò bruscamente ai Cole, per introdurre una lettera della nipote.

«Oh, sì! Il signor Elton, ho capito... certamente, quanto a ballare... La signora Cole mi stava dicendo che il ballo nella sala di Bath è stato... La signora Cole ha avuto la bontà di stare con noi un po' a parlare di Jane; perché appena entrata ha cominciato a chiedere di lei, e Jane è così popolare da quelle parti. Ogni volta che si trova da noi, la signora Cole non sa come mostrare abbastanza la sua gentilezza; e devo dire che Jane la merita più di chiunque altro. E così ha cominciato a chiedere direttamente di lei, dicendo: "So che non potete avere avuto notizie recenti da Jane, giacché non spetta a lei scrivere", e quando ho detto subito: "Ma sì che le abbiamo avute, abbiamo ricevuto una lettera proprio questa mattina", non credo di avere mai visto nessuno così meravigliato. "Davvero, parola d'onore?", ha detto lei, "be', questa è proprio inaspettata. Sentiamo cosa dice"».

La cortesia di Emma fu subito pronta a intervenire, con sorridente interesse:

«Avete notizie così recenti dalla signorina Fairfax? Come ne sono contenta! Spero stia bene».

«Grazie. Come siete buona!», rispose la zia felicemente ingannata, frugando animatamente per trovare la lettera. «Oh, eccola! Ero certa che non potesse essere lontana; ma ci avevo messo sopra il mio astuccio da lavoro, vedete, senza accorgermene, così era rimasta del tutto nascosta, ma l'avevo in mano un attimo fa ed ero quasi certa che fosse sul tavolo. L'ho letta alla signora Cole, e dopo che lei se n'è andata, l'ho letta di nuovo a mia madre, perché è un tale piacere per lei una lettera di Jane, che non è mai stanca di sentirla; così sapevo che non poteva essere lontana, e infatti eccola qui, era solo coperta dall'astuccio, e visto che siete così cortese da desiderare di sentire quel che dice... ma, prima di tutto, debbo proprio, per non fare torto a Jane, scusarla di avere scritto una lettera tanto breve, solamente due pagine, vedete, due scarse... e di solito riempie tutti i fogli e poi ci scrive anche di traverso. La mamma si meraviglia spesso che io possa decifrarlo tanto bene. Spesso dice, appena è aperta la lettera: "Be', Hetty, adesso immagino dovrai farti in quattro per decifrare tutti quei ghirigori...", non è vero, signora madre? E allora le dico che sono certa riuscirebbe a decifrarlo lei stessa, se non avesse nessuno a farlo per lei... ogni parola: sono certa che ci sforzerebbe sopra gli occhi fino a che non avesse decifrato ogni parola. E in verità anche se gli occhi della mamma non sono buoni come una volta, può vederci ancora in modo sorprendente, grazie a Dio, con l'aiuto degli occhiali. È proprio una benedizione! Gli occhi della mamma sono proprio buoni. Jane dice spesso, quando è qui: "Sono sicura, nonna, che dovete avere avuto una vista buonissima per vederci come ci vedete, e avete fatto tanti bei lavori! Vorrei solo che i miei occhi durassero altrettanto"».

Tutto questo, detto con estrema velocità, obbligò la signorina Bates a fermarsi per prendere fiato, ed Emma disse qualcosa di molto cortese sulla bella calligrafia della signorina Fairfax.

«Siete proprio gentile», rispose la signorina Bates, assai lusingata; «voi che siete così brava a giudicare, e scrivete così bene voi stessa. Sono certa che nessun altro elogio potrebbe farci tanto piacere quanto quello della signorina Woodhouse. La mamma non sente; è già un poco sorda, sapete». Poi, girandosi verso di lei: «Mamma, sentite quel che la signorina Woodhouse è tanto buona da dire sulla calligrafia di Jane?».

Ed Emma fu tanto fortunata da udire il proprio sciocco complimento ripetuto due volte, prima che la buona vecchia signora potesse capirlo. Intanto rifletteva sulla possibilità, senza parere troppo scortese, di sottrarsi alla lettera di Jane Fairfax, e aveva deciso di andarsene senz'altro, in fretta, con qualche piccola scusa, quando la signorina Bates si rivolse ancora a lei e catturò la sua attenzione.

«La sordità di mia madre è molto leggera, vedete, non è proprio niente. Basta che alzi la voce e ripeta una cosa due o tre volte, e ci sente di certo; ma d'altra parte è abituata alla mia voce. Però la cosa che colpisce è che debba sempre capire Jane meglio di me. Jane parla in modo così chiaro! Ma non troverà la nonna più sorda di due anni fa; il che è dire molto, all'età di mia madre, e in realtà sono proprio due anni, sapete, da che è qui. Non siamo mai state tanto senza vederla, e come dicevo prima alla signora Cole, adesso non sapremo come farle festa a sufficienza».

«Aspettate la signorina Fairfax presto?»

«Oh, sì, la settimana ventura».

«Ah davvero! Deve essere un grande piacere».

«Grazie. Siete molto buona. Sì, la settimana ventura. Sono tutti così sorpresi; e dicono tutti le stesse cose gentili. Sono sicura che sarà così lieta di vedere i suoi amici di Highbury, come lo possono essere loro di vedere lei. Sì, venerdì o sabato; non sa dire quale dei due giorni, perché il colonnello Campbell necessiterà della vettura lui stesso uno di questi giorni. Sono così buoni a mandarla per tutta la strada! Ma fanno sempre così, sapete. Oh sì, venerdì o sabato prossimo. È di questo che scrive. Ed è per questa ragione che scrive una lettera straordinaria, come diciamo noi; perché, secondo la consuetudine, non avremmo dovuto ricevere lettere da lei prima di martedì o mercoledì prossimo».

«Già, così immaginavo. Temevo sarebbe stato per me improbabile avere notizie della signorina Fairfax oggi».

«Siete così gentile! No, non avremmo avuto notizie, non fosse stato per questa situazione speciale della sua tanto prossima venuta. Mia madre ne è così contenta, perché resterà con noi almeno tre mesi. Tre mesi, dice proprio così, come adesso avrò il piacere di leggervi. Vedete, il fatto è che i Campbell vanno in Irlanda. La signora Dixon ha convinto il padre e la madre ad andare subito là a trovarla. Non avevano intenzione di andarci prima dell'estate, ma lei è così impaziente di vederli di nuovo, giacché da quando si è sposata, l'ottobre scorso, non è mai stata lontana da loro nemmeno una settimana, e questo deve far sembrare molto strano il trovarsi in due regni diversi, stavo per dire, ma in ogni modo paesi diversi, così ha scritto una lettera urgentissima alla madre o al padre, devo confessare di non sapere a chi, ma adesso lo vedremo dalla lettera di Jane, ha scritto in nome del signor Dixon e nel proprio, per spingerli ad andare immediatamente, e avrebbero dato loro un appuntamento a Dublino e li avrebbero portati alla loro villa, Baly-craig, un posto stupendo, immagino. Jane ha sentito dire molte cose della sua bellezza; intendo dire dal signor Dixon, non credo ne abbia mai sentito parlare da altri; ma era proprio naturale, sapete, che a lui piacesse parlare del suo posto, mentre faceva da cavalier servente; e dato che Jane usciva molto spesso a passeggio con loro... perché il colonnello e la signora Campbell ci tenevano molto che la loro figlia non andasse a passeggio frequentemente con il signor Dixon solo, e per questo non li biasimo di certo; naturalmente sentiva tutto quel che lui poteva dire alla signorina Campbell della sua casa in Irlanda. E credo lei ci abbia scritto che lui aveva fatto vedere loro dei disegni del posto, delle vedute che aveva preso lui stesso. È un giovanotto molto amabile e affascinante, credo. Le cose che ha raccontato hanno dato a Jane una gran voglia di andare in Irlanda».

A questo punto, mentre un sospetto sottile e stimolante entrava nella testa di Emma a proposito di Jane Fairfax, l'affascinante signor Dixon, e il mancato viaggio in Irlanda, la giovane disse, con l'insidioso scopo di scoprire qualcosa di più:

«Deve sembrarvi una gran fortuna che in questa situazione la signorina Fairfax abbia il permesso di venire da voi. Considerando la sua speciale amicizia con la signora Dixon, non vi sareste certo potute attendere che venisse dispensata dall'accompagnare il colonnello e la signora Campbell».

«Proprio così, proprio così, in verità. Proprio la cosa che abbiamo sempre temuto alquanto; perché non ci sarebbe piaciuto di averla così lontana da noi per dei mesi, nell'impossibilità di venire se fosse successo qualcosa. Ma vedete, ogni cosa va per il meglio. I Dixon desiderano enormemente che Jane vada in Irlanda col colonnello e la signora Campbell; ci contano davvero; niente potrebbe essere più gentile o sollecite di più del loro doppio invito, dice Jane, come sentirete tra un attimo; il signor Dixon non sembra per nulla esitante nelle sue premure. È un giovanotto veramente affascinante. Da quando rese a Jane quel servizio a Weymouth, quando erano usciti per quella gita in barca e lei, per l'improvviso rovesciarsi di non so più cosa tra le vele, sarebbe stata scagliata immediatamente in mare, anzi fu proprio sul punto di esserlo, se lui con grandissima presenza di spirito non l'avesse aguantata per il vestito. Non riesco mai a pensarci senza tremare! Ma da che abbiamo saputo la storia di quel giorno, ho voluto talmente bene al signor Dixon!».

«Ma pur con tutta l'insistenza dell'amica, e il suo desiderio di vedere l'Irlanda, la signorina Fairfax preferisce dedicare il suo tempo a voi e alla signora Bates?»

«Sì... così ha deciso, la scelta è interamente sua; e il colonnello e la signora Campbell ritengono faccia benissimo, proprio quel che consiglierebbero loro stessi; e in verità è loro specifico desiderio che lei provi l'aria natia, perché negli ultimi tempi non si è sentita poi così bene».

«Mi dispiace sentirlo. Penso che giudichino nel modo giusto. Ma la signora Dixon deve rimanerne molto delusa. La signora Dixon, a quel che comprendo, non spicca per bellezza fisica; non può essere proprio paragonata con la signorina Fairfax».

«Oh, no! Siete molto cortese a dire queste cose... ma certo che no. Non c'è confronto tra loro due. La signorina Campbell è stata sempre priva di ogni attrattiva... ma è estremamente elegante e amabile».

«Sì, naturalmente».

«Jane ha preso un brutto raffreddore, poveretta, un bel po' di tempo fa, il sette novembre (come ora vi leggerò), e da allora non si è più sentita bene. È una quantità di tempo, no, per gli strascichi di un'infreddatura? Non ne aveva parlato prima per non allarmarci. È fatta così... Tanto piena di riguardi! Ma insomma, si sente così poco bene che i suoi amici, i Campbell, ritengono che farebbe meglio a tornare a casa, e a cercare un'aria che le faccia bene; e non dubitano che tre o quattro mesi a Highbury la faranno ristabilire completamente... e certo è assai meglio che venga qui invece che andare in Irlanda, se non si sente bene. Nessuno potrebbe curarla, come invece faremo noi».

«A me pare proprio che non si sarebbe potuto desiderare una combinazione migliore».

«E così verrà da noi venerdì o sabato, e i Campbell lasciano Londra per imbarcarsi a Holyhead il lunedì successivo, come sentirete dalla lettera di Jane. Così all'improvviso! Potete indovinare, cara signorina Woodhouse, in che agitazione mi ha messa! Se non fosse per l'inconveniente della sua indisposizione... Ma temo che dobbiamo aspettarci di trovarla smagrita, e molto giù. Debbo dirvi, a tale proposito, quale disgrazia mi è successa. Seguo sempre il principio di leggere da sola le lettere di Jane, prima di leggerle ad alta voce alla mamma, sapete, per paura che ci sia dentro qualcosa che possa metterla in agitazione. Jane mi ha pregato di fare così, e così faccio sempre: e quindi oggi ho cominciato con la mia solita precauzione; ma appena sono arrivata al punto in cui dice di non stare bene, mi sono lasciata scappare, molto spaventata, un "Dio mio, la povera Jane sta male!" che mamma, che era lì all'erta, ha sentito chiaramente, e ne è rimasta dolorosamente allarmata. Però, continuando a leggere, ho visto che la cosa non era poi così seria come avevo immaginato all'inizio; e adesso faccio mostra di farci tanto poco caso che lei non ci pensa granché. Ma non so immaginare come io abbia potuto essere così distratta! Se Jane non si riprende presto, faremo venire il signor Perry. Non baderemo a spese; e anche se lui è così generoso, e vuole così bene a Jane che scommetto non vorrà alcun compenso per le sue prestazioni, non potremmo permetterlo, sapete. Deve mantenere moglie e famiglia, e non può gettare via il suo tempo. Ecco, ora che vi ho accennato a cosa scrive Jane, prenderemo la lettera, e sono sicura che lei racconta la sua storia molto meglio di quanto non possa ripetervela io».

«Ho paura che dobbiamo scappare», disse Emma, con un'occhiata a Harriet, e facendo il gesto di alzarsi. «Mio padre ci attende. Quando sono entrata a casa vostra non avevo intenzione, non pensavo di potere rimanere più di cinque minuti. Volevo affacciarmi solo per non passare davanti alla porta senza chiedere notizie della signora Bates; ma sono stata trattenuta così piacevolmente! Ora, però dobbiamo augurare il buongiorno a voi e alla signora Bates».

E qualsiasi tentativo di trattenerla fu vano. Emma riguadagnò la strada, ritenendosi fortunata perché, anche se era stata costretta a subire molte cose contro la sua volontà, e anche se di fatto era stata messa al corrente dell'intero contenuto della lettera di Jane Fairfax, la lettera stessa era riuscita a evitarla.

Capitolo ventesimo

Jane Fairfax era un'orfana, figlia unica della figlia minore della signora Bates.

Il matrimonio del tenente Fairfax, del reggimento di fanteria, con la signorina Jane Bates, aveva avuto il suo momento di fama e di piacere, di speranza e di interesse; ma ora non ne rimaneva niente, salvo il triste ricordo di come lui era morto in battaglia all'estero e di come la sua vedova poco dopo si era spenta di consunzione e di dolore, e questa ragazza.

Per nascita, lei apparteneva a Highbury; e quando all'età di tre anni, persa la madre, era divenuta la proprietà, la responsabilità, la consolazione, e la pupilla della nonna e della zia, era sembrato che secondo ogni probabilità sarebbe rimasta lì per sempre, avrebbe ricevuto l'istruzione che potevano garantirle dei mezzi molto limitati, e sarebbe cresciuta senza che risorse dovute all'ambiente o all'educazione venissero a innestarsi su ciò che le aveva dato la natura, e cioè una figura piacente, una buona intelligenza e dei parenti generosi e ben disposti.

Ma i sentimenti di compassione di un amico del padre produssero un cambiamento nel suo destino. Era costui il colonnello Campbell, che aveva avuto molta stima di Fairfax, come di un eccellente ufficiale e un giovane di grande merito; e poi gli era debitore di tante cure, durante una grave febbre tifoidea, che riteneva gli avesse salvato la vita. Erano questi titoli di riconoscenza che lui non riuscì a dimenticare, anche se dopo la morte del povero Fairfax passarono alcuni anni prima che il suo rientro in Inghilterra gli consentisse di fare qualcosa. Quando tornò, cercò la bambina e si interessò a lei. Era sposato, con una sola figlia vivente, una bambina più o meno dell'età di Jane: e Jane divenne la loro ospite, facendo presso di loro lunghi soggiorni e guadagnandosi la simpatia di tutti; e, prima che avesse nove anni, il grande affetto che nutriva per lei la figlia, e il desiderio di lui di essere un vero amico, si combinarono nel produrre, da parte del colonnello Campbell, l'offerta di prendere su di sé l'intera responsabilità della sua educazione. L'offerta venne accettata; e da quell'epoca Jane era appartenuta alla famiglia del colonnello Campbell, ed era vissuta sempre con loro, andando solo di tanto in tanto a visitare la nonna.

Il progetto era che venisse istruita ad educare gli altri; giacché le pochissime centinaia di sterline che aveva ereditato dal padre non le rendevano possibile essere indipendente. Il colonnello Campbell non aveva la possibilità di sistemarla diversamente; poiché anche se il suo reddito, per lo stipendio e gli emolumenti, era cospicuo, il suo patrimonio era modesto, e doveva appartenere tutto alla figlia; ma, consentendole un'educazione, sperava di fornirle gli strumenti per vivere in modo rispettabile in seguito.

Questa era la storia di Jane Fairfax. Era caduta in buone mani, non aveva conosciuto altro che bontà da parte dei Campbell, e aveva avuto un'eccellente educazione. Dal vivere costantemente con gente retta e colta, il suo cuore e il suo intelletto avevano ricevuto ogni vantaggio della disciplina e della cultura; e siccome la residenza del colonnello Campbell era a Londra, ogni sia pur minimo talento di cui lei disponesse era stato valorizzato grazie alla guida di insegnanti di prim'ordine. Le sue disposizioni e le sue doti valevano tanto quanto ciò che poteva fare l'amicizia; e a diciotto o diciannove anni era, se un'età così precoce può ritenersi idonea a prendersi cura di bambini, pienamente competente per il mestiere di educatrice; ma l'amavano troppo, per separarsi da lei. Né il padre né la madre potevano affrettare la cosa, né la figlia poteva tollerarlo. Il brutto giorno della separazione venne rimandato. Era facile decidere che era ancora troppo giovane; e Jane rimase con loro, a condividere, come un'altra figlia, tutti i piaceri intellettuali di una società elegante, e di una assennata commistione di vita domestica e di divertimenti, con il solo svantaggio del futuro, mentre i consigli moderatori del suo buon intelletto le ricordavano che tutto questo avrebbe potuto ben presto finire.

L'amore di tutta la famiglia, e in particolare il caldo affetto della signorina Campbell, faceva loro tanto più onore in quanto Jane era decisamente superiore in bellezza e in cultura. La superiorità che la natura le aveva assegnato nei lineamenti non poteva passare inosservata alla giovane Campbell, né i genitori potevano non accorgersi delle maggiori doti mentali di Jane. Tuttavia continuarono a tenerla, con costante riguardo, fino al matrimonio della signorina Campbell, che, grazie a quel caso, a quella fortuna che tanto spesso sfida le previsioni nelle faccende matrimoniali, conferendo attrattiva a quel che è modesto, invece che a ciò che è superiore, si era guadagnata l'affetto del signor Dixon, un giovane ricco e piacevole, quasi immediatamente dopo che ebbero fatto conoscenza; e si era sistemata in modo conveniente e felice, mentre Jane Fairfax doveva ancora guadagnarsi la vita.

Questo evento aveva avuto luogo molto recentemente, troppo recentemente perché la meno fortunata delle due amiche avesse già tentato qualcosa per imboccare il sentiero del dovere; anche se aveva adesso raggiunto l'età che il suo giudizio aveva fissato per iniziare. Da molto tempo aveva deciso che il ventunesimo anno avrebbe dovuto marcare tale inizio. Con la forza di una novizia religiosa, aveva deciso di fare il sacrificio a ventuno anni, e di ritirarsi da ogni piacere della vita, dello scambio intellettuale, della società tra eguali, della pace e della speranza, a una penitenza e mortificazione perenni.

Il buon senso del colonnello e della signora Campbell non potevano contrastare una tale risoluzione, anche se vi si opponevano i loro sentimenti. Finché loro vivevano, Jane non avrebbe dovuto affaticarsi, la loro casa avrebbe potuto essere sua per sempre; e per il loro benessere, avrebbero voluto tenerla completamente con sé; questo sarebbe però stato egoismo: quel che doveva succedere alla fine, era meglio che succedesse presto. Forse iniziarono a capire che sarebbe stato più gentile e più saggio resistere a ogni tentazione d'indugiare, così da risparmiarle di assaporare quei godimenti di agiatezza e distrazione che dovevano ora essere abbandonati. Ma l'affetto ricavava ancora gioia nel trovare appiglio a ogni ragionevole scusa per non affrettare il penoso momento. Jane non si era mai sentita bene del tutto, dal momento del matrimonio della loro figlia; e fino a che non avesse recuperato per intero le forze, le si doveva impedire di sobbarcarsi dei doveri che, lungi dall'essere compatibili con un fisico indebolito e un umore instabile, parevano, nelle circostanze più favorevoli, richiedere qualcosa in più della perfezione umana di corpo e mente, per essere svolti senza troppo disagio.

Quanto al suo mancato viaggio in Irlanda, quel che aveva raccontato alla zia non era altro che la verità, anche se ci potevano essere altre verità rimaste nella penna. Era stata lei a decidere di dedicare a Highbury il periodo della loro assenza; di trascorrere quelli che forse erano i suoi ultimi mesi di piena libertà con quei buoni parenti che le volevano tanto bene; e i Campbell, quale che potesse essere la loro ragione, unica, duplice o triplice, o quali i loro scopi, dettero pronta approvazione al progetto, e dissero che, per recuperare della sua salute, contavano più su qualche mese passato all'aria natia che su qualsiasi altra cosa. Era sicuro che Jane sarebbe venuta; e che Highbury, invece di dare il benvenuto a quella perfetta novità che le era stata da tanto tempo promessa (il signor Frank Churchill) dovesse rassegnarsi per il momento a Jane Fairfax, che poteva portare solo la freschezza conseguente a una assenza di due anni.

Emma ci restò male; dovere usare cortesia per tre lunghi mesi a una persona che non le piaceva! Dovere sempre fare più di quel che avrebbe desiderato, e meno di quanto avrebbe dovuto! Perché Jane Fairfax non le garbasse, questa potrebbe essere una domanda difficile a cui trovare risposta; il signor Knightley una volta le aveva detto che era perché vedeva in lei quella fanciulla veramente compita che desiderava essere ritenuta lei stessa; e benché allora quell'accusa fosse stata calorosamente respinta, c'erano momenti di esame interiore in cui la coscienza di Emma non poteva assolverla completamente. Comunque, non poteva stringere rapporti con lei: non sapeva come mai, ma c'era una tale freddezza e riservatezza, una tale apparente indifferenza, che le piacesse o meno; e poi, sua zia era una tale chiacchierona! E tutti le prestavano una tale attenzione! E avevano sempre pensato che loro due sarebbero diventate così intime; siccome avevano la stessa età, tutti credevano che si sarebbero affezionate l'una all'altra. Queste erano le ragioni di Emma; di migliori non ne aveva.

Era un'antipatia talmente poco giusta... ogni difetto attribuito era così accresciuto dalla fantasia, che Emma non rivedeva mai per la prima volta Jane Fairfax, dopo una lunga assenza, senza sentire di averle fatto torto; e questa volta, fatta la visita di dovere al suo arrivo, dopo un intervallo di due anni, Emma rimase particolarmente colpita proprio da quell'aspetto e da quelle maniere che per tutti quei due anni aveva criticato. Jane Fairfax era molto elegante, elegante in modo considerevole; e l'eleganza era proprio quello che Emma maggiormente apprezzava. Aveva una bella statura, che ognuno avrebbe ritenuto alta, ma nessuno avrebbe potuto ritenere troppo alta; la sua figura era particolarmente aggraziata; la corporatura né grassa né magra, ma gradevolmente media, anche se una lieve aria di cattiva salute sembrava indicare quale di quei due difetti predominasse.

Emma non poteva non sentire tutto questo e poi il suo viso, i suoi lineamenti... c'era nel loro insieme più bellezza di quanto lei non ricordasse; non era una bellezza regolare, ma era molto attraente. Agli occhi di Jane, di un grigio scuro, con ciglia e sopracciglia nere, non era mai stata negata la dovuta lode; ma la pelle, su cui Emma era stata solita soffermarsi, dicendo che le mancava il colore, aveva una lucentezza e una delicatezza che in verità non avevano bisogno di un colore più vivace. Era un tipo di bellezza in cui il carattere dominante era l'eleganza, e quindi lei, dovendo essere sincera e coerente con tutti i suoi princìpi, doveva ammirarla: di eleganza, sia della persona che dell'intelletto, ne vedeva così di rado a Highbury. In quel posto era già motivo di distinzione e di merito non essere volgari.

In breve, durante la prima visita, Emma rimase a guardare Jane Fairfax con doppia compiacenza: il sentimento di piacere e il sentimento di renderle giustizia; e stava prendendo la decisione di non ritenerla più antipatica. Quando, in verità, rifletteva alla sua storia e alla sua situazione, oltre che alla sua bellezza; quando considerava a cosa era destinata tutta quell'eleganza, da che altezza stava per affondare, come si apprestava a vivere, pareva non si potessero provare che compassione e rispetto; specialmente se a tutti i particolari conosciuti, che le davano il diritto di suscitare l'interesse, si aggiungeva la circostanza molto probabile di un attaccamento al signor Dixon, che in lei doveva essere scaturito in modo del tutto naturale. In tal caso nulla poteva essere più patetico o più onorevole dei sacrifici a cui si era risolta. Ora Emma era più che disposta ad assolverla dall'avere voluto strappare l'affetto del signor Dixon alla moglie, e da ogni cattiveria che la sua immaginazione aveva in un primo momento immaginato. Se era amore, poteva trattarsi solo di un amore unilaterale e sfortunato da parte di lei. Poteva avere assorbito inconsapevolmente il triste veleno, mentre condivideva la conversazione dell'amica; e per il migliore e il più puro dei motivi, poteva adesso negare a se stessa questa visita in Irlanda, e decidere di staccarsi in modo risolutivo da lui e dai suoi parenti, iniziando presto la sua strada di faticoso dovere.

Nel complesso, Emma la lasciò con sentimenti così ammorbiditi e caritatevoli, da far sì che si guardasse intorno, mentre ritornava a casa, rammaricandosi che Highbury non offrisse nessun giovanotto in grado di procurarle l'indipendenza; nessuno su cui desiderasse fare progetti per lei.

Erano questi dei sentimenti deliziosi, ma non durarono. Prima che Emma si impegnasse in una pubblica dichiarazione d'amicizia eterna per Jane Fairfax, o facesse qualcosa di più, per mettere in discussione i preconcetti e gli errori di un tempo, che dire al signor Knightley: «Certo è attraente; è più che attraente!», Jane passò una sera a Hartfield con la nonna e la zia, e tutto fu sul punto di tornare alla situazione di prima. Riapparvero antichi risentimenti. La zia era la noiosa di sempre, perché adesso all'ammirazione delle doti di Jane si aggiungeva l'ansia per la sua salute; e dovettero ascoltare la descrizione minuziosa di quanto poco pane e burro mangiasse a colazione, di che fettina di montone prendesse a pranzo; e così dovettero mostrare le nuove cuffie e nuove borse da lavoro fatte per la nonna e la zia; e di nuovo tornarono fuori i lati irritanti di Jane. Fecero della musica; Emma fu obbligata a suonare; e i ringraziamenti e gli elogi che come era ovvio seguirono le parvero tradire un'affettazione di schiettezza, e un'aria di grandezza, finalizzate solo a dare ancor più risalto all'impeccabile esecuzione di Jane. Inoltre, e questo era il peggio, era così fredda, così cauta! Non c'era modo di capire la sua vera opinione. Avvolta in un manto di cortesia, sembrava risoluta a non azzardare niente. Era riservata in modo disgustoso e sospetto.

Se, laddove tutto era già al massimo grado, poteva esserci qualcosa che andasse ancora più in là, era più riservata sul tema di Weymouth e dei Dixon che sul resto. Pareva risoluta a non dare alcuna vera descrizione del carattere del signor Dixon, né la sua valutazione della sua compagnia, e neppure la sua opinione della convenienza del matrimonio. Non c'era che generica approvazione e cortesia; nulla di preciso e di definito. Tuttavia, questo non le servì a nulla. La sua cautela fu sprecata. Emma ne riconobbe l'artificio e tornò ai primi sospetti. C'era probabilmente da nascondere molto più della preferenza individuale di Jane; il signor Dixon, forse, era stato sul punto di scambiare una delle amiche con l'altra, o si era fissato sulla signorina Campbell solo a causa delle future dodicimila sterline.

La stessa riservatezza prevalse su altri argomenti. Jane e il signor Frank Churchill erano stati a Weymouth nello stesso tempo. Si sapeva che si conoscevano un poco; ma Emma non poté strappare nemmeno una sillaba di reale informazione su come fosse lui in realtà. Era bello? A quanto lei credeva, era ritenuto un gran bel giovanotto. Era piacevole? In genere, era ritenuto tale. Pareva un giovanotto giudizioso, un giovanotto colto? In una stazione d'acque termali, o nel corso di ordinari rapporti di frequentazione a Londra, era difficile decidere su cose del genere. I modi erano la sola cosa che si poteva giudicare con sicurezza, da parte di chi aveva frequentato il signor Churchill molto più a lungo di quanto non avessero fatto lei e i Campbell. E a quanto credeva tutti trovavano piacevoli i suoi modi... Emma non gliela poté perdonare.

Capitolo ventunesimo

Emma non gliela poté perdonare... ma siccome né la provocazione né il risentimento erano stati notati dal signor Knightley, che era stato presente all'incontro e non aveva visto che i dovuti riguardi e il contegno affabile da entrambe le parti, la mattina successiva costui, trovandosi di nuovo a Hartfield per affari con il signor Woodhouse, espresse la sua approvazione per il modo in cui si era svolto l'incontro; non così apertamente come avrebbe potuto fare se il padre di Emma fosse stato assente dalla stanza, ma comunque parlando in modo sufficientemente chiaro per risultare molto ben comprensibile a lei. Era abituato a ritenerla ingiusta verso Jane, e ora traeva un gran piacere dall'osservare un miglioramento.

«Una serata molto piacevole», incominciò, appena il signor Woodhouse fu convinto, a forza di parlargli, di ciò che era necessario, e rassicurato che il signor Knightley capiva, e le carte di lavoro vennero messe da parte; «particolarmente piacevole. Voi e la signorina Fairfax avete suonato dell'ottima musica per noi. Non conosco condizione più deliziosa, signor mio, di quella di sedere comodamente ed essere intrattenuto da due giovani donne come queste per un'intera serata, ora con la musica e ora con la conversazione. Sono sicuro che la signorina Fairfax deve avere trovato piacevole la serata, Emma. Non avete trascurato nulla. Sono contento che l'abbiate fatta suonare tanto, perché, visto che non dispone di uno strumento presso la nonna, per lei deve essere stato proprio un piacere».

«Sono lieta che abbiate approvato» disse Emma, sorridendo, «ma spero di non essere spesso carente nei miei doveri verso gli ospiti a Hartfield».

«No, mia cara», disse immediatamente suo padre, «questo di certo non lo sei mai. Non c'è nessuno che possa mostrare la metà della tua attenzione e affabilità. Piuttosto, sei troppo piena d'attenzioni. Il piatto delle tartine, se ieri sera l'avessi fatto girare una volta sola, credo sarebbe bastato».

«No», disse il signor Knightley, quasi allo stesso tempo, «non capita spesso che siate carente; non lo siete spesso né nelle maniere né in comprensione. Credo quindi che mi intendiate».

Ci fu un'occhiata maliziosa, che voleva dire: «Vi intendo abbastanza»; però lei disse solo: «La signorina Fairfax è riservata».

«Vi ho sempre detto che lo era, un po', ma presto vincerete tutta la parte della sua riservatezza che è giusto sia vinta, tutta quella che trova fondamento nella diffidenza. Quella invece che nasce dalla discrezione, deve essere rispettata».

«Voi la credete diffidente. Non mi sembra».

«Mia cara Emma», disse lui spostandosi dalla sua sedia a una accanto a lei, «non starete per dirmi, spero, che non avete passato una bella serata».

«Oh, no! Sono rimasta soddisfatta della mia perseveranza a fare domande, e mi sono divertita a pensare a quanto poche informazioni ho ottenuto».

«Sono deluso», fu la sola risposta di lui.

«Spero che tutti abbiano passato una serata piacevole», disse il signor Woodhouse con la sua solita flemma. «Per me è stata piacevole. A un certo punto, ho sentito che il fuoco faceva troppo caldo; allora ho tirato indietro la mia sedia un po', un pochino, e non mi ha dato più fastidio. La signorina Bates era molto loquace e di buon umore, come sempre, anche se parla un po' troppo in fretta. Però è molto piacevole, e anche la signora Bates lo è, in diversa maniera. Mi piace stare con i vecchi amici, e la signorina Jane Fairfax è una fanciulla molto graziosa, davvero una fanciulla graziosissima ed educatissima. Deve avere trovato la serata molto piacevole, signor Knightley, perché aveva Emma».

«Già; e anche Emma, perché aveva la signorina Fairfax».

Emma colse la sua ansia, e per il desiderio di calmarla, almeno per il momento, disse, con una sincerità che nessuno poteva mettere in dubbio:

«È il tipo di creatura elegante da cui non si possono staccare gli occhi. Non faccio che osservarla piena d'ammirazione; e la commisero con tutto il cuore».

Il signor Knightley sembrò essere più soddisfatto di quanto si curasse d'esprimere; e prima che potesse dare una risposta, il signor Woodhouse, i cui pensieri andavano alle Bates, disse:

«È proprio un peccato che le loro condizioni siano così modeste! Proprio un gran peccato! Spesso ho desiderato... ma ci si può arrischiare a fare così poco, regaletti da niente, di cose non comuni... Adesso abbiamo ammazzato un maialino, ed Emma pensa di inviare loro una lombata o un cosciotto; è molto piccolo e delicato... i maiali di Hartfield non sono come gli altri maiali... però è pur sempre maiale... e, mia cara Emma, se non si può essere sicuri che ne facciano braciole, fritte bene come le nostre, senza la minima traccia di grasso, senza arrostirlo, perché nessuno stomaco può sopportare il maiale arrosto... credo faremmo meglio a mandare un cosciotto. Non pare anche a te, mia cara?»

«Caro papà, ho mandato tutto il quarto posteriore. Sapevo che lo avresti desiderato. Ci sarà il cosciotto da salare, sapete, che è così buono, e la lombata da preparare immediatamente come più piacerà loro».

«Ottimo, mia cara, benissimo. Non ci avevo pensato prima, ma questo era il modo migliore. Non devono salarlo troppo, il cosciotto; e allora, se non è troppo salato, e se è bollito nel modo opportuno, come Serle fa bollire il nostro, e mangiato con moderazione, con una rapa lessa e un po' di carota o di pastinaca, non lo considero indigesto».

«Emma», disse il signor Knightley, «ho una novità per voi. A voi piacciono le novità... mentre venivo qui ho sentito qualcosa che credo vi interesserà».

«Notizie! Oh, sì! Mi piacciono sempre le novità! Di che si tratta? Perché ridete? Dove l'avete sentita? A Randalls?».

Lui ebbe solo il tempo di dire: «No, non a Randalls; non sono stato dalle parti di Randalls», quando la porta fu spalancata ed entrarono nella stanza la signorina Bates e la signorina Fairfax. Piena di ringraziamenti, e di notizie, la signorina Bates non sapeva quali dare prima. Il signor Knightley non tardò ad accorgersi di aver perso il suo momento; e che ormai non poteva più dire una parola.

«Oh, mio caro signore, come state questa mattina? Mia cara signorina Woodhouse... Davvero non ho parole... Che magnifico quarto posteriore di maiale! Siete troppo generosi! Avete sentito la novità? Il signor Elton si sposa».

Emma non aveva avuto nemmeno il tempo di pensare al signor Elton, e restò così completamente sorpresa che non poté evitare di trasalire leggermente, e di arrossire un po', al suono di quel nome.

«Ecco quale era la mia novità; pensavo che l'avreste trovata interessante», disse il signor Knightley, con un sorriso che sottintendeva la convinzione che fosse accaduto qualcosa tra Elton ed Emma.

«Ma voi dove avete potuto saperlo?», esclamò la signorina Bates. «Dove mai avete potuto saperlo, signor Knightley? Giacché non sono passati cinque minuti da che ho ricevuto la lettera della signora Cole... no, non possono essere più di cinque minuti, o al massimo dieci, perché mi ero messa cappello e giubbetto ed ero pronta a uscire; ero solamente scesa a parlare di nuovo con Patty del maiale, e Jane stava nel corridoio, non è vero Jane? Perché la mamma aveva tanta paura che non disponessimo di una padella grande abbastanza per salare. Così ho detto che sarei scesa a vedere, e Jane ha detto: "Devo andare giù io invece? Perché credo che tu sia un po' raffreddata, e Patty ha lavato la cucina". "Oh, mia cara...", ho detto io, e proprio in quel momento è giunta la lettera. Una certa signorina Hawkins, e questo è tutto ciò che so. Una certa signorina Hawkins di Bath. Ma, signor Knightley, come avete potuto saperlo? Perché proprio

121

nel momento esatto in cui il signor Cole l'ha detto alla signora Cole, lei si è seduta a tavolino e mi ha scritto. Una certa signorina Hawkins...».

«Ho incontrato per affari il signor Cole un'ora e mezzo fa. Lui aveva appena letto la lettera di Elton quando sono stato introdotto nella stanza, e me l'ha subito passata».

«Ma guarda! Questa è proprio... Suppongo non ci sia mai stata notizia più interessante. Mio caro signore, siete davvero troppo generoso. Mia madre mi incarica di recarvi i suoi migliori saluti e rispetti, e mille ringraziamenti, e afferma che voi la obbligate veramente troppo».

«Noi consideriamo il nostro maiale di Hartfield», rispose il signor Woodhouse, «...anzi, siamo certi che sia così superiore a qualsiasi altro maiale, che Emma e io non possiamo avere piacere maggiore che nel...».

«Oh, mio caro signore, come dice la mia signora madre, i nostri amici sono troppo buoni con noi. Se mai ci sono state persone che, senza disporre di molta ricchezza propria, hanno avuto tutto quel che desideravano, sono certa che quelle siamo noi. Possiamo ben dire che "abbiamo pur avuto in sorte una bella eredità". Dunque, signor Knightley, voi avete proprio visto la lettera; ebbene...».

«Era breve, solo per annunciare... ma naturalmente allegra, esultante». Qui ci fu una furtiva occhiata a Emma. «Aveva avuto la fortuna di... non rammento le parole precise... non ci si deve dar pena di ricordare queste cose. L'informazione era, come dite voi, che si sarebbe sposato con una certa signorina Hawkins. Dato lo stile, sono portato a immaginare che fosse stato appena combinato».

«Il signor Elton si sposa!», disse Emma, appena fu in grado di parlare. «Avrà gli auguri di felicità di tutti noi».

«È molto giovane per mettere su casa», osservò il signor Woodhouse. «Farebbe meglio a non avere fretta. A me sembrava che vivesse molto confortevolmente come viveva. Eravamo sempre molto lieti di vederlo a Hartfield».

«Una nuova vicina per tutti noi, signorina Woodhouse!», disse la signorina Bates, tutta felice. «Mia madre è così contenta! Dice che non può sopportare di vedere la povera vecchia canonica senza una padrona. Questa è davvero una grande notizia. Jane, tu non hai mai visto il signor Elton! Non c'è da meravigliarsi che tu sia così curiosa di vederlo».

La curiosità di Jane non pareva tanto grande da assorbirla per intero.

«No, non ho mai visto il signor Elton», rispose, sussultando a quel richiamo. «È... è un uomo alto?»

«Chi risponderà?», esclamò Emma. «Mio padre direbbe di sì, il signor Knightley di no; e la signorina Bates ed io che è proprio il giusto mezzo. Quando sarete stata qui un po' più a lungo, signorina Fairfax, comprenderete che il signor Elton è per Highbury il modello della perfezione, tanto per il corpo che per la mente».

«Proprio così, signorina Woodhouse, allora comprenderà. È assolutamente il miglior giovanotto... Ma, mia cara Jane, se te ne ricordi, ti ho detto ieri che è alto proprio come il signor Perry. La signorina Hawkins, oserei dire che dev'essere un'eccellente ragazza. Le sue grandi premure per mia madre... ha voluto che si sedesse nel banco riservato alla famiglia del vicario, perché potesse sentirci meglio, dato che mia madre è un po' dura d'orecchi, sapete... non molto, ma non ci sente tanto. Jane dice che il colonnello è un po' sordo. Lui pensava che i bagni potessero fargli bene, i bagni caldi, ma lei dice che non ne traeva un sollievo duraturo. Il colonnello Campbell, sapete, è proprio il nostro angelo. E il signor Dixon sembra un giovanotto affascinante, proprio degno di lui. È una tale felicità, quando le persone buone si mettono insieme, e capita sempre che ci si mettano. Ecco che ci saranno il signor Elton e la signorina Hawkins; e ci sono i Cole, gente talmente buona; e i Perry... immagino che non ci sia mai stata coppia più felice o migliore del signore e la signora Perry. Io dico, signore», rivolgendosi al signor Woodhouse, «che credo ci siano pochi posti con un ambiente come quello di Highbury. Dico sempre che siamo davvero fortunati con i nostri vicini. Mio caro signore, se c'è una cosa che mia madre preferisce a qualsiasi altra, è il maiale... una lombata di maiale arrosto...».

«Su chi e cosa sia la signorina Hawkins, o da quanto lui l'abbia conosciuta», disse Emma, «suppongo che non si possa sapere nulla. Ci si fa l'idea che non possa essere una conoscenza di vecchia data. È rimasto via solo quattro settimane».

Nessuno poteva dare informazioni, e dopo qualche altra congettura a vuoto, Emma disse:

«Voi state zitta, signorina Fairfax, ma spero intendiate interessarvi a questa notizia. Voi, che di recente avete sentito e visto tanto su questo argomento del matrimonio, e che dovete esservi addentrata nella faccenda per via della signorina Campbell, non potremo perdonare la vostra indifferenza nei confronti del signor Elton e della signorina Hawkins».

«Quando avrò visto il signor Elton», rispose Jane, «immagino che me ne interesserò... ma credo di avere bisogno di questo. E dato che è già trascorso qualche mese dal matrimonio della signorina Campbell, le mie impressioni possono essere un po' svanite».

«Sì, è partito proprio quattro settimane fa, come voi notate, signorina Woodhouse», disse la signorina Bates, «quattro settimane ieri... Una signorina Hawkins... Be', avevo sempre immaginato che sarebbe stata qualche signorina di queste parti; non che io mai... la signora Cole una volta mi ha sussurrato... ma io ho detto immediatamente: "No, il signor Elton è un giovanotto più che degno, ma...". In breve, non credo di essere particolarmente veloce in un tal genere di scoperte. Non pretendo di esserlo. Quel che sta davanti a me, lo vedo. Al tempo stesso, nessuno si stupirebbe se il signor Elton avesse aspirato... la signorina Woodhouse mi lascia continuare a chiacchierare, così allegramente. Sa che non vorrei mai offenderla, per nulla al mondo. Come sta la signorina Smith? Sembra che ora si sia proprio ristabilita. Avete avuto notizie recenti della signora Knightley? Oh, quei cari bambini! Jane, sai che immagino sempre che il signor Dixon assomigli al signor John Knightley? Intendo nell'aspetto fisico, alto, e con quell'atteggiamento, e poco loquace».

«Del tutto sbagliato, mia cara zia; non c'è alcuna rassomiglianza».

«Molto strano! Ma non ci si forma mai un'impressione esatta di nessuno anticipatamente. Uno si fa un'idea, e poi la fantasia vola. Il signor Dixon, mi dici, non è, parlando in senso stretto, bello».

«Bello! Oh, no, tutt'altro... è certamente brutto. Te l'ho detto che era ordinario».

«Mia cara, dicevi che la signorina Campbell non era d'accordo che fosse brutto, e che tu stessa...».

«Oh, quanto a me, il mio giudizio non conta niente. Quando nutro rispetto, penso sempre che una persona abbia un bell'aspetto. Ma citavo quella che ritenevo un'opinione generale, definendolo ordinario».

«Be', mia cara Jane, credo ci toccherà scappare via. Sembra che il tempo si stia guastando, e la nonna sarà preoccupata. Siete troppo gentile, cara signorina Woodhouse; ma davvero dobbiamo congedarci. Questa è stata proprio una notizia piacevole. Passerò dalla signora Cole, ma non mi fermerò più di tre minuti; e tu, Jane, farai meglio ad andare direttamente a casa; non vorrei che rimanessi fuori con un acquazzone! Abbiamo già l'impressione che grazie a Highbury stia meglio. Non cercherò di fare una visita alla signora Goddard, perché veramente non credo le interessi il maiale bollito: quando prepareremo il cosciotto sarà un'altra cosa. Buon giorno a voi, mio caro signore. Oh, viene anche il signor Knightley! Be', questo è così... Sono certa che se Jane è stanca, sarete così cortese da darle il braccio... Il signor Elton e la signorina Hawkins... Buongiorno».

Emma, rimasta sola con il padre, dovette riservare a lui metà della sua attenzione, mentre lui si lamentava che i giovani avessero tanta fretta di sposarsi, di sposarsi poi con gente che non si conosceva; l'altra metà poté riservarla alle sue considerazioni sull'argomento. Per lei era una notizia divertente e molto gradita, che dimostrava che il signor Elton non poteva aver sofferto a lungo; ma le dispiaceva per Harriet. Harriet ne avrebbe ricavato un'impressione penosa, e tutto quel che poteva sperare era che dando lei stessa la prima comunicazione, le avrebbe evitato di sentirla da altri in modo brusco. Era quasi il momento in cui sarebbe probabilmente capitata in visita. Se avesse incontrato la signorina Bates lungo la strada! E dato che iniziò a piovere, Emma fu obbligata a prevedere che il maltempo l'avrebbe trattenuta dalla signora Goddard, e che senza dubbio la notizia le sarebbe piombata addosso senza alcuna preparazione.

L'acquazzone fu forte, ma breve; e non era passato da cinque minuti quando entrò Harriet, proprio con quell'aspetto scomposto e agitato che doveva essere la conseguenza di un viaggio fatto in fretta e col cuore gonfio; e il suo «Oh, signorina Woodhouse, immaginate cosa è successo!», che esplose immediatamente, aveva tutta l'aria di esprimere turbamento interiore. Dato che il colpo era stato dato, Emma percepì che adesso non poteva mostrare gentilezza più grande che quella di stare ad ascoltare; e Harriet, senza alcun controllo, si gettò a capofitto in quello che aveva da dire: era partita dalla signora Goddard mezz'ora prima, aveva temuto che piovesse, aveva temuto che da un momento all'altro ci fosse un diluvio, ma pensava di potere arrivare a Hartfield prima; aveva proceduto più in fretta che aveva potuto; ma ecco che mentre passava davanti alla casa dove una giovane donna le stava facendo un abito, le era venuto in mente di entrare a vedere come andava il lavoro; e anche se apparentemente non s'era fermata nemmeno mezzo minuto, appena era uscita aveva cominciato a venire giù la pioggia, e lei non aveva saputo cosa fare, e si era riparata da Ford. Ford era il principale negozio di lane, biancheria e merceria, il principale negozio del luogo per grandezza e stile. Così era rimasta seduta lì, senza pensare a niente, per dieci minuti buoni, forse, quando all'improvviso, chi ti va a capitare lì dentro... di certo era stato strano davvero! Ma si servivano sempre da Ford... chi ti va a capitare se non Elisabeth Martin col fratello!

«Cara signorina Woodhouse, pensate!», continuò Harriet. «Ho creduto di svenire. Non sapevo cosa fare. Stavo seduta vicino alla porta. Elisabeth mi ha vista subito; lui invece no; era tutto preso dall'ombrello. Sono certa che lei mi ha visto, ma ha subito voltato gli occhi da un'altra parte, e ha finto di non vedermi; ed entrambi sono andati all'estremità opposta del negozio; e io sono rimasta seduta accanto alla porta! Oh, mio Dio, come mi sono sentita infelice! Sono certa che dovevo parere bianca come il mio vestito. Non potevo andar via, sapete, a causa della pioggia; ma quanto desideravo essere da qualsiasi altra parte, anziché lì! Oh Dio, signorina Woodhouse! Beh, alla fine, immagino, lui si è guardato intorno e mi ha vista; perché invece di continuare a fare le loro compere, hanno incominciato a parlare tra loro sottovoce. Sono certa che parlavano di me, e non potevo fare a meno di pensare che lui la stesse convincendo a rivolgermi la parola (credete che fosse così, signorina Woodhouse?). Giacché ecco che lei è venuta avanti, mi si è fatta vicina, e mi ha chiesto come stavo, e pareva pronta a stringermi la mano, se volevo. Ma non lo ha fatto nel modo solito... potevo vedere che era cambiata; in ogni modo, però, sembrava stesse cercando di mantenere un tono molto amichevole, e ci siamo strette la mano, e siamo rimaste per un poco a parlare, lì in piedi... ma non so più cosa ho detto, ero tutta un tremito! Ricordo che mi ha detto che le dispiaceva molto che adesso non ci si incontrasse mai, e questo a me è parso quasi troppo gentile! Cara signorina Woodhouse, mi sentivo del tutto infelice! Nel frattempo cominciava a spiovere, ed ero decisa che nulla mi avrebbe impedito di andarmene e allora (pensate!), mi sono accorta che anche lui si stava avvicinando, lentamente, sapete, e come se non sapesse cosa fare; e così è venuto vicino e mi ha parlato, e io sono rimasta in piedi per un minuto, sentendomi in modo terribile, sapete, non si può dire come; poi ho preso coraggio, e ho detto che non pioveva più, e che dovevo andar via, e poi sono partita; e non avevo fatto tre metri dalla porta che lui mi è venuto dietro per dire solamente che, se andavo a Hartfield, riteneva avrei fatto meglio a passare dalle stalle del signor Cole, perché avrei trovato la via più breve completamente allagata da questa pioggia. Oh, Dio, pensavo che sarei morta! Allora gli ho detto che gli ero molto riconoscente: sapete, non potevo fare nulla di meno; e poi lui è tornato da Elisabeth, e io sono venuta dalla parte delle stalle, o almeno mi sembra, ma non sapevo neppure dove mi trovassi, non avevo idea di nulla. Oh, signorina Woodhouse, avrei fatto qualsiasi cosa perché non succedesse: eppure, sapete, c'era una certa soddisfazione nel vedere che si comportava con tanta affabilità e cortesia. E anche Elisabeth. Oh, signorina Woodhouse, ditemi qualcosa, e restituitemi la tranquillità».

Emma avrebbe desiderato molto sinceramente farlo; ma non era suo potere poterlo fare così da un momento all'altro. Dovette fermarsi a riflettere. Lei stessa si sentiva del tutto tranquilla. La condotta del giovane e di sua sorella pareva dettata da un sentimento autentico, e lei non poteva che commiserarli. Nel loro contegno, così come lo descriveva Harriet, c'era stata una commovente mescolanza di affetto ferito e di sincera delicatezza. Ma anche prima lei li aveva ritenuti gente buona e degna; e che differenza faceva questo, per gli svantaggi di quella relazione? Era sciocco esserne turbati. Naturalmente a lui doveva dispiacere perderla, doveva dispiacere a tutti loro. Probabilmente era stata mortificata anche l'ambizione, oltre all'amore. Poteva darsi che tutti avessero sperato d'innalzarsi grazie alla conoscenza di Harriet; e poi, che valore aveva la descrizione di Harriet? Così facile da accontentare, così poco penetrante; cosa valeva la sua lode?

Fece del suo meglio; e cercò di tranquillizzarla, considerando tutto ciò che era successo come una cosa di nessuna importanza, su cui non valeva la pena soffermarsi.

«Può essere stato doloroso, in quel momento», disse, «ma mi sembra che vi siate comportata molto bene; e adesso è passato, e può non ripetersi di nuovo, anzi, non si ripeterà di nuovo, in quanto primo incontro, quindi non dovete pensarci».

Harriet disse che era verissimo, e che non ci avrebbe più pensato; però continuava a parlarne, e non poteva parlare d'altro; e alla fine Emma, per farle uscire i Martin dalla testa, fu costretta ad affrettare l'annuncio che avrebbe desiderato darle con molta tenera prudenza; non sapeva lei stessa se esser contenta o arrabbiarsi, vergognarsi o limitarsi a sentirsi divertita per un tale stato d'animo della povera Harriet, per una tale conclusione di ciò che l'amica aveva provato per il signor Elton!

I diritti del signor Elton, tuttavia, a poco a poco ripresero vigore. Anche se non subì il colpo per la notizia come avrebbe potuto subirlo il giorno prima, o un'ora prima, l'interesse per quella novità presto si accrebbe, e prima che giungesse al termine la loro prima conversazione, a forza di discorrere si era abbandonata, nei confronti di questa fortunata signorina Hawkins, a tutte le sensazioni di curiosità, di stupore e di rammarico, di pena e di piacere che potevano far passare in second'ordine, nella sua fantasia, i Martin.

Emma finì per sentirsi alquanto contenta che avesse avuto luogo quell'incontro. Era stato utile ad attenuare il primo colpo, senza conservare alcun effetto allarmante. Visto il modo in cui ora viveva Harriet, i Martin non potevano arrivare a lei senza cercarla là dove fino ad allora era mancato loro il coraggio o l'umiltà di cercarla; giacché dal momento in cui aveva respinto il fratello, le sorelle non erano più andate dalla signora Goddard; e sarebbe trascorso un anno senza che si incontrassero di nuovo, e avessero la necessità, o perfino la possibilità, di parlarsi.

Capitolo ventiduesimo

La natura umana è così ben disposta verso coloro che sono in situazioni interessanti, che di una persona giovane che si sposi, o che muoia, non si dirà sicuramente altro che bene.

Non era trascorsa una settimana da quando il nome della signorina Hawkins era stato fatto a Highbury per la prima volta che, in un modo o nell'altro, si era scoperto che costei possedeva ogni dote fisica e intellettuale; che era bella, elegante, che aveva ricevuto un'educazione perfetta ed era assolutamente amabile; e quando il signor Elton giunse di persona, per trionfare delle sue liete prospettive e mettere in circolazione la fama dei meriti di lei, non ebbe da fare altro che dire il suo nome di battesimo e qual era il compositore la cui musica prevalentemente suonava.

Il signor Elton ritornò al colmo della felicità. Era andato via respinto e mortificato, deluso in una speranza che gli pareva ben fondata, dopo una serie di quelli che aveva ritenuto decisi incoraggiamenti; e non solo perdendo la fanciulla giusta, ma trovandosi degradato al livello di una per lui del tutto sbagliata. Era andato via profondamente offeso; tornava fidanzato con un'altra, e con una superiore, ovviamente, alla prima, tanto quanto in tali situazioni quel che si guadagna è sempre superiore a ciò che si è perduto. Tornava contento e soddisfatto di sé, pieno di entusiasmo e di faccende da sbrigare, pieno di indifferenza per la signorina Woodhouse e di sfida per la signorina Smith.

L'affascinante Augusta Hawkins, oltre che di tutti i consueti vantaggi di una bellezza perfetta e di ogni buona qualità, disponeva di un patrimonio personale di un certo numero di migliaia che sarebbero state sempre dette dieci; un punto, questo, che, oltre a conferire una certa dignità, era molto conveniente; la storia filava bene; lui non faceva un matrimonio da quattro soldi; aveva conquistato una donna da diecimila sterline o giù di lì e la aveva conquistata con una tale deliziosa velocità; la prima ora di presentazione era stata seguita con tanta rapidità da segni di favore; la storia che lui aveva da riferire alla signora Cole, quella del nascere e del progredire dell'innamoramento, era così gloriosa, i passi così veloci, dal casuale incontro al pranzo dal signor Green e alla serata dalla signora Brown, sorrisi e rossori che crescevano d'importanza, seminando con abbondanza consapevolezza e agitazione... e la fanciulla era rimasta colpita così facilmente, si era mostrata così dolcemente ben disposta; in breve, per usare una frase più che mai comprensibile, era stata così pronta a prenderlo, da soddisfare in uguale modo la vanità e la prudenza.

Lui aveva colto tanto la sostanza che l'ombra, i beni patrimoniali e quelli dell'affetto, ed era proprio l'uomo felice che doveva essere; parlava solo di sé e dei suoi affari, si attendeva congratulazioni, era pronto ad accettare che si ridesse di lui, e, con sorrisi cordiali e audaci, si rivolgeva ora a tutte le signorine del luogo verso le quali, poche settimane prima, sarebbe stato galante in modo più cauto.

Il matrimonio non era un evento lontano, perché i fidanzati potevano fare come loro piaceva, e non avevano che da attendere i necessari preparativi; e quando lui si recò di nuovo a Bath, ci fu un'aspettativa generale, che una certa occhiata della signora Cole non sembrava contraddire che, quando sarebbe entrato a Highbury la prossima volta, avrebbe condotto con sé la sua sposa.

Durante il suo presente breve soggiorno, Emma lo aveva visto appena; ma a sufficienza per sentire che il primo incontro era superato, e riceverne l'impressione che non c'era stato alcun miglioramento, rispetto a quella mescolanza di ripicca e presunzione che ora traspariva dai suoi modi. Lei cominciava, di fatto, a chiedersi seriamente come avesse mai potuto crederlo simpatico; e la sua vista era così inseparabilmente associata a certi sentimenti assai spiacevoli, che, a parte un aspetto etico (come una penitenza, una lezione, una sorgente di proficua umiliazione per il suo spirito) avrebbe ringraziato il cielo se le avessero assicurato che non l'avrebbe mai più visto. Gli augurava ogni bene; ma le causava pena, e sapere che stava bene a venti miglia di distanza sarebbe stato assai più soddisfacente.

Tuttavia, il disagio provocato dalla sua continuata residenza a Highbury sarebbe stato certamente alleviato dal matrimonio. Questo avrebbe impedito molte inutili sollecitudini, avrebbe mitigato molte difficoltà. Una signora Elton avrebbe offerto una scusa per una modifica dei rapporti; l'intimità di una volta poteva essere lasciata cadere senza causare commenti. Sarebbe stato come un nuovo inizio dei loro rapporti di cortesia.

Della fanciulla, in quanto persona, Emma aveva scarsa opinione. Di certo andava benissimo per il signor Elton; era sufficientemente raffinata per Highbury, abbastanza attraente, ma probabilmente sarebbe sembrata d'aspetto ordinario accanto ad Harriet. Quanto alla parentela, Emma era completamente tranquilla; convinta che, nonostante tutte le pretese che lui aveva accampato, e il suo disprezzo per Harriet, lui non avesse combinato un bel nulla. Su tale punto sembrava possibile arrivare alla verità. Cosa rappresentasse, la fanciulla, doveva essere incerto; ma a chi fosse poteva essere accertato; e, lasciando da parte le diecimila sterline, non pareva fosse minimamente superiore a Harriet. Non portava un nome, del sangue nobile, una parentela rilevante. La signorina Hawkins era la minore delle due figlie di un... commerciante di Bristol, dato che commerciante, naturalmente, bisognava chiamarlo; ma dato che i profitti complessivi della sua vita d'affari sembravano assai modesti, non era ingiusto pensare che anche la dignità del suo ramo nel commercio fosse stata assai modesta. Lei aveva avuto l'abitudine di trascorrere a Bath una parte di ogni inverno; ma la sua residenza era a Bristol, proprio nel cuore di Bristol; perché anche se il padre e la madre erano morti alcuni anni prima, rimaneva uno zio, nella carriera legale (non si poteva dire di lui nulla di più realmente onorevole se non che era nella carriera legale), e con lui era vissuta l'orfana. Emma credeva di poter indovinare che fosse adibito alle mansioni più ordinarie in qualche studio d'avvocato, troppo stupido per fare carriera. E tutta l'attrattiva di tale parentela pareva dipendere dalla sorella maggiore, che aveva fatto un ottimo matrimonio con un gentiluomo facoltoso, presso Bristol, e che teneva due carrozze! Questa era la sostanza della storia; questa la gloria della signorina Hawkins.

Oh, se avesse potuto trasmettere a Harriet i suoi sentimenti su tutta la faccenda! Con le sue parole l'aveva convinta ad amare; ma, ahimè, con le parole non era così facile dissuaderla. Non si poteva dissolvere con le parole l'attrattiva di qualcosa che occupava i molti vuoti del cervello di Harriet. Lui poteva essere sostituito con un altro; di certo lo sarebbe stato; niente poteva essere più chiaro; sarebbe bastato perfino un Robert Martin; ma nient'altro, lei temeva, l'avrebbe guarita. Harriet era una di quelle che, una volta che sono partite, rimangono sempre innamorate. E adesso, poverina, si sentiva molto peggio per questa ricomparsa del signor Elton. Da una parte o dall'altra, le succedeva di vederlo sempre qualche attimo. Emma lo vide una volta da sola; ma si poteva star certi che Harriet l'incontrasse per puro caso due o tre volte al giorno, o che quasi l'incontrasse, o che udisse la sua voce, o lo vedesse di spalle, insomma le capitava quanto bastava a tenerlo nella sua fantasia, in tutto il favorevole calore della meraviglia e della congettura. E poi non faceva che sentire parlare di lui; perché, salvo quando era a Hartfield, si trovava sempre tra gente che non vedeva difetti nel signor Elton, e non pensava ci fosse nulla di più interessante che discutere delle sue faccende; e quindi ogni chiacchiera, ogni supposizione che poteva sorgere quanto alla sistemazione dei casi suoi, in merito a reddito, servitori e mobilio, era continuamente in agitazione intorno a lei. La sua stima per il signor Elton si rinforzava per le invariabili lodi che venivano fatte di lui, i suoi rimpianti venivano mantenuti vivi, i suoi sentimenti urtati dai continui riferimenti alla felicità della signorina Hawkins, e dalle continue osservazioni su come lui pareva affezionato, sull'aria che aveva mentre passava davanti alla casa, sul modo con cui portava il cappello, tutte cose che provavano l'intensità del suo amore!

Se fosse stato accettabile, come divertimento, e se non ci fossero stati dolore per la sua amica o rimproveri per se stessa negli ondeggiamenti dell'animo di Harriet, Emma si sarebbe divertita a seguire le sue variazioni. Alle volte predominava il signor Elton, altre predominavano i Martin; e spesso ognuna delle due parti era utile a frenare l'altra. Il fidanzamento del signor Elton era stato la cura dell'agitazione causata dall'incontro con il signor Martin. L'infelicità provocata dall'apprendere quel fidanzamento era stata un poco messa da parte dalla visita di Elisabeth Martin alla signora Goddard qualche giorno dopo. Harriet non si trovava in casa; ma era stato preparato e lasciato un biglietto per lei, scritto proprio nello stile più idoneo a commuovere; un tocco di rimprovero, con una buona dose di gentilezza; e fino a che non era comparso il signor Elton in persona, Harriet era stata molto presa da quel biglietto, a riflettere senza fine a come poteva venire contraccambiato, e a desiderare di fare più di quanto non osasse confessare. Il signor Elton in persona aveva allontanato quei pensieri. Mentre lui era a Highbury, i Martin furono dimenticati; e la mattina stessa in cui lui ripartì per Bath, Emma, per dimenticare un po' del dolore causato da quella partenza, ritenne fosse meglio per Harriet contraccambiare la visita di Elisabeth Martin.

Come si dovesse rispondere a quella visita, cosa fosse necessario fare, e cosa avrebbe potuto essere più prudente, era stato motivo di qualche esitazione. Una totale noncuranza per la madre e le sorelle, visto che era stata invitata ad andare, sarebbe sembrata ingratitudine. Non doveva essere; e tuttavia, com'era pericoloso entrare di nuovo in rapporti!

Dopo averci pensato sopra parecchio, Emma non poté decidere nulla di meglio che far sì che Harriet ricambiasse la visita; ma in un modo tale che, se loro capivano, le avrebbe convinte che d'ora in poi si sarebbe trattato solo di un rapporto convenzionale. Intendeva portarla con la sua carrozza e lasciarla al Mulino dell'Abbazia mentre lei avrebbe fatto proseguire ancora un po' il cocchiere, e poi sarebbe arrivata a riprenderla tanto presto da non lasciare il tempo a insidiose sollecitazioni o a pericolose rievocazioni del passato, e da offrire la prova più chiara del grado d'intimità che era stato prescelto per il futuro.

Non sapeva pensare a nulla di meglio: e sebbene in questo ci fosse qualcosa che il suo stesso cuore non approvava, un'aria di ingratitudine appena mascherata, così si doveva fare, o cosa sarebbe successo di Harriet?

Capitolo ventitreesimo

Harriet aveva poca voglia di fare visite. Solo mezz'ora prima che la sua amica arrivasse a prenderla dalla signora Goddard, la sua cattiva fortuna l'aveva portata proprio sul posto in cui, in quel momento, si poteva vedere un baule indirizzato «Al Reverendo Philip Elton, White-Hart, Bath», che veniva caricato sul furgone del macellaio, che doveva portarlo dove passavano le diligenze; e ogni altra cosa al mondo, eccetto quel baule e quell'indirizzo, fu conseguentemente cancellata.

A ogni modo lei andò; e quando giunsero alla fattoria, e stava per essere fatta scendere a terra, in fondo all'ampio e ben tenuto viale di ghiaia che tra gli alberi di pero a spalliera portava alla porta d'ingresso, vedere tutte quelle cose che le avevano dato tanto piacere l'autunno precedente cominciò a ridestare un po' di agitazione relativa a quel luogo; e quando si separarono, Emma notò che guardava intorno con una sorta di timorosa curiosità, e questo le fece decidere di non permettere che la visita si protraesse più del quarto d'ora progettato. Lei andò oltre, per dedicare quel periodo di tempo a una vecchia domestica che era sposata e si era sistemata a Donwell.

Alla fine del quarto d'ora, si trovava di nuovo puntualmente al cancello bianco; e la signorina Smith, appena chiamata, la raggiunse senza indugio, e senza la preoccupante scorta di qualche giovanotto. Arrivò da sola lungo il viale di ghiaia, mentre una signorina Martin si affacciava appena alla porta, e si staccava da lei con quella che pareva una cerimoniosa cortesia.

Harriet non poté fare subito un resoconto intelligibile. Era troppo commossa; alla fine però Emma riuscì a cavarle abbastanza da comprendere che tipo d'incontro era stato, e che tipo di sofferenza produceva. Harriet aveva visto solo la signora Martin e le due ragazze. L'avevano ricevuta con aria dubbiosa, se non con freddezza; e per quasi tutto il tempo non si era parlato che di banali luoghi comuni, fino a che proprio alla fine, quando l'improvvisa constatazione della signora Martin che la signorina Smith era cresciuta, aveva introdotto un argomento più interessante, e più cordialità. Proprio in quella stanza lei era stata misurata il settembre precedente, con le sue due amiche. C'erano i segni della matita e gli appunti sul rivestimento di legno della parete vicino alla finestra. Era stato lui a misurarle. Tutte sembravano ricordarsi il giorno, l'ora, la riunione, l'occasione; sembravano avere gli stessi sentimenti, gli stessi rimpianti, essere pronte a tornare all'affiatamento di una volta; e stavano proprio tornando quelle di prima (Harriet, come Emma doveva sospettare, non meno pronta delle altre a essere cordiale e felice), quando era ricomparsa la carrozza, e tutto era finito. Allora si percepì che lo stile della visita, e la sua brevità, erano decisivi. Concedere quattordici minuti esatti alle persone con cui aveva passato con gratitudine sei settimane neppure sei mesi prima! Emma non poteva fare a meno d'immaginare la scena e di sentire quanto potesse essere giusto il risentimento da parte loro, e quanto dovesse essere naturale il dolore di Harriet. Era una brutta situazione. Avrebbe dato molto, o molto sopportato, perché i Martin fossero su un più alto gradino sociale. Erano tanto meritevoli che sarebbe bastato solo un pochino più in alto: ma stando le cose come stavano, come avrebbe potuto comportarsi diversamente? Impossibile! Non poteva pentirsi. Dovevano essere separati; ma il farlo provocava una buona dose di pena; e lei stessa la percepiva a tal punto che ben presto sentì la necessità di un po' di conforto, e decise di tornare a casa passando da Randalls per procurarselo. Non ne poteva più del signor Elton e dei Martin. Era del tutto necessario ritrovare coraggio a Randalls.

Era una buona idea; ma quando la carrozza fu arrivata alla porta, seppero che né il padrone né la padrona erano in casa; erano usciti tutt'e due da qualche tempo; il servitore pensava che fossero andati a Hartfield.

«Questa è proprio una sfortuna», esclamò Emma mentre si allontanava. «E adesso arriveremo troppo tardi per trovarli a Hartfield; proprio una sfortuna! Non credo di essere mai stata così irritata». E si raccolse nell'angolo, per lasciarsi andare alle sue lamentele, o per vincerle, ragionandoci sopra; probabilmente un po' entrambe le cose, visto che questo era il comportamento consueto di un animo non maldisposto. Ed ecco che la carrozza fermò; lei alzò gli occhi; era stata fermata dal signore e la signora Weston, che stavano lì fuori per parlarle. Il vederli produsse un immediato piacere, e il suono delle voci produsse ancor più piacere, giacché il signor Weston le si fece vicino subito dicendo:

«Come state? Come state? Siamo stati un po' con vostro padre, e sono stato felice di trovarlo tanto bene. Frank viene domani. Ho ricevuto una lettera stamattina... lo vedremo di sicuro domani all'ora di pranzo; oggi è a Oxford, e viene per due settimane intere; sapevo che sarebbe stato così. Se fosse venuto per Natale non si sarebbe potuto trattenere che tre giorni; sono stato sempre felice che non sia venuto per Natale; adesso avremo proprio il tempo che ci vuole per lui: bello, asciutto e stabile. Ce lo potremo godere completamente; tutto è successo esattamente come potevamo desiderare».

Non si poteva resistere a una tale notizia, non era possibile evitare di essere influenzati da una faccia contenta come quella del signor Weston, e tutto era confermato dalle parole e dall'espressione di sua moglie, più scarse le une, più calma l'altra, ma non meno adeguate alla circostanza. Sapere che *lei* riteneva sicura quella visita bastava per fare in modo che Enscombe la considerasse tale, ed Emma si rallegrò sinceramente per la loro gioia. Era quello un modo delizioso per rianimare il suo spirito abbattuto. Il logoro passato si perse nella freschezza di ciò che stava sopraggiungendo; e nella rapidità del pensiero di un attimo, lei sperò che ora non si sarebbe più parlato del signor Elton.

Il signor Weston le fece la storia degli impegni a Enscombe, che consentivano a suo figlio di poter disporre di due intere settimane a suo piacere, e le descrisse anche l'itinerario e il criterio adottato per il suo viaggio; e lei ascoltò, e sorrise, e si rallegrò.

«Presto lo porterò a Hartfield», disse lui, come conclusione.

Emma immaginò di vedere sua moglie toccargli il braccio a questo discorso.

«Faremmo bene a muoverci, signor Weston», disse lei, «stiamo trattenendo le ragazze».

«Bene, bene, sono pronto», e volgendosi di nuovo a Emma: «ma non dovete attendervi un giovanotto proprio così bello; avete avuto solo la mia descrizione, sapete; oserei dire che in realtà non è nulla di straordinario». I suoi occhi, però, in quel momento scintillavano, esprimendo una ben diversa convinzione.

Emma riuscì ad assumere un aspetto del tutto ignaro e innocente, e rispondere in una maniera che escludeva ogni riferimento a se stessa.

«Pensa a me domani, cara Emma, verso le quattro», fu la raccomandazione della signora Weston al momento di separarsi; proferita con una certa ansia, e diretta solo a lei.

«Alle quattro! Stai pur certa che lui sarà qui alle tre», la corresse in fretta il signor Weston; e così ebbe termine un incontro quanto mai soddisfacente. Lo spirito di Emma si era del tutto sollevato fino alla felicità; ogni cosa aveva un aspetto differente; James e i suoi cavalli non parevano tanto lenti come prima. Quando guardò le siepi, pensò che almeno il sambuco sarebbe fiorito presto; e quando si girò verso Harriet, vide qualcosa che assomigliava a un accenno di primavera, un tenero sorriso, anche sul suo volto.

«Il signor Frank Churchill passerà per Bath, oltre che per Oxford?», fu, però, una domanda che non prometteva molto.

Ma né la geografia né la tranquillità potevano venire all'improvviso, ed Emma ora era dell'umore adatto a decidere che dovessero entrambe venire, a suo tempo.

E giunse la mattina dell'atteso giorno, e la fedele allieva della signora Weston non dimenticò né alle dieci, né tantomeno alle undici o alle dodici, che doveva pensare a lei alle quattro.

«Mia cara, cara, ansiosa amica», diceva, in un muto soliloquio, scendendo le scale della sua camera, «sempre sollecita del benessere di ciascuno fuorché del vostro; vi vedo adesso, con tutte le vostre piccole agitazioni, mentre entrate più e più volte nella camera di lui, per essere sicura che tutto sia a posto». L'orologio batté le dodici mentre lei passava per il vestibolo. «Sono le dodici, e non scorderò di pensare a voi tra quattro ore; e a quest'ora, domani, forse, o un po' più tardi, potrò pensare alla possibilità che tutti quanti loro vengano a fare una visita qui. Sono certa che lo porteranno presto».

Aprì la porta del salotto, e vide due signori seduti lì con suo padre... il signor Weston e il figlio. Erano arrivati solo da pochi minuti, e il signor Weston aveva appena finito di spiegare perché Frank era arrivato un giorno prima del previsto, e suo padre era nel bel mezzo delle sue più che urbane accoglienze e congratulazioni, quando lei apparve, per avere la sua parte di sorpresa, di presentazioni, e di piacere.

Il Frank Churchill di cui tanto si era parlato, che destava tanto interesse, era proprio davanti a lei; le venne presentato, e lei non pensò che fosse stato detto troppo in sua lode; era un giovanotto di bellissima presenza: statura, atteggiamento, modi, tutto era irreprensibile, e il suo aspetto aveva una buona dose dello spirito e della vivacità del padre; pareva sveglio e giudizioso. Lei sentì immediatamente che le sarebbe piaciuto; e poi c'era nei suoi modi una garbata disinvoltura, e un'inclinazione alla conversazione, che la convinsero che veniva con l'intenzione di fare conoscenza con lei, e che presto avrebbe fatto amicizia.

Era giunto a Randalls la sera precedente. Lei fu compiaciuta di quell'ansia d'arrivare che gli aveva fatto cambiare il suo piano e mettersi in viaggio di buon'ora, arrivare tardi, coprire il percorso più in fretta, per guadagnare mezza giornata.

«Vi ho detto ieri», esclamò esultante il signor Weston, «ho detto a tutti che sarebbe stato qui prima dell'ora dichiarata. Ricordavo quel che ero abituato a fare io stesso. Non si può viaggiare come lumache; non si può fare a meno di andare più veloci di quanto si è progettato; e il piacere di piombare sugli amici prima che abbiano cominciato ad aspettarci ripaga di molto il piccolo sforzo che richiede».

«È un grande piacere, quando uno se lo può concedere», disse il giovane, «anche se non ci sono molte case per le quali mi azzarderei a farlo; ma dato che si trattava di *casa mia*, ho sentito che potevo permettermi tutto».

Le parole «casa mia» fecero sì che suo padre lo guardasse con rinnovato piacere. Emma fu immediatamente sicura che lui sapesse come rendersi gradito; tale convinzione fu rafforzata da quel che seguì. Gli piaceva molto Randalls, la riteneva una casa sistemata in modo ammirevole, non concedeva nemmeno che fosse piccola, apprezzava la sua collocazione, la passeggiata a Highbury, la stessa Highbury, e Hartfield ancora di più, e dichiarava di avere sempre sentito per quella regione il tipo d'interesse che provoca solo il proprio paese, e la più grande curiosità di visitarla. Come mai lui non fosse mai riuscito prima d'allora a lasciare campo a un tale amabile sentimento, fu questo un pensiero che attraversò la mente di Emma come un sospetto; se anche era una bugia, era una bugia piacevole, e piacevole era il modo di offrirla. I suoi modi non avevano nulla di affettato o di esagerato. Aveva proprio l'espressione e il linguaggio di uno che si trovasse in uno stato di godimento non comune.

Il genere, i loro argomenti furono di quelli che caratterizzano l'inizio di una conoscenza. Da parte di lui ci furono le domande: «Andava a cavallo?», «Faceva belle cavalcate?», «E belle passeggiate?», «Avevano una vasta cerchia di vicini?», «Highbury, forse, poteva offrire abbastanza vita sociale?», «Nel paese e intorno a esso c'erano una quantità di case molto graziose». «Balli? Avevano balli?», «Era un ambiente che amava la musica?».

Ma una volta che fu soddisfatto su tutti questi argomenti, e che la loro conoscenza ebbe fatto progressi nella stessa proporzione, lui riuscì a trovare il modo, mentre i loro due padri erano impegnati insieme, di introdurre il tema della matrigna, e di parlare di lei con tanta affettuosa ammirazione, con tanta gratitudine per la felicità che assicurava a suo padre e per la cortesissima accoglienza che aveva fatto a lui, da fornire una prova ulteriore che conosceva l'arte di compiacere, e che di certo pensava valesse la pena di compiacere lei. Non disse una parola di lode in più di quel che sapeva essere completamente meritato dalla signora Weston; ma indubbiamente poteva sapere ben poco a riguardo. Capiva quel che sarebbe riuscito gradito; di poco altro poteva essere certo. «Il matrimonio di suo padre» disse, «era stato un passo estremamente mai saggio, ogni amico se ne doveva rallegrare; e la famiglia da cui aveva ricevuto una tale benedizione doveva essere sempre considerata quella che aveva maggior diritto alla sua gratitudine».

Arrivò il più vicino possibile a ringraziarla per i meriti della signorina Taylor, senza apparentemente dimenticare del tutto che secondo quanto succedeva di solito si doveva piuttosto supporre che la signorina Taylor avesse formato il carattere della signorina Woodhouse, e non viceversa. E infine, come fosse deciso a precisare del tutto la sua opinione per tornare, dopo una divagazione, al suo argomento, concluse esprimendo il suo stupore per la giovinezza e la bellezza di lei.

«Alle maniere eleganti e gradevoli ero preparato», disse, «ma confesso che, tutto considerato, mi aspettavo una donna piuttosto anziana e molto poco attraente; non sapevo che avrei trovato nella signora Weston una donna giovane e graziosa».

«Secondo me la perfezione che troverete nella signora Weston non sarà mai abbastanza», fece Emma; «se anche pensaste che avesse diciott'anni, ascolterei con piacere; lei però sarebbe pronta a litigare con voi per aver usato tali parole. Non lasciatela immaginare che avete parlato di lei come di una donna giovane e graziosa».

«Spero saprò essere più accorto», rispose lui; «no, contateci», e fece un inchino galante, «parlando alla signora Weston saprò chi poter lodare senza pericolo di essere considerato stravagante nelle mie parole».

Emma si chiese se avesse attraversato la mente di lui lo stesso sospetto che si era fortemente impossessato della sua, di quel che poteva attendersi dal loro fare reciproca conoscenza; e se i complimenti del giovane Weston dovevano essere presi come segni di acquiescenza o prova di sfida. Doveva incontrarlo altre volte per poterne capire i modi; per il momento sentiva solo che erano piacevoli.

Non aveva alcun dubbio su quel che il signor Weston pensava spesso. Parecchie volte lo colse nell'atto di lanciare una veloce occhiata verso loro due con un'espressione felice; e anche quando aveva magari deciso di non guardare, era sicura che spesso stesse ascoltando.

La perfetta assenza, in suo padre, di qualsiasi pensiero di quel genere, la totale mancanza di quel tipo di analisi o di sospetto, costituiva un elemento molto tranquillizzante. Per fortuna era tanto lontano dall'approvare il matrimonio quanto dal prevederlo. Anche se obiettava sempre a ogni matrimonio che veniva combinato, non soffriva mai in precedenza per il timore di vederlo capitare; pareva non potesse pensare tanto male dell'intelligenza di due persone da supporre che volessero sposarsi fino a che non venissero date prove a loro carico. Benedisse questa provvidenziale cecità. Adesso poteva, senza l'ostacolo di un solo sospetto spiacevole, senza prevedere un possibile tradimento da parte del suo ospite, dare libero corso a tutta la sua gentile benevolenza naturale, informandosi premurosamente se il signor Frank Churchill avesse fatto un viaggio comodo, nonostante l'inconveniente di dovere passare due notti durante il tragitto, ed esprimere la sua preoccupazione, schietta e genuina, di saperlo certo di non essersi preso un'infreddatura, cosa di cui, del resto, non poteva consentirgli di esser sicuro lui stesso, fino a che non fosse trascorsa un'altra notte.

Dopo una visita ragionevolmente lunga, il signor Weston cominciò a muoversi. Doveva andare via. Aveva da fare all'albergo della Corona in merito al suo fieno e una quantità di commissioni da Ford per la moglie, ma non doveva mettere fretta ad altri. Il figlio, troppo bene educato per dare ascolto all'accenno, si alzò anche lui immediatamente, dicendo:

«Visto che avete delle faccende, signor padre, coglierò l'occasione per fare una visita che devo fare un giorno o l'altro, e quindi la posso ben fare adesso. Ho l'onore di conoscere una vostra vicina», continuò volgendosi a Emma, «una signora che abita a Highbury o nei dintorni; una famiglia che risponde al nome di Fairfax. Suppongo non avrò difficoltà a trovare la casa; anche se Fairfax, credo, non è il nome esatto, perché immagino sia piuttosto Barnes, o Bates. Conoscete una famiglia con questo nome?»

«Ma certamente», esclamò il padre di lui. «La signora Bates! Siamo passati davanti alla sua casa e ho visto la signora Bates alla finestra. È vero, è vero, tu conosci la signorina Fairfax; ricordo che hai fatto la sua conoscenza a Weymouth, ed è una ragazza dotata. Vai a farle visita, certo».

«Non è necessario che ci vada stamane», disse il giovanotto, «un altro giorno andrebbe bene lo stesso; ma a Weymouth c'era quel livello d'amicizia che...».

«Oh! Vai oggi, vai oggi. Non posticiparla. Quello che è giusto fare non può mai essere fatto troppo presto. E poi voglio darti un suggerimento, Frank: ogni mancanza di premura per lei, qui, deve essere attentamente evitata. Tu l'hai vista con i Campbell quando era uguale alle altre persone che frequentava, ma qui risiede presso una povera vecchia nonna, che ha a stento di che vivere. Se non le fai visita presto sarà un affronto».

Il figlio prese un'aria convinta.

«L'ho sentita dire che aveva fatto la vostra conoscenza», disse Emma, «è una giovane donna molto elegante».

Lui annuì, ma con un «sì» tanto debole da farle dubitare che fosse veramente d'accordo; eppure, ci doveva essere un ben distinto genere d'eleganza per il gran mondo, se si poteva pensare che Jane Fairfax ne fosse dotata solamente in modo ordinario.

«Se non siete rimasto particolarmente colpito dalle sue maniere prima», disse Emma, «credo lo sarete oggi. La vedrete in una luce favorevole; la vedrete e la sentirete... no, ho paura che non la sentirete affatto, perché ha una zia che non tiene mai ferma la lingua».

«Conoscete la signorina Jane Fairfax, dunque, signore?», disse il signor Woodhouse, che era sempre l'ultimo a prendere parte a una conversazione; «allora consentitemi di dirvi che la troverete una signorina assai piacevole. È qui in visita dalla nonna e dalla zia, gente molto per bene; le conosco da tutta la vita. Saranno contentissime di vedervi, ne sono certo, e uno dei miei domestici verrà con voi a farvi vedere la strada».

«Mio caro signore, assolutamente no; la strada può mostrarmela mio padre».

«Ma vostro padre non va fin là; va solo al Corona, che è assolutamente dall'altra parte della via, e ci sono moltissime case; potreste trovarvi molto imbarazzato, e la strada è molto sporca, se non vi terrete sul marciapiede; il mio cocchiere però può dirvi il punto migliore in cui attraversare».

Il signor Frank Churchill declinò ancora l'offerta, cercando di rimanere serio, e suo padre gli offrì il suo cordiale appoggio esclamando: «Mio buon amico, è del tutto superfluo; Frank sa riconoscere una pozzanghera, quando la vede, e quanto alla signora Bates, può arrivare da lei dal Corona in quattro salti».

Fu loro permesso di andare da soli; e con un cordiale cenno del capo da parte dell'uno e un grazioso inchino da parte dell'altro, i due signori presero congedo. Emma rimase contentissima di questo inizio di conoscenza, e poté quindi mettersi a pensare a tutti loro insieme a Randalls a qualsiasi ora del giorno, con piena fiducia che sarebbero andati d'amore e d'accordo.

Capitolo ventiquattresimo

Il mattino successivo portò nuovamente il signor Frank Churchill. Arrivò con la signora Weston, con la quale sembrava affiatarsi molto bene, come con Highbury. Era rimasto con lei a casa, a quel che sembrava, facendole buona compagnia, fino all'ora in cui lei era solita fare un po' di moto; e, venendogli chiesto di scegliere la passeggiata, si era fissato immediatamente su Highbury. Non aveva dubbi che ci fossero belle passeggiate in ogni direzione, ma se dipendeva da lui avrebbe scelto sempre la stessa. Highbury, quell'ariosa, allegra, piacevole Highbury, avrebbe costituito per lui un'attrattiva costante. Per la signora Weston, Highbury voleva dire Hartfield; e lei confidava che lo stesso significasse per lui. Si incamminarono direttamente a quella volta.

Emma non li aspettava perché il signor Weston, che aveva fatto una visitina di mezzo minuto, per sentire dire che suo figlio era un gran bel giovane, non sapeva nulla dei loro progetti; così per lei fu una gradevole sorpresa vederli che si avvicinavano insieme a casa sua tenendosi a braccetto. Desiderava incontrarli di nuovo, e in special modo vedere lui in compagnia della signora Weston, perché dal suo atteggiamento verso di lei sarebbe dipesa la sua opinione nei riguardi del giovane. Se avesse mancato lì, non ci sarebbe stato rimedio. Ma al vederli insieme Emma rimase perfettamente contenta. Lui non faceva il suo dovere solo con belle parole o complimenti esagerati; nulla poteva essere più appropriato o piacevole del complesso del suo contegno verso di lei; nulla poteva manifestare più piacevolmente il suo desiderio di considerarla come un'amica e di guadagnarsi il suo affetto. Ed Emma ebbe il tempo di formarsi un giudizio ragionevole, poiché la loro visita comprese tutto il resto della mattina. Passeggiarono tutte e tre insieme per un'ora o due, prima intorno ai vivai di piante di Hartfield, poi a Highbury. Lui portava divertimento in ogni cosa; ammirava Hartfield a sufficienza per lusingare l'orecchio del signor Woodhouse; e quando si decisero a spingere i loro passi più lontano, confessò il suo desiderio di conoscere tutto il villaggio, e trovò motivo di lode e di interesse molto più spesso di quanto Emma avrebbe potuto supporre.

Alcune delle cose che attraevano la sua curiosità dimostravano sentimenti molto amabili. Chiese che gli venisse mostrata la casa in cui suo padre aveva vissuto a lungo, e che era stata la casa del padre di suo padre; e, ricordando che una vecchia che era stata sua balia era ancora viva, andò in cerca della sua abitazione da un capo all'altro della strada; e sebbene per certe delle sue ricerche e delle sue osservazioni non vi fosse un vero merito, nell'insieme esse mostravano una benevolenza verso Highbury in generale che doveva assomigliare molto a un merito agli occhi di coloro con cui stava passeggiando.

Emma osservò e concluse che, se i suoi sentimenti erano quelli che ora mostrava, non si poteva onestamente supporre che fosse vissuto lontano volontariamente; né che avesse recitato una parte, o fatto mostra di affermazioni insincere; e dunque il signor Knightley certo non gli aveva reso giustizia.

La loro prima sosta fu fatta all'albergo della Corona, una locanda del tutto ordinaria, anche se era la principale del genere, dove venivano tenuti un paio di cavalli di posta, più per la convenienza del distretto che per farli correre sulle strade; e le compagne di Frank Churchill non si sarebbero aspettate che lui trovasse colà qualcosa di tanto interessante da trattenerlo; ma passando, fecero la storia della grande sala che era stata visibilmente aggiunta successivamente; era stata edificata molti anni prima come sala da ballo, e come tale utilizzata fintanto che il distretto era stato particolarmente popoloso e amante delle danze; ma quel brillante periodo era passato da un pezzo, e adesso il più alto scopo per cui veniva richiesta la sala era quello di ospitare un circolo di whist fondato sul posto dai gentiluomini veri e da quelli che lo erano a metà. Lui si interessò immediatamente. Il carattere della sala, in quanto sala da ballo, lo attraeva; e invece di passare oltre, si fermò per parecchi minuti alle due belle finestre a saracinesca che erano aperte, per guardare dentro ed esaminare le possibilità della sala, lamentandosi del fatto che il suo scopo originario fosse finito. Non colse pecche nella stanza, né volle riconoscere quelle a cui loro accennarono. No, era abbastanza lunga, abbastanza larga, e abbastanza bella. Poteva contenere comodamente proprio la giusta quantità di persone. Avrebbero dovuto dare dei balli lì, almeno ogni quindici giorni, per tutto l'inverno. Perché la signorina Woodhouse non aveva ridato vita a quegli antichi giorni della sala? Lei, che poteva fare tutto a Highbury! Gli fu fatto presente che lì mancavano famiglie distinte, e che si poteva essere certi che oltre il paese e i suoi dintorni immediati nessuno si sarebbe sentito tentato di intervenire; ma lui non rimase contento. Non poteva convincersi che tutte quelle belle case che vedeva intorno non potessero fornire abbastanza persone per un tale ritrovo; e anche quando gli furono offerti dei particolari e gli vennero descritte le famiglie, rimase contrario ad ammettere che la sconvenienza di una tale mescolanza avesse alcun peso, o che ci potesse essere la minima difficoltà a che tutti ritornassero al proprio posto la mattina successiva. Parlava come un giovanotto molto portato per il ballo; ed Emma fu piuttosto sorpresa a vedere il carattere dei Weston prevalere così decisamente sulle abitudini dei Churchill.

Sembrava avere tutta la vitalità e lo spirito, gli allegri sentimenti e le tendenze sociali del padre, e niente dell'orgoglio o del riserbo di Enscombe. Di orgoglio, invero, non ce n'era forse abbastanza; la sua indifferenza alla confusione delle classi sociali sconfinava troppo con l'ineleganza dell'intelletto. Non sapeva valutare l'inconveniente a cui dava così poco peso. Ma non si trattava che di uno slancio di vivacità.

Alla fine venne convinto ad allontanarsi dalla facciata del Corona; e trovandosi ora quasi di fronte alla casa in cui abitavano le Bates, Emma ricordò la visita che lui intendeva fare il giorno prima, e gli domandò se l'avesse fatta.

«Sì, oh sì», rispose lui, «ero sul punto di parlarvene. Un grande successo: ho visto tutte e tre le signore; e mi sono sentito molto riconoscente per il vostro cenno di preparazione. Se la zia chiacchierona mi avesse preso di sorpresa, mi sarebbe venuto un colpo. Comunque, mi sono lasciato attirare a fare una visita tutt'altro che normale. Dieci minuti sarebbero stati quel che era necessario, forse quel che era conveniente; e avevo detto a mio padre che sarei arrivato a casa di certo prima di lui, ma non c'era maniera di prendere congedo, non c'era pausa; e, con mio enorme meraviglia, mi sono accorto, quando lui (non trovandomi da nessun'altra parte) alla fine è venuto a cercarmi là, che ero rimasto a parlare per circa tre quarti d'ora. La buona signora non mi aveva dato la possibilità di tagliare la corda prima».

«E che atteggiamento vi è sembrato avesse la signorina Fairfax?»

«Malata, assai malata... ammettendo che una signorina possa mai avere un aspetto malato. Una tale espressione non si può tollerare molto, non è vero, signora Weston? Le signore non possono mai avere l'aspetto malato. E, seriamente, la signorina Fairfax è così pallida di natura da dare quasi sempre l'idea di cattiva salute. Una deplorevole carenza di colorito».

Emma non era d'accordo su ciò, e iniziò una calda difesa del colorito della signorina Fairfax: certo non era mai stato brillante, ma lei non poteva ammettere che in generale avesse una carnagione malsana; e la sua pelle aveva una morbidezza e una delicatezza che davano una particolare eleganza al suo tipo di viso. Lui ascoltò con tutto il dovuto rispetto; riconobbe di avere sentito dire le stesse cose a molti, e tuttavia doveva confessare che per lui niente poteva compensare la mancanza di un bel colorito. Quando i lineamenti erano mediocri una bella carnagione li abbelliva tutti quanti; e quando erano belli, l'effetto era... fortunatamente non era necessario che cercasse di descrivere quale era l'effetto.

«Ebbene», disse Emma, «dei gusti non si discute. A ogni modo, colorito a parte, voi l'ammirate».

Lui scosse la testa e rise: «Non riesco a separare la signorina Fairfax dal suo colorito».

«L'avete vista spesso a Weymouth? Vi siete trovati spesso nello stesso ambiente?».

Stavano intanto avvicinandosi al magazzino Ford, e lui esclamò improvvisamente: «Ah, questo deve essere proprio quel negozio dove tutti entrano in ogni giorno della loro vita, come mi dice mio padre. Lui stesso viene a Highbury, mi informa, sei giorni della settimana, e ha sempre delle commissioni da Ford. Se non vi reca disturbo, vi prego, entriamo, per dimostrare che anche io sono del paese, un vero cittadino di Highbury. Devo acquistare qualcosa da Ford. Varrà quale un acquisto della cittadinanza. Immagino che vendano guanti».

«Certo, guanti e ogni cosa. Ammiro veramente il vostro patriottismo. A Highbury vi adoreranno. Eravate già molto popolare prima di venire, in quanto figlio del signor Weston; ma spendete mezza ghinea da Ford, e la vostra popolarità verrà attribuita alle vostre virtù».

Entrarono, e mentre venivano portati giù ed esibiti sul banco i pacchi lisci ben confezionati di «guanti di castoro maschili» e «guanti marroni di York», lui disse: «Vi chiedo perdono, signorina Woodhouse, ma voi mi stavate parlando, mi stavate dicendo qualcosa proprio nel momento di quel mio slancio di patriottismo. Non me la fate perdere. Vi assicuro che

138

la più ampia estensione di pubblica fama non mi ricompenserebbe per la perdita di una felicità nella vita privata».

«Chiedevo solo se avevate conosciuto da vicino la signorina Fairfax e il suo gruppo a Weymouth».

«E adesso che capisco la vostra domanda, devo dire che è molto ingiusta. Una signora ha sempre il diritto di decidere sul livello di conoscenza. La signorina Fairfax deve avervi già informato. Io non mi comprometterò pretendendo più di quanto a lei piaccia ammettere».

«Parola mia, voi rispondete con tanta discrezione che lei stessa non ne userebbe più di così. Ma tutto ciò che lei racconta lascia tanto da indovinare, visto che è così riservata, e ha tanta resistenza a dire tutto su chiunque, che credo proprio voi possiate dire quello che volete in merito alla conoscenza che avete di lei».

«Davvero posso? Allora vi dirò la verità, e niente mi piace di più. L'ho incontrata spesso a Weymouth, ci muovevamo molto nello stesso circolo. Il colonnello Campbell è un uomo molto piacevole, e la signora Campbell è una donna socievole e cordiale. Li trovo tutti simpatici».

«Ne deduco che sapete quale è la situazione della signorina Fairfax nella vita; cosa è destinata ad essere».

«Sì...», rispose lui con qualche esitazione, «credo di sì».

«Ti stai avventurando su un punto delicato, Emma», disse sorridendo la signora Weston, «ricordati che ci sono qui anch'io. Il signor Frank Churchill non sa cosa dire quando parli della situazione della signorina Fairfax nella vita. Mi allontanerò un pochino».

«Certo io dimentico di pensare a lei», disse Emma, «ma per me non è mai stata altro che la mia amica, e la amica più cara».

Lui la guardò come se comprendesse del tutto e rispettasse tale sentimento.

Una volta che ebbero acquistato i guanti, e lasciato il negozio, Frank Churchill disse: «Avete mai sentito suonare la signorina di cui parlavamo?»

«Se l'ho sentita!», ripeté Emma. «Dimenticate fino a che punto appartiene a Highbury. L'ho sentita ogni anno delle nostre vite da quando abbiamo cominciato tutt'e due. Suona in modo incantevole».

«Questa è la vostra opinione, è così? Desideravo proprio il parere di qualcuno che fosse veramente in grado di valutare. A me è sembrato che suonasse bene, insomma con parecchio gusto, ma non mi intendo di queste cose. La musica mi piace moltissimo, ma non possiedo la minima abilità o il minimo diritto di giudicare le esecuzioni di chicchessia. Sono stato abituato a sentire ammirare le sue; e ricordo una prova della sua fama di valida esecutrice: un uomo, un uomo con molto gusto musicale, e innamorato di un'altra donna, anzi fidanzato con questa e alla vigilia delle nozze, non chiedeva mai a quell'altra di sedersi allo strumento, se ci si poteva sedere in sua vece la signorina di cui parliamo; non sembrava mai che gli piacesse sentire l'una se poteva sentire l'altra. In un uomo di riconosciuto gusto musicale, questa mi è sembrata una bella prova».

«Una prova, veramente!», disse Emma, molto divertita. «Il signor Dixon ha un bel talento musicale, no? Tra mezz'ora ne sapremo di più da voi su tutti quanti loro di quanto la signorina Fairfax non avrebbe acconsentito a far sapere in mezzo anno».

«Certo. Il signor Dixon e la signorina Campbell erano le persone cui alludevo; e mi è sembrata una prova molto forte».

«Sicuro... molto forte; a dire il vero, un bel po' più forte di quanto sarebbe piaciuto a me se fossi stata io al posto della signorina Campbell. Non potrei perdonare un uomo che avesse più musica che amore, più orecchio che occhio, una sensibilità più acuta per i bei suoni che per i miei sentimenti. E la signorina Campbell, come pareva prendere la cosa?»

«Era la sua amica del cuore, sapete».

«Una ben povera consolazione!», disse Emma ridendo. «Una donna accetterebbe più facilmente di vedersi preferita un'estranea piuttosto che la propria amica del cuore. Con un'estranea la cosa può non succedere di nuovo, ma che infelicità avere un'amica del cuore sempre vicina, a fare ogni cosa meglio di noi! Povera signora Dixon! Be', sono contenta che sia andata a stabilirsi in Irlanda».

«Avete ragione. Non era molto piacevole per la signorina Campbell; ma veramente lei non sembrava sentirlo».

«Tanto meglio così... o tanto peggio... non saprei. Ma, se ci fosse in lei dolcezza di carattere o stupidità, vivacità d'amicizia o ottusità di sentimenti, c'è una persona, credo, che deve averlo percepito: la stessa signorina Fairfax. Lei deve aver sentito quanto era sconveniente e pericolosa quella distinzione».

«Quanto a questo... io non...».

«Oh, non pensate che io mi attenda da voi, o da qualunque altra persona, una relazione delle sensazioni della signorina Fairfax. Sono sicura che il solo essere umano a conoscerle è lei stessa. Ma se essa abbia continuato a suonare ogni volta che il signor Dixon lo chiedeva, si può immaginare quello che si vuole».

«Pareva che ci fosse tra tutti loro un'intesa talmente perfetta...», prese a dire lui piuttosto in fretta, ma controllandosi aggiunse: «Però mi è impossibile dire quali fossero in realtà i loro rapporti, come potessero andare le cose dietro le quinte. Quel che posso dire è solo che tutto andava liscio all'esterno. Ma voi, che avete conosciuto la signorina Fairfax da bambina, dovete essere migliore giudice del suo carattere, e di come si comporti nelle situazioni critiche, di me».

«L'ho conosciuta fin da bambina; siamo state bambine e donne insieme; ed è naturale supporre che tra noi ci sia dell'intimità, e che ci siamo cercate con reciproca simpatia tutte le volte che lei veniva a fare visita alle sue amiche. Ma questo non è mai successo. Non so perché; è stato forse un po' per la mia cattiveria, che mi faceva ritenere noiosa una ragazza così idolatrata e ammirata come lei è sempre stata, da parte della zia, della nonna, e da tutto il loro ambiente. Inoltre la sua riservatezza... non sarei mai capace di affezionarmi a una persona così riservata».

«È davvero una qualità molto disgustosa», disse lui. «Sovente, certo, conviene molto, ma non è mai gradevole. La riservatezza è sicura, ma non attraente. Non si può amare una persona riservata».

«No, fino a che la riservatezza verso di noi non abbia a cadere; allora l'attrazione potrà essere anche maggiore. Ma è necessario che io senta la mancanza di una amica o di una compagna gradevole più di quanto non mi sia capitato fino a ora, per prendermi la briga di superare la riservatezza di qualcuno per guadagnarmela. L'intimità tra me e la signorina

Fairfax è fuori discussione. Non ho alcuna ragione di pensare male di lei... assolutamente nessuna, salvo che una simile estrema e perenne cautela di parole e di maniere, una simile paura di dare un'idea precisa di qualcuno, sembrano invitare i sospetti che ci sia qualcosa da nascondere».

Lui era perfettamente d'accordo; e dopo avere passeggiato insieme tanto a lungo, e avere pensato tanto allo stesso modo, Emma sentì che avevano fatto conoscenza talmente bene che stentava a credere che fosse solo il loro secondo incontro. Lui non era esattamente come lei si era aspettata; meno uomo di mondo in certune delle sue idee, meno ragazzo viziato dalla fortuna, quindi migliore di quanto si era attesa. Le sue idee parevano più moderate, i suoi sentimenti più accesi. Restò particolarmente colpita dal suo modo di considerare la casa del signor Elton, che lui volle andare a vedere, come pure la chiesa, e non volle unirsi a loro nel criticarla. No, non poteva ritenerla una brutta casa; non si poteva dire che l'uomo che la possedeva fosse da compiangere. Se doveva essere divisa con la donna amata, non poteva ritenere che il proprietario fosse da compiangere. Ci doveva essere posto più che a sufficienza per ogni vera comodità. L'uomo che voleva di più doveva essere un vero sciocco.

La signora Weston rise, e disse che non sapeva di cosa stesse parlando. Abituato lui stesso a una casa grande, senza mai rendersi conto di quanti vantaggi e quante comodità fossero consentiti dalle sue dimensioni, non poteva essere giudice delle privazioni che inevitabilmente accompagnavano una casa piccola. Ma Emma, dentro di sé, concluse che lui sapeva benissimo di cosa parlava, e che mostrava una più che mai amabile inclinazione ad accasarsi presto nella vita, e a sposarsi per degni motivi. Poteva non rendersi conto delle intrusioni nella pace domestica che potevano venire dalla mancanza di una camera per la governante, o da una cattiva dispensa, ma senz'altro sentiva perfettamente che Enscombe non poteva renderlo felice, e che, quando si fosse innamorato, avrebbe rinunciato volentieri a molta ricchezza per potersi sistemare presto.

Capitolo venticinquesimo

L'ottima opinione che Emma si era fatta di Frank Churchill fu un po' scossa il giorno successivo, quando sentì che era andato a Londra solamente per farsi tagliare i capelli. Pareva che gli fosse tutt'a un tratto venuto quel capriccio all'ora di colazione, aveva ordinato un birroccio ed era partito, coll'intenzione di tornare per l'ora di pranzo, ma senza altra ragione apparente se non quella di farsi tagliare i capelli. Di certo non c'era nulla di male che facesse due volte un viaggio di sedici miglia per un simile motivo; eppure, la cosa aveva un'aria frivola e assurda che lei non poteva approvare. Non andava d'accordo con la ragionevolezza d'intenti, la moderazione di spesa, o anche il caldo altruismo che lei aveva creduto di riconoscere in lui il giorno prima. Vanità, eccentricità, amore dei mutamenti, irrequietezza di carattere, che doveva sempre fare qualcosa, di bene o di male: noncuranza delle preferenze del padre e della signora Weston, indifferenza al giudizio che la sua condotta avrebbe potuto provocare in generale: di tutto ciò lo si poteva incolpare. Il padre si limitava a definirlo un bellimbusto, e trovava la cosa divertente; ma che non piacesse alla signora Weston, era abbastanza chiaro dal fatto che accennava alla cosa il più velocemente possibile, senza altri commenti se non che «tutti i giovani hanno le loro piccole stravaganze».

Con l'eccezione di questa piccola macchia, Emma trovava che per adesso la visita aveva suscitato nella sua amica solo una buona opinione sul giovanotto. La signora Weston era più che pronta a dire che compagno attento e piacevole aveva saputo essere, e quanto ci fosse, nel complesso, di suo gusto nella sua indole. Pareva avere un carattere molto aperto... di sicuro molto allegro e vivace; non vedeva niente di male nelle sue opinioni, anzi senz'altro molto di bene; parlava dello zio con affetto e rispetto, gli piaceva parlare di lui; diceva che sarebbe stato l'uomo migliore che esisteva, se fosse dipeso solo da lui; e benché non si potesse parlare di attaccamento alla zia, ammetteva con gratitudine la sua bontà e pareva intenzionato a parlare di lei sempre con rispetto. Tutto questo prometteva molto bene; e, a parte quella infelice idea di farsi tagliare i capelli, non c'era niente che lo definisse indegno del distinto onore che l'immaginazione di Emma gli aveva conferito; l'onore, se non di essere addirittura innamorato di lei, perlomeno di essere sul punto di esserlo, fatta salva l'indifferenza di lei (ché ancora durava la sua decisione di non sposarsi mai); l'onore, in breve, di essere designato per lei da tutte le conoscenze comuni.

Il signor Weston, per parte sua, aggiunse a suo credito una dote che doveva avere un certo peso. Le fece capire che Frank la ammirava immensamente, che la riteneva molto bella e affascinate; e con tanto che c'era da dire in favore di lui, lei sentiva di non doverlo giudicare in modo frettoloso. Come osservava la signora Weston, «tutti i giovani hanno le loro piccole stravaganze».

C'era solo una persona, tra le nuove conoscenze del giovane nel Surrey, che non era così bendisposta. In genere veniva giudicato senza alcuna prevenzione nelle parrocchie di Donwell e di Highbury; si facevano generose concessioni per i piccoli eccessi di un bel giovane come lui, se sorrideva così spesso e si inchinava tanto bene; ma tra loro c'era uno spirito che, quanto a criticare, non si lasciava toccare dagli inchini o dai sorrisi: il signor Knightley. Gli venne riferito a Hartfield quel fatto del taglio dei capelli; per un momento tacque, ma Emma lo sentì quasi subito dire tra sé, mentre stava piegato su un giornale che teneva in mano: «Hm! Proprio il tipo fatuo e sciocco che avevo pensato!». Emma fu sul punto di protestare; ma un attimo di osservazione la convinse che la frase era stata detta veramente solo per sfogarsi da solo e non con l'intento di provocare; così lasciò correre.

Anche se da una parte i signori Weston non erano portatori di buone notizie, la loro visita di quella mattina fu d'altra parte particolarmente opportuna. Mentre si trovavano a Hartfield successe qualcosa che fece sì che Emma avesse bisogno del loro consiglio, e, cosa ancor più fortunata, proprio del consiglio che loro dettero.

La situazione era questa: i Cole abitavano da qualche anno a Highbury, ed erano persone buonissime: socievoli, liberali, senza pretese; ma, d'altra parte, erano d'origine umile, commercianti, e solo in scarsa misura distinti. Nei primi tempi dopo il loro arrivo al paese avevano vissuto coerentemente con le loro rendite, tranquillamente, intrattenendo poche conoscenze, e quelle poche senza grandi spese; ma da un anno o due i loro mezzi si erano accresciuti molto; la ditta a Londra aveva dato maggiori guadagni, e in genere la fortuna li aveva beneficiati. Con la ricchezza, le loro vedute si erano ampliate: il loro desiderio di una casa più grande, l'inclinazione a vedere più gente. Avevano fatto aggiunte alla loro casa, al numero dei servitori, alle loro spese di ogni tipo; e nel momento di cui parliamo, per patrimonio e per tenore di vita, erano secondi solo alla famiglia di Hartfield. Il loro amore della mondanità e la loro nuova sala da pranzo, avevano fatto sì che tutti si attendessero molti inviti; e alcuni inviti, specialmente tra gli scapoli, c'erano già stati. Le famiglie normali e migliori, Emma non poteva supporre che avrebbero avuto la presunzione di invitarle; né Donwell, né Hartfield, né Randalls. Niente l'avrebbe tentata ad andare, se lo avessero fatto; e si rammaricava che le ben note consuetudini di suo padre avrebbero dato al suo rifiuto un significato minore di quanto lei potesse desiderare. I Cole erano rispettabilissimi, a loro modo, ma bisognava insegnare loro che non era loro compito fissare le condizioni secondo cui le famiglie più in alto avrebbero fatto loro visita. Questa lezione, lei temeva molto, l'avrebbero potuta ricevere solo da lei; poco sperava dal signor Knightley, e nulla dal signor Weston.

Emma aveva però deciso in merito al modo di rispondere a una tale presunzione così tante settimane prima che si presentasse, che quando l'insulto infine venne, la trovò in una disposizione ben differente. Donwell e Randalls avevano ricevuto il loro invito, e non ne era venuto nessuno per suo padre e lei; e che la signora Weston tentasse di darne ragione con un: «Immagino che non si prenderanno tale libertà con voi; sanno che non pranzate fuori casa», non bastava affatto. Emma sentiva che le sarebbe piaciuto avere la possibilità di rifiutare; poi, quando l'idea del gruppo che si sarebbe trovato lì riunito, e che era costituito proprio da quelle persone la cui compagnia lei aveva più cara, continuava a presentarsi alla sua mente, finì per non sapere più davvero se non si sarebbe sentita tentata di accettare. Quella sera si sarebbe trovata lì Harriet, con le Bates. Ne avevano parlato mentre passeggiavano per Highbury il giorno prima, e Frank Churchill aveva calorosamente rimpianto l'assenza di lei. La serata non sarebbe potuta finire con un ballo? Era stata una sua domanda. La sola possibilità di questo funzionò come un'ulteriore irritazione sullo spirito di Emma; e quell'essere lasciata nel suo solitario splendore, pur supponendo che l'omissione costituisse un complimento, era una scarsa consolazione.

Fu proprio l'arrivo di quell'invito, mentre i Weston erano a Hartfield, che rese la loro presenza tanto gradita; giacché anche se la sua prima osservazione, nel leggere quell'invito, fu che «naturalmente doveva venire declinato», lei passò tanto presto a chiedere loro cosa le consigliassero di fare, che il loro suggerimento di andare fu immediato ed efficace.

Lei ammise che, considerando ogni cosa, non era del tutto priva di desiderio di partecipare alla riunione. I Cole si esprimevano così correttamente; c'era tanto vero riguardo nei loro modi, tanta considerazione per suo padre. «Avrebbero sollecitato quell'onore prima, ma avevano aspettato da Londra l'arrivo di un paravento che speravano avrebbe riparato il signor Woodhouse dalle correnti d'aria, e che l'avrebbe più facilmente convinto a concedere loro l'onore della sua compagnia». Nel complesso, Emma si mostrò molto incline a lasciarsi persuadere; e dopo che ebbero

143

velocemente deciso tra loro come si potesse fare per non trascurare le comodità del signor Woodhouse (si poteva certamente contare sulla signora Goddard, se non sulla signora Bates, per tenergli compagnia), che doveva essere convinto ad acconsentire che sua figlia uscisse a cena in un giorno ormai prossimo, e passasse tutta la sera lontano da lui. Quanto poi all'andarci lui stesso, Emma non desiderava che lui lo ritenesse possibile; l'ora sarebbe stata troppo tarda, la compagnia troppo numerosa. E presto lui si rassegnò.

«Non mi piace fare visite a ora di cena», disse. «Non mi è mai piaciuto. Neppure a Emma piace. Fare tardi la sera non ci si addice. Sono spiacente che il signore e la signora Cole lo abbiano fatto. Credo sarebbe molto meglio se venissero da noi un pomeriggio l'estate prossima e prendessero il tè con noi, se ci venissero a trovare durante la loro passeggiata pomeridiana; e questo lo potrebbero fare, visto che i nostri orari sono così ragionevoli, e potrebbero tornare a casa senza stare fuori all'umidità della sera. La rugiada di una sera estiva è una cosa a cui non vorrei esporre nessuno. Però, visto che sono così desiderosi di avere a cena con loro la cara Emma, e visto che sarete là tutt'e due voi, e anche il signor Knightley, a prendervi cura di lei, non posso avere alcun desiderio di impedirlo, purché il tempo sia come dovrebbe essere, cioè né umido, né freddo, né ventoso». Poi, volgendosi alla signora Weston, con un'occhiata di cortese rimprovero: «Ah, signorina Taylor, se non vi foste maritata sareste rimasta qui con me».

«Be', signore», disse il signor Weston, «visto che ho portato via la signorina Taylor, spetta a me trovare chi supplisca, se ci riesco; e farò un salto dalla signora Goddard in un attimo, se lo desiderate».

Ma l'idea che ci fosse qualcosa da dover fare in un attimo accresceva, anziché diminuire, l'agitazione del signor Woodhouse. Le signore sapevano meglio come calmarla. Il signor Weston doveva stare tranquillo, e tutto doveva essere sistemato deliberatamente.

Grazie a tale procedura, il signor Woodhouse fu presto abbastanza tranquillo da parlare come al solito. Sarebbe stato contento di vedere la signora Goddard. Aveva molta considerazione per la signora Goddard; ed Emma avrebbe dovuto scrivere una riga e invitarla. James poteva portare il messaggio. Ma prima di tutto si doveva scrivere una risposta alla signora Cole.

«Farai le mie scuse, cara, con quanta più cortesia potrai. Dirai che sono completamente un invalido, che non vado in nessun posto, e quindi devo declinare il loro gentile invito; iniziando, naturalmente, con i miei convenevoli. Farai tutto nel modo opportuno. Non ho bisogno di dirti cosa bisogna fare. Bisogna che ci ricordiamo di avvertire James che sarà necessaria la carrozza martedì. Con lui non avrò paura per te. Non siamo andati fin là una sola volta da quando è stata fatta la nuova via d'accesso; ma non dubito che James ti porterà sana e salva. E quando sei arrivata, devi dirgli quando desideri che torni a prenderti; e faresti bene a dire un'ora non troppo tarda. Certo non vorrai restare fino a tardi. Ti sentirai molto stanca alla fine del tè».

«Ma non vorrete che venga via prima di sentirmi stanca, papà!»

«Oh no, amor mio; ma ti sentirai stanca presto. Ci sarà molta gente a parlare tutta insieme. Non ti piacerà il frastuono».

«Ma, mio caro signore», esclamò il signor Weston, «se Emma viene via presto, questo vorrà dire porre fine alla riunione».

«E ciò non farà certo alcun danno», disse il signor Woodhouse. «Più presto si pone fine a una riunione, meglio è».

«Ma non pensate a che effetto farebbe sui Cole. La partenza di Emma subito dopo il tè potrebbe offendere. Sono brava gente, e pensano poco alle loro pretese; ma devono pur sentire che se uno se ne va via in fretta, non è un complimento; e se lo facesse la signorina Woodhouse, si noterebbe di più che se lo facesse chiunque altro. Sono certo che non vorrete deludere e umiliare i Cole, signore; gente amichevole e buona quanto mai ce ne fu, e che sono vostri vicini da dieci anni».

«No, per niente al mondo, signor Weston, vi sono molto grato per avermelo richiamato a mente. Sarei molto spiacènte di dare loro una delusione. So che brava gente sono. Perry mi dice che il signor Cole non tocca mai il liquore di malto. Non lo credereste, a guardarlo, ma soffre di fegato, il signor Cole soffre molto di fegato. No, non vorrei essere causa di un dispiacere. Mia cara Emma, dovremo riflettere su questo. Sono sicuro che piuttosto che rischiare di offendere il signore e la signora Cole rimarresti un poco di più di quanto sarebbe tuo desiderio. Se ti sentirai stanca non ci baderai. Sarai completamente sicura, sai, in mezzo ai tuoi amici».

«Oh, sì, papà. Per me non ho alcun timore; e non mi farei alcuno scrupolo di restare fino a quando rimane la signora Weston, se non per riguardo a voi. Temo solo che rimaniate alzato per me. Non ho paura che possiate non trovarvi a vostro agio con la signora Goddard. Lei ama giocare a picchetto, lo sapete, ma quando sarà tornata a casa, ho paura che rimarrete in piedi da solo, invece di andare a letto alla vostra solita ora, e questa idea distruggerebbe subito la mia serenità. Dovete promettermi di non rimanere alzato».

Lui promise, in cambio di alcune promesse da parte di lei, del tipo: se tornava a casa sentendo freddo, non doveva mancare di scaldarsi per bene; se aveva fame, doveva prendere qualcosa da mangiare; la sua cameriera doveva attenderla alzata; e che Serle e il maggiordomo badassero a che tutto fosse in ordine in casa, come al solito.

Capitolo ventiseiesimo

Frank Churchill ritornò; e se fece aspettare il pranzo di suo padre, questo non venne risaputo a Hartfield, perché la signora Weston era troppo ansiosa che divenisse il prediletto del signor Woodhouse per tradire un'imperfezione che poteva essere nascosta.

Ritornò; si era fatto tagliare i capelli e rideva di se stesso con molto garbo, ma senza in realtà sembrare affatto vergognoso di quel che aveva fatto. Non aveva alcun motivo per desiderare che i suoi capelli fossero più lunghi per nascondere la confusione del suo viso; alcun motivo di desiderare di non avere speso quel denaro, per migliorare il suo umore. Era in tutto e per tutto lo stesso giovanotto ardito e vivace di prima; e dopo averlo visto, Emma fece tra sé e sé questa riflessione morale:

"Non so se dovrebbe essere in questo modo, ma di certo le sciocchezze cessano di essere tali se sono fatte da gente assennata in modo sfacciato.

La cattiveria è sempre cattiveria, ma la sciocchezza non è sempre sciocchezza. Dipende dal carattere di quelli che la praticano. Caro signor Knightley, non è certo un giovane fatuo, sciocco. Se lo fosse, si sarebbe comportato in modo differente. Si sarebbe vantato della sua impresa, o se ne sarebbe vergognato. Ci sarebbe stata l'ostentazione di un cafone, o i sotterfugi di un animo troppo debole per difendere le proprie vanità. No, sono del tutto sicura che non è né fatuo né sciocco".

Con il martedì si ripresentò la gradevole prospettiva di rivederlo, e più a lungo della volta precedente; di giudicare i suoi modi in generale, e, per deduzione, il significato dei suoi modi verso di lei; di ipotizzare quanto presto sarebbe stato necessario per lei raffreddare un po' l'atmosfera; e di immaginare quali potessero essere le osservazioni di tutti coloro che ora li vedevano insieme per la prima volta.

Aveva intenzione di stare molto allegra, nonostante la cena predisposta presso il signor Cole; pur senza poter dimenticare che tra le mancanze del signor Elton, anche nei giorni in cui godeva dei suoi favori, nessuna le aveva tanto dato fastidio quanto la sua propensione a cenare con il signor Cole.

Il benessere di suo padre fu ampiamente assicurato, giacché la signora Bates e la signora Goddard poterono entrambe venire; e l'ultimo piacevole dovere di Emma, prima di lasciare la casa, fu di presentare loro i suoi rispetti, mentre sedevano insieme con suo padre dopo cena e, mentre il padre faceva un'affettuosa osservazione sulla bellezza del suo vestito, di ripagare le due signore per quanto poteva, servendo loro grandi fette di torta e bicchieri colmi di vino, per qualsiasi involontario sacrificio potessero essere obbligate a praticare durante il pasto a causa dell'ansia del padre per la loro salute. Aveva organizzato loro una cena abbondante; le sarebbe piaciuto essere certa che avessero la possibilità di mangiarla.

Seguì un'altra carrozza fino alla porta del signor Cole; e si rallegrò nel vedere che era quella del signor Knightley; giacché, dato che il signor Knightley non teneva cavalli, e aveva poco denaro liquido e parecchia salute, attività e indipendenza, era troppo propenso, a giudizio di Emma, a muoversi intorno come poteva, e a non usare la carrozza tanto spesso quanto si addiceva al proprietario dell'abbazia di Donwell. Ora le veniva offerta la possibilità di manifestare la sua approvazione mentre era ancora calda, giacché lui si fermò per aiutarla a discendere.

«Il vostro è davvero il miglior modo di arrivare», disse lei. «Proprio come un gentiluomo. Sono molto felice di vedervi».

Lui la ringraziò, notando: «Che fortuna arrivare allo stesso momento! Perché, se ci fossimo incontrati nel salotto, dubito vi sareste accorta che sono più gentiluomo del solito... Potreste non avere compreso in che modo ero venuto, dal mio aspetto o dai miei modi».

«Ma sì, sono sicura che avrei potuto. C'è sempre un'aria di consapevolezza o di agitazione quando le persone arrivano in un modo che sanno al di sotto di loro. Pensate di scamparla, oserei dire, ma in voi c'è una specie di boria, un'aria di affettata indifferenza; la noto ogni volta che mi capita di incontrarvi in tali circostanze. Stavolta non avete da cercare di ottenere alcun effetto. Non avete timore che suppongano vi vergogniate. Non tentate di sembrare più alto di chiunque altro. Stavolta sarò davvero felicissima di entrare nella stessa stanza insieme a voi».

«Assurda ragazza!», suonò la risposta, ma affatto irritata.

Emma aveva ogni ragione di rimanere soddisfatta del resto della compagnia quanto lo era del signor Knightley. Fu accolta con un cordiale rispetto che non poteva che farle piacere, e le fu data tutta l'importanza che poteva desiderare. Quando arrivarono i Weston, marito e moglie ebbero per lei le occhiate più amorose e più piene d'ammirazione; il loro figliolo le si avvicinò con un allegro zelo che la designava come la sua favorita; a cena se lo trovò seduto accanto e, come lei fermamente credeva, non senza un certo impegno da parte di lui.

Era una riunione alquanto numerosa, perché comprendeva un'altra famiglia, un'ottima famiglia di signori di campagna, contro cui non c'era nulla da dire (i Cole avevano la fortuna di contarli tra i loro conoscenti) e la parte maschile della famiglia del signor Cox, l'avvocato di Highbury. Le signore di minore riguardo sarebbero arrivate nella serata: la signorina Bates, la signorina Fairfax e la signorina Smith; ma già a cena erano troppo numerosi perché la conversazione potesse essere generale; e mentre si parlava di politica e del signor Elton, Emma riuscì onestamente a concedere tutta la sua attenzione alla piacevolezza del suo vicino. Il primo suono remoto a cui si sentì obbligata a porgere ascolto fu il nome di Jane Fairfax. La signora Cole sembrava raccontare di lei qualcosa che prometteva di essere assai interessante. Lei ascoltò, e scoprì che valeva la pena di ascoltare. Quella parte così prediletta di Emma, la sua immaginazione, ricevette un alimento interessante. La signora Cole diceva che aveva fatto visita alla signorina Bates, e che appena entrata nella camera era rimasta colpita dalla vista di un pianoforte: uno strumento d'aspetto molto elegante, non un pianoforte a coda, ma uno verticale di grandi proporzioni; e il succo della storia, la fine di tutte le frasi di sorpresa, le domande e le congratulazioni che seguirono da parte sua, e di spiegazioni da parte della signorina Bates, era che questo pianoforte era arrivato da Broadwood il giorno precedente, con grande stupore della zia e della nipote, del tutto inatteso; che dapprima, a sentire la signorina Bates, Jane stessa non sapeva raccapezzarsi, si spremeva le meningi a pensare chi mai potesse averlo ordinato, ma ora erano entrambe perfettamente convinte che poteva venire solamente da una persona: ovviamente questi doveva essere il colonnello Campbell.

«Non si può supporre altro», aggiunse la signora Cole, «e anzi sono rimasta sorpresa che abbia potuto esserci un dubbio. Ma Jane, a quel che sembra, ha di recente ricevuto da loro una lettera, e lì non veniva menzionato. Lei conosce meglio degli altri i loro modi; ma io non riterrei il loro silenzio una prova che non intendessero fare il dono. Potrebbero aver voluto fare una sorpresa».

Molti furono d'accordo con la signora Cole; tutti quelli che parlarono in proposito erano ugualmente convinti che dovesse venire dal colonnello Campbell, e si rallegrarono che quel dono fosse stato fatto; e ce n'erano abbastanza di pronti a parlare per consentire a Emma di pensarla a modo suo, pur mentre ascoltava la signora Cole.

«Giuro che non ricordo di avere sentito, da molto tempo, una cosa che mi abbia dato tanta soddisfazione! Mi è sempre dispiaciuto che Jane Fairfax, che suona così incantevolmente, non possedesse uno strumento. Pareva proprio una vergogna, in particolar modo se si considera quante case ci sono in cui degli ottimi strumenti sono veramente sprecati. È come dare uno schiaffo a noi stessi, avanti! E non più tardi di ieri dicevo al signor Cole che veramente mi vergognavo a guardare il nostro nuovo pianoforte a coda nel salotto, mentre io non so distinguere una nota dall'altra, e le nostre bambine, che cominciano solo ora, forse non saranno mai capaci di cavarne qualcosa; e c'è la povera Jane Fairfax, che è maestra di musica, e non ha nessuno strumento, neppure la più povera e vecchia spinetta, per potersi divertire. Lo stavo dicendo al signor Cole non più tardi di ieri, e lui era d'accordo con me; solo che gli piace talmente la musica che non ha potuto trattenersi dal fare quella spesa, sperando che qualcuno dei nostri buoni vicini possa essere così gentile da farne ogni tanto un uso migliore di noi; e questa è veramente la ragione per cui è stato comprato lo strumento; altrimenti, sono certa che dovremmo vergognarcene. Abbiamo molte speranze che la signorina Woodhouse possa essere convinta a provarlo stasera».

La signorina Woodhouse assentì, come di dovere; e vedendo che non c'era altro da ricavare da quel che stava dicendo la signora Cole, si volse verso Frank Churchill.

«Perché sorridete?», disse.

«E voi, perché sorridete?»

«Io... suppongo di sorridere per il piacere che il colonnello Campbell sia tanto ricco e generoso. È un bel regalo».

«Proprio».

«Mi stupisco piuttosto che non sia stato fatto prima».

«Forse la signorina Fairfax non si è mai trattenuta tanto a lungo qui».

«O che non le sia stato consentito l'uso del loro strumento, che ora deve essere chiuso a Londra, senza che nessuno lo suoni».

«Quello è un pianoforte a coda, e può darsi che lo ritenga troppo grande per la casa della signora Bates».

«Dite pure quel che volete, ma la vostra espressione testimonia che i vostri pensieri in proposito sono molto simili ai miei».

«Non so. Credo piuttosto che mi attribuiate più perspicacia di quanta io non ne possegga. Sorrido perché sorridete voi, e probabilmente sospetterò tutto quel che vi vedrò sospettare; ma per il momento non vedo che dubbio possa esserci. Se non è stato il colonnello Campbell, chi può essere?»

«Che ne pensereste se fosse la signora Dixon?»

«La signora Dixon! Ma certo! Non ci avevo pensato. Deve sapere non meno bene del padre quanto sarebbe bene accetto uno strumento; e forse lo stile del dono, il mistero, la sorpresa, sembra più l'idea di una giovane che di un uomo anziano. Scommetto che è la signora Dixon. Ve lo dicevo che i vostri sospetti avrebbero guidato i miei».

«Se è così, dovrete allargare i vostri sospetti e includere il signor Dixon».

«Il signor Dixon... Molto bene. Sì, vedo subito che dev'essere stato un regalo comune del signore e della signora Dixon. Parlavamo l'altro giorno, sapete, di che fervido ammiratore fosse *lui* della sua esecuzione».

«Sì, e quello che mi avete detto in proposito ha confermato un'idea che mi era venuta prima. Non intendo criticare le buone intenzioni del signor Dixon o della signorina Fairfax, ma non posso esimermi dal sospettare che, dopo essersi dichiarato alla sua amica, abbia avuto la sfortuna di innamorarsi di *lei*, o si è accorto di un certo piccolo interesse da parte della ragazza. Si potrebbero ipotizzare venti cose senza centrare quella giusta; ma sono certa che ci deve essere un motivo speciale perché lei abbia scelto di venire a Highbury invece di andare in Irlanda con i Campbell. Qui deve fare una vita di privazione e di penitenza; là sarebbe stato tutto uno spasso. Quanto al presunto desiderio di provare l'aria natia, lo considero una semplice scusa. Se fosse estate, la cosa avrebbe potuto passare; ma che beneficio può dare l'aria natia nei mesi di gennaio, febbraio e marzo? Dei bei fuochi e delle belle carrozze sarebbero più appropriati nella maggior parte dei casi di persone dalla salute delicata, e oserei dire anche nel suo. Non vi chiedo di fare vostri tutti i miei sospetti, anche se voi professate tanto nobilmente di farlo, ma vi dico onestamente quali sono».

«E, parola mia, paiono davvero grandemente probabili. Vi posso garantire che la preferenza del signor Dixon per la sua musica rispetto a quella dell'amica era molto evidente».

«E poi lui le ha salvato la vita. Ne avete sentito parlare? Una gita in mare; e per un incidente lei fu sul punto di cadere in acqua. Lui l'agguantò in tempo».

«Proprio così. Io c'ero... facevo parte del gruppo».

«Davvero? Allora... Ma voi naturalmente non avete osservato nulla, perché pare che l'idea vi giunga nuova. Se fossi stata là io, credo avrei fatto qualche scoperta».

«Immagino di sì; ma da quel semplciotto che sono, ho visto solo che la signorina Fairfax fu sul punto di essere gettata fuori dall'imbarcazione e che il signor Dixon l'afferrò. Fu questione di un attimo. E anche se la scossa e l'allarme che ne seguirono furono grandissimi e di durata assai più lunga (credo in verità che ci sia voluta una mezz'ora prima che uno qualsiasi di noi si sentisse di nuovo a suo agio), quella sensazione fu troppo generalizzata perché si potesse notare traccia di un'ansia particolare. Non voglio dire tuttavia che voi non avreste potuto scoprire qualcosa».

Qui la conversazione venne interrotta. Furono chiamati a condividere il disagio di un intervallo piuttosto lungo tra le portate, e costretti a essere non meno controllati e corretti degli altri; ma quando la tavola fu nuovamente del tutto apparecchiata, ogni piatto collocato al suo posto, e tutti tornarono a lavorare di forchetta e a essere disinvolti, Emma disse:

«Secondo me l'arrivo di questo pianoforte è decisivo. Desideravo saperne un po' di più, e questo mi dice quanto basta. Statene certo, verremo presto a sapere che è un dono dei signori Dixon».

«E se i Dixon dovessero negare recisamente di saperne alcunché, dovremo concludere che viene dai Campbell».

«No, sono certa che non viene dai Campbell. La signorina Fairfax sa che non viene da loro, altrimenti avrebbe pensato a loro per primi. Non sarebbe rimasta incerta, se avesse potuto fissarsi su di loro. Posso non avere convinto voi, ma quanto a me sono perfettamente persuasa che il signor Dixon abbia una parte di primo piano nella faccenda».

«Mi fate davvero un torto se supponete che io non sia persuaso. I vostri argomenti hanno la forza di trascinare completamente il mio giudizio. All'inizio, quando supponevo riteneste che il donatore fosse il colonnello

Campbell, consideravo il dono solo come un atto di cortesia paterna, la cosa più naturale del mondo. Ma quando avete fatto il nome della signora Dixon, mi è sembrato molto più probabile che fosse il tributo di una fervida amicizia femminile. E adesso non riesco a vederlo sotto nessun'altra luce se non come un'offerta d'amore».

Non c'era alcun motivo di portare oltre quella conversazione. La convinzione di lui pareva reale; aveva tutta l'aria di sentirla. Emma non disse altro, nuovi argomenti ebbero il loro turno, e così trascorse il resto della cena; venne la frutta, entrarono i bambini, fu rivolta loro la parola e furono ammirati, con i soliti scambi di battute; furono dette alcune cose spiritose, altre assolutamente insulse, ma per la gran parte cose né insulse né spiritose: niente di peggiore di osservazioni abituali, monotone ripetizioni, vecchie notizie e scherzi pesanti.

Le signore non erano da molto nel salotto quando arrivarono le altre signore, nei loro diversi gruppi. Emma notò l'ingresso di quella sua piccola grande amica; e se non poté esultare della sua dignità e della sua grazia, poté non solo trovare adorabili la sua fiorente dolcezza e i suoi modi ingenui, ma anche godere cordialmente di quel carattere leggero, allegro, scevro da sentimentalismi, che le consentiva tanto sollievo in mezzo ai dolori di un affetto deluso. Eccola seduta lì... e chi avrebbe potuto indovinare quante lacrime aveva sparso ultimamente? Essere in compagnia, ben vestita vedendo gli altri ben vestiti, sedere a sorridere e mostrasi graziosa, e non dire niente, bastavano per la felicità del momento. Jane Fairfax sembrava superiore nell'aspetto e nei movimenti; ma Emma sospettava che sarebbe stata contenta di cambiare i suoi sentimenti con quelli di Harriet, contentissima di essersi guadagnata la mortificazione di aver amato... sì, di avere amato invano anche un tipo come il signor Elton, in cambio di tutto il pericoloso piacere di sapersi amata dal marito della propria amica.

In una riunione tanto numerosa, non era necessario che Emma la avvicinasse. Non aveva alcun desiderio di parlare del pianoforte, si sentiva troppo partecipe del segreto lei stessa per pensare che fosse giusto esibire curiosità o interesse, e quindi si tenne intenzionalmente a distanza; ma dagli altri l'argomento venne introdotto quasi immediatamente, ed Emma vide il rossore della colpa che accompagnava il nome de «il mio eccellente amico, il colonnello Campbell».

La signora Weston, che aveva buon cuore ed era amante della musica, era particolarmente interessata a quel dono; Emma non poté non divertirsi della sua perseveranza nell'insistere sull'argomento, e nel suo non finire mai di fare domande sul tono, sul tocco e sul pedale, senza minimamente sospettare quel desiderio di parlare il meno possibile dell'argomento che lei leggeva in caratteri evidenti sul viso della bella eroina.

Presto alcuni signori si unirono a loro; e il primo dei più solleciti fu Frank Churchill. Entrò, primo e più bello di tutti; e dopo avere presentato di passaggio i suoi omaggi alla signorina Bates e a sua nipote, andò subito dalla parte opposta del circolo, dove sedeva la signorina Woodhouse; e fino a che non riuscì a trovare un posto presso di lei non volle sedersi affatto. Emma indovinò quel che doveva pensare ognuno dei presenti: era lei l'oggetto della sua corte, e tutti dovevano accorgersene. Lo presentò alla sua amica, la signorina Smith, e più tardi, quando se ne offrì la possibilità, sentì quel che l'uno pensava dell'altra. «Non aveva mai visto un viso così leggiadro, ed era incantato dal suo candore». E lei: «Certo, era fargli un gran complimento, ma le sembrava che avesse qualche espressione che faceva pensare al signor Elton». Emma controllò la sua indignazione, e si limitò a voltarle la schiena in silenzio.

Sorrisi d'intesa vennero scambiati tra lei e il giovane signore appena videro la signorina Fairfax; ma era quanto mai prudente evitare le parole. Lui le disse che non aveva visto l'ora di lasciare la sala da pranzo (detestava stare seduto a lungo, ed era sempre il primo ad alzarsi quando poteva), e che aveva lasciato suo padre, il signor Knightley, il signor Cox e il signor Cole tutti presi nelle questioni della parrocchia; fino a che lui era rimasto, tuttavia, l'incontro era stato abbastanza piacevole, giacché li trovava nel complesso un gruppo di uomini distinti e pieni di giudizio; e parlò insomma così bene di Highbury (la reputava così ricca di famiglie simpatiche) che Emma cominciò a sentire di essere stata sciocca a disprezzare troppo il posto. Gli fece delle domande in merito all'ambiente dello Yorkshire; a quanti vicini ci fossero nei dintorni di Enscombe, e cose del genere; e dalle sue risposte si poté convincere che, per quel che riguardava Enscombe, la vita sociale era ben poca; che le visite riguardavano solo la sfera delle grandi famiglie, nessuna molto vicina; e che anche quando il giorno era fissato e gli inviti erano stati accettati, capitava spesso che la signora Churchill non si sentisse in salute o nell'umore di andare; che per principio non visitavano una persona nuova; e che, nonostante lui avesse i suoi impegni separati, non era senza qualche difficoltà, e senza parecchio impegno, che alle volte riusciva ad andar fuori per conto suo o a fare ospitare per una notte una sua conoscenza.

Emma capì che Enscombe non poteva essere soddisfacente, e che Highbury, presa per quel che aveva di meglio, avrebbe potuto ragionevolmente piacere a un giovane che a casa propria subiva più isolamento di quanto avrebbe desiderato. La sua importanza, a Enscombe, era evidentissima. Lui non se ne vantava, ma era evidente il fatto che aveva persuaso sua zia in casi in cui lo zio non poteva fare nulla, e visto che Emma rise e lo notò, ammise di credere che (a parte su uno o due punti) poteva, «col tempo», persuadere la zia a tutto. Poi menzionò uno dei punti in cui la sua influenza non aveva funzionato. Aveva desiderato molto andare all'estero... era stato molto ansioso che gli consentissero di viaggiare... ma lei non aveva voluto saperne. Questo era successo l'anno precedente. Ora, diceva, cominciava a non avere più lo stesso desiderio.

L'altro punto su cui non aveva potuto averla vinta lui non lo menzionò, ma Emma ritenne riguardasse la buona condotta verso il padre.

«Ho fatto una tristissima scoperta», disse, dopo una breve pausa. «Domani sarà una settimana da che sono qui; metà del mio tempo. Non mi è sembrato che le giornate volassero via così velocemente. Una settimana domani... E ho appena iniziato a conoscere la signora Weston e gli altri! Detesto pensarci».

«Forse adesso potrete cominciare a rimpiangere di avere speso un giorno intero, avendone così pochi, per farvi tagliare i capelli».

«No», disse lui sorridendo, «di questo non ho affatto da rammaricarmi. Non provo alcun piacere a vedere gli amici, se non mi considero in condizioni presentabili».

Dato che il resto dei signori ora era nella stanza, Emma si vide costretta a lasciarlo per alcuni minuti per ascoltare il signor Cole. Quando il signor Cole si allontanò e l'attenzione di Emma poté ritornare alla situazione di prima, notò che Frank Churchill teneva gli occhi fissi sulla signorina Fairfax, seduta al capo opposto della sala.

«Cosa succede?», disse Emma.

Lui sobbalzò. «Vi ringrazio di avermi scosso», rispose, «credo di esser stato molto sgarbato; ma davvero la signorina Fairfax si è pettinata in un modo così strano... così estremamente strano... che non posso staccarle gli occhi di dosso. Non ho mai visto niente di tanto eccentrico. Quei riccioli! Deve essere una sua invenzione. Non vedo nessuna simile a lei. Devo andare a chiederle se è una moda irlandese. Lo faccio? Ma certo, lo farò, dichiaro che lo farò... e voi state a vedere come reagisce... se arrossisce».

E ci andò; e presto Emma lo vide davanti alla signorina Fairfax, nell'atto di parlarle; ma quanto all'effetto delle sue parole sulla signorina, dato che si era sbadatamente sistemato proprio tra di loro, di fronte alla signorina Fairfax, Emma non poté distinguere proprio nulla.

Prima che potesse tornare alla sua sedia, questa fu occupata dalla signora Weston.

«Questo è il vantaggio di una compagnia numerosa», disse, «uno può avvicinarsi a tutti gli altri, e dire qualsiasi cosa. Mia cara Emma, muoio dalla voglia di parlarti. Ho fatto delle scoperte e concepito dei progetti, proprio come te, e devo dirteli finché l'idea è fresca. Sai come sono arrivate qui la signorina Bates e sua nipote?»

«E come? Saranno state invitate, no?»

«Oh sì! Ma come sono state trasportate fin qui? Cosa hanno usato?»

«Saranno venute a piedi, ritengo. Come avrebbero potuto venire altrimenti?»

«Verissimo. Be', un attimo fa mi è venuto di pensare come sarebbe triste se Jane Fairfax dovesse tornarsene a casa a piedi, a notte tarda, e con queste notti fredde che abbiamo ora. E mentre la guardavo, anche se io non l'ho mai vista così carina, ho notato che è accaldata, e quindi sarebbe particolarmente soggetta a prendere freddo. Povera ragazza! Non ho potuto sopportare l'idea, così, appena il signor Weston è entrato nella stanza e ho potuto avvicinarlo, gli ho parlato della carrozza. Puoi indovinare come abbia acconsentito volentieri al mio desiderio; e, ottenuta la sua approvazione, mi sono subito diretta verso la signorina Bates, per assicurarle che la carrozza sarebbe stata messa a sua disposizione prima di portare a casa noi; giacché pensavo che la cosa le avrebbe dato subito un bel sollievo. Poverina! Puoi immaginare quanto me ne è stata riconoscente. "Nessuno era mai stato tanto fortunato quanto lei!" Però, pur con mille e mille ringraziamenti, "Non c'era bisogno che ci disturbassimo, dato che erano venute con la carrozza del signor Knightley, che le avrebbe riportate a casa". Sono rimasta proprio meravigliata; molto contenta, certo; ma davvero molto sorpresa. Un'attenzione così gentile, e così previdente! Il genere di cose a cui solo pochi uomini penserebbero! Insomma, conoscendo le abitudini di lui, sono portata a credere che sia stato proprio per loro comodità che il signor Knightley ha fatto uscire la carrozza. Sospetto che non avrebbe usato una pariglia per sé; che sia stata solo una scusa per aiutare loro».

«Molto probabile», disse Emma; «nulla di più probabile; non conosco nessuno più pronto del signor Knightley a comportarsi in questo modo, ad agire in modo davvero buono, utile, premuroso, o benevolo. Non è un uomo galante, ma è molto umano; e ciò, considerata la cattiva salute di Jane Fairfax, ai suoi occhi si deve presentare come un caso d'umanità; e per un atto di cortesia non ostentata, non c'è nessuno a cui penserei più che al signor Knightley. So che oggi aveva la carrozza, perché siamo arrivati insieme e ho riso di lui, ma lui non ha detto una parola che potesse tradirlo».

«Ebbene», disse sorridendo la signora Weston, «in questo caso gli fai più credito di me per un benevolenza pura e disinteressata; perché, mentre parlava la signorina Bates, mi ha attraversato la mente un sospetto, e non sono più riuscita ad allontanarlo. Più ci penso, più mi sembra probabile. In breve, ho combinato un'unione tra il signor Knightley e Jane Fairfax. Vedi quali sono le conseguenze dello stare con te... Cosa ne dici?»

«Il signor Knightley e Jane Fairfax!», esclamò Emma. «Cara signora Weston, come avete potuto pensare una cosa simile? Il signor Knightley! Il signor Knightley non si deve sposare... Non vorreste che il piccolo Henry venga privato di Donwell! Oh no, no, Henry dovrà avere Donwell. Non posso proprio acconsentire a che il signor Knightley si sposi; e sono certa che la cosa non è affatto probabile. Sono sbalordita che abbiate pensato a una cosa del genere».

«Mia cara Emma, ti ho detto cosa mi ci ha fatto pensare. Non che io desideri un tale matrimonio; non voglio danneggiare il caro piccolo Henry. Ma l'idea mi è stata suggerita dalle circostanze, e se il signor Knightley volesse davvero sposarsi, non vorrai che si debba astenere a causa di Henry, un ragazzino di sei anni, che non sa nulla della faccenda?»

«Sì che lo vorrei. Non potrei sopportare di vedere soppiantato Henry. Il signor Knightley sposarsi! No, non ho mai avuto un'idea del genere e non posso accettarla ora. E poi proprio con Jane Fairfax!».

«Ma lei ha sempre goduto molto del suo favore, come sai benissimo».

«Ma l'imprudenza di un simile matrimonio!».

«Non sto parlando della prudenza, ma solo della probabilità».

«Non ne vedo proprio, a meno che non abbiate qualche fondamento più solido di quello che avete dichiarato. La sua benevolenza, la sua umanità, vi ripeto, basterebbero a spiegare la vettura. Ha molto riguardo per le Bates, sapete, indipendentemente da Jane Fairfax, ed è sempre contento di fare loro un favore. Mia cara signora Weston, non vi mettete a combinare matrimoni. Vi riesce molto male. Jane Fairfax proprietaria dell'abbazia!... Oh no, no; ogni mio sentimento si ribella. Per amore di lui, non vorrei che facesse una tale follia».

«Sarà un'imprudenza, se vuoi, ma non una follia. A parte lo squilibrio quanto a ricchezze materiali, e forse un po' di lontananza d'età, non ci vedo niente di incompatibile».

«Ma il signor Knightley non desidera sposarsi. Sono sicura che non ci pensa affatto. Non glielo mettete in testa. Perché mai dovrebbe sposarsi? Non potrebbe essere più felice, solo com'è; con la sua fattoria, le sue pecore e la sua biblioteca, e tutta la parrocchia da governare; e poi vuole molto bene ai figli di suo fratello. Non ha alcun motivo di sposarsi per riempire il suo tempo, né il suo cuore».

«Mia cara Emma, finché pensa così, così è; ma se veramente ama Jane Fairfax...».

«Che cosa assurda! Non bada affatto a Jane Fairfax. Dal punto di vista dell'amore, non le bada proprio. Farebbe qualsiasi favore a lei o alla sua famiglia; ma...».

«Be'», disse ridendo la signora Weston, «forse il più grande favore che potrebbe far loro sarebbe quello di sistemare Jane in modo rispettabile».

«Forse farebbe un favore a loro, ma di certo farebbe un dispetto a se stesso; un matrimonio quanto mai vergognoso e degradante. Come potrebbe sopportare un legame di parentela con la signorina Bates? Averla sempre a ficcare il naso all'abbazia, a ringraziarlo tutto il santo giorno per la sua grande bontà di sposare Jane? "Così gentile e buono! Ma era sempre stato un vicino così gentile!". E poi, a mezza frase, passerebbe di punto in bianco a discorrere della vecchia sottana di sua madre. "Non che fosse una sottana molto vecchia, perché sarebbe durata ancora un pezzo, e proprio si deve dire che, grazie a Dio, tutte le loro sottane erano robustissime"».

«Vergognati, Emma! Non imitarla. Mi fai ridere contro la mia volontà. E poi, parola mia, non credo che la signorina Bates sarebbe di molto disturbo al signor Knightley. Le piccole cose non lo irritano. Lei potrebbe continuare a parlare; e se lui stesso volesse dire qualcosa, non farebbe che parlare più forte e soffocare la voce di lei. Ma il punto non è se sarebbe un cattivo matrimonio per lui, ma se lui lo desidera; e io credo di sì. L'ho sentito, e devi averlo sentito anche tu, parlare in modo così entusiastico di Jane Fairfax! L'interesse che ha per lei, la sua ansietà per la sua salute, il suo dispiacere che a lei non si offra un futuro migliore! Lo ho sentito esprimersi con tale fervore su questi punti! Ammira così tanto il suo modo di suonare il pianoforte, e la sua voce! Lo ho sentito dire che non si stancherebbe mai di ascoltarla. Oh! E stavo per dimenticare un'idea che mi è venuta: questo pianoforte che le è stato mandato da qualcuno, anche se tutti quanti ci siamo accontentati di considerarlo un regalo dei Campbell, non potrebbe venire dal signor Knightley? Non posso evitare di sospettare lui. Credo sia proprio il tipo che lo farebbe, anche senza essere innamorato».

«Allora questo non può valere come argomento a dimostrare che ne è innamorato. Ma non credo sia una cosa che può verosimilmente avere fatto lui. Il signor Knightley non fa nulla in modo misterioso».

«Lo ho sentito più volte rimpiangere che lei non avesse uno strumento; la cosa si presentava dunque alla sua mente ben più spesso di quanto, a mia vista, sia normale attendersi in una tale circostanza».

«Molto bene; e se avesse voluto darle un pianoforte, glielo avrebbe detto».

«Ci possono essere degli scrupoli di delicatezza, mia cara Emma. Credo proprio che provenga da lui. Di sicuro ha mantenuto un curioso silenzio quando la signora Cole ce ne ha parlato a cena».

«Raccattate un'idea e ve ne lasciate trascinare; proprio come avete spesso rimproverato a me di fare. Io non vedo alcun segno di speciale interesse, non credo proprio a questa storia del pianoforte, e solo una prova potrebbe convincermi che il signor Knightley pensa a sposare Jane Fairfax».

Argomentarono su questo punto per un altro po' allo stesso modo, ed Emma prese parecchio terreno sulla mente della sua amica, giacché, delle due, la signora Weston era la più abituata a cedere, fino a che un po' di trambusto nella stanza mostrò loro che avevano tutti finito di prendere il tè e si preparava lo strumento; e al tempo stesso il signor Cole si avvicinò per pregare la signorina Woodhouse di fare loro l'onore di provarlo. Frank Churchill, che lei, nell'animazione della sua conversazione con la signora Weston non aveva più visto, eccetto quando l'aveva osservato mettersi a sedere accanto alla signorina Fairfax, seguiva il signor Cole, per aggiungere le sue più fervide preghiere; e visto che, sotto ogni aspetto, a Emma conveniva essere la prima, acconsentì con garbo.

Conosceva fin troppo bene i suoi limiti per tentare più di quanto non potesse eseguire in modo lodevole; non le mancavano né gusto né spirito nelle piccole cose che in genere piacevano, e poteva accompagnare bene la sua voce. Ebbe un accompagnamento al suo canto che le diede una piacevole sorpresa: una parte di secondo, eseguita in modo incerto ma corretto da Frank Churchill. Alla fine del canto lei chiese venia, come di dovere, e seguirono le solite cerimonie. Lui fu accusato di avere una voce incantevole, e una perfetta conoscenza della musica; e ciò fu negato con i dovuti convenevoli; affermò con franchezza di essere un ignorante, e di non avere per nulla voce. Cantarono di nuovo insieme; poi Emma cedette il posto alla signorina Fairfax, la cui esecuzione, tanto vocale che strumentale, Emma non poté nascondere, era infinitamente superiore alla sua.

Non senza un po' di invidia, Emma sedette ad ascoltare, a una certa distanza dal gruppetto riunito intorno allo strumento. Frank Churchill cantò di nuovo. A quel che sembrava, avevano cantato insieme una o due volte a Weymouth. Ma la vista del signor Knightley tra i più intenti all'ascolto, presto distolse gran parte dell'attenzione di Emma, che si immerse in riflessioni sui sospetti della signora Weston, che i dolci suoni delle due voci intrecciate interruppero solo per qualche istante. Le sue obiezioni alle nozze del signor Knightley non si attenuarono per nulla. In quel matrimonio lei non vedeva che male. Avrebbe provocato un grande dispiacere al signor John Knightley, e di conseguenza a Isabella. Un vero danno ai bambini, un cambiamento quanto mai umiliante, e una perdita materiale a tutti loro; una grandissima diminuzione del benessere quotidiano del padre di lei, e quanto a se stessa, non poteva proprio sopportare l'idea di Jane Fairfax all'abbazia di Donwell.

Improvvisamente il signor Knightley si volse e andò a sedere presso di lei. All'inizio parlarono solo dell'esecuzione. La sua ammirazione era certamente molto fervida; eppure, lei pensò che, non fosse stato per la signora Weston, non l'avrebbe affatto colpita. Come pietra di paragone, però, Emma cominciò a parlare della sua gentilezza nell'accompagnare in carrozza la zia e la nipote; e anche se la risposta di lui fu diretta a tagliare corto, lei credette di cogliervi solo un'avversione a indugiare su un proprio atto di cortesia.

«Spesso mi rammarico», disse Emma, «di non osare rendere la nostra carrozza più utile, in simili circostanze. Non che io non lo desideri; ma sapete fino a che punto mio padre riterrebbe assurdo che James dovesse attaccare i cavalli per tale motivo».

«Non c'è dubbio, non c'è dubbio», rispose lui, «ma sono certo che dovete desiderarlo spesso». E sorrise con tale apparente piacere per quella convinzione che lei non esitò ad andare un passo più avanti.

«Questo dono dei Campbell», disse, «questo pianoforte, è stato un pensiero molto gentile».

«Sì», rispose lui, e senza mostrare il minimo imbarazzo. «Ma meglio avrebbero fatto se l'avessero avvertita. Le sorprese sono cose sciocche. Non aumentano il piacere, e l'imbarazzo è spesso considerevole. Mi sarei aspettato più giudizio da parte del colonnello Campbell».

Da quel momento Emma avrebbe potuto mettere la mano sul fuoco che il signor Knightley non aveva avuto nulla a che fare col regalo dello strumento. Ma se lui fosse interamente libero da un particolare interesse, se non ci fosse una vera e propria preferenza, rimase in dubbio ancora per un po'. Verso la fine della seconda canzone, la voce di Jane perse limpidezza.

«Ci basta», disse lui, quando il canto cessò, pensando ad alta voce. «Avete cantato a sufficienza per una sera... ora mettetevi tranquilla».

Ma presto venne richiesta un'altra canzone. Ancora un'altra; non avrebbero a nessun costo voluto stancare la signorina Fairfax, e si sarebbero accontentati di una sola. E si sentì Frank Churchill che diceva: «Credo dovreste farcela senza troppo sforzo; la prima parte è così leggera! È nella seconda parte che sta la forza del canto».

Il signor Knightley si irritò.

«Quel tizio», disse indignato, «non pensa che a far bella mostra della propria voce. Questo non mi piace». E toccando la signorina Bates, che in quel momento gli passava vicino: «Signorina Bates, siete pazza a lasciare che vostra nipote diventi rauca a forza di cantare a questo modo? Andate a impedirlo. Non hanno nessuna pietà di lei».

La signorina Bates, nella sua sincera ansia per Jane, non poté neppure indugiare in ringraziamenti: si fece avanti e mise fine al canto. Così ebbe termine la parte musicale della serata, perché la signorina Woodhouse e la signorina Fairfax erano le sole signorine che potevano suonare; ma presto (nel giro di cinque minuti) la proposta di ballare, lanciata non si sa da chi, fu così efficacemente appoggiata dai signori Cole che in un baleno la stanza venne liberata per disporre dello spazio necessario. La signora Weston, insuperabile nelle sue danze di campagna, sedette al piano e attaccò un irresistibile walzer; e Frank Churchill, avvicinandosi a Emma con la più cortese galanteria, le prese la mano e la condusse in testa.

Mente attendevano che gli altri giovani formassero le coppie, Emma trovò il tempo, nonostante i complimenti che riceveva sulla sua voce e sul suo gusto, di guardarsi intorno e vedere cosa faceva il signor Knightley. Questa sarebbe stata una prova. Di solito lui non ballava. Se adesso fosse stato molto veloce a impegnare Jane Fairfax, si sarebbe potuto anticipare qualcosa. Ma non si fece avanti presto. No; stava parlando alla signora Cole; guardava la sala con indifferenza; Jane ricevette la richiesta di un altro, mentre lui stava ancora parlando alla signora Cole.

Emma non era più allarmata per Henry; i suoi interessi erano ancora salvi; e aprì le danze con autentica gioia e divertimento. Non si riuscì a mettere insieme più di cinque coppie; ma il carattere particolare e movimentato della danza la resero deliziosa, ed Emma si trovò più che soddisfatta del suo compagno. Era una coppia degna di essere guardata.

Due balli, sfortunatamente, fu tutto ciò che poté concedersi. Si stava facendo tardi, e la signorina Bates si preoccupava di tornare a casa a causa della madre. Furono quindi obbligati a ringraziare la signora Weston, a prendere un'aria dispiaciuta, e a smettere.

«Forse è meglio», disse Frank Churchill, mentre accompagnava Emma alla sua carrozza. «Avrei dovuto invitare la signorina Fairfax, e il suo modo languido di ballare non mi sarebbe garbato, dopo il vostro».

Capitolo ventisettesimo

Emma non si pentì di avere accondisceso ad andare dai Cole. Il giorno successivo la visita le offrì molti piacevoli ricordi; e tutto ciò che si poteva supporre che avesse perduto, rinunciando a un dignitoso isolamento, doveva essere ampiamente ricompensato dallo splendore della popolarità. Doveva avere incantato i Cole (brave persone, che meritavano di essere fatte felici!) e lasciato dietro di sé una fama che non si sarebbe spenta presto.

La perfetta felicità non è comune, neppure nei ricordi; e c'erano due punti sui quali lei non si sentiva del tutto tranquilla. Dubitava di non avere trasgredito al suo dovere verso il proprio sesso lasciando capire a Frank Churchill i suoi sospetti in merito ai sentimenti di Jane Fairfax. Non era stata una cosa corretta; ma l'idea le si era presentata con tale forza che non poteva non sfuggirle di bocca, e quel suo assentire a tutto ciò che lei aveva detto era un complimento al suo acume che le rendeva difficile essere sicura che avrebbe dovuto trattenere la lingua.

Anche l'altro motivo di rammarico si riferiva a Jane Fairfax; e su questo non aveva dubbi. Era sinceramente e decisamente dispiaciuta della propria inferiorità nel suonare e nel cantare. Rimpianse intensamente la pigrizia dell'infanzia, e sedete al piano a esercitarsi vigorosamente per un'ora e mezzo.

Fu poi interrotta dall'arrivo di Harriet; e se le lodi di Harriet avessero potuto soddisfarla, avrebbe potuto consolarsi presto.

«Oh! Se potessi suonare bene come voi e la signorina Fairfax!».

«Non ci mettete insieme nella vostra valutazione, Harriet. C'è tanta differenza tra il mio modo di suonare e il suo quanta ce n'è tra una lampada e il sole».

«Oddio! Credo che voi suoniate meglio. Credo suoniate perlomeno bene quanto lei. Sono certa che mi piacerebbe di più stare a sentire voi. Tutti ieri sera parlavano di quanto suonavate bene».

«Tutti quelli che se ne intendevano devono avere sentito la differenza. La verità, Harriet, è che la mia esecuzione è sufficientemente buona da meritare delle lodi, ma quella di Jane Fairfax è di molto superiore».

«Be', riterrò sempre che voi suoniate bene quanto lei, o che, se una differenza c'è, nessuno possa riuscire a scoprirla. Il signor Cole ha detto che avevate molto gusto, e il signor Frank Churchill ha parlato un bel po' del vostro gusto, e ha detto che lui apprezzava il gusto molto più dell'esecuzione».

«Ah! Ma Jane Fairfax ha tanto l'uno che l'altra, Harriet».

«Ne siete sicura? Mi sono accorta che era una brava esecutrice, ma non sapevo avesse gusto. Nessuno ne ha parlato. E detesto le canzoni in italiano. Non si capisce una parola. E poi se suona così bene, sapete, non è più di quel che è suo dovere fare, perché dovrà insegnare. Le Cox si chiedevano ieri sera se sarebbe entrata presso una grande famiglia. Che ve ne è parso delle Cox?»

«Sono quel che sono sempre state: molto volgari».

«Mi hanno detto qualcosa», disse Harriet piuttosto esitante, «ma non ha importanza».

Emma fu costretta a chiedere cosa le avessero detto, anche se temeva che tornasse fuori il signor Elton.

«Mi hanno detto... che il signor Martin ha pranzato con loro sabato scorso».

«Oh!».

«È andato da loro padre per affari, e lui lo ha pregato di rimanere a pranzo».

«Oh!».

«Hanno parlato parecchio di lui, specialmente Anne Cox. Non ho capito quel che intendesse, ma mi ha chiesto se pensavo di andare a stare nuovamente lì l'estate prossima».

«Intendeva essere curiosa in modo impertinente, da quella che è sempre stata».

«Hanno detto che è stato molto piacevole il giorno che pranzò da loro. Sedeva accanto a lei a tavola. La signorina Nash crede che l'una o l'altra delle Cox sarebbe felice di sposarlo».

«È probabile. Credo siano, senza eccezione, le ragazze più volgari di Highbury».

Harriet aveva da fare delle commissioni da Ford. Emma ritenne prudente andare con lei. Era possibile un altro casuale incontro con i Martin, e, nella sua attuale condizione di spirito sarebbe stato pericoloso.

Harriet, tentata da ogni cosa e influenzata da una mezza parola, ci metteva sempre molto a fare i suoi acquisti; e mentre stava ancora piegata sulle mussole e non sapeva decidere, Emma si avvicinò alla porta per distrarsi. Non si poteva sperare in molto movimento, neppure nella parte più affaccendata di Highbury: il signor Perry che passava in fretta, il signor William Cox che entrava nel suo ufficio, i cavalli della carrozza del signor Cole che tornavano dalla passeggiata, talvolta un fattorino postale tutto solo su un mulo ostinato, costituivano gli spettacoli più animati che lei poteva attendersi; e quando i suoi occhi si poggiarono sul macellaio con il suo tagliere, su una linda vecchina che tornava a casa dalle sue spese col cestino pieno, su due cani che si contendevano un lurido osso e su una fila di bambini che stavano intorno alla piccola vetrina sporgente del fornaio e lanciavano occhiate al panpepato, seppe di non avere alcuna ragione di lamentarsi, e si divertì abbastanza; abbastanza da rimanere attaccata alla porta. Una mente vivace e tranquilla può essere appagata anche senza vedere nulla, e non vede nulla che non le garbi.

Guardò verso la strada di Randalls. La scena si allargò; apparvero due persone, la signora Weston e il figliastro venivano verso Highbury, naturalmente per recarsi a Hartfield. Erano però sul punto di fermarsi dalla signora Bates, la cui casa era un po' più vicina a Randalls del negozio di Ford; e stavano per picchiare alla porta, quando videro Emma. Subito attraversarono la strada e andarono verso di lei; e il piacere della riunione del giorno prima sembrò conferire un nuovo piacere all'attuale incontro. La signora Weston la informò che andava a fare visita alle Bates per sentire il suono del nuovo pianoforte.

«Il mio compagno mi ricorda», disse lei, «che ieri sera ho proprio promesso alla signorina Bates che ci sarei andata stamani. Non me ne rammentavo. Non sapevo di avere fissato il giorno, ma dato che lui dice di sì, vado adesso».

«E mentre la signora Weston fa la sua visita», disse Frank Churchill, «spero di unirmi al vostro gruppo e aspettarla a Hartfield, se andate verso casa».

La signora Weston rimase delusa.

«Credevo saresti venuto con me. Loro ne sarebbero molto liete».

«Io! Sarei solo d'ostacolo. Ma forse... posso essere d'ostacolo anche qui. La signorina Woodhouse ha l'aria di non volermi. Mia zia mi allontana sempre quando fa compere. Dice che le do ai nervi; e la signorina Woodhouse ha l'aria di voler dire la stessa cosa. Cosa devo fare?»

«Non sono qui per seguire faccende mie», disse Emma. «Attendo solo la mia amica. È probabile che finisca tra poco, e allora andremo a casa. Ma voi fareste meglio ad andare con la signora Weston a sentire il pianoforte».

«Be'... se lo consigliate voi... Ma», proseguì con un sorriso, «se il colonnello Campbell si fosse servito di un amico trascurato, e se risultasse che il piano ha un timbro mediocre... cosa dovrò dire? Non sarò d'aiuto per la signora Weston. Potrebbe cavarsela benissimo da sola. Una verità spiacevole non darebbe noia sulle sue labbra, ma io sono la creatura più inadatta del mondo a dire una cortese falsità».

«Non credo che le cose stiano così», rispose Emma. «Sono persuasa che potete essere non meno finto degli altri, se è necessario; ma non c'è motivo di supporre che lo strumento sia mediocre. Anzi, è il contrario, se ho sentito bene l'opinione della signorina Fairfax ieri sera».

«Vieni con me», disse la signora Weston, «se non ti risulta del tutto sgradevole. Non dovremo starci molto. Poi andremo a Hartfield. Seguiremo la signorina Woodhouse e la sua amica a Hartfield. Desidero veramente che tu venga con me a fare questa visita. Sarà percepita come una grande attenzione! E credevo che tu intendessi venire».

Lui non riuscì a dire altro, e con la speranza di essere ricompensato a Hartfield, ritornò con la signora Weston alla porta della signora Bates. Emma li guardò entrare, poi raggiunse Harriet al banco che tanto l'interessava, e tentò, con tutta la forza della sua mente, di persuaderla che se desiderava della mussola a tinta unita era inutile che guardasse quella decorata con figure; e che un nastro azzurro, per quanto fosse bello, non si sarebbe mai accompagnato con il suo disegno giallo. Alla fine tutto fu sistemato, perfino la destinazione del pacchetto.

«Devo inviarlo alla signora Goddard, signorina?», chiese la signora Ford. «Sì... no... sì, alla signora Goddard. Però il modello della gonna è a

Hartfield. No, mandatelo a Hartfield, per favore. Però la signora Goddard vorrà vederlo... E io potrei portare a casa in un giorno qualsiasi il modello. Ma mi servirà subito il nastro... allora è meglio che vada a Hartfield... almeno il nastro. Potreste fare due pacchetti, signora Ford, no?»

«Non vale la pena, Harriet, di dare alla signora Ford il disturbo di fare due pacchetti».

«Allora non importa».

«Non è affatto un disturbo, signorina», disse la cortese signora Ford.

«Oh, ma veramente preferisco che sia un solo pacchetto. Allora, per favore, mandate tutto dalla signora Goddard... Ma non so... No, credo, signorina Woodhouse, che tanto valga che lo faccia mandare a Hartfield e poi me lo porti a casa io stessa, la sera. Cosa mi consigliate?»

«Di non soffermarvi su questa faccenda nemmeno per un altro mezzo secondo. A Hartfield, per favore, signora Ford».

«Sì, sarà molto meglio», disse Harriet, del tutto soddisfatta, «non mi piacerebbe proprio che fosse mandato dalla signora Goddard».

Delle voci si avvicinarono al negozio; o meglio una voce e due signore; la signora Weston e la signorina Bates le incontrarono sulla porta.

«Cara signorina Woodhouse», disse la seconda, «ho appena attraversato la strada per chiedervi il favore di venirci a fare una breve visita e darci la vostra opinione sul nuovo strumento; voi e la signorina Smith. Come state, signorina Smith?... Molto bene, grazie... Ho pregato la signora Weston di accompagnarmi, per essere sicura di farcela».

«Spero che la signora Bates e la signorina Fairfax stiano...».

«Benissimo, vi ringrazio. Mia madre sta deliziosamente bene; e Jane non ha preso un'infreddatura la notte scorsa. Come sta il signor Woodhouse? Sono così contenta di sentire notizie tanto buone. La signora Weston mi ha detto che eravate qui. Oh, allora, ho detto io, devo fare un salto fuori, sono certa che la signorina Woodhouse mi consentirà di fare un salto fuori e di pregarla di entrare; mia madre sarà tanto felice di vederla, e ora che siamo un così bel gruppo, non può dire di no. "Sì, vi prego", ha detto il signor Frank Churchill, "varrà la pena di sentire il parere della signorina Woodhouse sullo strumento". "Ma", ho detto io, "sarò più certa di farcela se uno di voi verrà con me". "Oh!", ha risposto lui, "aspettate mezzo minuto, fino a che avrò finito il mio lavoretto". Perché, ci dovete credere, signorina Woodhouse, sta lì ad accomodare la vitina degli occhiali di mia madre, con la più grande cortesia del mondo. La vitina è venuta fuori, sapete, stamattina. Tanto cortese! Perché mia madre non poteva servirsi degli occhiali, non li poteva portare. E, comunque, tutti dovrebbero averne due, di paia d'occhiali; davvero. Così ha detto Jane. Volevo portarli da John Saunders, per prima cosa, ma un po' questo e un po' quello mi hanno trattenuta tutta la mattina; prima ne capita una, poi un'altra, non saprei nemmeno dire cosa, sapete. Un momento Patty è venuta a dire che credeva che il camino della cucina avesse bisogno di essere pulito. Oh, ho detto io, Patty, non venirmi a dare brutte notizie; ecco qua la vitina degli occhiali della tua padrona. Poi sono arrivate le mele cotte, le ha mandate la signora Wallis, con il suo ragazzo; i Wallis sono estremamente civili e cortesi con noi, sempre... ho sentito qualcuno dire che la signora Wallis può essere sgarbata e rispondere in modo molto scortese, ma noi non abbiamo ricevuto altro che grandissime premure da parte loro. E non può essere per le nostre abitudini di clienti, perché sapete quanto ne consumiamo, di pane? Siamo solo in tre, oltre alla cara Jane... e lei adesso non ne mangia affatto e fa una colazione così scarsa che vi farebbe proprio paura se la vedeste. Io non ho coraggio di dire a mia madre quanto poco mangia; allora dico prima una cosa e poi un'altra, e così la cosa non attira l'attenzione. Ma verso la metà della giornata ha appetito, e non c'è nulla che le piaccia come queste mele cotte, che sono quanto mai salutari, perché l'altro giorno ho colto l'occasione di chiedere al signor Perry; mi è capitato di incontrarlo per la strada. Non che prima avessi dei dubbi; ho sentito tante volte il signor Woodhouse consigliare le mele cotte. Credo che sia l'unico modo in cui, secondo il signor Woodhouse, il frutto è del tutto sano. Noi però molto spesso abbiamo lo sformato di mele. Patty fa eccellenti sformati di mele. Ebbene, signora Weston, avete vinto voi, spero, e queste signore ci faranno la gentilezza di venire».

Emma disse che sarebbe stata «lietissima di fare visita alla signora Bates», e così via, e infine uscirono dal negozio senza essere ulteriormente trattenute dalla signorina Bates, se non con un:

«Come state, signora Ford? Scusatemi. Non vi avevo vista prima. Ho sentito che avete un delizioso assortimento di nastri provenienti da Londra. Ieri Jane è tornata tutta contenta. Grazie, i guanti vanno benissimo, sono solo un po' troppo larghi al polso; ma Jane li prende».

«Di cosa stavo parlando?», ricominciò appena furono tutti in strada.

Emma si chiese su cosa volesse soffermarsi, tra tutta quella confusione di parole.

«Devo confessare che non riesco a ricordare di cosa stavo parlando. Ah! Gli occhiali di mia madre. Che cortesia da parte del signor Frank Churchill. "Oh", ha detto, "credo di poter sistemare la vitina; mi piacciono moltissimo i lavoretti di questo genere". E ciò, sapete, ha dimostrato che è così... Devo proprio dire che, con tutto il bene che avevo già sentito dire di lui e con tutte le mie aspettative, supera qualunque... Mi congratulo con voi, signora Weston, molto caldamente. Pare possedere tutte le doti che il genitore più affezionato potrebbe... "Oh", ha detto, "credo di poter sistemare la vitina; mi piacciono moltissimo i lavoretti di questo genere". Non scorderò mai le sue maniere. E quando ho tirato fuori dalla credenza le mele cotte, e speravo che i nostri amici avrebbero avuto la cortesia di assaggiarle, "Oh", ha detto lui subito, "non c'è frutto che possa neanche lontanamente paragonarsi alle mele, e queste sono le più belle mele cotte che io abbia mai visto in vita mia". Questo, sapete, è stato davvero... E dai suoi modi sono certa che non fosse un complimento. Sono davvero mele deliziose, e la signora Wallis rende loro piena giustizia; solo che noi non le facciamo cuocere più di due volte, mentre il signor Woodhouse ci ha fatto promettere di farle cuocere tre volte... ma la signorina Woodhouse avrà la bontà di non rivelarlo. Le mele sono della migliore qualità per essere cotte, senza dubbio; tutte di Donwell, alcune della generosissima provvista donataci dal signor Knightley. Ce ne manda un mucchio ogni anno; e di certo nessuna mela si conserva tanto bene come quelle dei suoi alberi. Credo ne abbia due. Mia madre sostiene che l'orto è sempre stato famoso quando lei era giovane. Ma l'altro giorno sono rimasta proprio confusa, perché il signor Knightley è venuto a farci visita una mattina, e Jane stava mangiando quelle mele, e abbiamo cominciato a parlarne, e lei ha detto quanto le piacevano, e lui ha domandato se non fossimo sul punto di finire la nostra provvista. "Sono sicuro che dovete essere alla fine", ha detto, "e ve ne manderò un'altra scorta, poiché ne ho molte di più di quante non ne possa adoperare. Quest'anno William Larkins me ne ha fatto conservare una quantità maggiore del solito. Ve ne manderò delle altre, prima che vadano a male". E io lo ho pregato di non disturbarsi, anche se in realtà, quanto alla nostra provvista, non avrei potuto proprio dire che ce ne fossero rimaste molte; invero non ce n'era che una mezza dozzina, ma dovevano esser tutte conservate per Jane; e non potevo certo permettere che me ne mandasse delle altre, dato che era già stato tanto generoso; e Jane disse la stessa cosa. E quando se ne fu andato, lei si mise quasi a litigare con me; no, non dovrei dire che si litigò, perché non abbiamo mai avuto una lite in tutta la nostra vita; ma era proprio abbattuta al pensiero che avessi confessato che le mele erano quasi finite; avrebbe preferito che gli avessi fatto credere che ne avessimo ancora chissà quante. "Mia cara", ho detto io, "ho fatto tutto quanto ho potuto". A ogni modo, quella sera stessa William Larkins è venuto con un gran cesto di mele, dello stesso tipo, almeno uno staio, e io mi sono mostrata riconoscente, e sono scesa a parlare a William Larkins e ho detto tutto quel che dovevo, come potete immaginare. William Larkins è proprio una vecchia conoscenza! Sono contenta di vederlo. Ma poi ho scoperto da Patty che William aveva detto che quelle erano tutte le mele di quel tipo che avesse il suo padrone; le aveva portate tutte, e ora al padrone non ne rimaneva neppure una da arrostire o da bollire. Non sembrava che a William importasse, era così felice al pensiero che il padrone ne avesse vendute tante; giacché William, sapete, si preoccupa più del guadagno del suo padrone che di qualsiasi altra cosa; ma la signora Hodges, disse lui, ci era rimasta davvero male che fossero state date via tutte quante. Non poteva tollerare l'idea che il padrone non dovesse più avere torte di mele questa primavera. Ha raccontato questo a Patty, dicendole però di non farci caso, e di non farne parola in alcun modo con noi, perché non si poteva evitare che la signora Hodges si irritasse ogni tanto, e fintanto che se ne vendevano tanti sacchi, non aveva importanza chi mangiasse il resto. E così Patty me l'ha detto, e io ci sono rimasta proprio imbarazzata! Non vorrei che il signor Knightley ne sapesse nulla! Ci rimarrebbe così... Volevo che Jane non lo venisse a sapere, ma sfortunatamente mi è sfuggito qualcosa senza che me ne accorgessi».

La signorina Bates aveva appena finito che Patty aprì la porta; e i visitatori salirono le scale senza dovere prestare attenzione a quell'ininterrotto resoconto, ma inseguiti dai suoni dei convenevoli che la signorina Bates ogni tanto continuava a proferire.

«Vi prego di stare attenta, signora Weston, sulla curva c'è un gradino. Vi prego di fare attenzione, signorina Woodhouse, la nostra scala è piuttosto buia... più buia e più stretta di quanto non si potrebbe desiderare. Signorina Smith, sulla curva c'è un gradino».

Capitolo ventottesimo

L'aspetto del salottino, quando entrarono, era l'immagine della tranquillità; la signora Bates, rimasta priva della sua solita occupazione, dormicchiava in un angolo del focolare, Frank Churchill, seduto a un tavolo presso di lei, era tutto affaccendato con gli occhiali, e Jane Fairfax dava loro la schiena, intenta al suo pianoforte.

Nonostante fosse occupato, il giovanotto riuscì comunque a mostrare un volto pieno di felicità nel rivedere Emma.

«È un piacere», disse, in tono piuttosto basso, «che viene almeno dieci minuti prima di quanto non l'attendessi. Mi trovate mentre cerco di rendermi utile: ditemi se credete che ci riuscirò».

«Che!», disse la signora Weston. «Non avete ancora finito? Non riuscireste a guadagnarvi bene la vita come operaio argentiere, se andate avanti così».

«Ma non ho lavorato in modo continuato», rispose lui, «ho aiutato la signorina Fairfax a cercare di sistemare il suo piano, che si muoveva un po'; credo perché il pavimento non è perfettamente orizzontale. Come vedete abbiamo messo un po' di carta sotto una delle gambe. Siete stata molto gentile a lasciarvi persuadere a venire. Avevo quasi paura che tornaste a casa di corsa».

Fece in modo che Emma si sedesse accanto a lui; ed ebbe il suo daffare per scegliere per lei la migliore mela cotta e cercare di farsi aiutare, o consigliare da lei, nel suo lavoro, fino a che Jane Fairfax fu pronta a sedersi di nuovo al piano. Il fatto che non fosse stata pronta subito, Emma sospettò dipendesse dallo stato dei suoi nervi; non aveva lo strumento da un tempo sufficiente per riuscire a toccarlo senza emozione; doveva calmarsi, per potere suonare con la sua solita maestria; ed Emma non poté non avere compassione di simili sentimenti, qualunque fosse la loro origine, e non poté che decidere di non esporli più al giovanotto che le sedeva accanto.

Alla fine, Jane cominciò, e anche se le prime battute furono un po' fiacche, a poco a poco fu resa giustizia alle qualità dello strumento. La signora Weston era rimasta incantata prima, e di nuovo lo fu; Emma si unì a lei in tutti i suoi elogi; e il pianoforte, con tutto il dovuto discernimento, fu giudicato dei più promettenti.

«Chiunque sia stato l'incaricato del colonnello Campbell», disse Frank Churchill, sorridendo a Emma, «quella persona non ha scelto male. Ho sentito parlare parecchio, a Weymouth, del gusto del colonnello Campbell; e la morbidezza delle note alte, ne sono certo, è esattamente quel che lui e tutto il suo gruppo apprezzerebbero in modo particolare. Ci scommetterei, signorina Fairfax, che abbia dato istruzioni molto precise al suo amico, oppure abbia scritto lui stesso a Broadwood. Non lo pensate anche voi?».

Jane non si volse. Non era tenuta ad ascoltare. La signora Weston le stava parlando proprio in quel momento.

«Non è generoso», sussurrò Emma, «la mia è un'ipotesi fatta a caso. Non la infastidite».

Lui scosse il capo con un sorriso e assunse un'aria come se avesse ben pochi dubbi e pochissima compassione. Poco dopo riattaccò:

«Quanto devono essere contenti del vostro piacere, in questa occasione, i vostri amici in Irlanda, signorina Fairfax! Immagino pensino spesso a voi, e si chiedano quale sarà il giorno, il giorno preciso della consegna dello strumento. Pensate che il colonnello Campbell sappia che il piano viene usato proprio in questo momento? Immaginate sia la conseguenza di un ordine preciso da parte sua, o che possa avere dato solo istruzioni generiche, senza precisare la data della consegna, lasciandola alla situazione e alle convenienze?».

Si fermò: stavolta lei non poteva non sentire, e non poteva fare a meno di rispondere.

«Finché non ricevo una lettera dal colonnello Campbell», disse, con una voce tranquilla, ma che tradiva la tensione, «non posso credere nulla con sicurezza. Non sono possibili che ipotesi».

«Ipotesi... certo; alle volte si fanno ipotesi giuste, altre volte se ne fanno di sbagliate. Mi piacerebbe poter ipotizzare quanto mi ci vorrà per fissare nel modo opportuno questa vitina. Che sciocchezze si dicono, signorina Woodhouse, quando si parla mentre si è tutti presi in un lavoro; i veri operai, suppongo, frenano la lingua, ma noi operai gentiluomini quando afferriamo una parola... La signorina Fairfax ha detto qualcosa a proposito di ipotesi. Ecco fatto. Mi fa piacere, signora», rivolgendosi alla signora Bates, «potervi restituire i vostri occhiali sistemati, per il momento».

Fu caldamente ringraziato dalla madre e dalla figlia; per sfuggire un po' a quest'ultima si avvicinò al pianoforte e pregò la signorina Fairfax, che era ancora seduta allo strumento, di suonare qualcos'altro.

«Se volete essere davvero gentile», disse, «eseguite uno dei valzer che abbiamo ballato ieri sera; fatemeli rivivere. Voi non ne avete goduto quanto me; sembravate sempre stanca. Credo che siate stata contenta quando abbiamo smesso di ballare; io invece avrei dato chissà che, tutto ciò che fossi stato in grado di dare, per un'altra mezz'ora».

Lei suonò.

«Che gioia sentire di nuovo un'aria che ci ha fatto felici! Se non mi sbaglio, questa fu danzata a Weymouth».

Lei lo guardò un momento, arrossì profondamente, e suonò qualcos'altro. Lui prese della musica da una sedia presso il pianoforte e, rivolgendosi a Emma, disse:

«Ecco una cosa del tutto nuova per me. La conoscete? Cramer. Ed ecco una nuova serie di melodie irlandesi. Questo è quel che ci si sarebbe potuto attendere da un tale mittente. Tutto ciò è stato mandato con lo strumento. Un pensierino gentile da parte del colonnello Campbell, non è così? Sapeva che la signorina Fairfax non poteva avere della musica qui. Attribuisco un merito particolare a questa parte della sua premura; dimostra che è proprio venuta dal cuore. Non è una cosa fatta in fretta, né una cosa incompleta. Solo un affetto sincero poteva suggerirla».

Emma avrebbe voluto che fosse meno mordace, ma non poté fare a meno di divertirsi; e quando, girando gli occhi verso Jane Fairfax, colse la traccia di un sorriso, quando vide che con tutto il profondo rossore della consapevolezza c'era stato un sorriso di segreta gioia, sentì meno scrupoli per il suo divertimento, e molto meno rimorso nei confronti di

Jane. Quest'amabile, retta, perfetta Jane Fairfax nutriva apparentemente sentimenti assai riprensibili.

Lui le portò tutte le partiture, e le guardarono insieme. Emma colse l'opportunità per sussurrare:

«Parlate troppo apertamente. Così lei capirà».

«Lo spero. Vorrei che mi capisse. Non mi vergogno affatto di quel che intendo».

«Ma io sento veramente un po' di vergogna, e vorrei non avere mai lanciato l'idea».

«Sono molto lieto che l'abbiate fatto, e che l'abbiate comunicata a me. Ora io possiedo la chiave di tutte le sue arie e le sue maniere strane. Lasciate che sia lei a vergognarsi. Se si trova in torto, dovrebbe sentirne».

«Non ne è del tutto priva, credo».

«Non ne vedo molti segni. Ora sta suonando *Robin Adair*, l'aria favorita di lui».

Poco dopo la signorina Bates, passando vicino alla finestra, vide non lontano il signor Knightley, a cavallo.

«C'è il signor Knightley! Devo parlargli, se possibile, devo ringraziarlo. ma non voglio aprire questa finestra; vi farebbe raffreddare tutti; però posso andare in camera di mamma, sapete. Scommetto che verrà qui, quando saprà chi c'è. Che piacere vedervi tutti insieme così... La nostra stanzetta è così onorata!».

Era andata nella camera attigua, mentre continuava a parlare, e aprendo i vetri, attrasse immediatamente l'attenzione del signor Knightley, e ogni sillaba della loro conversazione fu sentita distintamente dagli altri, come se si fosse svolta nella stessa camera.

«Come state? Come state? Io benissimo, grazie. Vi sono così obbligata per la carrozza di ieri sera. Siamo arrivate proprio in tempo: la mamma ci aspettava proprio in quel momento. Vi prego, entrate, entrate. Troverete qui degli amici».

Così cominciò la signorina Bates; e il signor Knightley pareva deciso a farsi ascoltare a sua volta, perché in tono molto risoluto e autoritario disse:

«Come sta vostra nipote, signorina Bates? Vi chiedo notizie di tutte voi, ma in special modo di vostra nipote. Come sta la signorina Fairfax? Mi auguro che non si sia raffreddata la notte scorsa. Come sta oggi? Ditemi come sta la signorina Fairfax».

E la signorina Bates fu costretta a dare una risposta diretta prima che lui accettasse di ascoltare altro da lei. Gli ascoltatori si divertivano; e la signora Weston lanciò a Emma un'occhiata significativa. Emma però continuava a scuotere il capo con imperturbabile scetticismo.

«Vi sono così riconoscente, così tanto riconoscente per la carrozza», riprese la signorina Bates.

Lui tagliò corto con:

«Sto andando a Kingston. Posso fare qualcosa per voi?»

«Oh! Ma guarda, Kingston... Andate là?... La signora Cole diceva l'altro giorno che voleva qualcosa da Kingston».

«La signora Cole può mandare i suoi servitori. Posso fare qualcosa per voi?»

«No, grazie. Ma entrate. Pensate chi c'è qui! La signorina Woodhouse e la signorina Smith; tanto cortesi da venire in visita per sentire il nuovo pianoforte. Mettete il vostro cavallo al Corona e venite qui».

«Be'», disse lui pensandoci sopra, «magari per cinque minuti».

«E ci sono anche la signora Weston e il signor Frank Churchill! È delizioso: tanti amici!».

«No, non ora, grazie. Non potrei fermarmi neppure due minuti. Devo proseguire per Kingston senza indugi».

«Oh, ma entrate. Saranno così contenti di vedervi».

«No, no, la vostra stanza è fin troppo piena. Posso venire a farvi visita un altro giorno, e sentire il pianoforte».

«Beh, me ne dispiace! Oh, signor Knightley, che deliziosa riunione ieri sera; come è stato piacevole! Avete mai visto un ballo così? La signorina Woodhouse e il signor Frank Churchill; non ho mai visto niente di simile».

«Oh, deliziosa veramente; non posso dire di meno, perché immagino che la signorina Woodhouse e il signor Frank Churchill sentano tutto quello che stiamo dicendo». E alzando ancor più la voce proseguì: «Non vedo perché non dovrebbe essere citata anche la signorina Fairfax. Credo che la signorina Fairfax balli molto bene; e la signora Weston è la migliore esecutrice di danze campagnole d'Inghilterra, senza eccezione. Ora, se i vostri amici si sentono riconoscenti, diranno in cambio qualcosa con voce sufficientemente alta su di voi e me: ma io non posso fermarmi ad ascoltare».

«Oh! Signor Knightley, un momento ancora; qualcosa di importante... Siamo così confuse... Jane e io siamo rimaste entrambe così confuse a proposito delle mele!».

«Cosa c'è ora?»

«Pensare che ci avete mandato tutte le mele della vostra scorta. Dicevate di averne moltissime, e adesso non ve ne rimane nessuna. Siamo davvero confuse! La signora Hodges deve essere davvero arrabbiata. William Larkins me ne ha parlato. Non avreste dovuto farlo, proprio non avreste dovuto. Ah! Se ne è già andato. Non può sopportare di ricevere ringraziamenti. Però pensavo che ora avrebbe acconsentito a fermarsi, e sarebbe stato disdicevole non avere menzionato... Ebbene», disse rientrando nella stanza, «non ci sono riuscita. Il signor Knightley non si può fermare. Va a Kingston. Mi ha chiesto se poteva fare qualcosa...».

«Sì», disse Jane, «abbiamo sentito la sua cortese offerta, abbiamo sentito tutto».

«Oh, sì, cara, immagino che abbiate potuto sentire, perché, sapete, la porta era aperta, e la finestra era aperta, e il signor Knightley parlava a voce alta. Certo che dovete aver sentito tutto. "Posso fare qualcosa per voi a Kingston?", ha detto; e io ho detto solo... Oh! Signorina Woodhouse, dovete proprio andare via? Mi sembra che siate entrata solo da un momento... È stato così gentile da parte vostra!».

Emma sentiva che era veramente l'ora di trovarsi a casa; la visita era già durata parecchio; e guardando gli orologi, videro che gran parte della mattina se ne era andata, tanto che la signora Weston e il suo compagno, prendendo anche loro congedo, poterono concedersi solo di accompagnare le due signorine fino al cancello di Hartfield, prima di prendere la direzione di Randalls.

Capitolo ventinovesimo

Si può star bene senza ballare affatto. Si sono conosciuti esempi di giovani che hanno passato moltissimi mesi di seguito senza andare a un ballo e non ne hanno ricevuto alcun danno significativo al corpo o allo spirito; ma una volta che si è cominciato, una volta che si sono sentite, sia pure debolmente, le gioie del movimento veloce, si deve avere proprio una costituzione molto pesante per non desiderarlo ancora.

Frank Churchill aveva ballato una volta a Highbury, e aveva desiderato ballare ancora; e l'ultima mezz'ora di una serata che il signor Woodhouse era stato persuaso a passare a Randalls con sua figlia fu spesa dai due giovani in progetti di tale tipo. Fu Frank ad avere per primo l'idea, e a dimostrare il massimo zelo nel perseguirla; ché la ragazza era il miglior giudice delle difficoltà, e la più ansiosa circa il carattere del locale e le apparenze. Ma anche lei era abbastanza propensa a mostrare ancora alla gente quanto deliziosamente ballassero il signor Frank Churchill e la signorina Woodhouse; a fare quello che non avrebbe dovuto farla arrossire nel paragone con Jane Fairfax, o anche semplicemente a ballare, senza nessuno dei perversi incentivi della vanità; ad assisterlo prima nel misurare la stanza in cui si trovavano, per vedere quanta gente avrebbe potuto contenere, e poi a prendere le dimensioni dell'altro salotto, nella speranza di trovarlo più capace, anche se il signor Weston giurava che avevano esattamente la stessa dimensione.

La sua prima proposta e richiesta, che il ballo cominciato dal signor Cole dovesse finire lì, che si dovesse radunare lo stesso gruppo e invitare la stessa suonatrice, incontrò la più pronta approvazione. Il signor Weston fece sua l'idea con immenso piacere, e la signora Weston molto di buon grado promise di suonare per tutto il tempo che avrebbero desiderato danzare; ne seguì l'interessante occupazione di contare esattamente chi ci sarebbe stato, e di distribuire la porzione indispensabile di spazio a ciascuna coppia.

«Voi, la signorina Smith e la signorina Fairfax fate tre, e con le signorine Cox cinque»; questo fu ripetuto parecchie volte. «E poi ci saranno i due Gilbert, il giovane Cox, mio padre e io stesso, oltre al signor Knightley. Sì, questo basterà, perché la cosa venga bene. Voi, la signorina Smith e la signorina Fairfax fate tre, e con le due signorine Cox cinque; e per cinque coppie lo spazio basta e avanza».

Ma presto, d'altra parte, si giunse a:

«Ma ci sarà spazio sufficiente per cinque coppie? Davvero non credo che ce ne sia».

E da un'altra:

«E poi cinque coppie non bastano perché valga la pena di partecipare al ballo. Cinque coppie non sono niente, se ci si pensa sul serio. Non si possono *invitare* cinque coppie. Può passare solo come una cosa improvvisata».

Qualcuno disse che si attendeva la signorina Gilbert a casa di suo fratello, e che doveva venire invitata con gli altri. Qualcun altro pensava che la signora Gilbert avrebbe danzato la sera passata, se qualcuno la avesse invitata. Fu menzionato un secondo giovane Cox; e alla fine il signor Weston, che aveva parlato di una famiglia di cugini che doveva essere inclusa, e di un altra conoscenza di vecchia data che non poteva esser lasciata fuori, fu certo che le cinque coppie potevano essere almeno dieci, e nacque l'interessante problema di come le si potesse sistemare.

Le porte delle due stanze erano proprio una di fronte all'altra. Non avrebbero potuto usare tutt'e due le stanze e ballare attraverso il corridoio? Sembrava il progetto migliore; eppure non era sufficientemente buono perché molti di loro non ne desiderassero uno migliore. Emma disse che sarebbe stato inelegante; la signora Weston si preoccupava per la cena, e il signor Woodhouse era fermamente contrario per ragioni di salute. Anzi, lo rendeva così infelice che non si poté insistere.

«Oh no», disse; «sarebbe il massimo dell'imprudenza. Non potrei sopportarlo, per Emma! Emma non è robusta. Prenderebbe un raffreddore terribile. E così la povera piccola Harriet. E anche tutti quanti voi. Signora Weston, voi vi ammalereste; devono smetterla dunque di parlare di una cosa tanto pazzesca. Vi prego, fateli smettere. Quel giovanotto», abbassando la voce, «è proprio scriteriato. Non andate a dirlo a suo padre, ma quel giovanotto non è a posto. Stasera ha aperto le porte molto spesso, e le ha tenute aperte senza alcun riguardo. Non pensa alle correnti. Non voglio mettervi contro di lui, ma davvero non è a posto!».

La signora Weston fu spiacente dell'accusa. Ne conosceva la portata, e disse tutto quel che poteva per controbatterla. Vennero quindi chiuse tutte le porte, il progetto del corridoio fu abbandonato, e si ritornò all'idea iniziale di ballare solo nella stanza in cui si trovavano; e con tanta buona volontà da parte di Frank Churchill, fecero del loro meglio per dimostrare che lo spazio che un quarto d'ora prima era stato ritenuto appena sufficiente per cinque coppie sarebbe bastato per dieci.

«Siamo stati troppo grandiosi», disse lui. «Concedevamo più spazio del necessario. Qui dieci coppie ci possono stare benissimo».

Emma dissentì. «Sarebbe una calca, una terribile calca; e cosa ci può essere di peggio che ballare senza avere lo spazio per girarsi?»

«Verissimo», rispose lui gravemente; «è una pessima cosa».

Tuttavia continuò a misurare, e concluse:

«Credo ci sia spazio più che accettabile per dieci coppie».

«No, no», disse lei, «siete proprio irragionevole. Sarebbe terribile essere così appiccicati! Non c'è nulla di più spiacevole che ballare accalcati... accalcati in una stanza piccola!».

«Non si può negare», rispose lui. «Sono del tutto d'accordo con voi. Una calca in una stanza piccola... signorina Woodhouse, voi possedete l'arte di rappresentare una scena in quattro parole. Squisito, veramente squisito! Però, adesso che siamo arrivati a questo punto, non abbiamo alcuna voglia di rinunciare alla cosa. Sarebbe una delusione per mio padre... e in fondo... non so... propendo a ritenere che qui dieci coppie ci entrerebbero benissimo».

Emma si accorse che la natura della sua galanteria era un po' ostinata, e che avrebbe fatto opposizione piuttosto che rinunciare al piacere di ballare con lei; ma accettò il complimento, e perdonò il resto. Se avesse avuto intenzione di sposarlo, sarebbe valsa la pena di pensarci sopra e cercare di comprendere il valore della sua preferenza e la natura del suo carattere; ma per tutti gli altri aspetti del loro rapporto era sufficientemente amabile.

Prima del mezzogiorno del dì seguente era a Hartfield; entrò nella stanza con un sorriso talmente gradevole da testimoniare che il suo progetto era tutt'altro che abbandonato. Presto si capì che veniva ad annunciare un miglioramento.

«Ebbene, signorina Woodhouse», prese a dire quasi immediatamente, «la vostra inclinazione alla danza, spero, non sarà stata completamente vinta dal terrore delle stanzette di mio padre. Porto una nuova proposta; un pensiero di mio padre, che non attende che la vostra approvazione per divenire operante. Posso sperare di avere l'onore della vostra mano per le prime due danze di questo piccolo ballo che abbiamo progettato, da tenersi non a Randalls, bensì all'albergo della Corona?»

«Al Corona!»

«Sì, se voi e il signor Woodhouse non ci vedete nulla in contrario, e confido sia così, mio padre spera che i suoi amici vorranno usargli la cortesia di fargli visita là. Può promettere loro più comodità, e un'accoglienza non inferiore a quella che verrebbe riservata loro a Randalls. È una sua idea. La signora Weston non ci vede nulla in contrario, purché siate contenta voi. Questo è il nostro sentimento comune. Oh, avevate proprio ragione! Dieci coppie, nell'una o nell'altra delle camere di Randalls, sarebbe stato intollerabile! Orrendo! Continuavo a sentire quanto avevate ragione, ma mi premeva troppo assicurarmi una possibilità qualsiasi per poter cedere di buon grado alle vostre ragioni. Non è un cambiamento in meglio? Voi acconsentite... Spero acconsentiate».

«Mi pare un'idea a cui nessuno può muovere obiezione, se non lo fanno il signore e la signora Weston. Mi pare ammirevole; e, per quanto posso rispondere per me stessa, sarò felicissima ... Sembra l'unico miglioramento possibile. Papà, non pensate che sia un miglioramento eccellente?».

Fu costretta a ripeterlo e a spiegarlo prima che venisse capito del tutto; e poi, dato che era del tutto nuovo, furono necessari altri schiarimenti per renderlo accettabile.

No, lui lo riteneva tutt'altro che un miglioramento; piuttosto una pessima idea, molto peggiore di quell'altra. Una stanza d'albergo era sempre umida e pericolosa; mai areata come si deve, né buona per abitarci. Se dovevano ballare, era meglio che ballassero a Randalls. Non era mai stato nella stanza del Corona in tutta la sua vita, non conosceva neppure di vista i proprietari dell'albergo... No... una pessima idea. Si sarebbero presi infreddature peggiori al Corona che in qualsiasi altro posto».

«Stavo per notare, signore», disse Frank Churchill, «che uno dei grandi vantaggi di questa idea sarebbe lo scarsissimo pericolo di prendere raffreddori... c'è molto meno pericolo al Corona che a Randalls! Il signor Perry potrebbe trovare delle ragioni per rammaricarsi del cambiamento, ma non ci sarebbe che lui a pensarla in tal modo».

«Signor mio», disse il signor Woodhouse con un certo calore, «vi sbagliate di parecchio se pensate che il signor Perry sia un tipo del genere. Il signor Perry si preoccupa molto quando qualcuno di noi sta male. Ma non capisco come possa la stanza del Corona essere meno pericolosa per voi della casa di vostro padre».

«Per il solo fatto di essere più ampia, signore. Non avremo per nulla bisogno di aprire le finestre, neppure una volta in tutta la serata; ed è quel terribile vezzo di aprire le finestre, rovesciando aria fredda su dei corpi accaldati, che come sapete, signore, fa tanto danno».

«Aprire le finestre! Ma davvero, signor Churchill, nessuno penserebbe mai di aprire le finestre a Randalls. Nessuno potrebbe essere tanto imprudente! Non ho mai sentito una cosa del genere. Ballare con le finestre aperte! Sono sicuro che né vostro padre né la signora Weston (che poi era la povera signorina Taylor), potrebbe tollerarlo».

«Ah, signore... Ma talvolta qualche giovane irriflessivo va dietro una tenda e alza la serranda di una finestra senza che nessuno lo sospetti. Io stesso so che è successo».

«Davvero, signore? Che Dio ci scampi! Non l'avrei mai immaginato. Ma io vivo fuori del mondo, e spesso mi stupisco di ciò che sento. Tuttavia, questo fa una certa differenza; e forse, a ragionarci sopra... ma cose di questo genere richiedono una quantità di considerazione. Non si può decidere in fretta. Se il signore e la signora Weston vogliono avere la bontà di venirmi a fare visita una mattina, possiamo ragionarci sopra, e vedere cosa si può fare».

«Disgraziatamente, signore, il mio tempo è così limitato...».

«Oh!», lo interruppe Emma. «Ci sarà tutto il tempo che si vuole per ragionare di tutto. Non c'è alcuna fretta. Se si può fare al Corona, papà, sarà convenientissimo per i cavalli. Saranno così vicini alle stalle».

«Certo, mia cara. E questa è una gran cosa. Non che James si lamenti mai; ma è giusto risparmiare i nostri cavalli quando possiamo. Se potessi essere sicuro che le stanze venissero areate a dovere... ma ci si può fidare della signora Stokes? Ne dubito. Non la conosco, neppure di vista».

«Posso rispondere io per qualsiasi aspetto del genere, perché sarà la signora Weston a prendersene cura. La signora Weston si assume l'incarico di dirigere ogni cosa».

«Ecco fatto, papà! Adesso dovresti essere soddisfatto... La nostra cara signora Weston, che è la prudenza fatta persona. Non ricordi quello che disse il signor Perry tanti anni fa, quando avevo il morbillo? "Se la signorina Taylor si incarica di tenere Emma ben coperta, non avete nulla da temere, signore". Quante volte te l'ho sentito riferire come un gran complimento fatto a lei!».

«Già, verissimo. Il signor Perry disse proprio così. Non lo dimenticherò mai. Povera piccola Emma! Stavi malissimo con il morbillo; cioè, saresti stata malissimo se non ci fossero state le grandi cure del signor Perry. Per una settimana venne quattro volte al giorno. Fin dall'inizio disse che era una forma benigna, il che ci confortò molto; ma il morbillo è una malattia terribile. Spero che quando i bambini della povera Isabella avranno il morbillo lei mandi a chiamare Perry».

«Mio padre e la signora Weston sono in questo momento al Corona», disse Frank Churchill, «a valutare le possibilità del posto. Li ho lasciati lì e sono venuto a Hartfield, impaziente di avere la vostra opinione, e sperando che possiate lasciarvi persuadere a andare da loro e dare il vostro parere sul posto. Mi hanno chiesto entrambi di dirvelo. Se mi permetteste di accompagnarvici, ne sarebbero immensamente lieti. Senza di voi non possono fare nulla di soddisfacente».

Emma fu contentissima di essere invitata a una tale riunione; e quando il padre si fu impegnato a riflettere sulla cosa durante la sua assenza di lei, i due giovani si recarono senza indugio al Corona. I signori Weston erano là; incantati di vedere Emma e di ricevere la sua approvazione, tutti affaccendati e felici, ciascuno a suo modo; lei con qualche ansietà, lui pronto a trovare tutto perfetto.

«Emma», disse la signora Weston, «questa carta è peggiore di quanto non mi aspettassi. Guarda! In qualche punto è terribilmente sporca; e i pannelli di legno sono più gialli e malandati di quanto avrei potuto immaginare».

«Cara, sei troppo pignola», le disse il marito. «Cosa vuole dire tutto questo? Alla luce delle candele non ti accorgerai di nulla. Alla luce delle candele sembrerà pulito come a Randalls. Noi non ce ne accorgiamo mai nelle serate al nostro circolo».

A questo punto le signore probabilmente si scambiarono delle occhiate che volevano dire: «Gli uomini non si accorgono mai se le cose sono sporche o no»; e i signori forse pensarono ciascuno per suo conto: «Le donne non possono stare senza le loro piccole assurdità e inutili preoccupazioni».

Sorse tuttavia una perplessità che gli uomini non disdegnarono. Riguardava la sala da pranzo. Al momento in cui era stata costruita la sala da ballo, non si era pensato a fare cene; e l'unica aggiunta era stata una attigua saletta da gioco. Cosa si poteva fare? Questa saletta da gioco sarebbe stata necessaria proprio come saletta da gioco, o, se loro quattro decidevano che i giochi a carte non erano necessari, la stanza non era comunque troppo piccola per cenare comodamente? Si sarebbe potuto adibire a quello scopo un'altra camera di proporzioni molto più idonee; ma si trovava all'altra estremità dell'albergo, e per arrivarci bisognava passare per un lungo e scomodo corridoio. Questo costituiva una difficoltà. La signora Weston aveva paura di correnti d'aria per i giovani in quel corridoio; e né Emma né i signori potevano sopportare l'idea di stare miserevolmente accalcati a cena.

La signora Weston propose di non fare una vera e propria cena; solo tramezzini e cose simili, predisposti nella saletta; ma l'idea fu bocciata come un'idea infelicissima. Fu dichiarato che un ballo privato che non prevedesse di sedersi a cena costituiva un'infame frode ai diritti degli uomini e delle donne; e la signora Weston non doveva parlarne più. Lei allora ricorse a un altro espediente, e osservando la saletta, disse:

«Non mi pare che sia poi così piccola. Non saremo in molti, sapete».

Proprio in quel momento il signor Weston, percorrendo energicamente a grandi passi il corridoio, comunicava ad alta voce:

«Parli tanto della lunghezza di questo corridoio, cara. Ma è una sciocchezzuola; e non arriva la minima corrente d'aria dalle scale».

«Mi piacerebbe che si potesse sapere», disse la signora Weston, «quale disposizione sarebbe più gradita ai nostri ospiti in genere. La nostra preoccupazione deve essere quella di fare ciò che sarebbe più universalmente gradito, se solo potessimo dire cos'è».

«Sì, verissimo», esclamò Frank, «verissimo. Volete l'opinione dei vostri vicini. Non mi stupisce. Se ci si potesse accertare di quel che i principali tra di loro... i Cole, per esempio. Non abitano lontano. Debbo andare da loro? O dalla signorina Bates? Lei è ancora più vicina... E non so se la signorina Bates non sia, meglio di qualunque altro, in grado di capire le tendenze del resto degli invitati. Credo dovremo allargare la consultazione. E se andassi a invitare la signorina Bates a unirsi a noi?»

«Be'... se vuoi», disse la signora Weston con qualche esitazione. «Se credi che possa esser utile».

«Non ricaverete nulla di pratico dalla signorina Bates», disse Emma. «Sarà tutta gioia e gratitudine, ma non vi dirà niente. Non starà neppure a sentire le vostre domande. Non vedo alcun vantaggio nel consultare la signorina Bates».

«Ma è così divertente, così enormemente divertente! Mi piace moltissimo sentire discorrere la signorina Bates. E non c'è bisogno che io porti tutta la famiglia, sapete».

A questo punto il signor Weston si unì a loro e, sentendo quel che veniva proposto, dette la sua decisa approvazione.

«Sì, fallo, Frank. Vai a prendere la signorina Bates e definiamo la cosa subito. L'idea la riempirà di gioia, ne sono sicuro; e io non conosco persona più adatta a mostrarci come superare le difficoltà. Vai a prendere la signorina Bates. Stiamo diventando un po' troppo pignoli. Lei rappresenta una lezione costante sul modo di essere felici. Ma vai a prenderle entrambe. Invita entrambe».

«Entrambe, signor padre! Potrà la vecchia signora...».

«La vecchia signora! No, la signorina, naturalmente. Ti riterrò un bel testone, Frank, se porterai la zia senza la nipote».

«Oh, vi chiedo scusa, signor padre. Sul momento non ricordavo. Certo, se lo desiderate, cercherò di persuaderle tutt'e due». E corse via.

Molto tempo prima che ricomparisse, accompagnando la bassa, linda, vivace zia, e la sua elegante nipote, la signora Weston, da quella donna mansueta e quella buona moglie che era, aveva riesaminato il corridoio, e ne aveva trovato gli svantaggi molto minori di quanto avesse pensato prima, anzi, addirittura insignificanti; e qui ebbero fine le difficoltà delle decisioni. Tutto il resto, almeno in via di congettura, andava perfettamente liscio. Tutte le decisioni minori circa la tavola e le sedie, i lumi e la musica, il tè e la cena, vennero da sé; o furono lasciate come semplici minuzie che la signora Weston e la signora Stokes potevano sistemare in qualsiasi momento. Tutti quelli che venivano invitati sarebbero sicuramente venuti. Frank aveva già scritto a Enscombe per proporre di rimanere alcuni giorni in più delle due settimane, cosa che non poteva in alcun modo essergli rifiutata. E sarebbe stato un ballo delizioso.

Quando arrivò, la signorina Bates fu molto cordialmente d'accordo su questo. Non c'era bisogno di lei per dare consigli, ma per approvare (ruolo assai meno rischioso) fu davvero benvenuta. La sua approvazione, allo stesso tempo generale e particolare fino alle minuzie, calorosa e incessante, non poteva non piacere; e per un'altra mezz'ora rimasero tutti a passeggiare avanti e indietro, tra le varie stanze, alcuni a dare suggerimenti, altri ad ascoltarli, tutti pregustando con gioia il futuro. Il gruppo non si sciolse senza che Emma venisse prima positivamente impegnata per le prime due danze dall'eroe della sera, né senza che lei sentisse il signor Weston sussurrare alla moglie: «L'ha invitata, mia cara. Molto bene. Sapevo che l'avrebbe fatto».

Capitolo trentesimo

Solo una cosa mancava per rendere Emma del tutto soddisfatta della prospettiva del ballo: che venisse fissato per un giorno compreso entro il periodo in cui era consentito a Frank Churchill rimanere nel Surrey; giacché, nonostante la fiducia del signor Weston, lei non riteneva veramente impossibile che i Churchill non permettessero al loro nipote di restare un solo giorno oltre le due settimane. Ma questo non fu ritenuto attuabile. I preparativi dovevano prendere il loro tempo, niente poteva essere pronto in modo adeguato prima che iniziasse la terza settimana, e per qualche giorno dovettero progettare, perseverare e sperare nell'incertezza, con il rischio, il grande rischio, secondo Emma, che fosse tutto inutile.

Enscombe tuttavia fu generosa, generosa nei fatti, se non a parole. Il desiderio di Frank di restare più a lungo evidentemente non piacque; ma non venne ostacolato. Tutto quindi andava benissimo, ma visto che di solito una preoccupazione non si allontana che per lasciare il posto a un'altra, Emma, ora sicura del ballo, cominciò a preoccuparsi per l'irritante indifferenza del signor Knightley in merito alla festa. Fosse perché non ballava lui stesso, o perché il progetto era stato formulato senza consultarlo, sembrava deciso a non provare alcun interesse, e a negare al ballo ogni possibilità di stimolare la sua curiosità presente o di offrirgli qualsiasi divertimento futuro. Alle sue comunicazioni spontanee, Emma non poté ricevere risposta più entusiastica che un:

«Molto bene. Se i Weston pensano valga la pena di darsi tutto questo pensiero per poche ore di rumoroso divertimento, non ho nulla in contrario, ma che non siano loro a scegliere i piaceri che fanno per me. Oh sì, ci dovrò essere; non potrei rifiutare; e per quanto potrò cercherò di rimanere sveglio; ma preferirei restare a casa, a rivedere i conti della settimana di William Larkins; lo preferirei molto, ve lo confesso. Piacere a vedere gli altri ballare? Io no davvero, non guardo mai... non so davvero chi possa farlo. La bella danza, ne sono convinto, come la virtù, deve essere premio a se stessa. Quelli che stanno a guardare di solito pensano a qualcosa di completamente diverso».

Emma sentì che questa era diretto a lei, e se ne irritò molto: tuttavia non era in omaggio a Jane Fairfax che si mostrava così indifferente o indignato; non era guidato dai sentimenti *di lei* nel disapprovare il ballo, poiché l'idea aveva riempito di straordinaria letizia Jane Fairfax. L'aveva resa animata, espansiva... aveva infatti detto spontaneamente:

«Oh, signorina Woodhouse, spero non accada nulla che impedisca il ballo. Sarebbe un tale dispiacere! Aspetto quel giorno, vi confesso, con grandissima gioia».

Non era dunque per fare un favore a Jane Fairfax che il signor Knightley preferiva la compagnia di William Larkins. No, Emma era sempre più convinta che la signora Weston si sbagliasse di grosso in questa sua ipotesi. Da parte di lui c'era molto affetto, fatto di amicizia e compassione, ma niente affatto amore.

Ahimè! Presto non ci fu più la possibilità di discutere con il signor Knightley. Due giorni di lieta certezza furono seguiti dalla completa rovina. Giunse una lettera del signor Churchill che sollecitava il ritorno immediato del nipote. La signora Churchill stava male, troppo male per potere fare a meno di lui; era molto sofferente (così diceva il marito) quando aveva scritto al nipote due giorni prima, anche se per la sua solita avversione a causare ansia, e per la sua costante abitudine a non pensare mai a se stessa, non ne aveva fatto parola; ora però stava troppo male per prendere la cosa alla leggera, e lui doveva pregarlo di partire per Enscombe senza por tempo in mezzo.

Il contenuto di questa lettera fu immediatamente comunicato a Emma in una messaggio della signora Weston. Che lui dovesse andare via era inevitabile. Doveva partire di lì a poche ore, anche se in realtà non sentiva per la salute della zia alcuna vera ansia che potesse diminuire la sua insofferenza. Conosceva bene le sue malattie: capitavano solo quando le facevano comodo.

La signora Weston aggiungeva che «poteva concedersi solo il tempo di precipitarsi a Highbury, dopo colazione, per prendere congedo dai pochi amici del posto che secondo il suo parere provavano simpatia per lui; e che poteva essere atteso a Hartfield molto presto».

Questo desolante messaggio costituì il finale della colazione di Emma. Una volta che l'ebbe letto, non c'era da fare altro che lamentarsi e protestare. La perdita del ballo, la perdita del giovanotto, e tutto ciò che lui poteva provare! Era troppo deprimente! E avrebbe potuto essere una serata tanto deliziosa! E poi ognuno sarebbe stato tanto felice, e più felici di tutti sarebbero stati lei e il suo compagno... Ripetere «L'avevo detto che sarebbe andata così!» era l'unica consolazione.

La reazione di suo padre fu molto diversa. In primo luogo lo interessava la malattia della signora Churchill, e voleva sapere come veniva curata; quanto al ballo, era un dispiacere che la cara Emma rimanesse delusa; ma tutti sarebbero stati più sicuri a casa.

Emma era pronta a ricevere il suo visitatore tempo prima che lui comparisse; e se questo non depose a favore dell'impazienza del giovanotto, la sua aria addolorata e il suo totale sconforto, quando arrivò, poterono redimerlo. Soffriva per quella partenza a tal punto da non trovare le parole. Il suo abbattimento era evidentissimo. Rimase seduto con un'aria pensosa per tutti i primi minuti; e quando si riscosse, fu solamente per dire:

«Di tutte le cose orribili, prendere congedo è la peggiore!».

«Ma tornerete ancora», disse Emma. «Questa non sarà la vostra unica visita a Randalls».

«Ah!», disse lui scuotendo la testa. «L'incertezza su quando riuscirò a tornare... Tenterò con ogni impegno di farcela! Sarà l'obbiettivo di tutti i miei pensieri e di tutte le mie preoccupazioni! E se mio zio e mia zia vanno a Londra questa primavera... Ma temo... la primavera scorsa non si sono mossi... ho paura che sia un'abitudine che hanno perso per sempre».

«Bisogna proprio rinunciare al nostro sfortunato ballo».

«Ah! Quel ballo! Perché abbiamo aspettato? Perché non abbiamo colto subito il piacere? Quanto spesso la felicità viene distrutta dalla preparazione, dalla sciocca preparazione! Lo avevate detto che sarebbe andata così. Oh, signorina Woodhouse, perché avete sempre così ragione?»

«Mi spiace proprio di avere avuto ragione in questo caso. Mi sarebbe piaciuto moltissimo essere più allegra che prudente».

«Se posso tornare ancora, avremo di nuovo il nostro ballo. Mio padre ci conta. Non dimenticatevi del vostro impegno».

Emma gli rivolse uno sguardo pieno di benevolenza.

«Queste due settimane sono state meravigliose», continuò lui. «Ogni giorno è stato tale da rendermi più difficile tollerare di stare altrove. Felici quelli che possono rimanere a Highbury!».

«Dal momento che adesso ci rendete così ampia giustizia», disse Emma ridendo, «mi arrischierò a chiedere se all'inizio non siete venuto con qualche esitazione. Abbiamo dunque superato un poco le vostre aspettative? Sono certa di sì. Sono certa che non vi aspettavate molto che vi piacessimo. Non ci avreste messo tanto a venire, se aveste avuto un'idea favorevole di Highbury».

Lui rise con l'aria di chi è consapevole; e nonostante negasse quel sentimento, Emma si convinse che era stato proprio così.

«E dovete partire addirittura questa mattina?»

«Sì. Mio padre verrà qui a prendermi; torneremo a casa a piedi, poi partirò subito. Temo che compaia da un momento all'altro».

«Non rimangono nemmeno cinque minuti per le vostre amiche, la signorina Fairfax e la signorina Bates? Che peccato! La mente forte e raziocinante della signorina Bates avrebbe potuto rinforzare la vostra».

«Sì, sono già stato lì in visita: passando davanti alla porta ho pensato fosse meglio. Era una cosa da fare. Sono entrato per cinque minuti, e sono stato trattenuto perché la signorina Bates era assente. Era fuori; e ho sentito che non potevo fare a meno di aspettare che rientrasse. È una donna di cui si può, si deve ridere; ma a cui non si vorrebbe fare una scortesia; è stato meglio fare la mia visita, poi...».

Esitò, si alzò e andò verso una finestra.

«Insomma», disse, «forse, signorina Woodhouse... Immagino sia difficile che voi non sospettiate...».

La guardò, come se volesse leggerle nei pensieri. Lei non sapeva cosa dire. Sembrava la premessa di qualcosa di assolutamente serio, che lei non desiderava. Perciò, sforzandosi di parlare, nella speranza di evitarlo, disse con calma:

«Avete fatto benissimo; è stato più che naturale che abbiate fatto la vostra visita, poi...».

Lui tacque. Emma credette che la guardasse; probabilmente rifletteva su quel che lei aveva detto, e cercava di decifrare i suoi modi. Lei lo sentì sospirare. Era naturale che sentisse di avere motivo di sospirare. Non poteva credere che lei lo incoraggiasse. Passarono alcuni attimi di imbarazzo, e lui sedette di nuovo, e in modo più risoluto disse:

«È stato bello sentire che tutto il tempo che mi rimaneva avrebbe potuto essere dedicato a Hartfield. Per Hartfield nutro i più fervidi sentimenti...».

Si fermò di nuovo, di nuovo si alzò, e sembrò molto imbarazzato. Era innamorato di lei più di quanto Emma non avesse pensato; e chi sa come sarebbe potuta finire, se non fosse apparso il padre di lui? Presto arrivò anche il signor Woodhouse; e la necessità di sbrigarsi lo costrinse a ricomporsi.

Dopo pochi minuti, tuttavia, ebbe fine quel doloroso confronto. Il signor Weston, sempre pronto quando c'era da fare qualcosa, e tanto incapace di procrastinare un male inevitabile quanto di prevederne uno incerto, disse che era tempo di andare; e il giovanotto, per quanto potesse sospirare, e sospirasse forte, non poté far altro che annuire e alzarsi per prendere congedo.

«Avrò notizie di voi tutti», disse, «questa è la mia consolazione principale. Saprò tutto ciò che accade tra voi. Ho chiesto alla signora Weston di scrivermi. È stata tanto cortese da promettermelo. Oh, che fortuna avere una corrispondente, quando si ha davvero interesse per chi è lontano! Lei mi dirà tutto. Leggendo le sue lettere mi sembrerà di essere nuovamente nella cara Highbury».

Una più che amichevole stretta di mano, e un addio molto caloroso, posero fine al discorso, e presto la porta si chiuse dietro a Frank Churchill. Breve era stato il preavviso, breve il loro incontro; ecco, era partito; ed Emma si sentì tanto dolente della separazione, e previde una tale perdita del loro piccolo gruppo per l'assenza di lui, che cominciò a temere di soffrirne eccessivamente e di accusare troppo quell'assenza.

Fu un triste cambiamento. Da quando era arrivato, si erano incontrati quasi ogni giorno. Certo la sua presenza a Randalls aveva dato una grande animazione alle ultime due settimane, un'animazione indescrivibile; l'idea, l'attesa di vederlo che ogni mattina aveva portato, la certezza delle sue premure, la sua vivacità, i suoi modi! Erano state due settimane di felicità, e doveva essere desolante ricadere nella monotonia della solita vita di Hartfield. Per completare i meriti che aveva di fronte a lei, lui le aveva quasi detto di amarla: di quale forza o di quale costanza nell'affetto fosse capace era un'altra questione; ma per il momento Emma non poteva dubitare che lui non sentisse un'ammirazione assai fervida, una consapevole preferenza per lei; e questa persuasione, unita a tutto il resto, le faceva pensare di dovere essere un po' innamorata anche lei, nonostante ogni precedente contrastante decisione.

«Certo che devo esserlo», si diceva. «Questa sensazione di abulia, di stanchezza, di stupidità, questa difficoltà a stare seduta e a occuparmi di qualcosa, questo sentimento che ogni cosa intorno sia noiosa e insulsa! Devo essere innamorata; sarei la più strana creatura del mondo se non lo fossi, almeno per qualche settimana. Be'! Il male di alcuni è sempre un bene per altri. Ce ne saranno parecchi a dolersi con me, per il ballo, se non per Frank Churchill; ma il signor Knightley sarà felice. Ora potrà passare la serata col suo caro William Larkins, se lo desidera».

Ma il signor Knightley non mostrò alcuna esultanza. Non poteva dire che per parte sua gli dispiacesse; la sua aria allegra lo avrebbe contraddetto, se lo avesse fatto; disse però, e molto fermamente, che gli dispiaceva per la delusione degli altri, e con notevole gentilezza aggiunse:

«Emma, voi che avete talmente poche occasioni di ballare, siete proprio sfortunata; avete una sfortuna terribile!».

Passarono alcuni giorni prima che vedesse Jane Fairfax, per giudicare il suo sincero rammarico per questo doloroso cambiamento; ma quando si incontrarono, la sua freddezza le risultò odiosa. Era però stata molto indisposta, soffrendo di emicranie al punto di far dichiarare alla zia che se il ballo avesse avuto luogo, non credeva che Jane avrebbe potuto partecipare; ed era generoso imputare al languore dovuto alla sua cattiva salute una parte di quella sua biasimevole indifferenza.

Capitolo trentunesimo

Emma continuò a non nutrire dubbi di essere innamorata. Le sue idee variavano solo sulla misura di quel sentimento. All'inizio credette che fosse grande; in seguito, solo piccolo. Le faceva molto piacere sentire parlare di Frank Churchill; e, a causa di lui, provava più piacere che mai a vedere il signore e la signora Weston; pensava a lui assai spesso, e aspettava con impazienza che scrivesse, per sapere come stava, di che umore era, come stava la zia, e che probabilità c'erano che ritornasse a Randalls quella primavera. Ma d'altra parte, non poteva ammettere di essere infelice, e, trascorsa la prima mattina, di essere meno disposta del solito a darsi da fare; era ancora affaccendata e allegra; e, anche se lui era così gradevole, lei riusciva a immaginare che avesse dei difetti; e inoltre, nonostante pensasse tanto a lui, e mentre sedeva a disegnare o a lavorare facesse mille divertenti progetti per il progresso e la fine del loro legame, immaginando interessanti dialoghi e concependo eleganti lettere, la conclusione di ogni dichiarazione immaginaria da parte di lui era *che lei lo respingeva*. Il loro affetto doveva in ogni caso trasformarsi in amicizia. La loro separazione doveva essere segnata da tutto quanto c'era di tenero e incantevole; ma separarsi dovevano. Quando si rese conto di questo, si accorse che non poteva essere molto innamorata; perché malgrado la sua precedente e irremovibile decisione di non abbandonare mai il padre, e di non sposarsi mai, un forte affetto avrebbe dovuto certo produrre nei suoi sentimenti un conflitto maggiore di quanto lei poteva prevedere.

"Mi accorgo di non fare alcun uso della parola *sacrificio*", pensava. "In nessuna delle mie intelligenti risposte, dei miei delicati rifiuti, c'è mai un'allusione a fare un sacrificio. Sospetto che lui non sia veramente necessario alla mia felicità. Tanto meglio. Di certo non mi potrò convincere a sentire più di quel che sento. Sono abbastanza innamorata. Mi piacerebbe esserlo di più".

Nel complesso, era ugualmente soddisfatta della sua idea dei sentimenti di lui.

"Lui è certamente molto innamorato, tutto lo indica, anzi è innamoratissimo! E quando torna, se il suo affetto continua, devo stare attenta a non incoraggiarlo. Sarei imperdonabile se facessi diversamente, giacché la mia decisione è ormai presa. Non che io possa supporre di avergli offerto incoraggiamenti fino a ora. No, se avesse pensato che condividevo i suoi sentimenti, non sarebbe stato così infelice. Se si fosse ritenuto incoraggiato, il suo atteggiamento e il suo linguaggio sarebbero stati differenti al momento della separazione. Tuttavia devo stare attenta. Questo, supponendo che il suo affetto si mantenga come è ora; ma non so se mi aspetto che debba durare; non ritengo che sia quel tipo d'uomo... non gli attribuisco molta fermezza o costanza. I suoi sentimenti sono intensi, ma posso ipotizzare che siano molto mutevoli. Da qualsiasi parte io consideri la cosa, insomma, sono felice che la mia felicità non ne sia più profondamente coinvolta. Starò benissimo tra un po' di tempo, e allora sarò soddisfatta che sia passata; perché dicono che ognuno si innamora almeno una volta nella vita, e io me la sarò cavata con poco".

Quando giunse la sua lettera alla signora Weston, essa fu data in lettura

177

a Emma; e lei la lesse con un grado di piacere e di ammirazione che sulle prime le fece scuotere la testa sulle proprie sensazioni, e pensare di averne sottovalutato la potenza. Era una lettera lunga, ben scritta, che riferiva i dettagli del suo viaggio e dei suoi sentimenti, esprimeva tutto l'affetto, la gratitudine e il rispetto che era naturale e opportuno, e descriveva ogni situazione esteriore e locale che potesse ritenersi interessante, con vivacità e precisione. Nessun sospetto florilegio di scuse o di ansie; il linguaggio esprimeva un sentimento genuino verso la signora Weston; e il passaggio da Highbury a Enscombe, il contrasto tra i due posti circa alcuni dei primi vantaggi della vita sociale, era delineato a sufficienza per mostrare quanto fosse profondamente sentito, e quanto si sarebbe potuto dire di più, non fosse stato per le remore della convenienza. Non mancava l'incanto del suo nome. La *signorina Woodhouse* compariva più di una volta, e mai senza una qualche associazione piacevole, fosse un complimento al suo gusto, o un ricordo di quel che aveva detto; e l'ultima volta che il suo nome incontrò l'occhio di lei, anche se era privo di qualsiasi vistosa ghirlanda di galanteria, Emma poté tuttavia riconoscere l'effetto della sua influenza e ravvisare forse il complimento più grande tra tutti quelli a lei dedicati. Schiacciate nell'angoletto libero più basso, c'erano queste parole: «Non ho avuto un momento libero martedì, come sapete, per la bella piccola amica della signorina Woodhouse. Vi prego di farle le mie scuse e i miei saluti». Questo, Emma non poteva dubitarne, era tutto per lei.

Harriet era ricordata solo in quanto sua amica. La sua informazione e le sue prospettive circa Enscombe non erano né peggiori né migliori di quelle che erano state previste; la signora Churchill stava migliorando, e lui non osava ancora, nemmeno con la fantasia, fissare una data per un'altra visita a Randalls.

Anche se la lettera era lusinghiera e stimolante, nella sua parte sostanziale, cioè nei sentimenti che traduceva, Emma sentì, quando essa fu ripiegata e restituita alla signora Weston, che non aveva aggiunto alcun trasporto durevole, che lei poteva ancora fare a meno dello scrivente, e che lui avrebbe dovuto abituarsi a stare senza di lei. Le sue intenzioni rimanevano immutate, la sua decisione di rifiutarlo non fece che diventare più commovente con l'aggiunta di un piano per la successiva consolazione e felicità del giovane. La sua menzione di Harriet, e le parole in cui era espressa, la «bella piccola amica», le suggerirono l'idea di vedere Harriet succederle nei sentimenti di lui. Era impossibile? No. Harriet era senza dubbio di molto inferiore a lui nell'intelletto; ma lui era rimasto molto colpito dalla vaghezza del suo volto e dalla calda semplicità dei sui modi; e tutte le probabilità delle circostanze e dell'ambiente erano in suo favore. Per Harriet sarebbe stata veramente una cosa vantaggiosa e deliziosa.

«Non debbo soffermarmici sopra», si disse. «Non debbo pensarci. Conosco il pericolo di abbandonarsi a riflessioni del genere. Ma sono successe cose anche più strane; e quando smetteremo di interessarci l'uno all'altra come avviene adesso, sarà il sistema per confermarci in quel genere di autentica amicizia disinteressata di cui già posso pregustare il piacere».

Era bene avere in serbo qualche consolazione per Harriet, anche se poteva essere prudente non lasciarci lavorare troppo spesso la fantasia; giacché da quella parte si stavano verificando dei problemi. Così come l'arrivo di Frank Churchill aveva preso il posto del fidanzamento del signor Elton nella conversazione di Highbury, così come l'interesse più recente aveva del tutto sopraffatto il primo, così adesso, alla scomparsa di Frank Churchill, la vicenda del signor Elton assunse un aspetto irresistibilmente interessante. Era stato fissato il giorno delle sue nozze. Presto sarebbe tornato tra loro: il signor Elton con la sua sposa. Non ci fu nemmeno il tempo di parlare della prima lettera da Enscombe, che la frase «il signor Elton e la sua sposa» fu sulle labbra di tutti, e Frank Churchill venne dimenticato. Emma provò nausea al suono di quel nome. Per tre settimane era stata felicemente sollevata dal sentir parlare del signor Elton; e l'animo di Harriet, lei aveva voluto sperare, si era recentemente fatto più forte. Perlomeno, con la prospettiva del ballo della signora Weston, c'era stata una buona dose di indifferenza per altri argomenti; ma era adesso fin troppo chiaro che Harriet non aveva raggiunto una tranquillità tale da potere resistere all'effettiva imminenza dell'evento: la carrozza, le campane che suonavano e tutto quanto il resto.

La povera Harriet soffriva di un'instabilità dello spirito che richiedeva tutta l'opera di persuasione, di assistenza e le attenzioni che Emma poteva dispiegare. Emma sentiva di non potere fare abbastanza per lei, che Harriet aveva diritto a tutto il suo impegno e a tutta la sua pazienza; ma era una grande fatica sforzarsi continuamente di convincere senza conseguire alcun effetto, sentirsi dare ragione di continuo senza riuscire a portare Harriet ad avere la sua stessa opinione. Harriet ascoltava tutta docile, e diceva che era tutto vero, che era proprio come diceva la signorina Woodhouse, che non valeva la pena di pensare a loro, e che lei non ci avrebbe pensato più; ma nessun cambiamento di argomento serviva, e mezz'ora dopo era preoccupata e inquieta come prima a proposito degli Elton. Alla fine Emma la affrontò su un altro terreno.

«Harriet, questo vostro lasciarvi assorbire e preoccupare così tanto dal matrimonio del signor Elton è il più grande rimprovero che possiate rivolgere a me. Non potreste accusarmi di più per lo sbaglio che ho fatto. È stata tutta colpa mia, lo so. Non l'ho dimenticato, ve lo assicuro. Ingannata io stessa, ho ingannato miseramente voi, e questo sarà sempre per me motivo di dolorose riflessioni. Non crediate che io corra il pericolo di dimenticarlo».

Harriet rimase troppo colpita da questo discorso per proferire più che poche parole intensamente sentite. Emma proseguì:

«Non ho detto: fatevi forza, Harriet, per amor mio, pensate meno e parlate meno del signor Elton per amor mio. Perché è invece nel vostro interesse che desidererei lo faceste, per amore di qualcosa di più importante della tranquillità del mio spirito; per abituare voi stessa a dominarvi, per il vostro senso del dovere, per il rispetto della vostra dignità, per cercare di evitare i sospetti degli altri, di difendere la vostra salute e il vostro credito, e di recuperare la vostra serenità. Sono questi i motivi che ho cercato di instillarvi. Sono molto importanti, e mi dispiace molto che non possiate sentirli abbastanza da farvene guidare. Quella di evitarmi dolori è una considerazione molto secondaria. Voglio che vi difendiate da un dolore maggiore. Forse, posso aver sentito qualche volta che Harriet non avrebbe dimenticato quel che era dovuto, o piuttosto quel che sarebbe stato gentile, nei miei confronti».

Questo richiamo ai suoi affetti fu più efficace di tutto il resto. L'idea di mancare di gratitudine e di considerazione per la signorina Woodhouse, che lei amava davvero moltissimo, la rese infelice per un po', e quando l'attacco di pena passò grazie alle parole di conforto, rimase tuttavia abbastanza forte da suggerire ciò che doveva fare, e da sostenerla rendendolé tollerabile quella strada.

«Voi, che siete stata la migliore amica che ho avuto in vita mia... Io mancarvi di gratitudine! Nessuno può essere come voi... Non mi importa di nessuno quanto di voi! Oh, signorina Woodhouse, che ingrata sono!».

Espressioni del genere, accompagnate come erano da tutto quel che potevano aggiungere gli sguardi e le maniere, fecero sentire a Emma che essa non aveva mai amato Harriet come adesso, né aveva apprezzato tanto il suo affetto.

«Nessun incanto può uguagliare la tenerezza del cuore», disse poi tra sé Emma. «Nulla si può paragonare a essa. Il calore e la tenerezza del cuore, uniti a maniere affettuose e aperte, superano, per fascino, tutta la lucidità di mente del mondo. Ne sono certa. È la tenerezza del cuore che rende tanto caro a tutti il mio amato padre, e che conferisce a Isabella tutta la sua popolarità. Io la possiedo, ora... e so apprezzarla e averne rispetto. Harriet mi è superiore per tutto l'incanto e la gioia che sa dare. Cara Harriet! Non vi scambierei con la donna più acuta, previdente e giudiziosa del mondo. Oh! La freddezza di una Jane Fairfax! Harriet vale cento Jane. E come moglie, come moglie di un uomo assennato, è ineguagliabile. Non voglio fare nomi; ma beato l'uomo che scambierà Emma con Harriet!».

Capitolo trentaduesimo

La signora Elton fu vista per la prima volta in chiesa; ma anche se la devozione poteva essere interrotta, la curiosità non poteva essere soddisfatta da una sposa inginocchiata al banco di una chiesa, e la decisione se fosse molto carina, o solo piuttosto carina, o se non lo fosse affatto, fu lasciata alle visite formali che sarebbero avvenute in seguito.

Emma aveva dei sentimenti, meno di curiosità che di orgoglio o di convenienza, che la portarono a decidere di non essere l'ultima a presentare le sue felicitazioni; e insistette perché Harriet andasse con lei, così che l'amaro della faccenda potesse venire assorbito il più presto possibile.

Non poté entrare di nuovo in quella casa, non poté trovarsi in quella stessa stanza in cui si era appartata con quell'inutile artificio tre mesi prima, per allacciarsi la scarpa, senza ricordare. Mille pensieri irritanti le tornarono in mente. Complimenti, sciarade, e sbagli orribili; e non si poteva certo pensare che anche la povera Harriet non ricordasse; ma questa si dominò molto bene, e rimase alquanto pallida e silenziosa. La visita fu ovviamente breve; e ci fu così tanto imbarazzo e ansietà ad accorciarla, che Emma non volle acconsentire a farsi un'opinione definitiva della signora, e tanto meno a darne una, oltre a quelle parole che non volevano dire nulla: vestita con eleganza e molto piacente.

Ma in effetti non le piaceva. Non voleva affrettarsi a trovare difetti, ma sospettava che di eleganza non ce ne fosse affatto; era disinvolta, ma non elegante. Era quasi sicura che per una giovane signora, che non era del luogo, una sposa, ci fosse troppa disinvoltura. Aveva un bel corpo; il viso non senza grazia; ma né i lineamenti, né l'atteggiamento, né la voce, né i modi erano eleganti. O perlomeno, Emma pensò che sarebbe risultato essere così.

Quanto al signor Elton, i suoi modi non sembravano... ma no, non voleva permettersi una valutazione frettolosa o arguta delle sue maniere. A ogni modo era una cerimonia imbarazzante quella di ricevere visite di felicitazioni per le nozze, e un uomo doveva essere tutto grazia per uscirne bene. La donna si trovava in condizioni di maggiore vantaggio; poteva ricevere aiuto dai bei vestiti e godere del privilegio del pudore, ma l'uomo non poteva contare che sul suo giudizio: e quando lei considerava quanto era particolarmente sfortunato il povero signor Elton nel trovarsi nella medesima stanza simultaneamente con la donna con cui si era appena sposato, con quella che aveva desiderato sposare, e con quella che si aspettava di essere da lui sposata, Emma non poteva negargli il diritto di sembrare tanto poco giudizioso e di cercare di mostrarsi quanto più possibile disinvolto, mentre in realtà lo era così poco.

«Ebbene, signorina Woodhouse», disse Harriet, quando ebbero lasciato la casa, e dopo avere inutilmente atteso che la sua amica cominciasse. «Ebbene, signorina Woodhouse», con un lento sospiro, «cosa pensate di lei? Non è affascinante?».

Ci fu una certa esitazione nella risposta di Emma.

«Oh sì... molto... una giovane donna molto piacente».

«A me sembra bella, proprio bella».

«Molto ben vestita, veramente; un abito assai elegante».

«Non sono certo sorpresa che se ne sia innamorato».

«Oh no... Non c'è nulla di sorprendente. Un bel patrimonio; ed è capitata sulla sua strada».

«Immagino», aggiunse Harriet, sospirando di nuovo, «immagino che si sia sentita molto attratta da lui».

«Può darsi; ma non è destino di ogni uomo sposare la donna che lo ama di più. Forse la signorina Hawkins aveva bisogno di sistemarsi, e ha pensato che questo fosse il miglior partito che probabilmente le sarebbe capitato».

«Sì», disse Harriet con fervore, «ed è comprensibile che l'abbia pensato, nessuna potrebbe trovare un partito migliore. Ebbene, auguro loro ogni felicità, di tutto cuore. E adesso, signorina Woodhouse, non credo mi importerà di vederli ancora. Lui non è meno superiore di prima; ma essendo sposato, sapete, la cosa è differente. No, davvero, signorina Woodhouse, non dovete avere timore; ora posso stare seduta ad ammirarlo senza avvertire troppo dolore. Sapere che non ha sposato la prima venuta è una tale consolazione! Lei sembra una giovane donna affascinante, proprio come lui merita. Felice creatura! Lui la chiamava "Augusta". Com'è delizioso!».

Quando venne ricambiata la visita, Emma arrivò a una conclusione. In quell'occasione riuscì a vedere di più e a giudicare meglio. Dato che Harriet non si trovava a Hartfield, e il padre era presente per intrattenere il signor Elton, ebbe per sé un quarto d'ora della conversazione della signora, e poté osservarla con serenità; e quel quarto d'ora la convinse completamente che la signora Elton fosse vanitosa, molto piena di sé e della propria importanza; che intendesse apparire e darsi arie, ma con maniere che erano state formate a una cattiva scuola, insolenti e troppo confidenziali; che tutte le sue idee venissero da una sola cerchia di persone, e da un unico stile di vita; che, se non proprio sciocca, fosse ignorante, e che la sua compagnia non avrebbe fatto alcun bene al signor Elton.

Harriet sarebbe stata un partito migliore. Se non era giudiziosa o raffinata, avrebbe messo lui in relazione con gente che lo era; ma la signorina Hawkins, come si poteva supporre dalla sua disinvolta presunzione, era stata la migliore nel suo ambiente. Il ricco cognato presso Bristol era l'orgoglio di quell'unione, mentre le sue ville e le sue carrozze erano l'orgoglio di lui.

Il primo argomento, appena si furono sedute, fu Maple Grove: «La residenza di mio cognato, il signor Suckling...». Fu fatto un paragone tra Hartfield e Maple Grove. Il parco di Hartfield era piccolo, ma lindo e grazioso; e la casa era moderna e ben costruita. la signora Elton sembrava averne ricevuto un'impressione molto favorevole dalle proporzioni della camera, dall'ingresso, e da tutto quel che poteva vedere o immaginare. «Davvero molto simile a Maple Grove!». Era proprio colpita dalla rassomiglianza. La camera in cui si trovavano aveva proprio la forma e le proporzioni della stanza di soggiorno antimeridiano a Maple Grove: la camera favorita di sua sorella. E a questo punto si volse al signor Elton: non c'era una rassomiglianza sbalorditiva? Poteva davvero quasi immaginare di essere a Maple Grove.

«E la scala... Sapete, quando sono entrata, ho osservato quanto è simile la scala; posta esattamente nella stessa parte della casa. Veramente non ho potuto trattenere un'esclamazione! Vi assicuro, signorina Woodhouse, per me è una delizia trovare un luogo che me ne ricordi un altro a cui sono così affezionata come a Maple Grove. Ho trascorso lì tanti mesi felici!», disse con un piccolo sospiro sentimentale. «Un posto davvero incantevole! Tutti quelli che lo vedono rimangono colpiti dalla sua bellezza; per me poi è stato come un seconda casa. Quando sarete trapiantata come lo sono io, signorina Woodhouse, comprenderete quanto sia delizioso imbattersi in qualcosa che assomigli a quel che si è lasciato. Ho sempre detto che questo è uno dei mali del matrimonio».

Emma dette una risposta più vaga possibile; ma fu del tutto sufficiente per la signora Elton, che voleva essere l'unica a parlare.

«Proprio così simile a Maple Grove! E non solo la casa; il parco, ve l'assicuro, per quel che ho potuto notare, colpisce per la sua rassomiglianza. A Maple Grove ci sono molti lauri, come qui, e sono disposti quasi nello stesso modo, proprio attraverso il prato; e poi ho intravisto un bell'albero grande, con intorno una panca, che mi ha fatto nascere un ricordo così vivo! Mio cognato e mia sorella rimarranno incantati da questo luogo. Chi dispone di un grande parco si compiace sempre di vedere qualcosa di simile».

Emma dubitò dell'autenticità di questo sentimento. Tendeva molto a credere che le persone che possedevano un grande parco pensassero pochissimo ai grandi parchi degli altri; ma non valeva la pena di correggere un errore così evidente, e quindi rispose solo:

«Quando avrete conosciuto meglio questo paese, ho paura che vi accorgerete di avere sopravvalutato Hartfield. Il Surrey è pieno di bellezze».

«Oh certo! Ne sono pienamente consapevole. È il giardino dell'Inghilterra, sapete. Il Surrey è il giardino dell'Inghilterra».

«Sì, ma non dobbiamo basare tutti i nostri meriti su questa particolarità. Credo ci siano parecchie contee, oltre al Surrey, che sono chiamate il giardino dell'Inghilterra».

«No, immagino di no», rispose la signora Elton, con un sorriso assai scontento. «Non ho mai sentito chiamare così nessun'altra contea».

Ed Emma fu azzittita.

«Mio cognato e mia sorella ci hanno promesso una visita a primavera, o al più tardi in estate», proseguì la signora Elton, «e quello sarà per noi il momento di esplorare. Quando saranno da noi, faremo parecchie esplorazioni, immagino. Avranno il loro birroccio scoperto, ovviamente, che può contenere perfettamente quattro persone; e quindi, senza parlare della nostra carrozza, saremo in grado di esplorare molti bei posti con tutto comodo. Credo non verrebbero con la loro carrozza da viaggio in quella stagione dell'anno. Anzi, quando si avvicinerà quel momento, raccomanderò loro senz'altro di portare il birroccio scoperto; sarà molto preferibile. Quando la gente arriva in un paese bello come questo, sapete, signorina Woodhouse, si desidera, come è ovvio, far vedere loro quanto più possibile; e al signor Suckling piace enormemente esplorare. La scorsa estate abbiamo esplorato fino a King's Weston per due volte in questo modo, con grande divertimento, proprio quando avevano da poco acquistato il birroccio scoperto. Immagino abbiate qui parecchie comitive del genere ogni estate, non è così, signorina Woodhouse?»

«No, qui non proprio. Siamo piuttosto distanti dalle eccezionali bellezze che attirano il tipo di comitive di cui parlate; e siamo gente molto tranquilla, credo; molto più portata a rimanere a casa che a intraprendere escursioni di piacere».

«Ah, per apprezzare veramente ogni comodità non c'è nulla come rimanersene a casa. Nessuno è più affezionata di me alla casa. Ero diventata proverbiale per questo a Maple Grove. Tante volte Selina ha detto, apprestandosi ad andare a Bristol: "Proprio non riesco a smuovere da casa questa ragazza. Bisogna assolutamente che vada da sola, anche se detesto rimanere imprigionata in un birroccio senza compagnia; ma credo che Augusta, pur con tutta la sua buona volontà, non oltrepasserebbe mai il recinto del parco". Ha detto così molte volte, eppure io non sono una fautrice dell'isolamento completo. Al contrario, credo che quando la gente si apparta completamente dalla compagnia degli altri, ciò sia un gran male; e che sia molto più consigliabile avere rapporti col mondo nella giusta misura, senza viverci dentro né troppo né troppo poco. Però comprendo perfettamente la vostra situazione, signorina Woodhouse», e lanciò un'occhiata verso il signor Woodhouse. «Le condizioni di salute di vostro padre devono essere un notevole impedimento. Perché non prova Bath? Dovrebbe farlo. Lasciate che vi raccomandi Bath. Vi assicuro, non ho alcun dubbio che farebbe bene al signor Woodhouse».

«Mio padre l'ha sperimentato più di una volta, in passato, ma senza ricavarne alcun beneficio; e il signor Perry, il cui nome, immagino, non vi è sconosciuto, non crede recherebbe più alcun giovamento, adesso».

«Ah, è un vero peccato! Giacché vi assicuro, signorina Woodhouse, che dove le acque sono indicate, il sollievo che possono dare è meraviglioso. Durante la mia vita a Bath ne ho visti certi esempi! E il posto è così allegro che non potrebbe non giovare all'umore del signor Woodhouse, che, a quel che sento, talvolta è molto depresso. E quanto ai vantaggi che porterebbe per voi, suppongo non dovrò prendermi la briga di esporli. Le opportunità che Bath offre ai giovani sono note a tutti. Sarebbe un delizioso ingresso nel mondo, per voi che avete vissuto una vita tanto appartata: e io potrei presentarvi subito in alcuni dei migliori ambienti del luogo. Una mia riga basterebbe a farvi avere una piccola folla di conoscenze; e la mia amica particolare, la signora Partridge, presso cui ho sempre abitato quando sono stata a Bath, sarebbe felicissima di farvi qualche favore, e sarebbe proprio la persona adatta ad accompagnarvi in pubblico».

Questo era il massimo che Emma poteva sopportare senza essere scortese. L'idea di esser debitrice alla signora Elton per quel che si chiamava "una presentazione in società", di andare in pubblico sotto la protezione di un'amica della signora Elton, probabilmente una vedova volgare e vistosa che riusciva a sbarcare il lunario con l'aiuto di una pensionante... La dignità della signorina Woodhouse di Hartfield era proprio caduta in basso!

Si trattenne, tuttavia, dal ribattere come avrebbe voluto, e si limitò a ringraziare con freddezza la signora Elton; ma che loro andassero a Bath era assolutamente fuori questione; e non era proprio convinta che il posto fosse adatto a lei più che a suo padre. Poi, per evitare altri oltraggi e indignazione, cambiò subito argomento:

«Non vi chiedo se vi piace la musica, signora Elton. In certi casi, una signora è generalmente preceduta dalla fama delle sue doti; e da parecchio Highbury sa che voi siete un'ottima esecutrice».

«Oh, proprio no, devo protestare contro una simile idea. Un'ottima esecutrice! Tutt'altro, ve l'assicuro. Rendetevi conto che la fonte da cui vi è giunta questa informazione è parziale. Io adoro la musica, ne ho una vera passione; e gli amici dicono che io non sono del tutto priva di gusto; ma quanto al resto, sul mio onore, le mie esecuzioni sono più che mai mediocri. Voi, signorina Woodhouse, lo so bene, suonate in modo incantevole. Vi assicuro che per me è stata la più grande soddisfazione, consolazione e gioia sapere in che cerchia musicale sono entrata. Proprio non posso fare a meno della musica. Mi è necessaria quanto la vita; ed essendo sempre stata abituata a un ambiente musicale, tanto a Maple Grove che a Bath, sarebbe stato un sacrificio molto serio. L'ho detto francamente al signor E. quando mi parlava della mia futura casa, ed esprimeva i suoi timori che la vita appartata dovesse riuscirmi sgradevole, e anche dell'inferiorità della casa; sapendo a cosa ero avvezza, naturalmente non era del tutto senza ansia. Quando ne parlava in quel modo, gli ho detto francamente che al mondo io potevo rinunziare: agli inviti, ai balli, agli spettacoli... Perché non avevo paura di una vita ritirata. Godendo di tante risorse interiori, il mondo non mi era necessario. Potevo farne a meno. La cosa era certo diversa per chi non aveva queste risorse; ma le mie mi rendevano del tutto indipendente. E quanto alle stanze più piccole di quelle a cui ero abituata, non ci pensavo proprio. Mi auguravo di essere perfettamente all'altezza di ogni sacrificio di questo tipo. Certo a Maple Grove ero abituata a ogni lusso; ma gli assicurai che due carrozze non erano necessarie alla mia felicità, e nemmeno due appartamenti spaziosi. "Però", gli dissi, "a essere del tutto franchi, credo di non poter vivere senza un po' di ambiente musicale. È questa la mia sola condizione; ma senza la musica la mia esistenza sarebbe vuota"».

«Non possiamo supporre», disse Emma sorridendo, «che il signor Elton abbia esitato ad assicurarvi che a Highbury c'era un ambiente molto musicale; e spero che non scoprirete che ha oltrepassato i limiti della verità più di quanto può essergli perdonato, considerando la sua motivazione».

«No, non ho davvero dubbi di alcun genere a tale proposito. Sono deliziata di trovarmi in un ambiente così. Mi auguro avremo insieme molti piccoli, incantevoli concerti. Credo, signorina Woodhouse, che voi ed io dovremo fondare un circolo musicale, e avere regolari incontri settimanali a casa vostra, o a casa nostra. Non è un bel progetto? Se ci impegniamo, credo che non rimarremo per molto senza alleati. Una cosa del genere sarebbe particolarmente auspicabile per me, come stimolo a mantenermi in esercizio; perché le donne sposate, sapete... generalmente si racconta una triste storia su di loro: tendono troppo ad abbandonare la musica».

«Ma voi che la amate tanto... di sicuro non correte alcun rischio di farlo».

«Spererei di no; ma quando mi guardo intorno, nell'ambiente delle mie conoscenze, tremo davvero. Selina ha abbandonato del tutto la musica; non tocca mai lo strumento, anche se suonava in modo squisito. E lo stesso si può dire della signora Jeffreys, che un tempo si chiamava Clara Partridge, e delle due Milman, ora la signora Bird e la signora James Cooper; e di molte altre, più di quante io ne possa elencare. Parola mia, ce n'è a sufficienza da mettere paura. Ero solita arrabbiarmi molto con Selina; ma adesso inizio a capire che una donna maritata ha da pensare a molte cose. Stamattina credo di essere rimasta per mezz'ora chiusa con la mia governante».

«Ma ogni cosa del genere», disse Emma, «presto prenderà un andamento così regolare...».

«Be'», disse la signora Elton ridendo, «vedremo».

Emma, trovandola così decisa a mettere da parte la musica, non aveva altro da aggiungere; e dopo una breve pausa la signora Elton scelse un altro argomento.

«Abbiamo fatto visita a Randalls», disse, «e li abbiamo trovati entrambi in casa; sembrano persone molto simpatiche. Mi piacciono enormemente. Il signor Weston pare un uomo eccellente; lo stimo giù moltissimo, ve lo assicuro. E lei pare così genuinamente buona, ha un'aria talmente benevola e materna, che vi conquista immediatamente. Credo sia stata la vostra governante».

Emma era quasi troppo meravigliata per rispondere; ma la signora Elton non aspettò neppure di ricevere una risposta affermativa e continuò:

«Sapendolo, sono rimasta piuttosto stupita di trovarla così signora! Ma è veramente una dama».

«I modi della signora Weston», disse Emma, «sono sempre stati particolarmente buoni. La signorilità, la semplicità, l'eleganza, ne farebbero il modello più sicuro per qualsiasi fanciulla».

«E pensate chi è capitato mentre eravamo lì!».

Emma non sapeva cosa dire. Il tono faceva capire che si trattava di una vecchia conoscenza, e come avrebbe mai potuto indovinare?

«Knightley!», proseguì la signora Elton; «proprio Knightley! Non è stata una fortuna? Giacché, visto che non ero in casa quando è venuto a farci visita l'altro giorno, non l'avevo mai visto prima; e ovviamente, essendo un amico così particolare del signor E., ero piena di curiosità. "Il mio amico Knightley" era stato nominato talmente spesso che ero davvero impaziente di vederlo; e devo rendere giustizia al mio *caro sposo*[4] dicendo che non ha certo da vergognarsi del suo amico. Knightley è veramente un gentiluomo. Mi piace moltissimo. Decisamente, secondo me, un vero signore».

Per fortunata era giunto il momento di andar via. Partirono; ed Emma poté respirare.

«Una donna insopportabile!», fu la sua esclamazione immediata. «Peggiore di quanto avevo pensato. Assolutamente insopportabile! Knightley! Da non crederci. Knightley! Non l'ha mai visto prima in vita sua, e lo chiama Knightley! E scopre che è un gentiluomo! Una piccola creatura volgare e arrivista, col suo il signor E. e il suo "caro sposo", e le sue risorse, e tutte le sue arie di presunzione insolente e di grossolana finezza. Scopre che il signor Knightley è davvero un gentiluomo! Dubito che lui ricambi il complimento e trovi che anche lei è una signora. Avrei stentato a crederci! E proporre che io e lei ci si metta insieme per formare un circolo musicale! Uno immaginerebbe che siamo amiche intime! E la signora Weston! È stupita che la persona che mi ha educato deva essere una signora! Ancora peggio. Non ho mai incontrata una persona del genere. Molto al di là delle mie speranze. Si fa un oltraggio a Harriet, se la si vuole paragonare a lei. Oh, cosa direbbe Frank Churchill se fosse qui! Come si irriterebbe e si divertirebbe! Ah, ecco che comincio subito a pensare a lui. Sempre la prima persona a cui penso! Come mi colgo in errore! Frank Churchill torna con la stessa regolarità nella mia mente!».

Tutto questo le attraversò così in fretta i pensieri che quando suo padre si fu ricomposto, dopo la confusione della partenza degli Elton, e si apprestò a parlare, lei era già in grado di dargli retta.

«Ebbene, cara», prese a dire lui, risoluto, «considerando che non l'abbiamo mai vista prima, sembra una giovane signora molto a posto, e immagino sia rimasta assai contenta di te. Parla un po' troppo velocemente. Una velocità di parola che offende un po' l'orecchio. Ma credo di essere troppo esigente; non mi piacciono le voci a cui non sono abituato; e nessuno parla come te e la povera signorina Taylor. Però pare una giovane signora molto gentile e di buone maniere, e senza alcun dubbio sarà una buona moglie per lui. Anche se penso che avrebbe fatto meglio a non sposarsi. Mi sono scusato come meglio ho potuto per non essere riuscito a fare visita a lui e alla signora Elton in questa felice occasione; ho detto che speravo di poterlo fare durante l'estate. Ma avrei dovuto andare prima. Non fare visita a una sposa è una grande trascuratezza. Ah, dimostra che patetico invalido sono! Ma non mi piace quell'angolo sulla strada della canonica».

4 In italiano nel testo.

«Ritengo che le vostre scuse siano state accettate, signor padre. Il signor Elton vi conosce».

«Sì, ma una giovane signora, una sposa... avrei dovuto presentarle i miei omaggi, se possibile. Da parte mia è stata una grande mancanza».

«Ma, caro papà, voi non siete amico del matrimonio; quindi perché mai dovreste essere tanto ansioso di presentare i vostri omaggi a una sposa? La situazione non dovrebbe raccomandarvela. Incoraggerete la gente a sposarsi, se ci fate tanto caso».

«No, cara, non ho mai incoraggiato nessuno a sposarsi, ma desidererei sempre dare tutte le attenzioni dovute a una signora; e una sposa, in particolar modo, non deve mai essere trascurata. È ovvio che le è dovuto di più. Una sposa, lo sai, cara, è sempre la prima in ogni gruppo, chiunque possano essere gli altri».

«Be', papà, se questo non è incoraggiare il matrimonio, non so proprio cosa sia. E non mi sarei mai attesa che deste la vostra approvazione a simili esche per la vanità delle povere signorine».

«Mia cara, non mi comprendi. Questa è una faccenda di semplice cortesia ordinaria e buona educazione, e non ha niente a che fare con l'incoraggiare la gente a sposarsi».

Emma chiuse il discorso. Suo padre stava divenendo nervoso, e non poteva capirla. Tornò col pensiero alle offese fatte dalla signora Elton, che la occuparono per molto, molto tempo.

Capitolo trentatreesimo

Nessuna successiva scoperta portò Emma a modificare la sua cattiva opinione della signora Elton. Le sue osservazioni erano state sufficientemente accurate. Come la signora Elton le era apparsa in quel secondo colloquio, tale le apparve ogni volta che l'incontrò di nuovo: piena di sé, presuntuosa, troppo confidenziale, ignorante e maleducata. Aveva un po' di bellezza e un po' di cultura, ma tanto poco criterio da credere di venire, con una superiore conoscenza del mondo, ad animare e migliorare un ambiente di provincia; e immaginava che la signorina Hawkins avesse avuto in società una posizione che solo l'importanza della signora Elton poteva superare.

Non c'era motivo di supporre che il signor Elton la pensasse diversamente dalla moglie. Non solo con lei pareva felice, ma anche orgoglioso. Aveva l'aria di congratularsi con se stesso per avere portato a Highbury una donna che nemmeno la signorina Woodhouse poteva uguagliare; e gran parte delle nuove conoscenze, disposte a lodare, o non avvezze a giudicare, seguendo la guida della benevolenza della signorina Bates, o accettando come dimostrato che la sposa dovesse essere brillante e piacevole come lei stessa pretendeva di essere, rimasero perfettamente soddisfatte; così le lodi della signora Elton passarono di bocca in bocca come di dovere, senza incontrare resistenze nella signorina Woodhouse, che di buon grado continuò il suo primo contributo, e parlò con buona grazia della signora Elton, definendola «molto piacevole e vestita assai elegantemente».

Da un cero punto di vista la signora Elton parve anche peggiore di quanto era apparsa all'inizio. I suoi sentimenti nei confronti di Emma cambiarono. Offesa, probabilmente, dallo scarso incoraggiamento che avevano incontrato le sue offerte di intimità, si ritrasse a sua volta e a poco a poco divenne più fredda e distante; e sebbene questo effetto fosse piacevole, il malanimo che ne era la causa non faceva necessariamente che aumentare l'antipatia di Emma.

Le sue maniere, e quelle del signor Elton, divennero sgradevoli anche verso Harriet. Erano piene di sarcasmo e distratte. Emma sperava che questo atteggiamento avrebbe rapidamente fatto guarire Harriet; ma le sensazioni che potevano averlo suggerito provocarono a entrambe molto abbattimento. Non si poteva dubitare che l'affetto della povera Harriet fosse servito come strumento alla confidenza coniugale, e che la parte che Emma aveva avuto nella faccenda, in una luce a lei tutt'altro che favorevole e assai lusinghiera per lui, era stata anch'essa, con ogni probabilità, rivelata. Era, com'è ovvio, l'oggetto delle loro antipatie combinate. Quando non avevano altro da dire, doveva riuscire sempre facile cominciare a parlare male della signorina Woodhouse; e l'inimicizia che non osavano esibire mancandole di rispetto in modo palese trovava più ampio sfogo nella condotta sprezzante verso Harriet.

La signora Elton fu colta da una grande simpatia per Jane Fairfax; e dall'inizio. Non solo perché uno stato di guerra con una signorina poteva ipoteticamente servire a raccomandare l'altra, ma proprio fin dal principio; e lei non si accontentò di esprimere un'ammirazione naturale e ragionevole, ma senza alcuna sollecitazione, o richiesta, o privilegio, sentì la necessità di assisterla e di esserle amica. Prima che Emma avesse perduto la sua fiducia, e più o meno la terza volta che si incontrarono, Emma sentì una cavalleresca tirata della signora Elton sull'argomento:

«Jane Fairfax. Una creatura dolce, interessante. Così mansueta e signorile... e con un talento! Vi assicuro che ha un talento eccezionale. Non esito a dire che suona divinamente. Ne so abbastanza di musica per esprimere un'opinione decisa su questo punto. Oh, è proprio incantevole! Riderete del mio zelo, ma, parola mia, non faccio altro che parlare di Jane Fairfax, e la sua situazione pare fatta apposta per commuovere! Signorina Woodhouse, dobbiamo lanciarla. Non si può tollerare che un talento come il suo rimanga nell'ombra. Immagino avrete sentito quegli affascinanti versi del poeta:

Spargono invano lor profumo ai venti
Molti fiori sbocciati in erme sponde[5].

Non dobbiamo consentire che questi versi trovino conferma nella dolce Jane Fairfax».

«Non penso ci sia questo pericolo», fu la tranquilla risposta di Emma, «e quando sarete meglio informata della situazione di Jane Fairfax e capirete quale sia stato il suo focolare domestico, col colonnello e la signora Campbell, non credo penserete che le sue doti possano rimanere ignorate».

«Oh, ma cara signorina Woodhouse, adesso vive in un tale isolamento, in una tale oscurità, è proprio sprecata... Quali che fossero i vantaggi di

[5] Versi tratti dall'*Elegia scritta in un cimitero campestre* (1751) di Thomas Gray.

cui abbia potuto godere con i Campbell, sono così chiaramente finiti! E credo che lei lo senta. Sono certa che è così. È molto timida e silenziosa. Non ci vuole molto a vedere che sente la mancanza di incoraggiamento. Mi piace ancora di più per questo. Confesso che per me è una raccomandazione. Sono una che difende molto la timidezza e sono certa che non la si incontra spesso. Ma in quelli che sono in una situazione sociale inferiore, è straordinariamente attraente. Oh, vi assicuro, Jane Fairfax è un'anima deliziosa, e mi interessa più di quanto io possa dire».

«Sembrate sentire molto... ma non so come voi o qualche conoscenza della signorina Fairfax, qualcuno di coloro che la conoscono da più tempo di voi, possa usarle altra cortesia oltre a...».

«Mia cara signorina Woodhouse, coloro che osano agire possono fare molto di più. Voi e io non abbiamo da temere. Se diamo l'esempio, molti lo seguiranno fino a dove potranno; anche se tutti non godono della nostra situazione. Noi abbiamo carrozze per andarla a prendere e riportarla a casa, noi viviamo in un modo tale che non potrebbe risentire, mai, del peso di Jane Fairfax. Sarei molto scontenta se Wright dovesse prepararci un pranzo che potesse farmi rimpiangere di avere invitato a condividerlo altri oltre a Jane Fairfax. Non penso proprio a cose del genere. E non è probabile che io possa mai pensarci, considerando il tenore di vita cui sono stata avvezza. Per me il rischio maggiore, forse, nel governo della casa, può essere proprio l'opposto, nel fare troppo, e badare troppo poco alle spese. Probabilmente Maple Grove costituirà il mio modello più di quanto dovrebbe esserlo, perché non pretendiamo davvero di essere alla pari con mio cognato, il signor Suckling, quanto a reddito... a ogni modo, la mia decisione, quanto a favorire Jane Fairfax, è già presa. Certamente l'avrò molto spesso a casa mia, la presenterò ovunque potrò, avrò riunioni musicali per mettere in mostra le sue doti, e starò costantemente all'erta per trovarle un buon partito. La cerchia delle mie conoscenze è così ampia che non dubito di sentire tra breve di qualcosa che le convenga. Com'è ovvio, la presenterò in modo speciale a mio cognato e a mia sorella, quando verranno da noi. Sono sicura che la troveranno molto simpatica; e quando lei avrà fatto un po' di amicizia con loro, i suoi timori svaniranno del tutto, perché davvero nei modi dell'uno e dell'altra non c'è nulla che non sia affabile. La terrò davvero spesso con me mentre loro sono qui, e immagino che qualche volta troveremo un posto per lei nel birroccio scoperto in qualcuna delle nostre escursioni esplorative».

"Povera Jane Fairfax!", pensò Emma. "Questo non ve lo meritavate. Potrete esservi comportata male nei confronti del signor Dixon, ma questa è una punizione che va oltre quel che vi sarebbe spettato! La bontà e la protezione della signora Elton! 'Jane Fairfax qui e Jane Fairfax là. Santo cielo! Speriamo che non osi andare in giro così col mio nome sulle labbra! Ma, parola mia, pare che non ci siano limiti alla licenza della sua lingua!".

A Emma non capitò di ascoltare di nuovo queste ostentazioni (almeno quelle così esclusivamente indirizzate a lei) così disgustosamente corredate di un «cara signorina Woodhouse». Poco dopo comparve un cambiamento da parte della signora Elton, e lei venne lasciata in pace, non fu forzata a essere l'amica del cuore della signora Elton, né tantomeno, sotto la guida della signora Elton, l'attivissima sostenitrice di Jane Fairfax, e venne solo messa a parte con gli altri, in via generale, di quel che la signora Elton sentiva, meditava, faceva.

Emma rimase a osservare, con un certo divertimento. La gratitudine della signorina Bates per le attenzioni prodigate dalla signora Elton a Jane si espresse nel più appariscente stile dettato dalla semplicità ingenua e dalla cordialità. La signora Elton diventò una delle sue eroine; la donna più amabile, affabile, incantevole, proprio così piena di grazia e degnazione come la signora Elton intendeva essere considerata. L'unica sorpresa di Emma fu che Jane Fairfax accettasse quelle attenzioni, e tollerasse la signora Elton come pareva fare. Sentì che andava a passeggio con gli Elton, stava con gli Elton, passava la giornata dagli Elton. Era una cosa mirabolante! Non riusciva a capire come il gusto o la fierezza della signorina Fairfax potessero sopportare la compagnia e l'amicizia che offriva la canonica.

«È un enigma, è proprio un enigma!», rifletteva. «Decidere di rimanere qui un mese dopo l'altro, tra privazioni di ogni genere! E adesso preferire l'umiliazione del favore della signora Elton e il vuoto della sua conversazione, piuttosto che tornare dai suoi compagni di tutt'altro livello, che l'hanno sempre amata con un affetto così spontaneo e generoso!».

Jane era venuta a Highbury, dichiaratamente, per tre mesi; i Campbell erano andati in Irlanda per tre mesi; ma adesso i Campbell avevano promesso alla figlia di rimanere almeno fino alla metà dell'estate, ed erano giunti nuovi inviti perché lei li raggiungesse lì. A sentire la signorina Bates (tutte le notizie arrivavano da lei) la signora Dixon aveva scritto con molta insistenza. Se solo Jane avesse voluto andare, si sarebbero trovati i mezzi, si sarebbero mandati i servitori, si sarebbero procurati amici... Non c'era da preoccuparsi delle difficoltà del viaggio; e con tutto ciò, lei aveva rifiutato!

«Deve avere avuto qualche motivo, più forte di quel che non appaia, per respingere quest'invito», fu la conclusione di Emma. «Deve subire un castigo di qualche tipo, inflitto o dai Campbell o da lei stessa. Da parte di qualcuno c'è molto timore, una grande cautela, o una grande decisione. Lei non deve stare dove sono i Dixon. Questo è un decreto emanato da qualcuno. Ma perché lei deve acconsentire a stare con gli Elton? Questo è tutto un altro enigma».

Quando espresse a voce alta la sua meraviglia su questo punto alla presenza dei pochi che conoscevano la sua opinione sulla signora Elton, la signora Weston arrischiò questa difesa di Jane:

«Non possiamo ipotizzare che si diverta molto alla canonica, mia cara Emma, ma è meglio questo che restare sempre a casa. Sua zia è una brava donna, ma la sua compagnia continua deve risultare parecchio noiosa. Dobbiamo pensare cosa lascia la signorina Fairfax, prima di condannare il suo gusto per ciò verso cui va».

«Avete ragione, signora Weston», disse con calore il signor Knightley, «la signorina Fairfax è in grado quanto ognuno di noi di farsi un'opinione esatta della signora Elton. Se avesse potuto scegliere con chi stare, non avrebbe scelto lei. Ma», con un sorriso di rimprovero a Emma, «dalla signora Elton riceve attenzioni che nessun altro le offre».

Emma sentì che la signora Weston le lanciava una veloce occhiata; e rimase colpita lei stessa dal calore di lui. Con un leggero rossore, rispose immediatamente:

«Avrei immaginato che attenzioni come quelle dellà signora Elton avrebbero disgustato piuttosto che lusingato la signorina Fairfax. Avrei supposto che gli inviti della signora Elton fossero tutt'altro che invitanti».

«Non mi stupirei», disse la signora Weston, «se la signorina Fairfax fosse stata spinta al di là delle sue inclinazioni dallo zelo di sua zia nell'accettare le cortesie della signora Elton. È probabile che la povera signorina Bates abbia impegnato la nipote e l'abbia sollecitata a mostrare una maggiore intimità di quanto il suo stesso buon senso non avrebbe dettato, nonostante il più che naturale desiderio di un po' di cambiamento».

Entrambe erano molto curiose di sentire parlare di nuovo il signor Knightley; e dopo alcuni minuti di silenzio questi disse:

«Bisogna prendere in considerazione anche un'altra cosa; la signora Elton non parla alla signorina Fairfax nel modo in cui discorre di lei. Tutti conosciamo la differenza tra i pronomi lui o lei e tu, i più schietti tra noi; tutti sentiamo l'influenza di qualcosa, oltre la comune urbanità nelle nostre reciproche relazioni personali: qualcosa che è stato instillato molto prima. Non possiamo fare intendere a tutti (è così spiacevole!) che magari pensiamo che l'ora appena trascorsa sia stata proprio uno strazio. Sentiamo le cose diversamente. E oltre all'effetto di ciò, come principio generale, potete essere certe che la signorina Fairfax mette soggezione alla signora Elton con la sua superiorità di mente e di modi; e che a tu per tu la signora Elton la tratta con tutto il rispetto a cui ha diritto. Una donna come Jane Fairfax probabilmente non è mai capitata prima sulla strada della signora Elton... e nessun grado di vanità può impedire che lei riconosca la propria relativa piccolezza nel comportamento, se non nella propria coscienza».

«So che alta stima avete di Jane Fairfax», disse Emma. Pensava al piccolo Henry, e un misto di allarme e delicatezza la rese incerta su cos'altro dovesse dire.

«Sicuro», rispose lui, «tutti sanno che alta stima ho di lei».

«Eppure», disse Emma, iniziando in fretta e con uno sguardo malizioso, ma poi si fermò di colpo; era tuttavia meglio conoscere il peggio, e proseguì d'impulso: «Eppure, forse, voi stesso non ve ne rendete conto. Un giorno o l'altro la vostra ammirazione sarà così grande che potrà cogliervi di sorpresa».

Il signor Knightley era tutto preso a sistemare i bottoni inferiori dei suoi spessi gambali di cuoio, e fosse lo sforzo d'infilare i bottoni nelle asole, fosse qualche altra ragione, arrossì, mentre rispondeva:

«Oh, siete a questo? Ma vi trovate in posizione miseramente arretrata. Il signor Cole me ne ha fatto cenno sei settimane fa».

Si fermò. Emma si sentì premere il piede dalla signora Weston, e non seppe lei stessa cosa pensare. Dopo un po' lui proseguì:

«Questo non accadrà mai, tuttavia, ve lo assicuro. La signorina Fairfax, ci scommetterei, non vorrebbe saperne di me, se mi facessi avanti, e io sono sicurissimo che non la chiederò mai».

Emma ricambiò la pressione dell'amica con interesse, e rimase tanto contenta da esclamare:

«Non siete vanitoso, signor Knightley. Questo almeno debbo riconoscervelo».

Lui non parve sentirla; era sopra pensiero; e in un modo che dimostrava che lui contento non era, subito dopo disse:

«Così avete deciso che io debba sposare Jane Fairfax?»

«Nemmeno per idea. Mi avete rimproverata troppo di combinare matrimoni perché io presuma di prendermi questa libertà con voi. Quel che ho detto un attimo fa non voleva dire nulla. Cose del genere si dicono, ovviamente senza collegarci un significato serio. Oh, no, parola mia, non ho il minimo desiderio che voi sposiate Jane Fairfax o Jane chiunque. Non verreste a farci visita con tanto agio se foste sposato».

Il signor Knightley fu di nuovo soprappensiero. Il risultato delle sue fantasticherie fu: «No, Emma, non credo che il livello della mia ammirazione per lei mi coglierà mai di sorpresa; non ho mai pensato a lei in quel modo, ve l'assicuro». E subito dopo: «Jane Fairfax è una fanciulla molto affascinante, ma nemmeno Jane Fairfax è perfetta. Un difetto ce l'ha: non ha il carattere aperto che un uomo desidererebbe in un moglie».

Emma non poté non rallegrarsi nel sentire che Jane aveva un difetto. «Allora», disse, «immagino che abbiate subito fatto tacere il signor Cole».

«Sì, subito. Lui mi ha fatto un'allusione indiretta; io gli ho detto che si sbagliava; lui mi ha chiesto scusa e non ha detto altro. Cole non ci tiene a essere più saggio o più acuto dei suoi vicini».

«Da questo punto di vista, quanto è diverso dalla signora Elton, che vuole essere più saggia e più acuta di tutti! Mi chiedo come parla dei Cole, come li definisce. Come può trovare per loro un soprannome che esprima abbastanza volgare confidenzialità? Voi vi chiama Knightley; cosa potrà fare con il signor Cole? E così io devo essere sorpresa che Jane Fairfax accetti le sue cortesie e acconsenta a stare con lei. Signora Weston, il vostro ragionamento mi colpisce. Posso molto più facilmente concepire la tentazione a scappare dalla signorina Bates, di quanto non possa credere al trionfo della mente della signorina Fairfax sulla signora Elton. Non ho alcuna fiducia che la signora Elton si riconosca inferiore nel pensiero, nel parlare o nel comportamento; o che senta qualche freno oltre alle norme della sua ben scarsa buona educazione; non posso credere che non insulti continuamente la sua visitatrice con elogi, incoraggiamenti e offerte di favori; che non le illustri ininterrottamente le sue magnifiche intenzioni, da quella di trovarle una sistemazione stabile a quella di includerla nelle deliziose gite d'esplorazione che dovranno avere luogo con il birroccio scoperto».

«Jane Fairfax ha sentimento», disse il signor Knightley. «Non le rimprovero di mancare di sentimento. La sua suscettibilità, sospetto, è forte, e il suo carattere eccelle nella capacità di sopportazione, pazienza, dominio di sé; manca però di schiettezza. È riservata, più riservata, credo, di prima. E io amo i caratteri aperti. No, fino al giorno in cui Cole ha alluso al mio ipotetico interesse, non mi era mai passato per la testa. Ho visto Jane Fairfax e ho chiacchierato con lei, sempre con ammirazione e piacere, ma senza altre intenzioni».

«Ebbene, signora Weston», disse Emma trionfalmente, quando lui se ne fu andato, «che dite adesso in merito alle nozze del signor Knightley con Jane Fairfax?»

«Be', cara Emma, dico proprio che è tanto preoccupato dall'idea di non esserne innamorato, che non mi stupirei se finisse per esserlo. Ma non mi picchiare, adesso».

Capitolo trentaquattresimo

Tutti quelli che, a Highbury e dintorni, non avevano mai fatto visita al signor Elton, erano disposti a fargli cortesie in occasione del suo matrimonio. Furono organizzati per lui e la sua signora pranzi e serate; e gli inviti furono così tanti che presto lei ebbe il piacere di accorgersi che non avrebbero mai avuto un giorno libero.

«Vedo come stanno le cose», disse. «Vedo che tipo di vita avrò tra voi. Parola mia, saremo assolutamente sregolati. Sembra che siamo proprio di moda. Se questa è la vita in provincia, non mette affatto paura. Ti assicuro che, da lunedì a sabato prossimo, non abbiamo un giorno libero! Anche una donna con meno risorse di me non potrebbe temere di restare senza far nulla».

Nessun invito le risultava sgradito. Le sue abitudini di Bath le rendevano perfettamente naturali le serate, e Maple Grove le aveva dato il gusto dei pranzi. Restò un po' colpita dalla mancanza di due sale da ricevimento, dai miseri tentativi di far torte per le riunioni di società, e dal fatto che alle partite a carte di Highbury non c'erano gelati. La signora Bates, la signora Perry, la signora Goddard e le altre erano parecchio indietro quanto a conoscenza del mondo, ma lei presto avrebbe mostrato loro come andava fatta ogni cosa. Nel corso della primavera doveva ricambiare le loro cortesie con un ricevimento di molto superiore, in cui i suoi tavolini da gioco sarebbero stati apparecchiati con le candele separate e i mazzi di carte intatti, come di dovere, e sarebbero stati ingaggiati per la serata più camerieri di quanti non fosse opportuno secondo il loro tenore di vita, per portare intorno i rinfreschi precisamente all'ora giusta, e nella giusta sequenza.

Emma, intanto, non poteva sentirsi tranquilla senza un pranzo a Hartfield per gli Elton. Non dovevano fare meno degli altri, o lei si sarebbe esposta a qualche odioso sospetto, e sarebbe stata ritenuta capace di meschini risentimenti. Doveva dunque esserci un pranzo. Dopo che Emma ne ebbe discusso per dieci minuti, il signor Woodhouse non provò alcuna avversione, e si limitò a fare il consueto patto di non sedere a capo tavola, con la consueta immancabile difficoltà di decidere chi avrebbe dovuto farlo al posto suo.

Quanto alle persone che dovevano essere invitate, c'era poco da chiederselo. Oltre agli Elton, dovevano esserci i Weston e il signor Knightley; fino a qui la cosa era automatica, e non meno inevitabile era che fosse invitata la povera Harriet, come ottava; ma questo invito non fu fatto con uguale soddisfazione, e per molte ragioni Emma fu molto contenta che Harriet li pregasse di consentirle di declinarlo. Harriet avrebbe preferito non trovarsi in compagnia di lui, se poteva evitarlo. Non era ancora in grado di vedere lui e la sua incantevole e felice moglie insieme senza sentirsi fuori posto. Se non dispiaceva alla signorina Woodhouse, avrebbe preferito rimanersene a casa. Era proprio quel che Emma avrebbe desiderato, se l'avesse creduto sufficientemente possibile da desiderarlo. Rimase conquistata dalla forza della sua piccola amica, poiché sapeva che per lei era una manifestazione di forza rinunciare a essere in compagnia e starsene a casa; e così poteva ora invitare proprio la persona che lei voleva per essere in otto: Jane Fairfax. Dopo la sua ultima conversazione con la signora Weston e il signor Knightley, si sentiva rimordere la coscienza più del solito in merito a Jane Fairfax. Le erano rimaste impresse le parole del signor Knightley, quando aveva detto che Jane Fairfax riceveva dalla signora Elton attenzioni che nessun altro le tributava.

«È verissimo», rifletteva, «almeno per quel che riguarda me, ed era quel che lui voleva intendere, ed è una vergogna. Abbiamo la stessa età, e ci conosciamo da sempre; avrei dovuto esserle più amica. Ora non le riuscirò più simpatica. L'ho trascurata per troppo tempo. Ma le dimostrerò più attenzione di quanto non abbia fatto finora».

Tutti gli inviti furono accettati. Tutti erano liberi e tutti felici... Ma l'interesse per i preparativi di questo pranzo non si esaurì così. Si presentò una circostanza piuttosto sfortunata. I due figli maggiori dei Knightley erano impegnati a fare al nonno e alla zia una visita primaverile di alcune settimane, e il padre progettava di condurli a Hartfield per rimanerci un'intera giornata, e proprio nel giorno del pranzo. I suoi impegni professionali non gli consentivano di cambiare la data, ma tanto il padre che la figlia rimasero seccati da questo contrattempo. Il signor Woodhouse considerava otto persone insieme a pranzo come il massimo che i suoi nervi potessero sopportare; e adesso ce ne sarebbe stata una nona, ed Emma temeva che sarebbe stata una persona molto contrariata di non poter venire a Hartfield neppure per quarantotto ore senza incappare in un pranzo con invitati.

Emma riuscì a confortare suo padre meglio che se stessa, facendo presente che anche se John Knightley avrebbe senza dubbio portato il loro numero a nove, tuttavia di solito parlava così poco che il rumore sarebbe aumentato in modo insignificante. In realtà pensava che triste scambio fosse per lei avere di fronte, invece del fratello, lui con il suo aspetto grave e la sua conversazione riluttante.

Il destino favorì il signor Woodhouse più di Emma. Venne John Knightley; ma il signor Weston fu inaspettatamente chiamato a Londra, e doveva rimanere assente proprio quel giorno. Forse avrebbe potuto venire la sera, ma di certo non a pranzo. Il signor Woodhouse provò un senso di sollievo; e il fatto di vederlo così, oltre all'arrivo dei ragazzi e alla filosofica rassegnazione del cognato nell'apprendere la sua sorte, allontanò perfino la principale preoccupazione di Emma. Il giorno arrivò, i convitati furono puntuali, e il signor John Knightley sembrò all'inizio dedicarsi al compito di risultare gradevole. Invece di tirare da parte il fratello verso una finestra, mentre attendevano che il pranzo fosse servito, attaccò a parlare con la signorina Fairfax. Guardò in silenzio la signora Elton, elegante quanto potevano renderla merletti e perle, con la sola intenzione di osservare abbastanza per poterne riferire a Isabella; ma la signorina Fairfax era una vecchia conoscenza e una ragazza tranquilla, e a lei poteva parlare. La aveva incontrata prima di colazione, mentre era di ritorno da una passeggiata con i ragazzi, quando aveva iniziato a piovere. Era naturale avviare un cortese scambio sull'argomento, così disse:

«Mi auguro che non vi siate avventurata lontano stamattina, signorina Fairfax, o sono sicuro che dovete esservi bagnata. Noi siamo giunti a casa appena in tempo. Spero siate tornata subito indietro».

«Sono andata solo all'ufficio postale», rispose lei, «e sono arrivata a casa prima che la pioggia diventasse fitta. È la mia commissione giornaliera. Quando sono qui vado sempre io a prendere le lettere. È più semplice, e serve a farmi prendere una boccata d'aria. Una passeggiata prima di colazione mi fa bene».

«Ma non una passeggiata sotto la pioggia, direi».

«No, ma non pioveva proprio quando sono partita».

Il signor John Knightley sorrise e rispose:

«Insomma, avete deciso di fare la vostra passeggiata, perché non avevate fatto cinque metri dalla vostra porta di casa quando ho avuto il piacere di incontrarvi; e già da un pezzo Henry e John avevano visto più gocce di quante se ne potessero contare. L'ufficio postale ha un grande attrattiva in un certo periodo della nostra vita. Quando avrete la mia età, comincerete a pensare che le lettere non valgono mai una camminata sotto la pioggia».

Jane arrossì un po', poi rispose:

«Forse non mi troverò mai nella vostra situazione, in mezzo a parenti affezionati, e quindi non posso attendermi che basti invecchiare per diventare indifferente alle lettere».

«Indifferente! Oh no! Non intendevo dire che diventerete indifferente. Le lettere non lasciano indifferenti; generalmente sono una maledizione molto positiva».

«Parlate di lettere d'affari; le mie sono lettere d'amicizia».

«Ho spesso pensato che siano proprio queste le peggiori», rispose lui tranquillamente. «Gli affari, sapete, possono portare denaro, l'amicizia non ne porta mai».

«Avanti, ora non state parlando sul serio. Conosco troppo bene il signor John Knightley; sono più che sicura che apprezzi come ogni altro il valore dell'amicizia. Non ho difficoltà a credere che le lettere significhino poco per voi, molto meno che per me, ma non è il fatto di essere dieci anni più vecchio di me che crea questa differenza; non è l'età, ma la situazione. Voi avete i vostri cari sempre vicini, io, probabilmente, non li avrò più; e quindi, fino a che non sarò diventata insensibile a tutti i miei affetti, un ufficio postale, penso, avrà sempre il potere di farmi uscire di casa anche con un tempo più cattivo di oggi».

«Quando ho detto che il tempo vi avrebbe cambiata, nel corso degli anni», disse John Knightley, «volevo sottintendere il mutamento di situazione che generalmente il tempo porta. Ritenevo che una cosa comportasse l'altra. Il tempo diminuisce l'interesse dei rapporti che vanno al di là della dimensione quotidiana, e questo è il genere di cambiamento che io prevedevo per voi. Da quel vecchio amico che sono, mi consentirete di sperare, signorina Fairfax, che di qui a dieci anni voi possiate avere vicino altrettanti oggetti d'affetto quanti ne ho io».

Questo fu detto con benevolenza, e senza ombra di volere fare un affronto. Un affabile «grazie» parve inteso a passarci sopra ridendo; ma un

195

rossore, un tremito del labbro, una lacrima sul ciglio, fecero capire che provocava un sentimento ben diverso. A questo punto l'attenzione di Jane fu richiesta dal signor Woodhouse, che come prevedevano le sue abitudini in tali occasioni, facendo il giro dei suoi ospiti, e presentando i suoi speciali rispetti alle signore, era arrivato a lei, e con la sua più mite affabilità stava dicendo:

«Sono molto spiacente di sentire, signorina Fairfax, che stamattina eravate fuori con la pioggia. Le signorine sono piante delicate. Dovrebbero avere cura della loro salute e del loro colorito. Mia cara, vi siete cambiata le calze?».

«Ma certo, signore; vi sono molto grata per la vostra gentile attenzione nei miei riguardi».

«Mia cara signorina Fairfax, le signorine hanno sempre chi pensa alla loro salute. Spero che la vostra brava nonna e la vostra buona zia stiano bene. Sono tra le mie più vecchie amiche. Se la mia salute mi permettesse di essere un vicino migliore! Voi ci fate oggi un grande onore, veramente. La mia figliola e io siamo entrambi molto toccati dalla vostra bontà, e proviamo la più grande soddisfazione di vedervi a Hartfield».

Poi il cortese, generoso vecchio poté sedere con la convinzione di aver fatto il proprio dovere, e di avere dato il suo benvenuto a tutte le belle signore, facendo in modo che si sentissero come a casa propria.

Nel frattempo la storia della passeggiata sotto la pioggia era arrivata all'orecchio della signora Elton, che immediatamente rivolse a Jane una scarica di rimostranze:

«Mia cara Jane, ma cosa sento? Andare all'ufficio postale sotto la pioggia! Questo non deve succedere. Come avete potuto farlo, malandrina? È segno che non c'ero là io a prendermi cura di voi».

Jane, con molta pazienza, le assicurò che non aveva preso un raffreddore.

«Oh, non ditelo *a me*. Siete veramente una malandrina, e non sapete riguardarvi. All'ufficio postale, proprio! Signora Weston, avete mai sentito una cosa simile? Voi e io dobbiamo davvero far valere la nostra autorità».

«Il mio consiglio», disse la signora Weston con tono gentile e persuasivo, «certo mi sento tentata di offrirlo. Signorina Fairfax, certo non dovete correre rischi di questo genere. Soggetta come siete a gravi infreddature, dovreste veramente aver cura di voi in modo particolare, soprattutto in questa stagione. Ho sempre pensato che la primavera renda necessarie precauzioni eccezionali. È meglio aspettare una lettera per un'ora o due, o addirittura mezza giornata, piuttosto che correre il pericolo di riprendervi la tosse. Non credete sarebbe meglio? Sì, sono sicura che siete troppo giudiziosa per pensarla diversamente. Non avete l'aria di volerlo fare ancora».

«Oh, non dovrà più farlo», intervenne con veemenza la signora Elton. «Non le consentiremo di farlo ancora», e con un significativo cenno del capo: «Bisogna architettare qualcosa, certo. Ne parlerò al signor E. L'uomo che va a prendere le nostre lettere ogni mattina (uno dei nostri servitori, non ne ricordo il nome) chiederà anche delle vostre, e ve le porterà. Questo risolverà tutte le difficoltà, sapete; e *da noi* credo proprio, mia cara Jane, che non avrete scrupolo di accettare un'offerta tanto conveniente».

«Siete estremamente gentile», disse Jane, «ma non posso rinunciare alla mia passeggiata mattutina. Mi è stato consigliato di stare all'aria aperta quanto più posso, devo fare una passeggiata da qualche parte, e l'ufficio postale è un obiettivo; e, parola mia, non mi è mai successo prima di trovare una mattina cattiva».

«Mia cara Jane, non dite un'altra parola. La cosa è decisa, insomma», con un riso affettato, «se posso presumere di decidere qualcosa senza il concorso del mio signore e padrone. Sapete, signora Weston, voi ed io dobbiamo stare attente a come parliamo. Ma mi lusingo, mia cara Jane, che la mia influenza non sia completamente finita. Quindi se non trovo difficoltà insormontabili, ritenere la faccenda decisa».

«Perdonatemi», disse Jane con fervore, «ma non posso assolutamente accettare tale soluzione, così inutilmente onerosa per il vostro servitore. Se l'incarico non rappresentasse per me un piacere, potrebbe badarci, come sempre fa quando io non sono qui, la domestica di mia nonna».

«Oh, mia cara, ma la Patty ha tanto da fare! Ed è una cortesia impiegare i nostri uomini».

Jane non pareva voler accettare la sconfitta; ma invece di rispondere cominciò di nuovo a parlare con il signor Knightley.

«L'ufficio postale è un'istituzione meravigliosa!», disse. «Che regolarità e velocità! Se si pensa a tutto quello che deve fare, e a tutto quello che fa tanto bene, c'è veramente di che rimanerne meravigliati!».

«Certo è diretto molto bene».

«È così raro che si verifichi qualche negligenza o errore! Ed è così raro che capiti il disguido di una lettera, tra le migliaia che continuamente circolano nel regno, e non se ne perde una in un milione, immagino! E quando consideriamo la varietà delle calligrafie, e anche delle pessime calligrafie che vanno decifrate, la meraviglia aumenta».

«Con l'abitudine gli impiegati divengono esperti. Devono iniziare manifestando prontezza di vista e di mano, e con l'esercizio migliorano. Se poi volete saperlo», continuò sorridendo, «sono pagati per il loro lavoro. E questa è la chiave di molte abilità. Il pubblico paga, e deve essere servito bene».

Parlarono poi della varietà di calligrafie, e furono fatti i soliti commenti.

«Ho sentito affermare», disse John Knightley, «che spesso in una famiglia domina lo stesso tipo di scrittura; e dove c'è stato lo stesso maestro, la cosa è abbastanza naturale. A parte questo motivo, immaginerei che la rassomiglianza deve essere soprattutto limitata alle donne, poiché i ragazzi ricevono ben poco insegnamento dopo i primi anni, e si arrangiano con la calligrafia che riescono a produrre. Isabella ed Emma, credo, scrivono in modo molto simile. Non sempre sono riuscita a distinguere le loro calligrafie».

«Sì», disse esitando suo fratello, «c'è somiglianza. Capisco quel che vuoi dire; ma la scrittura di Emma è più decisa».

«Isabella ed Emma hanno tutt'e due una bella calligrafia», disse il signor Woodhouse, «e l'hanno sempre avuta. E così anche la povera signora Weston...», con un mezzo sospiro e un mezzo sorriso a lei rivolto.

«Non ho visto mai calligrafia maschile...», cominciò Emma, guardando anche la signora Weston; ma si interruppe, accorgendosi che la signora Weston faceva attenzione a un'altra persona, e la pausa le dette il tempo di pensare: "E adesso, come posso introdurlo? Non posso pronunciare subito il suo nome davanti a tutte queste persone. È necessario che io ricorra a una circonlocuzione. 'Il vostro amico dello Yorkshire', 'il vostro corrispondente dello Yorkshire': questo sarebbe il sistema, suppongo, se fossi proprio innamorata. No, posso pronunciare il suo nome senza la minima sofferenza. Di certo vado continuamente migliorando. Avanti, dunque!".

La signora Weston non era più impegnata, ed Emma riattaccò: «Il signor Frank Churchill ha una delle più belle calligrafie maschili che io abbia mai visto».

«Io non la ammiro», disse il signor Knightley. «È troppo piccola, manca di forza. Sembra la scrittura di una donna».

Nessuna delle due signore accettò questo giudizio. Difesero il giovane dalla vile calunnia. No, non mancava affatto di forza, non era una scrittura grande, ma era molto chiara e di certo forte. La signora Weston aveva forse con sé una lettera da poter mostrare? No, aveva ricevuto sue notizie proprio da poco, ma dopo aver risposto alla lettera, l'aveva messa via.

«Se fossimo nell'altra stanza», disse Emma, «se avessi il mio scrittoio, potrei senz'altro mostrare un campione. Ho un suo biglietto. Non ricordate, signora Weston, di averlo fatto scrivere al vostro posto, un giorno?»

«È stato lui a metterla in questo modo...».

«Ebbene, avanti, ho io quel biglietto; e posso mostrarlo, dopo cena, per convincere il signor Knightley».

«Oh, ma quando un giovane galante come il signor Frank Churchill», disse secco il signor Knightley, «scrive a una bella fanciulla come la signorina Woodhouse, naturalmente fa del suo meglio».

Il pranzo era servito. La signora Elton, prima che le venisse rivolta la parola, era già pronta; e prima che il signor Woodhouse l'avesse raggiunta con la richiesta che gli venisse consentito di accompagnarla alla sala da pranzo, già diceva:

«Devo accomodarmi per prima? Mi vergogno veramente di essere sempre in testa».

Lo zelo di Jane, quanto ad andare a prendere la sua posta, non era sfuggito a Emma. Aveva sentito e visto tutto; e provava parecchia curiosità di sapere se la passeggiata di quella mattina sotto la pioggia avesse portato a qualche lettera. Sospettava di sì; quella passeggiata non sarebbe stata affrontata con tanta risolutezza se non nell'aspettativa di ricevere notizie da qualcuno di molto caro, e non doveva essere stata fatta invano. Le parve di distinguere un'aria di maggiore gioia del solito, un calore del colorito e dello spirito.

Avrebbe potuto porre una domanda o due, quanto alla rapidità e alla spesa della posta per l'Irlanda; lo stava per fare; ma si trattenne. Era assolutamente decisa a non pronunciare una parola che potesse ferire i sentimenti di Jane Fairfax; e seguirono le altre signore che lasciavano la stanza tenendosi a braccetto, con un'aria di benevolenza perfettamente appropriata alla bellezza e alla grazia di entrambe.

Capitolo trentacinquesimo

Quando le signore ritornarono in salotto, dopo cena, Emma si accorse che non era possibile evitare che si dividessero in due gruppi; tanta era la perseveranza nel giudicare e nel comportarsi male che la signora Elton impiegava nell'accaparrarsi Jane Fairfax e nell'ignorare lei. Emma e la signora Weston furono sempre costrette o a parlare o a tacere nello stesso momento. La signora Elton non lasciava loro altra alternativa. Se Jane la teneva sotto controllo per un po', lei presto ricominciava daccapo; e nonostante la loro conversazione fosse a mezza voce, specialmente quella della signora Elton, non si poteva evitare di apprendere i loro argomenti principali. Dell'ufficio postale, del prendere raffreddori, dell'andare a ritirare delle lettere e dell'amicizia si discusse per un pezzo; e a questi temi furono seguiti da un altro, che doveva essere almeno altrettanto sgradevole per Jane: le domandarono se avesse già sentito parlare di qualche situazione conveniente, e la signora Elton fece delle dichiarazioni circa le iniziative che progettava in favore di Jane.

«Eccoci ad aprile!», disse. «Comincio a preoccuparmi per voi. Presto sarà giugno».

«Ma non mi sono mai fissata su giugno o su un altro mese, solo aspetto l'estate in generale».

«Ma non avete proprio sentito nulla?»

«Non ho fatto nemmeno delle ricerche; né desidero farne, ancora».

«Oh, mia cara, ma non si può dire che sia mai troppo presto per cominciare: non vi rendete conto della difficoltà di trovare esattamente quel che si desidera».

«Non me ne rendo conto!», disse Jane scuotendo la testa. «Cara signora Elton, chi può averci pensato quanto me?»

«Ma non avete visto tanto del mondo quanto ne ho visto io. Voi non sapete quanti candidati ci sono sempre per i posti migliori. Ne so qualcosa da quel che ho visto dalle parti di Maple Grove. Una cugina della signora Suckling, la signora Bragge, ha avuto una tale quantità di offerte, e ognuna non chiedeva altro che di entrare nella sua famiglia, giacché lei appartiene alla cerchia più in alto. Candele di cera nella stanza dove i bambini fanno lezione! Pensate come è desiderabile! Di tutte le case del regno, la casa della signora Bragge è quella in cui più mi piacerebbe vedervi».

«Il colonnello e la signora Campbell torneranno a Londra in estate», disse Jane. «Devo passare un po' di tempo con loro; sono certa che lo vorranno; poi, probabilmente, sarò contenta di sistemarmi. Ma non vorrei che voi vi deste la pena di fare ricerche, per il momento».

«Pena! Conosco i vostri scrupoli. Avete paura di darmi disturbo: ma vi assicuro, mai cara Jane, che i Campbell non possono interessarsi a voi più di me. Scriverò alla signora Partridge tra un giorno o due, e le darò l'incarico preciso di stare sull'avviso per qualsiasi posto desiderabile».

«Grazie, ma preferirei che non le faceste cenno alla cosa; fino a che non è il momento, non desidero dare disturbo a nessuno».

«Ma, mia cara ragazza, il momento si avvicina; siamo in aprile, e giugno, o magari luglio, è assai vicino, e ci rimane ancora da sistemare una cosa come questa. La vostra inesperienza mi diverte proprio! Un posto come voi meritate, e che i vostri amici vorrebbero per voi, non capita ogni giorno, non si ottiene in un baleno; davvero, dobbiamo iniziare le nostre ricerche senza indugio».

«Scusatemi, signora, ma questa non è affatto la mia intenzione; non faccio ricerche io, e mi dispiacerebbe se ne facessero i miei amici. Quando avrò veramente deciso il momento, non ho nessuna paura di restare a lungo senza impiego. Ci sono posti a Londra, agenzie, grazie alle quali qualcosa verrebbe presto fuori. Agenzie per la vendita, se non di carne umana, di intelletto umano».

«Oh, mia cara, carne umana! Mi scandalizzate; se volete prendervela con la tratta degli schiavi, vi assicuro che il signor Suckling è stato sempre molto favorevole all'abolizione».

«Non alludevo, non pensavo proprio alla tratta degli schiavi», rispose Jane. «La tratta delle governanti, vi assicuro, era tutto ciò a cui pensavo; di certo una cosa del tutto diversa, quanto alle colpe di coloro che la praticano; ma quanto all'infelicità delle vittime, dove sia maggiore non so. Ma voglio dire solo che ci sono agenzie di collocamento, e che rivolgendomi a queste non dubito che presto troverei qualcosa di accettabile».

«Qualcosa di accettabile!», ripeté la signora Elton. «Già, questo potrà convenire all'idea modesta che vi fate di voi stessa; io so che creatura domestica siete; ma non soddisferà i vostri amici vedervi accettare qualsiasi cosa possa presentarsi, qualsiasi situazione inferiore, comune, in una famiglia che non si muova in certi ambienti, o che non possa permettersi le eleganze della vita».

«Siete molto gentile; ma quanto a tutto questo, mi sento molto indifferente; non mi proporrei come obiettivo quello di stare con i ricchi; le mie mortificazioni, credo, non ne sarebbero che accresciute; soffrirei di più, per contrasto. La famiglia di un gentiluomo è l'unica condizione che chiederei».

«Vi conosco, vi conosco; vi accontentereste di qualsiasi cosa; ma io sarò un po' più difficile, e sono certa che i buoni Campbell mi daranno completamente ragione; con le vostre doti superiori, avete il diritto di muovervi nelle cerchie più in alto. Basterebbe la vostra cultura musicale per darvi il diritto di imporre le vostre condizioni, di avere tutte le stanze che desiderate, e partecipare alla vita della famiglia non più di quanto vi piace; se cioè, non so, sapeste suonare l'arpa, potreste ottenere tutto ciò, ne sono sicura; ma voi cantate, oltre che suonare; sì, credo che potreste, anche senza l'arpa, ottenere le condizioni che preferite; e dovete essere sistemata in modo delizioso, onorevole e confortevole prima che i Campbell o io ci si dia pace».

«Potete anche classificare insieme la delizia, l'onore e la comodità di una situazione del genere», disse Jane, «e si può stare sicuri che si equivarranno; però lo dico proprio sul serio: desidero che per ora non si facciano ricerche per me. Vi sono estremamente grata, signora Elton, sono riconoscente a chiunque ha simpatia per me, ma lo dico assolutamente sul serio: desidero che nulla si faccia prima dell'estate. Per altri due o tre mesi rimarrò dove sono, e come sono».

«E anche io faccio proprio sul serio, ve lo assicuro», rispose allegramente la signora Elton, «quando decido di stare sempre all'erta, e chiedo anche ai miei amici di stare all'erta, in modo che nulla di perfettamente soddisfacente possa sfuggirci».

E continuò su questo tono, senza che nulla potesse fermarla, fino a che il signor Woodhouse entrò nella stanza; allora la sua vanità cambiò d'oggetto, ed Emma la sentì dire, sempre a voce bassa, a Jane:

«Ecco che arriva il mio caro vecchio adone! Pensate com'è galante a venire via prima degli altri uomini! Lo trovo adorabile! Vi assicuro che sono pazza di lui. Ammiro tutte quei suoi cerimoniali deliziosamente antiquati; mi garbano tanto di più della moderna disinvoltura; la moderna disinvoltura spesso mi disgusta. Ma questo buon vecchio signor Woodhouse, vorrei aveste sentito che discorsi galanti mi ha fatto a pranzo. Oh, vi assicuro che cominciavo a pensare che il mio *caro sposo* si sarebbe ingelosito. Suppongo di essere entrata nelle sue grazie; ha fatto caso al mio vestito. Che ve ne sembra? È stato scelto da Selina; è bello, credo, e mi chiedo se non abbia troppe decorazioni, ho un vero orrore dei fronzoli. Ora mi tocca mettermi addosso un po' di ornamenti, perché questo si aspetta da me. Una sposa, sapete, deve apparire tale, ma il mio gusto naturale è tutto per la semplicità; un vestito di stile semplice è così infinitamente preferibile a uno ricercato! Ma credo di essere in minoranza; credo che siamo in pochi ad apprezzare la semplicità nel vestire; sono lo sfoggio e la ricercatezza ad andare per la maggiore. Ho idea di mettere una guarnizione come questa sul mio popeline bianco e argento. Pensate che ci starà bene?».

Tutta la compagnia si era appena riunita nella sala quando il signor Weston fece la sua comparsa tra loro. Era tornato, aveva pranzato tardi, e appena finito era andato a piedi a Hartfield. Quelli che lo conoscevano bene se lo aspettavano, così non ne furono sorpresi, ma la gioia fu grande. Il signor Woodhouse fu talmente contento di vederlo adesso quanto sarebbe stato spiacente di vederlo prima. Solo John Knightley era pieno di muto stupore. Che una persona che avrebbe potuto passare la serata tranquillamente in casa, dopo una giornata d'affari a Londra, dovesse mettersi di nuovo in movimento, e fare mezzo miglio a piedi per andare in una casa altrui allo scopo di stare in società fino all'ora di andare a letto, così da finire la giornata tra tentativi di cortesia e il rumore di molte persone, era una cosa che lo colpiva profondamente. Un uomo che era stato in movimento dalle otto della mattina, e adesso avrebbe potuto stare tranquillo, che aveva parlato più volte in mezzo alla confusione, e avrebbe potuto starsene da solo! Un uomo così, abbandonare la tranquillità e l'indipendenza del proprio focolare, e la sera di una fredda giornata d'aprile, con il nevischio, precipitarsi di nuovo fuori nel mondo! Se, limitandosi a toccarla con il dito, avesse potuto istantaneamente riprendersi la moglie, ci sarebbe stata una ragione; ma il suo arrivo avrebbe probabilmente prolungato la riunione, anziché porvi fine. John Knightley lo guardò sbalordito, poi scrollò le spalle e disse: «Non l'avrei creduto possibile, nemmeno trattandosi di *lui*».

Intanto il signor Weston, senza sospettare minimamente l'indignazione che suscitava, felice e allegro come al solito, e con tutto quel diritto di monopolizzare la conversazione che nasce dal fatto di aver passato una giornata lontano da casa, si rendeva piacevole tra tutti gli altri; e dopo aver soddisfatto le domande della moglie sul suo pranzo, convincendola che nessuna delle accurate istruzioni da lei date ai servitori era stata dimenticata, e dopo aver riferito le notizie pubbliche che aveva raccolto, si apprestò a dare una comunicazione familiare che, anche se rivolta principalmente alla signora Weston, lui non dubitava affatto che avrebbe interessato parecchio tutti i presenti. Le dette una lettera; era di Frank, e indirizzata a lei; gli era stata data mentre lui era per la strada, e si era preso la libertà di aprirla. «Leggila, leggila», disse, «ti farà piacere; sono poche righe. Non ci metterai molto; leggila a Emma».

Le due donne le dettero un'occhiata insieme; e lui sedette sorridendo e parlando con loro per tutto il tempo, con voce un po' bassa, ma che tutti potevano sentire benissimo.

«Ebbene, viene, vedete; buone notizie, mi pare. Che ne dite? Ve l'avevo sempre detto che sarebbe tornato presto, no? Anna, mia cara, non ti ho sempre detto così, e tu non volevi credermi? Saranno a Londra la settimana prossima, vedi, al più tardi, immagino; perché quella donna è impaziente come il diavolo quando c'è qualcosa da fare; molto probabilmente saranno là domani o sabato. Quanto alla malattia di lei, non è niente, come è naturale. Ma è un'ottima cosa avere Frank di nuovo tra noi, a una distanza breve come quella tra qui e Londra. Ci resteranno per un bel pezzo, quando ci andranno, e lui passerà la metà del tempo da noi. È precisamente quel che volevo io. Ebbene, notizie abbastanza buone, eh? Hai finito di leggere? Emma l'ha letta tutta? Mettila via, mettila via; ne parleremo a fondo un'altra volta, ma ora non è il caso. Mi limiterò ad accennare alla cosa agli altri in un modo qualsiasi».

In quella circostanza la signora Weston rimase felicissima. Non c'era nulla che mettesse in soggezione i suoi sguardi e le sue parole. Era felice, sapeva di esserlo, e sapeva di dover essere felice. Le sue congratulazioni furono fervide e schiette; ma Emma non riusciva a parlare con tanta disinvoltura. Era un po' presa dal tentativo di soppesare i suoi sentimenti, di cercare di capire il grado della sua agitazione, che tendeva a reputare considerevole.

Il signor Weston però, troppo vivace per essere un buon osservatore, troppo comunicativo per lasciar parlare gli altri, rimase molto soddisfatto di quel che lei disse, e presto si allontanò per intrattenere gli altri suoi amici con una comunicazione parziale di quel che tutta la sala doveva già aver sentito indirettamente.

Fu un bene che non mettesse in dubbio la gioia di ciascuno, altrimenti avrebbe potuto pensare che il signor Woodhouse o il signor Knightley non fossero particolarmente entusiasti. Costoro furono i primi, dopo la signora Weston ed Emma, che lui rese felici; poi sarebbe passato alla signorina Fairfax, ma lei era così occupata a parlare con il signor Knightley che l'interruzione sarebbe stata troppo brusca; e trovandosi vicino alla signora Elton, e vedendo che lei era libera, necessariamente attaccò a parlare con lei.

Capitolo trentaseiesimo

«Spero di avere presto il piacere di presentarvi mio figlio», disse il signor Weston.

La signora Elton, più che disposta a immaginare che con questa spe-

202

ranza le si volesse fare uno speciale complimento, fece il più grazioso dei suo sorrisi.

«Avete sentito parlare di un certo Frank Churchill, suppongo», continuò lui, «e sapete che è mio figlio, anche se non porta il mio nome».

«Oh, certo, e sarò molto lieta di fare la sua conoscenza. Sono sicura che il signor Elton non tarderà a fargli visita, ed entrambi saremo felici di vederlo alla canonica».

«Siete molto gentile. Frank sarà contentissimo, ne sono certo. Sarà a Londra la prossima settimana, se non prima. Lo abbiamo appreso da una lettera giunta oggi. Ho trovato la lettera strada facendo stamattina, e vedendo la calligrafia di mio figlio, mi sono preso la libertà di aprirla, anche se non era diretta a me; era per la signora Weston. È lei il suo principale corrispondente, vi assicuro. Io non ricevo quasi mai lettere».

«E non avete esitato ad aprire ciò che era indirizzato a lei! Oh, signor Weston», con una risata affettata, «devo sollevare una protesta. Un precedente quanto mai pericoloso! Vi prego di fare in modo che i nostri vicini non seguano il vostro esempio. Parola mia, se questo è quel che debbo attendermi, noi donne sposate dovremo cominciare ad agitarci! Oh, signor Weston, da voi non me lo sarei aspettato!».

«Già, noi uomini siamo tremendi. Dovete stare bene attenta, signora Elton. Questa lettera ci dice... è una lettera breve, scritta in fretta, solo per darci la notizia... ci dice che vanno subito tutti a Londra, perché la signora Churchill non è stata bene tutto l'inverno, e pensa che a Enscombe sia troppo freddo per lei, così tutti devono andare senza perdere tempo verso Sud».

«Ecco! Dallo Yorkshire, mi pare. Enscombe è nello Yorkshire?»

«Sì, sono a circa centonovanta miglia da Londra. Un bel viaggio».

«Proprio, parola mia, un bel viaggio. Settantacinque miglia in più che da Maple Grove a Londra. Ma cos'è la distanza, signor Weston, per persone di grandi mezzi? Rimarreste stupito nel sentire che mio cognato, il signor Suckling, alle volte gira in continuazione. Stentereste a credermi, ma due volte nel corso di una sola settimana lui e il signor Bragge sono andati e tornati da Londra con un tiro a quattro».

«Il guaio della distanza da Enscombe», disse il signor Weston, «è che la signora Churchill, *come sappiamo*, non è stata in grado di lasciare il sofà per tutta una settimana. Nell'ultima lettera di Frank si lamentava, diceva lui, di essere troppo debole per andare nella sua serra senza che lui e lo zio le dessero il braccio! Questo, sapete, vuol dire un bel po' di debolezza, ma adesso è così impaziente di essere a Londra che vuole dormire solo due notti in viaggio. Così ci informa Frank. Di certo, queste signore cagionevoli hanno una costituzione eccezionale, signora Elton. Questo dovete concedermelo».

«No davvero, non vi concederò nulla. Prendo sempre le parti del mio sesso. Proprio... Troverete che sono un'antagonista formidabile su questo punto. Prendo sempre la difesa delle donne, e vi assicuro, se sapeste come la pensa Selina, quanto al dormire in albergo, non vi stupireste che la signora Churchill compia sforzi incredibili per evitarlo. Selina dice che per lei è davvero orribile, e penso di essere stata un po' contagiata della sua schizzinosità. Lei viaggia sempre con le sue lenzuola; un'ottima precauzione. La signora Churchill fa la stessa cosa?»

«Credetemi, la signora Churchill fa tutto quello fanno le altre signore tutte frivolezze. La signora Churchill non vuole essere seconda a nessuna signora del paese quanto a...».

La signora Elton lo interruppe con decisione dicendo:

«Oh, signor Weston, non fraintendetemi. Selina non è una signora piena di frivolezze, ve lo assicuro. Non accettate troppo in fretta un'idea del genere».

«Non lo è? Allora non è un modello per la signora Churchill, che quanto a frivolezze è la più gran signora che ci sia mai stata».

La signora Elton cominciò a pensare di avere sbagliato a contraddirlo con tanta decisione. Non voleva affatto far credere che sua sorella non fosse una signora frivola; forse pretenderlo dimostrava mancanza di spirito; e stava riflettendo su quale sarebbe stato il miglior modo di ritrattare, quando il signor Weston continuò:

«La signora Churchill non è davvero nelle mie grazie, come potete sospettare... ma questo rimanga tra noi. Vuole molto bene a Frank, e quindi non vorrei parlar male di lei. Inoltre, adesso è in cattiva salute; però, a sentir lei, ne ha sempre sofferto. Non direi queste cose a chiunque, signora Elton, ma non attribuisco molto credito alla malattia della signora Churchill».

«Se sta male veramente, perché non va a Bath, signor Weston? A Bath, o a Clifton?».

«Si è messa in testa che Enscombe sia troppo freddo per lei. Il fatto è, suppongo, che è stufa di Enscombe. Ora è rimasta lì ferma più a lungo di quanto non ci sia stata mai in passato, e comincia a desiderare un cambiamento. È un posto isolato. Un bel posto, ma molto isolato».

«Già... come Maple Grove, oserei dire. Non si può trovare nulla di più isolato dalla strada quanto Maple Grove. Intorno c'è una tale quantità di piante! Vi sembra di essere tagliati fuori da ogni cosa... l'isolamento più completo. E probabilmente la signora Churchill non ha né la salute né la vivacità di Selina per godere di quella specie di clausura. O forse non ha sufficienti risorse in se stessa per essere in grado di abitare in campagna. Io dico sempre che una donna non ha mai abbastanza risorse, e sono molto riconoscente di averne tante io stessa da essere completamente indipendente dalla vita sociale».

«Frank è stato qui a febbraio, per due settimane».

«Così ricordo di avere sentito dire. Quando ritornerà troverà che c'è qualcosa in più nell'ambiente di Highbury; insomma, se posso presumere di definirmi così. Ma forse non avrà mai sentito parlare della mia esistenza?».

Era un invito troppo perentorio a un complimento perché potesse rimanere senza risposta, e il signor Weston, con molta buona grazia, esclamò immediatamente:

«Mia cara signora! Solo voi potete immaginare possibile una cosa simile. Non aver sentito parlare di voi! Credo che negli ultimi tempi le lettere della signora Weston abbiano parlato di ben poche altre cose, oltre che della signora Elton».

Aveva fatto il suo dovere, e poté ritornare a parlare del figlio.

«Quando Frank se n'è andato», riprese, «era molto incerto su quando l'avremmo potuto rivedere, e questo rende doppiamente piacevole la notizia di oggi. È arrivata del tutto inattesa. Cioè, io ho sempre nutrito la ferma convinzione che sarebbe stato qui di nuovo presto, ero certo che sarebbe capitata un'occasione favorevole, ma nessuno voleva credermi. Lui e la signora Weston erano tutt'e due terribilmente privi di fiducia. Come avrebbe potuto farcela a venire? E come si poteva supporre che lo zio e la zia potessero stare nuovamente senza di lui? E così via, Ma ho sempre sentito che sarebbe accaduto qualcosa in nostro favore; e così è stato, vedete. Ho notato, signora Elton, nel corso della mia vita, che se le cose vanno storte per un mese, è certo che prenderanno una piega migliore il mese successivo».

«Più che vero, signor Weston, più che vero. È proprio quel che ero solita dire a un certo signore qui presente nei giorni in cui mi faceva la corte, quando, dato che le cose non gli andavano bene, non procedevano con tutta la velocità che si addiceva ai suoi sentimenti, tendeva a disperarsi, e ad esclamare che era sicuro che di quel passo sarebbe venuto maggio prima che la gialla veste d'Imene fosse indossata per noi! Oh, quanta pena mi sono data per allontanare quei pensieri tristi e fargli vedere le cose sotto una luce più allegra! La carrozza! Avemmo delle delusioni in merito alla carrozza. Una mattina, ricordo, venne da me tutto disperato».

Fu interrotta da un piccolo attacco di tosse, e il signor Weston colse immediatamente l'occasione per continuare:

«Avete menzionato maggio. Maggio è proprio il mese che è stato prescritto alla signora Churchill, o che lei si è prescritta da sola, di passare in un posto più caldo di Enscombe; in breve, di passare a Londra. Così abbiamo la piacevole prospettiva di frequenti visite di Frank per tutta la primavera, proprio la stagione dell'anno che chiunque sceglierebbe; quasi i giorni più lunghi; il tempo mite e gradevole, che invita sempre a uscire di casa, e mai troppo caldo per fare del movimento. Quando è stato qui precedentemente, abbiamo fatto come meglio potevamo, ma ci sono state parecchie giornate piovose, umide, tetre; ce n'è sempre in febbraio, sapete, e non abbiamo potuto fare la metà delle cose che volevamo fare. Ma adesso verrà il momento. Questa volta ci sarà da godersela appieno; e non so, signora Elton, se l'incertezza dei nostri incontri, il destino di costante attesa che riguarda il suo arrivare oggi o domani, e a qualunque ora, non contribuiscano di più alla felicità che non l'averlo di fatto in casa. Credo di sì. Credo che sia lo stato di spirito che dà più vivacità e piacere. Spero che il mio figliolo vi piaccia; ma non dovete attendervi un prodigio. In genere è considerato un giovanotto in gamba, ma non attendetevi un prodigio. La signora Weston ha davvero un debole per lui, e, come potete immaginare, di questo sono molto lieto. Pensa che come lui non ce ne sia altri».

«E io vi assicuro, signor Weston, che non dubito che la mia opinione sarà decisamente in suo favore. Ho sentito tante lodi del signor Frank Churchill. Allo stesso tempo è giusto notare che sono tra quelle persone che giudicano sempre da sole, e non sono per nulla implicitamente influenzate dagli altri. Vi avverto che il mio giudizio dipenderà solo dall'idea che mi farò di vostro figlio. Non sono un'adulatrice».

Il signor Weston stava riflettendo.

«Spero», disse di lì a poco, «di non essere stato severo con la povera signora Churchill. Se è malata, mi spiacerebbe essere ingiusto con lei; ma ci sono delle caratteristiche della sua indole che mi rendono difficile parlarne con l'indulgenza che vorrei. Non potete ignorare, signora Elton, il mio legame con quella famiglia, né il trattamento che mi è stato riservato; e, rimanga tra noi, la colpa è tutta sua. È stata lei l'istigatrice. La madre di Frank non sarebbe mai stata trattata con così poca considerazione se non a causa di lei. Il signor Churchill è orgoglioso; ma il suo orgoglio non è niente in confronto a quello della moglie: il suo è un tipo d'orgoglio calmo, indolente, signorile, che non farebbe del male a nessuno e non fa che metterlo un po' in balia degli altri e renderlo un po' noioso; ma l'orgoglio di lei è fatto di arroganza e insolenza! E quel che indispone più che mai è che non può legittimamente vantare famiglia o sangue illustre. Non era niente quando lui l'ha sposata, solo la figlia di un gentiluomo; ma da quando è stata trasformata in una Churchill ha battuto tutti i Churchill nell'avanzare pretese eccezionali, mentre rimane, in fondo, ve l'assicuro, un'arrampicatrice».

«E pensare! Già, questo dev'essere più che mai irritante! Io aborrisco gli arrampicatori. Maple Grove mi ha dato un disgusto totale per la gente di quel tipo; perché lì vicino c'è una famiglia che disturba talmente mio cognato e mia sorella con le arie che si dà! La vostra descrizione della signora Churchill mi ha fatto subito pensare a loro. Gente di nome Tupman, che si sono sistemati da quelle parti da poco, e pieni di parenti umili, ma loro stessi si danno certe arie, e pretenderebbero di stare alla pari con le vecchie famiglie del luogo. Avranno abitato a West Hall forse un anno e mezzo; e come siano diventati ricchi nessuno lo sa. Sono arrivati a Birmingham, che è un luogo che non promette molto, sapete, signor Weston. Non c'è molto da sperare da Birmingham. Io dico sempre che quel nome ha un suono tremendo; ma niente di più sappiamo di certo dei Tupman, sebbene si sospettino, ve l'assicuro, molte cose; e tuttavia, a giudicare dai loro modi, evidentemente si ritengono alla pari perfino con mio cognato, il signor Suckling, che si trova a essere uno dei loro vicini più prossimi. È davvero intollerabile. Il signor Suckling, che da ben undici anni risiede a Maple Grove, che prima era di suo padre, o almeno così credo... sono quasi certa che il signor Suckling aveva completato l'acquisto prima di morire».

Vennero interrotti. Stavano servendo il tè, e il signor Weston, che aveva finito di dire quel che voleva, colse l'occasione per allontanarsi.

Dopo il tè, il signor Weston e il signor Elton cominciarono a giocare a carte con il signor Woodhouse. Gli altri cinque furono lasciati alle loro risorse, ed Emma dubitò che potessero andare molto d'accordo; giacché il signor Knightley pareva poco disposto alla conversazione; il signor Elton voleva attrarre l'attenzione e nessuno si sentiva portato a riconoscergliela, e lei stessa sentiva un turbamento che le avrebbe fatto preferire stare zitta.

Il signor John Knightley si mostrò più loquace del fratello. Doveva partirsene di buon'ora la mattina seguente, e presto cominciò con:

«Be', Emma, non credo di avere altro da dire sui ragazzi, ma avete la lettera di vostra sorella e lì ogni cosa è spiegata per esteso, se ne può star certi. Le mie raccomandazioni sarebbero molto più concise delle sue, e probabilmente di tenore alquanto diverso; tutto quel che ho da raccomandare si limita a questo: non viziarli, e non purgarli».

«Spero di soddisfarvi entrambi», disse Emma, «perché farò il possibile per renderli felici, e tanto basterà per Isabella; e la felicità esclude necessariamente la falsa indulgenza e le purghe».

«E se trovate che vi disturbano, dovete rimandarli a casa».

«È molto probabile. Lo pensate anche voi, no?»

«Spero di rendermi conto che potrebbero risultare troppo rumorosi per vostro padre, o potrebbero essere una seccatura per voi, se i vostri impegni di visite continuano ad aumentare come hanno fatto negli ultimi tempi».

«Ad aumentare!».

«Ma certo; dovete accorgervi che gli ultimi sei mesi hanno prodotto una grande differenza nel vostro modo di vita».

«Differenza! Ma io non la percepisco».

«Non c'è dubbio che abbiate molti più impegni sociali che non prima. Questo di oggi è un esempio. Sono venuto qui solo per un giorno, e voi siete impegnata con una cena! Quando mai è accaduto prima, quando mai è successa una cosa del genere? I vostri vicini aumentano, e voi li frequentate di più. Poco tempo fa, ogni lettera a Isabella raccontava di nuovi divertimenti; cene dal signor Cole, o balli al Corona. La differenza che Randalls, già da sola, crea nelle vostre abitudini è grandissima».

«Sì», disse il fratello di lui in fretta, «la causa di tutto è Randalls».

«Molto bene, e dato che Randalls, suppongo, probabilmente non avrà in futuro meno influenza di quanta ne abbia avuta finora, credo possibile, Emma, che Henry e John qualche volta possano costituire un impiccio. Se è così, vi prego solo di spedirli a casa».

«No», esclamò il signor Knightley, «non è questa la logica conseguenza. Che siano spediti a Donwell. Io di certo avrò del tempo libero».

«Parola mia», esclamò Emma, «voi mi fate divertire! Vorrei sapere quanti di tutti i miei tanti impegni abbiano luogo senza che voi siate del gruppo, e perché si supponga che io corra il rischio di non avere tempo libero per occuparmi dei ragazzi. Questi miei impegni straordinari, quali sono stati? Cenare una volta dai Cole, e parlare di un ballo che non c'è mai stato. Posso capire voi», e fece un cenno al signor John Knightley, «la vostra buona fortuna di incontrare qui riuniti tanti dei vostri amici vi fa troppo piacere per passare inosservata. Ma voi», volgendosi al signor Knightley, «che sapete quanto raramente, davvero raramente, io sia assente per due ore di seguito da Hartfield, perché mai dobbiate prevedere per me una simile serie di fatue amenità, non riesco a immaginarlo. Quanto ai miei cari ragazzini, devo dire che se la zia Emma non ha tempo per loro, non credo si troverebbero molto meglio dallo zio Knightley, che è assente da casa per più o meno cinque ore mentre lei lo è per una sola, e che, quand'è a casa, è preso nella lettura, o pensa ai suoi conti».

Parve che il signor Knightley facesse quel che poteva per non sorridere; e ci riuscì senza difficoltà, perché in quel momento la signora Elton si rivolse a lui.

Capitolo trentasettesimo

Un po' di tranquilla riflessione fu sufficiente perché Emma si rendesse conto della natura della sua agitazione nell'apprendere quella notizia di Frank Churchill. Presto si convinse che non era per sé che sentiva apprensione o imbarazzo; era per lui. Il suo sentimento si era ridotto a ben poco: non valeva la pena di pensarci; ma se lui, che indubbiamente dei due era stato sempre il più innamorato, fosse tornato con la stessa intensità di sentimento con cui era partito, la cosa avrebbe causato una certa agitazione. Se due mesi di separazione non l'avevano raffreddato, davanti a lei c'erano pericoli e problemi: sarebbe stata necessaria prudenza, per lui e per lei stessa. Non voleva che i suoi sentimenti venissero coinvolti di nuovo, e sarebbe stato suo dovere evitare ogni incoraggiamento in tal senso.

Desiderava tenerlo lontano da una dichiarazione esplicita. Questa avrebbe rappresentato un esito così penoso della loro presente amicizia, eppure non poteva evitare di prevedere qualcosa di risolutivo. Sentiva come se la primavera non dovesse passare senza portare una crisi, un evento, qualcosa che alterasse il suo presente equilibrio e la sua tranquillità.

Non ci volle molto, anche se comunque un po' di più di quanto non avesse previsto il signor Weston, prima che fosse in grado di farsi un'idea dei sentimenti di Frank Churchill. La famiglia di Enscombe non andò a Londra tanto presto quanto era stato immaginato, ma Frank fu a Highbury quasi subito dopo. Arrivò a cavallo per rimanere un paio d'ore; ancora non poteva fare di più; ma quando Randalls giunse immediatamente a Hartfield, Emma poté mettere in azione tutta la sua prontezza d'osservazione, e decidere in fretta di che umore fosse, e come lei dovesse comportarsi. Si incontrarono con la massima cordialità. Non poteva esserci dubbio sul gran piacere che lui provava a rivederla. Lei però dubitò quasi subito che sentisse per lei quel che sentiva prima, che sentisse la medesima tenerezza, allo stesso modo. Lo osservò bene. Era chiaro che era meno innamorato di prima. L'assenza, probabilmente insieme con la convinzione dell'indifferenza di lei, aveva causato quest'effetto naturale e molto desiderabile.

Era euforico, pronto come al solito a chiacchierare e a ridere, e sembrava provare diletto a parlare della sua visita anteriore e a ritornare sulle vecchie storie; e non senza agitazione. Non fu nella sua calma che lei colse i segni di una sua relativa indifferenza. Non era calmo; era evidentemente eccitato; mostrava irrequietezza. Vivace com'era, la sua sembrava una vivacità che non lo soddisfacesse: ma ciò che risolse l'opinione di lei in proposito fu che non rimase più di un quarto d'ora, e fuggì via in fretta per fare altre visite a Highbury. Aveva visto per la strada, passando, un gruppo di vecchie conoscenze, e non si era fermato, non aveva voluto fermarsi che per scambiare una parola; però aveva la vanità di pensare che sarebbero rimasti delusi, se non avesse fatto loro una visita e, anche se desiderava trattenersi di più a Hartfield, doveva andar via di corsa.

Emma non ebbe dubbi sul fatto che fosse meno innamorato, ma né il suo spirito agitato, né la sua fretta di andar via avevano l'aria di una cura perfetta; così era propensa a credere che questo implicasse una paura di tornare a sentire il suo potere su di lui, e una decisione cautelativa di non fidarsi a stare a lungo con lei.

Quella fu l'unica visita da parte di Frank Churchill nel corso di dieci giorni. Spesso lui sperava, contava di venire, ma ne era sempre impedito. La zia non poteva sopportare che lui la lasciasse. Così riferiva a Randalls. Se era veramente sincero, se veramente cercava di venire, si poteva concludere che il trasferimento della signora Churchill a Londra non aveva giovato per nulla a quella certa componente, intenzionale o nervosa che fosse, del suo disturbo. Era davvero malata, questo era più che certo; lui stesso se ne era dichiarato convinto a Randalls. Nonostante potesse trattarsi in gran parte di fantasie, non poteva dubitare, ripensando al passato, che lei non fosse in uno stato di salute più debole di sei mesi prima. Non riteneva che ciò fosse il risultato di qualcosa che la cura e le medicine non avrebbero potuto eliminare, o almeno che non potesse vivere ancora per molti anni; ma non poteva lasciarsi convincere da tutti i dubbi di suo padre, e dire che la sua infermità era del tutto immaginaria, o che sua madre in realtà scoppiava di salute.

Ben presto si scoprì che Londra non era luogo idoneo per lei. Non poteva sopportarne il rumore. I suoi nervi erano in una condizione di continua irritazione e sofferenza: e al termine dei dieci giorni, una lettera di suo nipote a Randalls comunicò un cambiamento di piani. Stavano per trasferirsi subito a Richmond. La signora Churchill era stata affidata alle capacità medica di un luminare della scienza di lassù, e d'altra parte il posto l'attirava. Aveva preso in affitto una casa ammobiliata in un punto privilegiato, e si attendeva un benefico effetto da quel mutamento.

Emma sentì che Frank scriveva in tono entusiastico di quella sistemazione, e pareva apprezzare moltissimo il vantaggio di stare, nei due mesi successivi, così vicino a tanti amici affezionati, perché la casa era stata presa per maggio e giugno. A Emma fu detto che ora lui scriveva con la massima fiducia di trovarsi con loro di frequente, quasi tanto di frequente quanto poteva desiderare.

Emma comprese come il signor Weston interpretava queste liete prospettive. Considerava lei come la fonte di tutta la felicità che esse offrivano. Emma invece sperava che non fosse così. Due mesi avrebbero dimostrato come stavano le cose.

La felicità del signor Weston era indiscutibile. Era completamente deliziato. Era proprio l'occasione che aveva voluto. Adesso Frank sarebbe stato davvero nelle vicinanze. Cos'erano nove miglia per un giovanotto? Un'ora di cavalcata. Sarebbe venuto di continuo. Da questo punto di vista, la differenza tra Richmond e Londra bastava a produrre tutta la differenza tra il vederlo sempre e il non vederlo mai. Sedici miglia (anzi, diciotto; dovevano essere diciotto miglia buone fino a Manchester Street) costituivano un serio ostacolo. Se mai fosse riuscito ad allontanarsi, la giornata sarebbe stata passata tra l'andata e il ritorno. Non c'era alcun conforto ad averlo a Londra; tanto valeva che rimanesse a Enscombe; ma Richmond era la distanza giusta per comunicare comodamente. Meglio che più vicino!

Diventava immediatamente certa, in seguito a questo trasloco, una bella cosa: il ballo al Corona. Non che prima fosse stato dimenticato, però si era subito riconosciuto come fosse inutile cercare di fissare una data. Ora però doveva assolutamente avere luogo; furono ripresi i preparativi, e poco dopo che i Churchill si furono sistemati a Richmond, poche righe di Frank, per dire che la zia già sentiva i benefici del cambiamento, e che lui non dubitava di potere passare con loro ventiquattr'ore in qualsiasi momento, li convinsero a fissare un giorno, il più vicino possibile.

Il ballo del signor Weston diventava una cosa reale. Pochi giorni separavano i giovani di Highbury dalla felicità.

Il signor Woodhouse si era rassegnato. La stagione gli rendeva più lieve quel malanno. Maggio era, da ogni punto di vista, meglio di febbraio. La signora Bates fu invitata a passare la sera a Hartfield, James venne avvisato come di dovere, e lui con ottimismo sperò che né il caro, piccolo Henry, né il caro, piccolo John, avessero alcun disturbo, mentre la cara Emma era assente.

Capitolo trentottesimo

Non ci fu nessun contrattempo che impedisse un'altra volta il ballo. Il giorno si avvicinò, il giorno arrivò; e dopo una mattina di attesa un po' noiosa, Frank Churchill in carne e ossa giunse a Randalls prima di pranzo, e tutto fu a posto.

Non c'era ancora stato un secondo incontro tra lui ed Emma. La sala del Corona doveva essere testimone di quell'incontro: era comunque meglio di un normale incontro in mezzo a una folla. Il signor Weston aveva tanto insistito nelle sue preghiere perché lei arrivasse presto, perché arrivasse lì quanto più presto possibile dopo di loro, così da dare il suo parere circa l'idoneità e la comodità di quelle stanze prima che giungessero gli altri, che lei non aveva potuto rifiutarglielo; doveva quindi passare un interludio di calma in compagnia del giovane. Doveva portare con sé Harriet; così entrambe si recarono presto in carrozza al Corona, con un anticipo sufficiente rispetto a tutto il gruppo di Randalls.

Pareva che Frank Churchill fosse stato sull'avviso, e anche se non disse molto, i suoi occhi dicevano chiaramente che intendeva passare una serata incantevole. Tutti fecero un giro insieme, per verificare che ogni cosa fosse come doveva; e dopo pochi minuti furono raggiunti dai passeggeri di un'altra carrozza, di cui Emma non poté inizialmente sentire il rumore senza gran sorpresa. «Che assurda sollecitudine!», stava per esclamare; ma poi si accorse che era una famiglia di vecchi amici, che, come lei, veniva per esplicito desiderio del signor Weston, per aiutarlo a formarsi un giudizio; costoro furono seguiti a così breve distanza da un'altra carrozza di cugini che con lo stessa zelante sollecitudine erano stati pregati di venire presto per lo stesso incarico, che parve che metà degli invitati dovesse trovarsi radunata, di lì a poco, al fine di fare un'ispezione preventiva.

Emma si avvide che il suo gusto non era il solo su cui il signor Weston faceva assegnamento, e sentì che essere favorite ed intime di un uomo che aveva tanti intimi e confidenti non era proprio il massimo nella scala della vanità. Le piacevano le sue maniere aperte, ma un po' meno espansività avrebbe fatto di lui una persona più elevata. Benevolenza per tutti, ma non amicizia per tutti: questo faceva di un uomo quel che doveva essere. Un uomo del genere le sarebbe piaciuto.

Tutta la comitiva gironzolò intorno, e osservò, e continuò a fare elogi; poi, dato che altro non aveva da fare, formò una sorta di semicerchio intorno al fuoco, per guardare chi in un modo, chi in un altro, fino a che non furono affrontati altri argomenti, dato che, sebbene fosse di maggio, un fuoco serale era ancora molto piacevole.

Emma scoprì che non era colpa del signor Weston se il numero dei consiglieri privati non era ancora più grande. Si erano fermati alla porta della signora Bates per offrire l'uso della loro carrozza, ma la zia e la nipote sarebbero state portate dagli Elton.

Frank stava vicino a lei, ma non sempre; aveva un'irrequietezza che mostrava uno spirito poco tranquillo. Si guardava intorno, andava alla porta, si metteva ad ascoltare, per sentire l'eventuale rumore di altre carrozze, impaziente di cominciare, o timoroso di rimanere sempre accanto a lei.

Si parlò della signora Elton. «Credo sarà qui tra poco», disse lui. «Sono molto curioso di vedere la signora Elton, ne ho sentito parlare tanto. Non può tardare molto, credo».

Si sentì una carrozza. Subito lui si mise in movimento; ma poi, tornando indietro, osservò:

«Avevo scordato che non la conosco. Non ho mai visto né il signore né la signora Elton. Non devo spingermi troppo avanti».

Apparvero il signore e la signora Elton; e fioccarono sorrisi e convenevoli.

«Ma la signorina Bates e la signorina Fairfax!», disse il signor Weston, guardandosi intorno. «Credevamo che le aveste accompagnate voi!».

Era un errore da poco. Fu mandata la carrozza a prenderle.

Emma era ansiosa di sapere quale sarebbe stata la prima impressione di Frank a proposito della signora Elton; che effetto gli avrebbero fatto la studiata eleganza del suo abbigliamento e i suoi sorrisi di degnazione. Lui si mise immediatamente in condizione di formarsi un giudizio, tributandole tutta la dovuta attenzione, dopo esserle stato presentato.

Pochi minuti dopo la carrozza fu di ritorno. Qualcuno parlò di pioggia. «Vado a vedere che ci sia qualche ombrello», disse Frank al padre. «Non dobbiamo dimenticare la signorina Bates», e se ne andò. Il signor Weston stava per seguirlo, ma la signora Elton lo trattenne per fargli piacere dandogli il proprio parere su suo figlio; e iniziò con tale vivacità che il giovane stesso, pur muovendosi tutt'altro che lentamente, non avrebbe potuto non sentire.

«Davvero un giovanotto attraente, signor Weston. Lo sapete, vi ho detto apertamente che mi sarei formata da sola la mia opinione; e sono lieta di dire che mi piace moltissimo. Potete credermi. Io non faccio mai complimenti. Lo reputo un gran bel giovanotto, e le sue maniere sono proprio come mi piace, ed approvo; è così spiccatamente un gentiluomo, senza la minima posa o vanità. Dovete sapere che detesto i bellimbusti; non li posso proprio soffrire. Non sono mai stati tollerati a Maple Grove. Né il signor Suckling né io abbiamo mai avuto pazienza con loro; e alle volte eravamo soliti dire cose assai pungenti! Selina, la cui dolcezza arrivava a essere un difetto, li sopportava molto meglio».

Finché lei parlò del figlio, l'attenzione del signor Weston rimase soggiogata; ma appena toccò il tasto di Maple Grove, lui poté ricordare di dovere accogliere altre signore che stavano giungendo, e con sorrisi di felicità dovette allontanarsi in fretta.

La signora Elton si rivolse alla signora Weston: «Non ho alcun dubbio, dev'essere la nostra carrozza con la signorina Bates e Jane. Il nostro cocchiere e i nostri cavalli sono così veloci! Credo che vadano più veloci di tutti. Che piacere mandare la propria carrozza a prendere un amico! Ho sentito che voi stessa siete stata così cortese da offrirla, ma un'altra volta sarà del tutto superflua. Potete stare certa che a loro penserò sempre io».

La signorina Bates e la signorina Fairfax, accompagnate dai due signori, entrarono nella sala; e la signora Elton pareva pensare che fosse suo dovere, non meno che della signora Weston, accoglierle. I suoi gesti e movimenti avrebbero potuto essere capiti da chiunque stesse a osservare come Emma; ma le sue parole, le parole di tutti, furono presto sommerse dall'incessante chiacchiera della signorina Bates, che entrò parlando, e parecchi minuti dopo essere stata ammessa nel gruppo accanto al fuoco non aveva ancora finito il suo discorso. Appena si aprì la porta, si sentì la sua voce:

«Siete stata così gentile! No, niente pioggia. Nulla che fosse un problema. Non mi preoccupo per me. Scarpe dalla suola spessa. E Jane dichiara... Bene!». E appena ebbe oltrepassato la soglia: «Bene! Questo è davvero ben fatto! Ammirevole! Parola mia, davvero ben organizzato. Non manca nulla. Non me lo sarei immaginato. Così bene illuminato... Jane, Jane, guarda... hai mai visto una cosa simile? Oh, signor Weston, dovete proprio avere avuto la lampada di Aladino. La buona signora Stokes non riconoscerebbe la sua sala. L'ho vista mentre entravo; era all'ingresso. "Oh, signora Stokes", le ho detto, ma non ho avuto tempo di dire altro». A questo punto le andò incontro la signora Weston. «Benissimo, grazie, signora. Spero stiate bene. Sono contenta di sentirlo. Temevo aveste il mal di testa... vedendovi così spesso, e sapendo quanto vi siete data da fare. Sono lietissima di saperlo. Ah, signora Elton, vi siamo tanto riconoscenti per la carrozza! Proprio al momento giusto. Jane e io eravamo pronte in quel momento. Non abbiamo fatto attendere i cavalli un solo istante. Una carrozza comodissima. Oh! Davvero vi dobbiamo i nostri ringraziamenti, signora Weston, a questo proposito. La signora Elton aveva molto cortesemente mandato un biglietto a Jane, altrimenti saremmo state... Ma due offerte simili in un giorno solo! Non ci sono mai stati vicini così. Ho detto a mia madre: "Parola mia, mamma...". Grazie, mia madre sta molto bene. È andata dal signor Woodhouse. Le ho fatto prendere lo scialle, perché le sere non sono calde: il suo grande scialle nuovo, il regalo di nozze della signora Dixon. Così cortese da parte sua pensare a mia madre! Acquistato a Weymouth, sapete: scelto dal signor Dixon. Ce n'erano altri tre, dice Jane, su cui sono state incerte per un po'. Il colonnello Campbell ne preferiva uno oliva. Mia cara Jane, sei certa di non esserti bagnata i piedi? Non c'è stata che una goccia o due, ma io ho tanta paura! Ma il signor Frank Churchill è stato così... e c'era una pedana su cui scendere... Non dimenticherò mai la sua estrema gentilezza. Oh, signor Frank Churchill, vi devo dire che gli occhiali di mia madre non hanno dato più problemi da allora: quella vitina non è più venuta via. Mia madre parla spesso della vostra bontà. Non è così, Jane? Non parliamo spesso del signor Frank Churchill? Ah! Ecco la signorina Woodhouse. Cara signorina Woodhouse, come state? Benissimo, grazie, proprio bene. Qui ci si incontra nel regno delle fate! Che trasformazione! Non bisogna fare complimenti, lo so», guardando Emma molto compiaciuta, «sarebbe scortese, ma, parola mia, signorina Woodhouse, avete un'aria... Che ne dite della pettinatura di Jane? Siatene il giudice. Ha fatto tutto da sola. È una meraviglia come si sistema i capelli! Nessun parrucchiere di Londra ci riuscirebbe, credo. Ah! Ecco il dottor Hughes, direi, e la signora Hughes. Devo andare a parlare per un momento al dottore e alla signora Hughes. Come state? Come state? Benissimo, grazie. Qui è una delizia, non è così? Dov'è il caro signor Richard? Oh! Eccolo là. Non disturbatelo. È molto meglio che passi il suo tempo a parlare con le signorine. Come state, signor Richard? Vi ho visto l'altro giorno mentre passavate a cavallo per la città... Oh, ecco, la signora Otway, proprio lei! E il buon signor Otway, e la signorina Caroline. Che bel gruppo di amici! E il signor George e il signor Arthur! Come state tutti quanti? Benissimo, vi sono molto riconoscente. Non sono mai stata meglio. Non è un'altra carrozza quella che sento? Chi può essere? Molto probabilmente gli ottimi Cole. Parola mia, è delizioso trovarsi tra tali amici! E così un bel un fuoco! Sono proprio arrostita. No, niente caffè per me, grazie. Non prendo mai caffè. Un po' di tè, per favore, signore, tra poco, non c'è fretta... Oh, ecco che viene. È tutto così buono!».

Frank Churchill tornò accanto a Emma; e appena la signora Bates si fu acquietata, Emma non poté fare a meno di sentire la conversazione tra la signora Elton e la signorina Fairfax, che stava a poca distanza dietro di lei. Frank era pensieroso. Se anche lui stesse ascoltando, Emma non poté stabilirlo. Dopo molti complimenti a Jane sul suo vestito e il suo aspetto, complimenti ricevuti con calma e nel modo più giusto, la signora Elton evidentemente voleva essere complimentata a sua volta, e disse: «Che ve ne sembra del mio vestito? Che ve ne sembra dei miei ornamenti? Come mi ha pettinata Wright?», e molte altre domande del genere, a cui fu risposto con paziente cortesia. Poi la signora Elton disse:

«In genere nessuno pensa agli abiti meno di me; ma un'occasione come questa, quando gli occhi di tutti mi stanno tanto addosso, e in omaggio ai Weston che, non ho dubbi, di certo danno questo ballo per onorare me, non vorrei essere da meno degli altri. Vedo ben poche perle nella stanza, a parte le mie. Così Frank Churchill è un valente ballerino, a quel che intendo. Vedremo se i nostri stili vanno d'accordo. Certo Frank Churchill è un gran bel giovanotto. Mi piace molto».

A questo punto Frank cominciò a parlare con tanto vigore che Emma non poté non pensare che avesse udito le sue lodi, e non volesse sentirne delle altre; e le voci delle signore furono coperte per un po', fino a che un'altra pausa fece chiaramente riemergere la voce della signora Elton. Il signor Elton si era appena unito a loro, e sua moglie stava esclamando:

«Oh! Ci hai trovato alla fine, eh, nel nostro angoletto? Stavo dicendo appunto a Jane che pensavo avreste cominciato a essere impaziente di avere nostre notizie».

«Jane!», ripeté Frank Churchill, con un'espressione di sorpresa e scontentezza. «Questo è poco raffinato... ma suppongo che la signorina Faifax non lo disapprovi».

«Vi piace la signora Elton?», disse Emma in un sussurro.

«Per nulla».

«Siete un ingrato».

«Un ingrato! Cosa volete dire?». Quindi, passando da un'espressione corrucciata a un sorriso: «No, non ditemelo, non voglio sapere cosa volete dire. Dov'è mio padre? Quando si comincia a ballare?».

Emma non riusciva a capirlo; sembrava d'umore strano. Si allontanò in cerca del padre, ma tornò con il signore e la signora Weston. Li aveva trovati un po' perplessi, per una cosa che doveva essere comunicata a Emma. Alla signora Weston era venuto in mente un momento prima che si dovesse chiedere alla signora Elton di iniziare le danze; che lei se lo sarebbe aspettato: e questo interferiva con tutti i loro desideri di riconoscere a Emma quella distinzione. Emma apprese la triste verità con forza d'animo.

«E cosa dobbiamo fare per fornirle un cavaliere adeguato?», disse il signor Weston. «Penserà che sia Frank a doverla invitare».

Frank si girò immediatamente verso Emma, per reclamare la sua precedente promessa; proclamò di essere impegnato, e il padre accolse ciò con la più completa approvazione; allora si capì che la signora Weston voleva che a ballare con la signora Elton fosse lui stesso, e dovevano aiutarla a persuaderlo, cosa che fu presto fatta. Il signor Weston e la signora Elton si misero in testa, il signor Frank Churchill e la signorina Woodhouse seguirono. Emma dovette sottomettersi a essere seconda alla signora Elton, anche se aveva sempre ritenuto che il ballo fosse stato dato proprio per lei. Era una situazione che quasi bastava a farle pensare di sposarsi.

La signora Elton si trovò indubbiamente in vantaggio questa volta, e la sua vanità fu pienamente soddisfatta; giacché anche se aveva desiderato di cominciare con Frank Churchill, con quel cambiamento non poteva perderci. Il signor Weston poteva essere considerato superiore a suo figlio. Nonostante questa piccola contrarietà, tuttavia, Emma sorrideva di gioia, incantata di vedere le dimensioni accettabili della fila che si andava formando, e di sentire che aveva davanti a sé molte ore di insolito divertimento. Il fatto che il signor Knightley non ballava la disturbava più di qualsiasi altra cosa. Stava là tra gli spettatori, dove non avrebbe dovuto essere; avrebbe dovuto ballare, non classificarsi tra i mariti, i padri i giocatori di whist che pretendevano di interessarsi al ballo solo fino a che non erano avviate le loro partite, giovane com'era d'aspetto! Non avrebbe forse potuto fare migliore figura in un posto diverso da quello in cui si era sistemato. La sua persona alta, robusta, diritta, tra le corporature pesanti e le spalle curve degli uomini anziani, spiccava così tanto che Emma sentì che doveva attirare gli occhi di tutti, e, a eccezione del suo cavaliere, non c'era nessuno in tutto il gruppo dei giovani che potesse paragonarsi a lui. Fece pochi passi in avanti, e quei pochi passi bastarono a mostrare in che modo signorile, con che grazia naturale, avrebbe potuto ballare, se solo se ne fosse dato la briga. Ogni volta che incontrava lo sguardo di lui, lo costringeva a sorridere; ma in genere lui aveva l'aria grave. Emma desiderava che lui amasse di più una sala da ballo, e trovasse più simpatico Frank Churchill. Sembrava osservarla spesso. Emma non doveva illudersi che si interessasse al suo modo di danzare, ma se stava criticando il suo contegno, non aveva paura. Non c'era l'ombra di un flirt tra lei e il suo cavaliere. Parevano più amici allegri e disinvolti che innamorati. Che Frank Churchill pensasse a lei meno di prima, non c'era alcun dubbio.

Il ballo andava avanti piacevolmente. Le ansiose attenzioni, le incessanti attenzioni della signora Weston non erano state spese invano. Tutti parevano felici; e il ballo, con un apprezzamento che di rado è concesso prima della fine, fu ripetutamente definito delizioso fin dal principio. Di avvenimenti molto importanti e degni di memoria non ne produsse più di quanti non ne producono di solito simili riunioni. Ce ne fu uno, tuttavia, a cui Emma dette una certa importanza. Erano iniziate le ultime due danze prima della cena, e Harriet non aveva cavaliere; era l'unica signorina seduta; e fino a quel momento il numero dei ballerini era stato così costante, che c'era da stupirsi di come ci potesse essere una persona non impegnata. Ma lo stupore di Emma diminuì subito dopo, vedendo il signor Elton che gironzolava qua e là. Non avrebbe invitato Harriet a ballare, se era possibile evitarlo. Emma era certa che non lo avrebbe fatto, e si attendeva di vederlo scappare da un momento all'altro nella sala da gioco.

Ma il suo piano non era quello di scappare. Andò nella parte della sala dove erano seduti insieme gli spettatori, parlò con qualcuno e passeggiò davanti a loro, come per far mostra della sua libertà e della sua decisione di conservarla. Non tralasciò di trovarsi qualche volta proprio davanti alla signorina Smith, o di parlare a quelli che le stavano vicini. Emma se ne accorse. Non ballava ancora; stava procedendo in avanti dal punto in cui stava in coda, e quindi ebbe la possibilità di dare uno sguardo in giro, e limitandosi a girare un po' la testa vide tutto. Quando arrivò a metà della figura della danza, tutto il gruppo le stava esattamente dietro, e lei non permise più ai suoi occhi di guardare; ma il signor Elton era così vicino che sentì ogni sillaba di un dialogo che si svolgeva proprio in quel momento tra lui e la signora Weston; e si accorse che sua moglie, che stava subito dinanzi a lei, non solo stava ascoltando, ma addirittura lo incoraggiava con occhiate significative. La buona e gentile signora Weston aveva lasciato il suo posto per venire da lui e dirgli: «Non ballate, signor Elton?», e le fu data questa pronta risposta: «Ben volentieri, signora Weston, se voi volete ballare con me».

«Io, oh no! Vi proporrei una dama molto migliore di me. Io non sono una ballerina».

«Se la signora Gilbert desidera ballare», disse lui, «sarò lietissimo davvero, perché, anche se comincio a sentirmi come un vecchio marito, e mi accorgo che il tempo di ballare per me è finito, avrei sempre molto piacere di ballare con una vecchia amica come la signora Gilbert».

«La signora Gilbert non ha voglia di ballare, ma c'è una signorina libera che mi piacerebbe molto veder ballare: la signorina Smith».

«La signorina Smith! Oh... non me n'ero accorto. Siete molto cortese... e se non fossi un vecchio uomo sposato... Ma sono passati i giorni in cui ero un ballerino, signora Weston. Vogliate scusarmi. Qualsiasi altra cosa sarei lietissimo di farla, ai vostri ordini... ma i giorni in cui ero un ballerino sono passati».

La signora Weston non disse altro; ed Emma poté immaginare con quale sorpresa e che mortificazione tornasse a sedere. E questo era il signor Elton! L'amabile, cortese, gentile signor Elton... Emma si voltò un attimo; si era avvicinato al signor Knightley, poco lontano, e si preparava a una conversazione impegnativa, scambiando dei sorrisi pieni d'allegria con la moglie.

Non volle più guardare. Sentiva il cuore che le batteva all'impazzata, e aveva paura che la sua faccia fosse altrettanto calda.

Poco dopo fu colpita da una visione più lieta: il signor Knightley faceva da cavaliere ad Harriet ed entrava nel ballo! Non era mai stata più stupita, raramente aveva provato più gioia che in quel momento. Era tutta piacere e gratitudine, per Harriet e per se stessa, e non vedeva l'ora di ringraziarlo: e sebbene la distanza le impedisse di rivolgergli la parola, la sua espressione disse parecchio, appena i suoi occhi poterono incontrare quelli di lui.

Il suo modo di ballare risultò essere proprio come lei aveva immaginato, estremamente buono; e Harriet avrebbe potuto sembrare quasi troppo fortunata, non fosse stato per la spiacevole situazione di prima, visto il completo godimento e il grandissimo apprezzamento di quell'attenzione espressi dal suo volto raggiante. Quella premura per lei non andò sciupata; Harriet balzò con più slancio che mai, volò più lontano dalla fila di mezzo, e divenne tutta una successione di sorrisi.

Il signor Elton si era ritirato nella sala da gioco, con un atteggiamento (Emma era sicura) molto sciocco. Non credeva che fosse duro quanto sua moglie, anche se stava diventando molto simile a lei; e dette sfogo a un po' del suo sentimento dicendo al suo cavaliere, in modo da farsi sentire:

«Knightley ha avuto compassione della povera piccola signorina Smith! Proprio generoso, proprio!».

Fu annunciata la cena. Gli invitati cominciarono ad avviarsi; e da quel momento si poté sentire la signorina Bates, che parlò senza interruzione fino a che non sedette a tavola e prese il cucchiaio:

«Jane, Jane, mia cara Jane, dove sei? Ecco la tua mantellina. Il signor Weston ti prega di mettere la mantellina. Dice che ha paura che ci siano correnti d'aria nel corridoio, anche se è stato fatto di tutto... Una porta è stata inchiodata... Una quantità di stuoie... Mia cara Jane, davvero devi metterla. Signor Churchill, oh! Troppo gentile! Come gliela avete poggiata bene sulle spalle! Molto obbligata! Come hanno ballato meravigliosamente! Sì, mia cara, sono corsa a casa, come avevo detto avrei fatto, per aiutare la nonna ad andare a letto, e sono tornata qui, e nessuno ha sentito la mia mancanza nel frattempo. Mi sono allontanata senza farne parola, proprio come ti ho detto. La nonna stava benissimo, aveva passato una serata deliziosa con il signor Woodhouse, un sacco di chiacchiere e giochi di carte. È stato servito il tè al pianterreno, biscotti e mele cotte e vino prima che venisse via: una fortuna meravigliosa in alcuni tiri di dadi; e ha chiesto molte volte di te, se ti divertivi, e chi erano i tuoi cavalieri. "Oh", ho detto io, "non voglio togliere la parola di bocca a Jane; l'ho lasciata mentre ballava col signor George Otway; non le sembrerà vero poterti raccontare tutto lei stessa domani; il suo primo cavaliere è stato il signor Elton, non so chi sarà il prossimo a invitarla, forse il signor William Cox". Caro signore, siete troppo gentile... Non c'è nessuno che vorrebbe invece... Non ho bisogno d'aiuto. Signore, siete proprio cortese. Parola mia, Jane da una parte, e io dall'altra! Fermi, fermi, restiamo un po' indietro, la signora Elton si muove; signora Elton, com'è elegante! Magnifici merletti! Adesso le veniamo tutti dietro. È proprio la regina della festa! Eccoci dunque nel corridoio. Due gradini, Jane, sta attenta ai due gradini. Oh no, non ce n'è che uno. Mah, ero persuasa che fossero due. Com'è curioso! Ero convinta che fossero due, e non ce n'è che uno. Non ho mai visto niente di simile per comodità e per stile... Candele dappertutto. Ti stavo dicendo della nonna, Jane... C'è stato una piccola contrarietà. Le mele cotte e i biscotti, ottimi anche loro, sai; ma prima è stata servita una squisita fricassea di animelle con gli asparagi, e il buon signor Woodhouse, pensando che gli asparagi non fossero abbastanza cotti, ha rimandato indietro tutto. E non c'è niente che la nonna ami tanto quanto le animelle con gli asparagi... così ci è rimasta alquanto male, ma siamo d'accordo di non parlarne con nessuno, per paura che lo venga a sapere la signorina Woodhouse, a cui dispiacerebbe tanto! Beh, questo è magnifico! Non riesco a riprendermi dallo stupore! Non avrei mai immaginato nulla di simile! Una tale eleganza e abbondanza! Non ho visto nulla di simile da quando... Dunque, dove dobbiamo sedere? Dove dobbiamo sedere? Qualsiasi posto va bene, purché Jane non stia in una corrente. Non importa dove siedo io. Oh, raccomandate questo lato? Ebbene, davvero, signor Churchill... però mi sembra un posto troppo bello... come volete. Qui quel che decidete voi non può essere sbagliato. Cara Jane, come faremo a ricordarci della metà dei piatti per la nonna? Anche la minestra! Buon Dio! Non dovrei servirmi così presto, ma ha un aroma veramente eccellente, e non posso fare a meno di cominciare».

Emma non ebbe l'occasione di parlare con il signor Knightley fin dopo cena; ma quando furono tutti di nuovo nella sala da ballo, i suoi occhi lo invitarono ad avvicinarsi per essere ringraziato. Lui si stava scaldando nella condanna del comportamento del signor Elton; era stato uno sgarbo imperdonabile, e anche l'atteggiamento della signora Elton ricevette la sua parte di biasimo.

«Non miravano a ferire solo Harriet», disse. «Emma, perché vi sono nemici?».

La guardava con sorridente penetrazione; e, non ricevendo risposta, aggiunse: «Lei non dovrebbe essere seccata con voi, suppongo, qualunque sia la ragione per cui lui lo è. A questa supposizione voi, come è naturale, non rispondete nulla; ma confessate, Emma, che voi volevate che lui sposasse Harriet».

«Appunto», rispose Emma, «e loro non possono perdonarmelo».

Lui scosse il capo; ma c'era anche un sorriso d'indulgenza, e disse soltanto:

«Non vi sgriderò. Vi lascio alle vostre riflessioni».

«Potete davvero affidarmi a delle simili adulatrici? Forse che il mio vanitoso spirito mi accusa mai d'avere torto?»

«Non il vostro vanitoso spirito, ma il vostro spirito serio. Se l'uno vi porta sulla strada sbagliata, sono certo che l'altro ve ne avverte».

«Devo confessare di essermi completamente sbagliata nei riguardi del signor Elton. C'è in lui una meschinità che voi avete scoperto, e io no: ed ero persuasa che fosse innamorato di Harriet. E questo in conseguenza di una serie di strani errori di valutazione!».

«E in cambio del vostro riconoscimento di tutto ciò, vi renderò la giustizia di dire che la scelta che avreste fatto per lui era migliore di quella che ha fatto per suo conto. Harriet Smith possiede alcune eccellenti qualità, di cui la signora Elton è del tutto priva. Una ragazza senza pretese, sincera, semplice, che ogni uomo di buon senso e di gusto dovrebbe ritenere infinitamente preferibile a una donna come la signora Elton. Ho scoperto che era più facile conversare con Harriet di quanto non mi aspettassi».

Emma rimase molto soddisfatta. Furono interrotti dal rumore che faceva il signor Weston invitando tutti a ricominciare le danze.

«Su, signorina Woodhouse, signorina Otway, signorina Fairfax, cosa state facendo? Avanti, Emma, date il buon esempio alle compagne. Tutti pigroni! Tutti addormentati».

«Sono pronta», disse Emma, «appena mi si vuole».

«Con chi ballerete?», chiese il signor Knightley.

Emma esitò un attimo, poi rispose: «Con voi, se mi invitate».

«Volete?», disse lui, offrendole il braccio.

«Certo. Avete dato prova di saper ballare, e sapete che non siamo così del tutto come fratello e sorella da non renderlo un tantino piccante».

«Fratello e sorella! No davvero!».

Capitolo trentanovesimo

La breve spiegazione con il signor Knightley fece a Emma un considerevole piacere. Fu uno dei ricordi piacevoli del ballo, e per assaporarlo la mattina successiva si mise a passeggiare nel prato davanti casa. Era enormemente felice che si fossero intesi così bene a proposito degli Elton, e che le loro opinioni tanto sul marito che sulla moglie fossero così simili; e il suo apprezzamento di Harriet, il suo giudizio favorevole di lei, erano in particolare modo lusinghieri. L'impertinenza degli Elton, che per alcuni minuti aveva minacciato di rovinare il resto della sua serata, era stata l'occasione per una delle più grandi soddisfazioni della festa; e lei sperava un altro lieto risultato: la cura dell'infatuazione di Harriet. Dal modo in cui Harriet aveva parlato dell'episodio prima di lasciare la sala da ballo, nutriva forti speranze. Era come se gli occhi della fanciulla si fossero aperti all'improvviso, e ora riuscisse a distinguere che il signor Elton non era la creatura superiore che lei aveva creduto. La febbre era passata, ed Emma aveva ben poco da temere che il polso accelerasse di nuovo i suoi battiti per una cortesia dannosa. Emma contava sul malanimo degli Elton per fornirle tutta la disciplina che sarebbe stata ulteriormente necessaria per rendere più mirati certi atteggiamenti. Harriet ritornata ragionevole, Frank Churchill non troppo innamorato, e il signor Knightley non più portato a contrastarla: che estate felice si preparava per lei!

Non doveva vedere Frank Churchill quella mattina. Le aveva detto che non poteva permettersi il piacere di fermarsi a Hartfield, perché doveva trovarsi a casa verso mezzogiorno.

Non le dispiacque.

Avendo esaminato, predisposto e sistemato tutte queste cose, Emma stava appunto avviandosi a rientrare a casa con lo spirito ristorato, così da andare incontro alle esigenze dei due ragazzini, oltre che del loro nonno, quando si aprì il grande cancello di ferro del viale delle carrozze, ed entrarono le due persone che meno si sarebbe aspettata di vedere insieme: Frank Churchill che dava il braccio a Harriet, proprio ad Harriet! Bastò un momento per convincere Emma che era successo qualcosa di straordinario. Harriet pareva bianca e spaventata, e lui cercava di rincuorarla.

Il cancello di ferro e la porta di casa erano a meno di venti metri; presto tutt'e tre furono nell'atrio, e Harriet crollò immediatamente su una sedia e svenne.

Quando una giovane signora sviene, deve essere fatta rinvenire; ci sono domande che attendono risposta e sorprese che vanno spiegate. Gli avvenimenti sono molto interessanti, e l'interruzione non può durare a lungo. Pochi minuti misero Emma al corrente di tutto.

La signorina Smith e la signorina Bickerton, un'altra pensionante della signora Goddard, che era stata anche lei al ballo, erano uscite insieme, e avevano preso una strada, la strada di Richmond, che, anche se in apparenza era abbastanza frequentata da essere sicura, aveva causato loro uno spavento. Circa mezzo miglio oltre Highbury, facendo una brusca curva, profondamente ombreggiata da olmi da entrambi i lati, diventava per un considerevole tratto molto appartata; e quando le giovani signore si erano inoltrate per un po', avevano improvvisamente scorto a breve distanza davanti a loro, su una radura erbosa più estesa, un gruppo di zingari. Un bambino che stava all'erta era venuto verso di loro per chiedere l'elemosina; e la signorina Bickerton, spaventatissima, aveva fatto un grande urlo, e strillando a Harriet di seguirla, era corsa su per una ripida salita, aveva scavalcato una piccola siepe in cima e per una scorciatoia era tornata in qualche modo a Highbury. La povera Harriet però non aveva potuto seguirla. Aveva molto sofferto di crampi dopo il ballo, e il suo primo tentativo di arrampicarsi su per quella salita aveva portato un tale riacutizzarsi del dolore da lasciarla del tutto senza forze; e in questo stato, e spaventata oltre ogni dire, era stata costretta a restare lì.

Come si sarebbero comportati quei girovaghi, se le giovani signore fossero state più coraggiose, deve esser lasciato alle supposizioni; ma un tale invito all'aggressione non poteva trovarli esitanti; e Harriet era stata ben presto presa d'assalto da una mezza dozzina di bambini, guidati da una donna grassa e da un ragazzotto, che strillavano ed erano impertinenti nell'aspetto, anche se non del tutto nelle parole. Sempre più spaventata, lei aveva immediatamente promesso del denaro, e tirando fuori la borsa aveva dato loro uno scellino, pregandoli di non chiedere di più e di non maltrattarla. Poi era riuscita a camminare, anche se solo lentamente, e si stava allontanando; ma il suo spavento e il suo borsellino erano tentazioni troppo forti, così che era stata seguita, o piuttosto circondata, da tutta la banda, che chiedeva di più.

Così l'aveva trovata Frank Churchill: mentre tremava e cercava di patteggiare, con quelli che urlavano e facevano gli insolenti. Per un caso molto fortunato la sua partenza da Highbury era stata tanto ritardata da farlo giungere in suo soccorso proprio in quel momento critico. L'amenità della mattina lo aveva indotto ad andare a piedi, lasciando che i cavalli gli venissero incontro per un'altra strada, un miglio o due oltre Highbury, e siccome gli era capitato di prendere a prestito un paio di forbici dalla signorina Bates la sera precedente, e di essersi dimenticato di restituirle, era stato costretto a fermarsi alla porta di lei, e ad entrare per pochi minuti: così aveva fatto più tardi di quanto avesse previsto: e dato che procedeva a piedi, era rimasto invisibile a tutta la comitiva fino a che non era stato vicinissimo. La donna e il ragazzo a quel punto provarono la stessa paura che avevano provocato a Harriet. Frank li aveva lasciati assai spaventati: e Harriet, aggrappandosi a lui con tutte le sue energie, e quasi incapace di parlare, aveva avuto appena la forza di giungere a Hartfield, prima di perdere i sensi. Era stata un'idea di lui quella di portarla a Hartfield: non gli era venuto in mente nessun altro posto.

A questo si riduceva tutta la storia, come fu raccontata da lui e da Harriet, appena lei ebbe ripreso i sensi e la parola. Lui non poté rimanere più di quanto bastava a vederla ristabilita; i tanti impegni non gli permettevano di perdere un minuto di più; e dopo che Emma si fu impegnata ad assicurare alla signora Goddard che Harriet era sana e salva, e ad avvertire il signor Knightley che nelle vicinanze c'era quella banda, se ne andò, con tutte le benedizioni dettate dalla gratitudine che lei poté esprimere per l'amica e per se stessa.

Un'avventura come quella, un bel giovane e una leggiadra giovinetta che si trovavano insieme in simili circostanze, non poteva mancare di suggerire certe idee al cuore più freddo e al cervello più raziocinante. Così almeno la pensava Emma. Avrebbe potuto un filologo, un grammatico, o perfino un matematico, vedere quel che aveva visto lei, essere testimone del loro apparire insieme, e avere sentito il racconto di quel che li aveva così uniti, senza percepire che le circostanze avevano lavorato per renderli particolarmente interessanti l'uno all'altra? Quanto più dunque doveva infiammarsi di congetture e pronostici una persona fantasiosa come lei! In particolar modo poi con quello sfondo di speranze che la sua mente aveva già preparato.

Era una cosa davvero eccezionale! Niente di simile era mai accaduto prima a nessuna fanciulla del luogo, per quel che lei ricordava; nessun incontro, nessuno spavento simile; e adesso era proprio successo a quella determinata persona, e proprio a quell'ora, nel momento esatto in cui l'altra persona si trovava di passaggio per soccorrerla! Certo era eccezionale! E sapendo, come lei sapeva, le favorevoli disposizioni di spirito di ciascuno dei due in quel periodo, la cosa la colpiva ancor di più. Lui desiderava superare la propria attrazione per Emma, mentre Harriet stava appena guarendo della sua mania per il signor Elton. Sembrava che ogni cosa cospirasse per provocare le più interessanti conseguenze. Non era possibile che l'evento non presentasse l'uno all'altra in una luce più che mai favorevole.

Nella conversazione di pochi minuti che aveva avuto con lui, mentre Harriet era stata parzialmente svenuta, lui aveva parlato del terrore di lei, della sua ingenuità, del fervore con cui gli aveva afferrato il braccio e gli era rimasta aggrappata, con una sensibilità divertita e incantata; e proprio alla fine, dopo che Harriet ebbe dato il suo resoconto, aveva espresso nel modo più intenso la sua indignazione per l'abominevole follia della signorina Bickerton. Ogni cosa doveva tuttavia seguire il suo corso naturale, senza essere forzata o assecondata. Lei non avrebbe fatto una mossa, né avrebbe lasciato cadere un accenno. No, era stufa di intromettersi. Non ci poteva essere nulla di male nel coltivare un progetto puramente passivo. Era solo un desiderio. A nessun patto si sarebbe spinta più oltre.

La prima decisione di Emma fu di tenere il padre all'oscuro di quel che era successo, rendendosi conto dell'ansia e dell'allarme che la cosa avrebbe provocato; ma presto sentì che nasconderglielo sarebbe stato impossibile. In mezz'ora tutta Highbury ne era al corrente. Era proprio il genere di evento che poteva tenere impegnati quelli che chiacchierano di più, i giovani e quelli più umili; e in men che non si dica tutti i ragazzi e i servitori del luogo sguazzavano nella terribile notizia. Il ballo della notte prima pareva dimenticato a causa degli zingari. Il povero signor Woodhouse tremava, seduto dove si trovava e, come aveva previsto Emma, non fu soddisfatto fino a che non gli promisero di non avventurarsi mai più oltre il vivaio. Gli fu di qualche consolazione che durante il resto della giornata molti mandassero a chiedere come stavano lui e la signorina Woodhouse (giacché i vicini sapevano che gli piaceva si chiedessero sue notizie) nonché la signorina Smith; ed ebbe la soddisfazione di rispondere che stavano tutti così e così; e questo Emma lo lasciò passare, sebbene non fosse esattamente vero, perché lei stava benissimo e Harriet più o meno come lei. In quanto figlia di un uomo fatto così, Emma aveva in genere una condizione di salute piuttosto inadeguata alla situazione, poiché non sapeva che cosa volesse dire essere indisposti; e se non ci pensava lui a inventare malattie per lei, lei non poteva fare la sua figura in un messaggio.

Gli zingari non aspettarono l'opera della giustizia; se la batterono in un baleno. Le signorine di Highbury tornarono a disporre della possibilità di passeggiare sane e salve prima ancora che si diffondesse il panico, e tutta la storia presto diminuì fino alle proporzioni di una cosa di scarsa importanza, eccetto che per Emma e i suoi nipoti: nell'immaginazione di lei non perse terreno, mentre Henry e John non la smettevano di chiedere ogni giorno la storia di Harriet e degli zingari, e continuavano a correggerla se cambiava il minimo particolare del racconto originale.

Capitolo quarantesimo

Erano passati pochissimi giorni da questa avventura, quando una mattina Harriet giunse da Emma con un pacchetto in mano, e dopo essersi seduta e avere esitato un po', cominciò così:

«Signorina Woodhouse... se avete un po' di tempo... vorrei dirvi qualcosa... farvi una specie di confessione... e poi, sapete, non ci penserò più».

Emma rimase molto sorpresa, ma la pregò di parlare. Nell'atteggiamento di Harriet c'era una serietà che la preparava, non meno delle sue parole, a qualcosa di fuori dall'ordinario.

«È mio dovere, e sono certa che sia anche mio desiderio», continuò, «non avere riserve con voi su questo punto. Dato che fortunatamente sotto un certo aspetto sono cambiata, è molto opportuno che voi abbiate la soddisfazione di saperlo. Non voglio dire più di quanto è necessario; provo troppa vergogna per essermi lasciata andare come ho fatto, e oserei dire che voi mi capite».

«Sì», disse Emma, «spero di sì».

«Come ho potuto illudermi così a lungo!...», esclamò Harriet con calore. «Sembra una follia! Ora non vedo in lui nulla di straordinario. Non mi importa se l'incontro o no, anche se, tra le due cose, preferirei non vederlo, e in verità sarei pronta a fare un lungo giro per evitarlo, ma non invidio minimamente sua moglie; non l'ammiro né la invidio, come ho fatto prima; è affascinante, suppongo, e via dicendo, ma la ritengo di pessimo

221

carattere e sgradevole, non dimenticherò mai il suo sguardo dell'altra sera! Però, ve lo assicuro, signorina Woodhouse, non le auguro nessun male. No, che siano sempre felici insieme, questo non provocherà in me un altro momento di sofferenza; e per convincervi che ho detto la verità, ora distruggerò... quel che avrei dovuto distruggere da molto tempo... quel che non avrei dovuto mai conservare, lo so benissimo», e così dicendo arrossiva. «Tuttavia ora voglio distruggerlo tutto, ed è mio specifico desiderio farlo in vostra presenza, perché vediate come sono diventata ragionevole. Non riuscite a indovinare cosa contiene questo pacchetto?», domandò, con un sguardo di consapevolezza.

«Proprio non ci riesco. Vi ha forse dato qualcosa?»

«No... doni non posso chiamarli; ma sono cose che ho tenuto in grande conto».

Le mostrò il pacchetto, ed Emma lesse, in cima, le parole: «Preziosissimi tesori». Questo suscitò in lei molta curiosità. Harriet aprì il pacchetto, ed Emma attese con impazienza. Tra una grande quantità di carta argentata c'era una graziosa scatoletta intarsiata di Tunbridge, che Harriet aprì: era foderata con l'ovatta più fine; ma, oltre all'ovatta, Emma vide solo un pezzettino di taffettà inglese.

«Adesso», disse Harriet, «dovete ricordare».

«No, davvero non ricordo».

«Mio Dio! Non avrei creduto possibile che dimenticaste ciò che accadde proprio in questa camera con il taffettà, una delle ultime volte che ci siamo incontrati qui! Fu solo pochi giorni prima che avessi il mal di gola, poco prima che arrivassero il signore e la signora Knightley, credo proprio quella sera. Non ricordate che lui si fece un taglio a un dito col vostro temperino nuovo, e che voi gli consigliaste del taffettà? Ma siccome non ne avevate addosso, e sapevate che io ne avevo, mi pregaste di darglielo; e così lo tirai fuori e ne tagliai un pezzetto, ma era troppo grande, e lui lo tagliò, e seguitò a trastullarsi per un po' con la rimanenza, prima di restituirmela. E così io, sciocca com'ero, non ho potuto fare a meno di considerarlo un tesoro; e l'ho messo da parte per non usarlo mai, e ogni tanto gli davo un'occhiata, come fosse chissà quale ricchezza».

«Mia cara Harriet!», esclamò Emma, coprendosi il viso con la mano, e saltando in piedi. «Mi fate vergognare di me stessa più di quanto io non possa sopportare. Se me ne ricordo? Sì, ora ricordo tutto; ma che voi abbiate messo da parte questa reliquia, questo lo apprendo solo adesso; ma il taglio al dito, e il mio consigliare del taffettà, e il fingere di non averlo io stessa! Oh, i miei peccati, i miei peccati! Merito di rimanere in perenne rossore per il resto della vita... Ebbene», sedendosi di nuovo, «proseguite... cos'altro c'è?»

«Ma davvero l'avevate anche voi a portata di mano? Davvero io non l'ho mai sospettato, lo diceste con tanta naturalezza!».

«E così avete addirittura messo da parte questo pezzetto di taffettà per amor suo!», disse Emma, riprendendosi dal suo stato di vergogna e sentendosi divisa tra la meraviglia e l'ilarità. E in segreto aggiunse tra sé e sé: "Dio mi assista! Quando mai avrei pensato a mettere da parte tra l'ovatta un pezzo di taffettà con cui si fosse trastullato Frank Churchill! A tal punto non sono mai arrivata".

«Ecco qui», riprese Harriet, ritornando alla scatoletta, «ecco qui una cosa ancora più preziosa, perché una volta è appartenuta davvero a lui, come non era il caso del taffettà».

Emma desiderava vedere questo tesoro ancor più prezioso. Era il mozzicone di una vecchia matita, la parte senza grafite.

«Questo era proprio suo», disse Harriet. «Non ricordate, una mattina... No, scommetto di no. Ma una mattina, non ricordo esattamente il giorno, forse il martedì o mercoledì prima di quella serata, lui voleva prendere un appunto sul suo taccuino; era in merito alla birra d'abete. Il signor Knightley gli aveva detto qualcosa sulla fabbricazione della birra d'abete, e lui voleva prenderne nota; ma quando tirò fuori la matita, c'era rimasta così poca grafite che presto la tagliò via tutta quanta, e non serviva più, così voi gliene prestaste un'altra, che fu lasciata sulla tavola come inservibile. Ma io non la persi d'occhio, e, appena fui in grado di osare, la raccolsi, e da allora non me ne sono mai staccata».

«Lo ricordo», esclamò Emma, «lo ricordo perfettamente. Si parlava della birra d'abete. Oh sì! Il signor Knightley e io dicevamo tutt'e due che ci piaceva, e il signor Elton pareva deciso a imparare ad apprezzarla. Ricordo perfettamente. Un momento; il signor Knightley stava in piedi proprio in questo punto, no? Ho idea che fosse proprio qui».

«Ah, non lo so. Non riesco a rammentare... È molto strano, ma non riesco a rammentare. Il signor Elton stava seduto qui, lo ricordo, più o meno dove sono io adesso».

«E dunque, proseguite».

«Oh, questo è tutto! Non ho altro da mostrarvi o da dirvi... se non che butterò entrambe le cose nel fuoco, e desidero che voi mi vediate farlo».

«Mia povera, cara Harriet! E siete davvero stata felice di fare tesoro di queste cose?»

«Sì, da quella stupida che ero! Ma ora me ne vergogno davvero, e vorrei poter dimenticare con la stessa facilità con cui le posso bruciare. Ho avuto davvero torto, sapete, a conservare dei ricordi, dopo che lui si è sposato. So di averlo avuto... ma non avevo sufficiente decisione per separarmene».

«Ma, Harriet, è proprio necessario bruciare il taffettà? Non posso dire nulla in favore di quel pezzetto di vecchia matita, ma il taffettà potrebbe essere utile».

«Sarò più felice se lo brucio», rispose Harriet. «Vederlo mi riesce sgradevole. Devo sbarazzarmi di tutto... Ecco, è andato; grazie al cielo, è finito, il signor Elton è finito».

"E quando", pensò Emma, "comincerà il signor Churchill?".

Poco dopo ebbe motivo di ritenere che ci fosse già un inizio, e fu indotta a sperare che la zingara, anche se non aveva detto la fortuna di Harriet, l'avesse effettivamente determinata. Circa due settimane dopo quello spavento, giunsero a una spiegazione sufficiente, e in modo del tutto casuale. Emma in quel momento non pensava alla cosa, e questo rese più preziosa l'informazione che ricevette. Disse solo, nel corso di una conversazione insignificante: «Ebbene, Harriet, quando vi sposerete, vi suggerirei di fare così e così»; e non ci pensava già più quando, dopo un attimo di silenzio, sentì Harriet dire in tono molto serio: «Io non mi sposerò mai».

Emma la guardò in faccia, e immediatamente vide di cosa si trattava; e dopo un momento di esitazione, se fare finta di niente oppure no, rispose:

«Non sposarsi mai! Questa è una nuova risoluzione».

«Sì, ma è una risoluzione che non cambierò mai».

E dopo un'altra breve esitazione: «Spero non provenga da... spero non sia per rispetto al signor Elton».

«Ma quale signor Elton!», esclamò Harriet con sdegno. «Oh no...», ed Emma riuscì a stento ad afferrare le parole: «tanto superiore al signore Elton!».

Allora si prese un po' più di tempo per pensarci. Doveva fermarsi lì? Doveva lasciarla passare, facendo finta di nulla? Forse se l'avesse fatto Harriet avrebbe potuto crederla fredda o irritata; o forse, se fosse rimasta zitta, questo avrebbe potuto solo indurre Harriet a chiederle di ascoltare troppo; era decisamente contraria a una espansività come quella che c'era stata, a parlare in modo aperto e frequente di speranze e di possibilità. Ma decise che sarebbe stato più saggio dire e sapere subito tutto quel che intendeva dire e sapere. La lealtà era sempre la strada migliore.

Aveva deciso già da prima fino a qual punto sarebbe arrivata, in un caso del genere; e sarebbe stato meglio per entrambe se lei avesse dichiarato subito le giudiziose regole fissate dalla sua mente. Era decisa, e così parlò:

«Harriet, non farò finta di avere dei dubbi su quello che volete dire. Là vostra decisione, o piuttosto la supposizione di non sposarvi mai, nasce dall'idea che la persona su cui potrebbe fissarsi la vostra scelta sarebbe troppo al disopra di voi socialmente per pensare a voi. Non è così?»

«Oh, signorina Woodhouse, credetemi, non ho la presunzione di immaginare... Davvero non sono folle fino a tal punto. Ma per me è un piacere ammirarlo a distanza, e pensare alla sua infinita superiorità su tutto quanto il resto del mondo, con la gratitudine, lo stupore e la venerazione che sono così appropriate, soprattutto da parte mia».

«Non sono per nulla sorpresa di voi, Harriet. Il servizio che vi ha fatto bastava a scaldare il vostro cuore».

«Servizio! Oh, le parole non bastano a dire quanto gli sono obbligata... Mi basta ricordare la cosa, e tutto quel che ho provato in quel momento... quando l'ho visto venire... il suo nobile aspetto... e la mia precedente infelicità. Che cambiamento! Dalla più completa disperazione alla più totale felicità».

«È molto naturale. È naturale e vi fa onore. Sì, vi fa onore, credo, scegliere così bene e con tanta gratitudine. Ma che sia una preferenza destinata ad avere successo è più di quanto io possa promettere. Non vi consiglierei di darle libero sfogo, Harriet. Non posso proprio garantirvi che sia ricambiata. Pensate a quel che fate. Forse la cosa più saggia per voi sarebbe frenare i vostri sentimenti fino a che potete: in ogni modo non fatevi trascinare troppo in là, a meno che non siate convinta di piacergli. Osservatelo bene. Che il suo comportamento sia la guida del vostro sentire. Vi do adesso questo avvertimento, perché non tornerò più su questo argomento. Ho deciso di non intromettermi più. Da questo momento è come se io non ne sapessi niente. Non fatevi mai uscire di bocca un nome. Abbiamo sbagliato molto, prima: ora saremo prudenti. Lui è certo al disopra di voi, e mi pare che ci siano obiezioni e ostacoli di natura assai grave: eppure, Harriet, sono capitate cose anche più meravigliose, ci sono stati matrimoni in condizioni di disparità anche più grande. Ma state molto attenta a voi. Non vorrei foste troppo ottimista; anche se, comunque finisca, state pur sicura che aver innalzato i vostri pensieri fino a lui è un segno di buon gusto che saprò sempre apprezzare».

Harriet le baciò la mano con silenziosa e sottomessa gratitudine. Emma non ebbe dubbi nel pensare che un tale sentimento non fosse una brutta cosa per la sua amica. Avrebbe contribuito a innalzare e a raffinare l'anima di lei, e l'avrebbe salvata dal pericolo di cadere giù in basso.

Capitolo quarantunesimo

Nel bel mezzo di questi progetti e speranze, e di questa complicità, iniziò a Hartfield il mese di giugno. A Highbury in generale non apportò sostanziali mutamenti. Gli Elton parlavano ancora di una visita dei Suckling, e dell'utilizzazione che avrebbero fatto del loro birroccio scoperto; Jane Fairfax era ancora presso la nonna; e dato che il ritorno dei Campbell dall'Irlanda era stato ancora rimandato, e fissato per il mese di agosto invece della fine di giugno, Jane sarebbe probabilmente rimasta lì altri due mesi, se fosse riuscita a rendere vana l'attività della signora Elton in suo favore, e a scampare dal venire suo malgrado sistemata in fretta e furia in qualche posto "delizioso".

Il signor Knightley che, per qualche motivo che lui solo conosceva, aveva certo provato fin dall'inizio antipatia per Frank Churchill, lo trovava sempre più antipatico. Prese a sospettarlo di duplicità nel suo corteggiamento di Emma. Che Emma fosse l'oggetto delle sue premure pareva indiscutibile. Tutto lo proclamava; le sue attenzioni, gli accenni di suo padre, il prudente silenzio della matrigna; tutto si accordava; parole, comportamento, discrezione e indiscrezione, tutto raccontava la stessa storia. Ma mentre così tanti lo vedevano ai piedi di Emma, ed Emma stessa lo trasferiva a Harriet, il signor Knightley iniziò a sospettare che avesse qualche inclinazione a fare lo stupido con Jane Fairfax. Non riusciva a capire; ma tra loro due c'erano dei segnali di intesa (o così almeno lui pensava) segnali di ammirazione da parte di lui, e una volta che li ebbe notati, non poté persuadersi a ritenerli interamente privi di significato, per quanto desiderasse evitare un errore come quelli in cui era caduta Emma a causa della sua immaginazione. Lei non era presente quando sorsero i primi sospetti. Lui pranzava con la famiglia di Randalls e con Jane dagli Elton, e aveva visto uno sguardo, e più di uno sguardo, diretto alla signorina Fairfax, che, arrivando dall'ammiratore della signorina Woodhouse, sembrava assai fuori posto. Quando si trovò di nuovo in loro compagnia non riuscì a evitare commenti che, a meno che non fosse un caso come quello di Cowper e del suo fuoco al crepuscolo («Ed ero io stesso a creare quel che vedevo»)[6], lo portarono a sospettare ancora di più che ci fosse un po' di segreta simpatia, o addirittura di segreta intesa, tra Frank Churchill e Jane.

Un giorno, dopo pranzo, era andato a piedi a Hartfield per passarci la serata, come era solito fare spesso. Emma e Harriet stavano per fare una passeggiata; lui si unì loro; al ritorno, incontrarono una comitiva più numerosa di persone che, come loro, ritenevano più prudente fare la loro

[6] W. Cowper, *Il compito* (1785), IV, 290.

passeggiata di buon'ora, perché minacciava di piovere; il signore e la signora Weston e il loro figlio, la signorina Bates e sua nipote, che si erano incontrati casualmente. Si unirono in gruppo; e, una volta giunti al cancello di Hartfield, Emma, che sapeva che questa era la specie di visita che sarebbe riuscita gradita a suo padre, li sollecitò tutti a entrare e a prendere il tè con lui. I Weston acconsentirono immediatamente, e dopo un discorso piuttosto lungo della signorina Bates, che pochi ascoltarono, anche lei ritenne che era possibile accettare il gentilissimo invito della cara signorina Woodhouse.

Stavano entrando nel parco quando passò il signor Perry a cavallo. E i signori si misero a parlare del suo cavallo.

«A proposito», fece poco dopo Frank Churchill alla signora Weston, «che ne è del progetto del signore Perry di provvedersi di una carrozza?».

La signora Weston sembrò sorpresa e disse: «Non sapevo che avesse un progetto del genere».

«Ma se l'ho sentito da voi! Me ne avete parlato tre mesi fa».

«Io! Impossibile!».

«Ma ve l'assicuro. Lo ricordo perfettamente. Ne parlavate come di una cosa senz'altro prossima. La signora Perry lo aveva detto a qualcuno, e ne era felicissima. Era stata lei a persuadere il signor Perry, perché riteneva che stare fuori col tempo cattivo gli facesse molto male. Ve ne ricordate, adesso?»

«Parola mia, non ne ho mai sentito parlare fino a un attimo fa».

«Davvero, mai! Che Dio mi benedica, come può essere? Allora devo essermelo sognato, ma ero del tutto convinto... Signorina Smith, camminate come se foste stanca. Non sarete spiacente di trovarvi a casa».

«Cos'è? Cos'è?», esclamò il signor Weston, «questa faccenda su Perry e la carrozza? Perry si provvede di una carrozza? Sono contento che possa permetterselo. L'hai sentito da lui stesso?»

«No, signor padre», rispose il figlio, ridendo, «pare che io non l'abbia sentito da nessuno. È proprio strano! Ero proprio convinto che la signora Weston ne avesse parlato in una delle sue lettere a Enscombe, molte settimane fa, con tutti quei particolari, ma dato che lei ha dichiarato di non averne sentito una sillaba prima d'ora, naturalmente deve essere stato un sogno. Sono un gran sognatore. Sogno tutte le persone di Highbury quando sono lontano, e quando ho finito di sognare dei miei amici personali, comincio a sognare del signore e della signora Perry».

«È strano, però», notò suo padre, «che tu debba avere avuto un sogno così coerente su persone a cui non era realistico che tu pensassi, a Enscombe. Perry che si provvede di una carrozza! E sua moglie che lo persuade a farlo, per la preoccupazione per la sua salute: proprio quel che succederà, non ne dubito, una volta o l'altra; solo che la notizia è un poco prematura. Che aria di probabilità hanno certe volte i sogni! E altre volte, che cumulo di assurdità sono! Ebbene, Frank, il tuo sogno dimostra di certo che pensi a Highbury quando ne sei assente. Emma, voi siete una gran sognatrice, immagino».

Emma era troppo lontana per sentire. Era corsa avanti ai suoi ospiti per preparare il padre alla loro comparsa, e l'accenno del signor Weston non poté giungere alle sue orecchie.

«Be', a dire la verità», esclamò la signorina Bates, che inutilmente aveva cercato di farsi ascoltare negli ultimi due minuti, «se devo dire qualcosa su questo punto, non si può negare che il signor Frank Churchill potrebbe avere... non voglio dire che non lo abbia sognato... sono sicura di avere io stessa talvolta i sogni più strani del mondo... ma se si chiedesse a me, dovrei riconoscere che la primavera scorsa è stata accennata un'idea del genere; perché la stessa signora Perry ne parlò a mia madre, e i Cole lo sapevano non meno di noi; ma era davvero un segreto, noto a nessun altro, e a cui si pensò solo per tre giorni. La signora Perry desiderava molto che lui avesse una carrozza, e una mattina arrivò da mia madre tutta allegra perché credeva di averla avuta vinta. Jane, non ricordi che ce ne parlò la nonna, quando ritornammo a casa? Non ricordo dove eravamo andate, probabilmente a Randalls; sì, credo fosse a Randalls. La signora Perry ha sempre avuto una predilezione per mia madre; non so davvero chi non ne abbia; e ne ha fatto parola con lei in confidenza; non aveva nulla in contrario a dirlo a noi, naturalmente, però non doveva diffondersi oltre: e, da quel giorno fino a oggi, non ho mai aperto bocca. Allo stesso tempo non negherò in modo reciso di poter aver fatto cadere un accenno, perché so che alle volte mi sfugge di bocca una cosa prima che me ne accorga. Sono una chiacchierona, sapete; sono piuttosto una chiacchierona; e ogni tanto mi sono lasciata scappare qualcosa che non avrei dovuto. Non sono come Jane; vorrei esserlo. Garantisco che lei non si è mai lasciata sfuggire il più piccolo accenno. Dov'è Jane? Ah, proprio qui dietro. Ricordo perfettamente quando è venuta la signora Perry. Un sogno davvero straordinario!».

Stavano entrando nell'atrio. Gli occhi del signor Knightley avevano preceduto quelli della signorina Bates nel fissarsi su Jane. Dal viso di Frank Churchill, dove ritenne di notare una confusione soffocata o risolta in una risata, si era involontariamente rivolto a quello di Jane; ma lei era davvero rimasta indietro, ed era troppo occupata con il suo scialle. Il signor Weston era entrato. Gli altri due signori aspettavano alla porta per lasciarla passare. Il signor Knightley sospettava che Frank Churchill avesse deciso di attrarre lo sguardo di Jane. Sembrava osservarla fissamente, ma, se era così la fissò invano: Jane passò tra di loro ed entrò nell'atrio senza guardare nessuno dei due.

Non ci fu tempo per altri commenti o spiegazioni. Ci si doveva accontentare di pensare che si fosse trattato di un sogno, e il signor Knightley dovette prendere posto con gli altri intorno alla grande tavola rotonda moderna che Emma aveva introdotto a Hartfield, e che nessun altri che Emma avrebbe avuto il potere di mettere in quel posto e di persuadere il padre a usare, al posto della tavola di Pembroke di piccole dimensioni su cui erano stati fatti entrare, per quarant'anni, due dei suoi pasti giornalieri. L'ora del tè passò gradevolmente, e nessuno sembrava avere fretta di andar via.

«Signorina Woodhouse», disse Frank Churchill, dopo aver esaminato un tavolo dietro di lui, che lui poteva raggiungere anche restando seduto, «i vostri nipoti hanno portato via i loro alfabeti, la loro scatola di lettere? In genere stava lì. Dov'è? Questa è una grigia serata che dovrebbe essere trattata più come inverno che come estate. Una mattina ci divertimmo molto con quelle lettere. Voglio farvi indovinare di nuovo».

A Emma piacque l'idea; e, quando la scatola venne tirata fuori, ben presto il tavolo fu disseminato di lettere dell'alfabeto, che nessuno sembrava più pronto a usare di loro due. Velocemente formavano parole l'uno per l'altra, o per chiunque altro volesse fare un tentativo di indovinare. La tranquillità del gioco lo rendeva particolarmente gradito al signor Woodhouse, che frequentemente era stato disturbato dai giochi più vivaci introdotti ogni tanto dal signor Weston, e che ora sedeva felicemente occupato a lamentarsi, con tenera melanconia, per la partenza dei «poveri ragazzini», o a far notare affettuosamente, raccogliendo qualche lettera che era andata a finire vicino a lui, quanto Emma l'avesse scritta bene.

Frank Churchill mise una parola sotto gli occhi della signorina Fairfax. Lei ruotò un veloce sguardo intorno alla tavola, e poi ci si impegnò. Frank sedeva accanto ad Emma, Jane davanti a loro, e il signor Knightley era messo in modo da poterli vedere tutti; e suo scopo era di vedere quanto più poteva, anche senza mostrarlo. La parola fu trovata e allontanata con un lieve sorriso. Se l'idea era di mescolarla subito con le altre, e seppellirla agli sguardi, Jane avrebbe dovuto guardare sulla tavola invece che davanti a sé, e infatti non si mescolò; e Harriet, che stava all'erta per ogni parola nuova, non trovandone alcuna, raccolse subito quella e si mise all'opera. Seduta accanto al signor Knightley, si rivolse a lui per un aiuto. La parola era *abbaglio*; e mentre Harriet la proclamava esultando, si diffuse sulle guance di Jane un rossore che le dette un significato che altrimenti non sarebbe stato palese. Il signor Knightley la collegò col sogno; ma come potessero stare le cose, era al di là della sua comprensione. Come poteva la delicatezza, la discrezione della sua favorita, essere stata messa da parte così! Temeva che dovesse esserci un preciso intrigo. A ogni piè sospinto incontrava simulazione e duplicità. Quelle lettere non erano che strumenti di galanterie e di inganni. Era un gioco per bambini, scelto per nascondere un gioco più profondo da parte di Frank Churchill.

Continuò a osservarlo con grande indignazione, e a osservare con molto allarme e diffidenza anche le sue due cieche compagne. Vide una parola breve preparata per Emma, e a lei data con uno sguardo furbo e dimesso. Vide che Emma non tardava a interpretarla e la trovava molto divertente, anche se era una cosa che giudicava più idoneo fingere di censurare; giacché disse: «Che stupidaggine, vergogna!». Sentì poi Frank Churchill affermare, volgendo un'occhiata dalla parte di Jane: «La do a lei, che ne dite?». E altrettanto chiaramente sentì Emma opporsi con fervore accompagnato da una risata: «No, no, non dovete; non lo farete proprio».

Ma venne fatto. Quel galante giovanotto, che pareva amare senza sentimento, e fare bella figura senza sforzarsi di piacere, passò senz'altro la parola alla signorina Fairfax, e con un particolare grado di composta cortesia la pregò di studiarla. L'eccessiva curiosità del signor Knightley di sapere quale potesse essere quella parola gli fece cogliere ogni occasione per puntarvi sopra lo sguardo, così che non tardò molto a vedere che era Dixon. La percezione di Jane Fairfax sembrò procedere all'unisono con la sua; la sua comprensione fu certamente più all'altezza del significato nascosto, dell'enigmatica informazione contenuta in quelle cinque lettere così disposte. Jane rimase evidentemente seccata; alzò gli occhi e, scoprendosi osservata, arrossì in modo più violento di quanto non l'avesse mai vista fare, e dicendo solamente: «Non sapevo che fossero permessi i nomi propri», allontanò le lettere addirittura con ira, e prese l'aria di chi non volesse più pensare ad altre parole che potessero essere presentate. Girò il viso da quelli che avevano sferrato l'attacco e si volse verso la zia.

«Già, è proprio vero, mia cara», esclamò quest'ultima, anche se Jane non aveva pronunciato una sola parola, «Stavo proprio per dire la stessa cosa. È davvero il momento di muoverci. Sta calando la sera, e la nonna ci starà aspettando. Mio caro signore, siete troppo gentile. Ma dobbiamo veramente augurarvi la buona notte».

L'atteggiamento guardingo di Jane nell'alzarsi dimostrò che era pronta come sua zia aveva presentito. Si alzò immediatamente, nel desiderio di lasciare il tavolo; ma erano così in tanti ad andarsene, che non poté allontanarsi; e il signor Knightley credette di vedere un altro gruppo di lettere che veniva spinto con ansia verso di lei, e che lei risolutamente allontanava senza esaminarlo. Poi si mise a cercare il suo scialle (anche Frank Churchill lo cercava); si stava facendo buio, e la camera era piena di confusione; e il modo in cui se ne andarono, il signor Knightley non avrebbe saputo dirlo.

Lui rimase a Hartfield dopo che gli altri se n'erano andati, con la mente piena di quel che aveva visto; così piena che quando vennero le candele a confortare le sue osservazioni, sentì che doveva (certo che doveva, da amico, un amico ansioso) lasciar cadere qualche accenno per Emma, farle qualche domanda. Non poteva vederla in una situazione così pericolosa senza cercare di salvarla. Era suo dovere.

«Vi prego, Emma», disse, «posso chiedervi in cosa è consistito il gran divertimento, la punta velenosa dell'ultima parola proposta a voi e alla signorina Fairfax? Io ho visto la parola e sono curioso di sapere come abbia potuto divertire tanto una di voi e addolorare l'altra».

Emma rimase estremamente confusa. Non tollerava l'idea di dargli la vera spiegazione; perché anche se i suoi sospetti non erano accantonati, si vergognava davvero di averli mai espressi.

«Oh!», esclamò con evidente imbarazzo. «Non voleva dire niente; era solo uno scherzo tra noi».

«Lo scherzo», rispose lui con molta serietà, «pareva limitato a voi e al signor Churchill».

Sperava che Emma dicesse di più, ma lei non lo fece. Piuttosto che parlare, voleva darsi da fare per qualsiasi altra cosa. Lui sedette per un po', pieno di dubbi. Gli attraversavano la mente una quantità di brutte ipotesi. Un'intrusione, un'inutile intrusione. La confusione di Emma, e l'intimità che gli era parso dedurre, parevano dichiarare che l'affetto di lei era impegnato. Eppure voleva parlare. Era suo dovere verso di lei, correre tutti i rischi che un'importuna ingerenza avrebbe potuto implicare, invece che portare al benessere di lei; affrontare qualunque cosa piuttosto che il ricordo di essere stato negligente in una causa così importante.

«Mia cara Emma», disse alla fine, con seria cortesia, «credete di capire perfettamente il livello di conoscenza tra il signore e la signora di cui stiamo parlando?»

«Tra il signor Churchill e la signorina Fairfax? Oh sì, perfettamente. Perché ne dubitate?»

«Non avete mai in alcun momento avuto ragione di pensare che lui l'ammirasse, o che lei ammirasse lui?»

«Mai e poi mai!», esclamò lei con calore più che spontaneo. «Mai, neppure per una frazione di secondo, mi è venuta in testa un'idea simile. E come è potuto venire in testa a voi?»

«Negli ultimi tempi ho creduto di aver visto i segni di un interesse tra loro due; certi sguardi espressivi, che non credo intendessero di essere colti dagli altri».

«Oh! Voi mi divertite immensamente. Provo una grande gioia a sentire che potete consentirvi di dare libero corso alla vostra fantasia; ma non ci siamo; mi dispiace di dovervi fermare alla vostra prima prova, ma proprio non ci siamo. Non c'è alcuna ammirazione tra loro, ve lo assicuro, e le apparenze che vi hanno colpito sono state create da qualche circostanza particolare; sentimenti di natura del tutto diversa; è impossibile spiegare esattamente; c'è parecchia assurdità in questo, ma la parte che può venire comunicata e che suona ragionevole, è che sono lontani, quanto possono esserlo due creature umane, da qualsiasi reciproco interesse o ammirazione. Cioè, io *presumo* che sia così da parte di lei, mentre *sono certa* che è così da parte di lui. Sono certa dell'indifferenza del giovanotto».

Parlava con una fiducia che sbalordì, e con una soddisfazione che fece ammutolire il signor Knightley. Emma si sentiva contenta e avrebbe voluto prolungare la conversazione, perché desiderava sentire i particolari dei sospetti di lui, sentirlo descrivere ogni sguardo, e i "dove" e i "come" di una situazione che la divertiva enormemente; ma non trovò altrettanta contentezza in lui.

Lui si accorgeva di non poter riuscire utile, e i suoi sentimenti erano troppo irritati per parlare. Per non venire irritato fino a una vera e propria furia dal fuoco che le delicate abitudini del signor Woodhouse esigevano quasi ogni sera per tutto l'anno, poco dopo prese congedo in fretta, e si avviò a piedi alla frescura e alla solitudine dall'abbazia di Donwell.

Capitolo quarantaduesimo

Dopo essersi per molto tempo nutrito della speranze di una pronta visita dei signori Suckling, Highbury fu obbligata a sopportare la mortificazione di sentire che non potevano assolutamente venire prima dell'autunno. Per il momento nessun apporto dall'esterno di novità di quel genere poteva arricchire le loro scorte intellettuali. Nel quotidiano scambio di notizie, dovevano nuovamente limitarsi agli altri argomenti a cui, per qualche tempo, si era unito quello dell'arrivo dei Suckling; quali gli ultimi bollettini relativi alla signora Churchill, la cui salute sembrava fornire ogni giorno un quadro diverso, e la situazione della signora Weston, la cui gioia si sperava potesse a suo tempo venire di molto accresciuta dall'arrivo di un bambino, così come lo era quella di tutti i suoi vicini, nell'approssimarsi di tale evento.

La signora Elton era molto delusa. Questo significava rimandare molto piacere e molte possibilità di sfoggio. Tutte le sue presentazioni e raccomandazioni dovevano attendere, e ogni ricevimento da lei progettato doveva rimanere allo stato di semplice argomento di conversazione. Così pensò sulle prime; ma un po' di riflessione la persuase che non era necessario rimandare tutto. Perché non avrebbero dovuto esplorare fino a Box

Hill, anche se non venivano i Suckling? Avrebbero potuto tornarci con loro in autunno. Si decise di andare a Box Hill. Che dovesse esserci una simile gita lo sapevano tutti da un pezzo: anzi, essa ne aveva suggerita pure un'altra. Emma non era mai stata a Box Hill; desiderava vedere un posto che tutti trovavano tanto degno di essere visto, e lei e la signora Weston avevano deciso di scegliere qualche bella mattina e andarci in carrozza. Solo a due o tre altri amici ben scelti doveva essere concesso di partecipare, e questo doveva avvenire in una forma tranquilla, non pretenziosa, elegante, infinitamente superiore alla confusione e ai preparativi, al mangiare e al bere in abbondanza, alle esibizioni che caratterizzavano i picnic degli Elton e dei Suckling.

Su questo argomento si erano intesi tanto bene tra loro che Emma non poté non sentire qualche sorpresa, e un pizzico di dispiacere, apprendendo dal signor Weston che questi aveva proposto alla signora Elton, dato che il cognato e la sorella di lei le avevano mancato di parola, che le due comitive si unissero e andassero insieme; e che dato che la signora Elton aveva accettato di buon grado la proposta, così sarebbe successo, se lei non avesse avuto nulla in contrario. Ora, visto che le sue obiezioni non erano altro che una conseguenza della sua grande antipatia per la signora Elton, di cui il signor Weston doveva essersi accorto benissimo, non valeva la pena di ripresentarla: questo non poteva essere fatto senza un rimprovero al signor Weston che avrebbe addolorato sua moglie; così Emma si trovò costretta ad acconsentire a una soluzione che avrebbe fatto di tutto per evitare; una soluzione che probabilmente l'avrebbe addirittura esposta alla mortificazione di sentire definire la comitiva come il gruppo della signora Elton! Ogni suo sentimento ne era urtato; e il dover mostrare sottomissione lasciò un pesante carico di segreta ostilità nelle sue riflessioni sulla troppo testarda benevolenza del carattere del signor Weston.

«Sono lieto che approviate quel che ho fatto», disse lui con molta soddisfazione. «Ma pensavo che sarebbe stato così. Progetti come questi non valgono niente, se non si è in tanti. La comitiva non è mai sufficientemente grande. Un gruppo numeroso è sicuro di divertirsi con i propri mezzi. E dopo tutto, lei è una donna di buon carattere. Non la si può escludere».

Emma non proferì neppure una parola per contraddire apertamente questo discorso, ma in cuor suo non lo approvò minimamente.

Si era ora in giugno inoltrato, e il tempo era bello: e la signora Elton diveniva impaziente di fissare una data, e di accordarsi con il signor Weston in merito ai pasticci di piccione e l'agnello freddo, quando un cavallo di una delle vetture si ferì una zampa, e tutto divenne tristemente incerto. Potevano passare settimane, o poteva trattarsi solo di pochi giorni, prima che si potesse utilizzare ancora il cavallo, ma non si poteva rischiare di far preparativi, e tutto stagnava nel modo più deprimente. Le risorse della signora Elton non erano in grado di sostenere un colpo simile.

«Non è terribilmente irritante, Knightley?», esclamò. «E con un tempo così magnifico per le gite! Questi indugi e queste delusioni sono proprio odiosi. Che dobbiamo fare? Di questo passo l'anno volgerà al termine, e non si sarà combinato un bel nulla. Prima di questa stagione, l'anno scorso, avevamo già fatto una deliziosa gita di esplorazione da Maple Grove a Kings Weston, ve lo assicuro».

«Fareste meglio a esplorare fino a Donwell», rispose il signor Knightley. «E ciò si potrebbe fare senza bisogno di cavalli. Venite a mangiare le mie fragole. Stanno maturando velocemente».

Se il signor Knightley non aveva cominciato sul serio, fu costretto a diventarlo in seguito, perché la sua proposta fu colta al volo con gioia; e quell'«Oh, quanto mi piacerebbe!» fu più che mai esplicito nel tono, oltre che nelle parole. Donwell era famoso per i suoi fragoleti, che rendevano attraente la proposta, ma nessuna particolare attrazione era necessaria; anche delle cavolaie sarebbero state sufficienti a tentare la signora, che desiderava solamente andare da qualche parte. Lei gli ripeté più volte la promessa di andare (più spesso di quanto non fosse necessario a tacitare i dubbi di lui) e fu molto lusingata da una tale prova d'intimità, da un complimento così speciale, come a lei piacque considerarlo.

«Potete contare su di me», disse. «Verrò di certo. Fissate il giorno e verrò. Mi consentite di portare Jane Fairfax?»

«Non posso stabilire una data», disse lui, «fino a che non avrò parlato con altre persone che vorrei si incontrassero con voi».

«Oh, lasciate che ci pensi io. Basta che mi diate carta bianca. Sarò la patrona della riunione, sapete. È un ricevimento che organizzo io. Porterò con me degli amici».

«Spero condurrete Elton», disse lui, «ma non vi annoierò chiedendovi di fare altri inviti».

«Oh! Ora avete l'aria di un furbacchione. Ma pensate; non dovete avere paura di delegare a me il potere. Io non sono una signorina appena promossa. Le donne maritate, sapete, possono venire autorizzate con piena fiducia. È il mio ricevimento. Lasciate fare tutto a me. Inviterò io i vostri ospiti».

«No», rispose lui con calma, «al mondo c'è una sola donna sposata a cui io posso consentire di invitare gli ospiti che vuole a Donwell, e questa è...».

«...la signora Weston, suppongo», lo interruppe la signora Elton, alquanto mortificata.

«No... la signora Knightley; e fino a che non ci sarà una signora Knightley, provvederò per mio conto a simili faccende».

«Ah, siete un uomo bizzarro!», esclamò lei, soddisfatta di non vedere nessun'altra preferita a lei stessa. «Siete un umorista, e potete dire quel che vi pare. Proprio un umorista. Ebbene, condurrò con me Jane... Jane con la zia. Quel che rimane lo lascio a voi. Non ho alcuna obiezione a incontrare la famiglia di Hartfield. Non fatevi scrupoli. So che siete affezionato a loro».

«Certo che li incontrerete, se riuscirò a persuaderli a venire; e ritornando a casa passerò dalla signorina Bates».

«Ciò non è minimamente necessario; io vedo Jane ogni giorno... però fate come volete. Deve essere un progetto per la mattinata, sapete, Knightley; una cosa semplicissima. Io porterò un grande cappello e avrò uno dei miei cestini infilato al braccio. Ecco qui... probabilmente questo cestino, con un nastro rosa. Non c'è niente di più semplice, vedete. E Jane ne porterà un altro. Non ci saranno formalità o sfoggi... una sorta di comitiva di zingari. Passeggeremo per il vostro giardino e coglieremo le fragole noi stesse; ci siederemo sotto gli alberi; e qualsiasi altra cosa vorrete mettere a disposizione, dovrà essere all'aperto: una tavola apparecchiata all'ombra, sapete. Tutto naturale e semplice il più possibile. Non è questa la vostra idea?»

«Non proprio. La mia idea di semplicità e naturalezza sarà avere la tavola apparecchiata nella sala da pranzo. La naturalezza e la semplicità dei gentiluomini e delle signore, con i loro servitori e i loro mobili, credo possano essere meglio osservate prendendo i pasti in casa. Quando sarete stufa di mangiare fragole nel giardino, ci sarà carne fredda in casa».

«Ebbene... come volete voi; ma non fate grandi preparativi. E, a proposito, possiamo io o la mia governante assistervi con i nostri consigli? Vi prego, siate sincero, Knightley. Se volete che parli alla signora Hodges, o ispezioni qualcosa...».

«Non ne ho il benché minimo desiderio, grazie».

«Sta bene... ma se dovessero nascere difficoltà, la mia governante è bravissima».

«Vi do la mia parola che la mia si ritiene altrettanto brava, e respingerebbe con indignazione l'assistenza di chiunque altro».

«Vorrei che avessimo un asino. L'idea sarebbe che si arrivasse tutti quanti su degli asinelli, Jane, la signorina Bates e io; e che il mio *caro sposo* ci accompagnasse a piedi. Devo proprio parlargli dell'acquisto di un asino. Penso che nella vita di campagna sia una specie di necessità, perché, per quante risorse possa avere una donna, non è possibile che rimanga sempre chiusa in casa; e le passeggiate molto lunghe, sapete... d'estate c'è polvere, e d'inverno c'è fango».

«Non troverete nessuna delle due cose tra Donwell e Highbury. La strada di Donwell non è mai polverosa, e adesso è perfettamente asciutta. Ma venite pure in groppa a un asino, se preferite. Potete prendere a prestito quello della signora Cole. Voglio che tutto sia di vostro gusto, per quanto è possibile».

«Sono certa che lo desiderate. In verità vi rendo giustizia, caro amico mio. So che, sotto quegli strani modi asciutti e bruschi, avete un cuore d'oro. Come dico al signor E., siete un perfetto umorista. Sì, credetemi, Knightley, apprezzo moltissimo l'attenzione che mostrate per me in tutto questo progetto. Avete proprio indovinato quel che può farmi piacere».

Il signor Knightley aveva un'altra ragione per evitare una tavola all'ombra. Voleva persuadere il signor Woodhouse, oltre a Emma, a unirsi alla compagnia, e sapeva che se avesse fatto sedere a mangiare all'aperto qualcuno di loro, si sarebbe inevitabilmente sentito male. Non si doveva tentare il signor Woodhouse a recarsi dove sarebbe stato male, con l'esca di una scarrozzata mattutina e di un paio d'ore da passare a Donwell.

Fu invitato in buona fede. Nessun orrore nascosto doveva farlo rimpiangere di essersi fatto convincere troppo facilmente. Lui acconsentì. Non andava a Donwell da due anni. E in una mattinata davvero bella, lui, Emma e Harriet sarebbero potuti andare senz'altro; poteva starsene seduto tranquillamente con la signora Weston, mentre le care ragazze avrebbero passeggiato in giardino. Non credeva che il giardino fosse umido in quella stagione, verso mezzogiorno. Gli sarebbe piaciuto moltissimo rivedere l'antica casa, e sarebbe stato molto contento di incontrare il signore e la signora Elton, e chiunque altro dei suoi vicini. Non vedeva nulla in contrario che lui e Emma e Harriet ci andassero, in una bella mattinata. Pensava che il signor Knightley avesse avuto un'idea eccellente a invitarli... molto cortese e assennata... molto più brillante di un invito a pranzo. Non amava pranzare in casa altrui.

Il signor Knightley fu tanto fortunato da trovare tutti più che mai consenzienti. L'invito fu ricevuto da ogni parte con tale piacere da far sembrare che, come la signora Elton, tutti ritenessero il progetto un complimento personale. Emma e Harriet espressero grandi speranze di divertirsi in quella circostanza; e il signor Weston, senza che gli fosse richiesto, promise di far venire Frank per unirsi a loro, se possibile; un segno di approvazione e di gratitudine di cui si sarebbe anche potuto fare a meno. Il signor Knightley fu perciò costretto a dire che sarebbe stato felice di vederlo: e il signor Weston si impegnò a scrivergli subito, e a non risparmiare argomenti per convincerlo ad andare.

Nel frattempo il cavallo azzoppato guarì così presto che l'escursione a Box Hill tornò di nuovo felicemente sul tappeto; e alla fine fu fissato un giorno per Donwell, e il giorno successivo per Box Hill; dato che il tempo sembrava proprio il più adatto.

Sotto un sole splendente di mezzogiorno, verso la metà di giugno, il signor Woodhouse fu portato sano e salvo nella sua carrozza, con un finestrino aperto, a partecipare al ricevimento all'aperto; e venne felicemente sistemato in una delle stanze più comode dell'abbazia, appositamente preparata per lui col fuoco acceso per tutta la mattina, del tutto a suo agio, pronto a parlare con piacere di quel che era stato fatto e a consigliare tutti di venire a mettersi seduti e a non accaldarsi. La signora Weston, che pareva essere venuta a piedi apposta per potere essere stanca e sedere tutto il tempo con lui, rimase, quando tutti gli altri erano stati invitati o convinti a uscire, a fargli da paziente ascoltatrice e sostenitrice.

Era tanto di quel tempo che Emma non andava all'abbazia, che appena si fu accertata che suo padre disponeva di tutte le comodità, fu contenta di lasciarlo e di guardarsi intorno, assecondando il desiderio di rinfrescare e correggere i suoi ricordi con un'osservazione più minuta, con un più esatto apprezzamento di una casa e di un parco che dovevano essere tanto interessanti per lei e per tutta la sua famiglia.

Sentiva tutto l'onesto orgoglio e il compiacimento che comportava la sua parentela con l'attuale e col futuro proprietario, mentre osservava le proporzioni rispettabili e lo stile dell'edificio, la sua posizione comoda, dignitosa e caratteristica, così bassa e protetta, e i suoi ampi giardini che si stendevano giù fino ai prati bagnati da un corso d'acqua, di cui l'abbazia, con tutta l'antica noncuranza della prospettiva, non godeva nemmeno un po' di vista, e la sua abbondanza di alberi in file e in viali, che né la moda né il capriccio avevano sradicati. La casa era più grande di Hartfield, e del tutto diversa, giacché copriva molto terreno, vasta e dispersiva, con molte stanze comode e una o due stanze belle. Era proprio quello che doveva essere, e sembrava quello che era; ed Emma provò un rispetto crescente, come per la residenza di una famiglia di nobiltà davvero autentica, non corrotta nel sangue e nella mente. Difetti di carattere John Knightley ne aveva: ma Isabella aveva fatto un'unione irreprensibile. Non aveva dato loro né uomini, né nomi, e neppure luoghi che potessero provocare il minimo imbarazzo. Erano piacevoli sentimenti, questi, ed Emma passeggiava abbandonandosi a essi, fino a che fu necessario fare quel che facevano gli altri, e mettersi a cogliere fragole. Tutti gli invitati si erano riuniti, eccetto Frank Churchill, che era atteso da un momento all'altro da Richmond; e la signora Elton, in tutta la sua felicità, con il cappello grande e il cestino, era più che pronta a condurre il gruppo a cogliere, accettandone certe, e valutandone altre... le fragole; e solo le fragole potevano adesso essere l'oggetto dei pensieri o dei discorsi. «Il miglior frutto d'Inghilterra... il più amato di tutti... sempre sano. Questi fragoleti sono i più belli e le fragole sono del tipo migliore... È delizioso coglierle da soli... l'unico modo per goderle davvero... La mattina è decisamente il momento migliore... non ne sono mai stanca... ogni specie è buona... la fragola di giardino è infinitamente superiore... nessun confronto... le altre sono a stento mangiabili... le fragole di giardino sono molto rare... quelle del Cile sono le più popolari... quelle bianche hanno la fragranza più delicata... il prezzo delle fragole a Londra... un'abbondanza di fragole intorno a Bristol... Maple Grove... la coltivazione delle fragole... quando si devono rinnovare i fragoleti... i giardinieri sono di parere completamente opposto... nessuna regola generale... non c'è modo di far cambiare sistema ai giardinieri... un frutto delizioso... solo un po' troppo ricco perché se ne possa mangiare in gran quantità... inferiore alle ciliegie... il ribes è più rinfrescante... l'unica obiezione al cogliere fragole è il doversi curvare... il sole è abbagliante... sono morta dalla stanchezza... non ce la faccio più... devo andarmi a sedere all'ombra».

Questa fu, per una mezz'ora, la conversazione, interrotta solo una volta dalla signora Weston, che venne fuori, spinta dalla sua sollecitudine per il figliastro, a chiedere se era arrivato; era un po' in ansia per il suo cavallo.

Furono trovati posti a sedere abbastanza all'ombra, ed Emma fu adesso costretta a sentire la conversazione tra la signora Elton e Jane Fairfax. Si parlava di un posto di governante, un posto più che mai desiderabile. La signora Elton ne aveva avuto notizia quella mattina, ed era in estasi. Il posto non era presso la signora Suckling, né presso la signora Bragge; ma quanto a delizia e splendore era di poco al di sotto di così; era presso una cugina della signora Bragge, una conoscenza della signora Suckling, una signora nota a Maple Grove. Delizioso, incantevole, superiore, ambiente fine, alte sfere, rango, insomma tutto; e la signora Elton si accalorava perché l'offerta venisse accettata immediatamente. Da parte di lei tutto era entusiasmo, energia e trionfo, e rifiutava decisamente di dare ascolto al diniego della sua amica, anche se la signorina Fairfax continuava ad assicurarle che per il momento non voleva prendere alcun tipo di impegno, e ripeteva le ragioni che l'avevano già sentita esporre prima. E tuttavia la signora Elton insisteva per essere autorizzata a scrivere una nota di accettazione con la posta del giorno dopo. Come Jane potesse sopportare tutto ciò, Emma lo trovava stupefacente. Certo pareva irritata, parlava in modo aspro; alla fine, con una decisione che le era insolita, propose di allontanarsi. Perché non facevano un giro? Non poteva il signor Knightley mostrare loro i giardini, tutti i giardini? Lei desiderava visitarli tutti. La pertinacia della sua amica pareva più di quanto lei potesse sopportare.

Faceva caldo; e dopo aver passeggiato per un certo tempo per i giardini in ordine sparso, in gruppetti di non più di tre persone, senza accorgersene arrivarono uno dopo l'altro all'ombra deliziosa di un largo e breve viale di tigli, che allungandosi al di là del giardino, a eguale distanza dal fiume, pareva porre fine alle delizie del giardino. Non portava da nessuna parte: a null'altro che a una vista conclusiva su un basso muro di pietra con alte colonne, che parevano messe lì a dare l'impressione di un avvicinamento a una casa che, invece, in quel punto non c'era mai stata. Ma per discutibile che potesse essere il gusto di quel confine, il viale in se stesso era incantevole, e la vista che lo chiudeva estremamente gradevole. Il considerevole pendio, vicino ai piedi del quale sorgeva l'abbazia, diventava a poco a poco più ripido oltre il giardino; e a mezzo miglio di distanza c'era un dosso notevolmente scosceso e grandioso, tutta rivestito di alberi; e alla base di questo dosso, ben collocata e progettata, sorgeva la fattoria del Mulino dell'Abbazia, con i prati davanti e il fiume che le faceva intorno una stretta e bella curva.

Era una vista dolce, tanto per l'occhio che per lo spirito. Vegetazione inglese, coltivazioni inglesi, comodità inglesi, viste sotto un sole che sfavillava senza essere opprimente.

In questo viale Emma e il signor Weston trovarono riuniti tutti gli altri, e contro quella vista ella immediatamente distinse il signor Knightley e Harriet che, staccatisi dal gruppo, facevano strada lentamente.

Il signor Knightley e Harriet! Era una coppia curiosa; ma era lieta di vederla. C'era stato un tempo in cui lui avrebbe disprezzato la compagnia di Harriet e le avrebbe girato le spalle senza tanti complimenti. Ora parevano impegnati in una piacevole conversazione. C'era stato anche un momento in cui a Emma sarebbe dispiaciuto vedere Harriet in un luogo così favorevole per la fattoria del Mulino dell'Abbazia; ma ora non ne aveva più paura. Si poteva guardare la fattoria con tutta calma, con tutti i suoi attributi di prosperità e bellezza, i suoi ricchi pascoli, le greggi sparse, l'orto fiorito e le lievi colonne di fumo che si alzavano. Li raggiunse all'altezza del muro e li trovò più impegnati a parlare che a guardare in giro. Knightley stava spiegando a Harriet i sistemi agricoli, e via dicendo, ed Emma ricevette un sorriso che sembrava dichiarare: «Sono affari miei. Ho il diritto di parlare di simili argomenti, senza venire sospettato di voler introdurre l'argomento Robert Martin». Ed Emma non lo sospettava. Era una storia troppo vecchia. Probabilmente Robert Martin aveva smesso di pensare a Harriet. Fecero qualche giro insieme lungo il viale. L'ombra era molto rinfrescante ed Emma trovò questa la parte più piacevole della giornata.

Poi andarono in casa; tutti dovevano entrare e mangiare; e mentre erano tutti seduti e affaccendati, Frank Churchill ancora non arrivava. La signora Weston guardava, e guardava inutilmente, il padre di Frank non voleva confessare di essere inquieto, e rideva delle paure di lei, che però non voleva rinunciare al desiderio che il giovanotto si liberasse della sua cavalla nera. Aveva dichiarato che sarebbe venuto, con grande sicurezza.

Sua zia stava così meglio, che non dubitava di venire. E tuttavia le condizioni della signora Churchill, come molti prontamente le ricordarono, erano soggette a mutamenti così improvvisi da poter dare una delusione al nipote, anche laddove lui aveva ragione di fare ogni assegnamento, e alla fine la signora Weston fu persuasa a credere, o a dire, che doveva essere stato un attacco improvviso della signora Churchill a impedirgli di venire. Emma guardava Harriet, mentre veniva discusso questo argomento; il suo contegno fu eccellente, non tradì alcuna emozione.

Il pasto freddo ebbe termine, e la compagnia doveva uscire di nuovo per vedere ciò che ancora non aveva visto: le antiche peschiere dell'abbazia; forse poteva arrivare fino ai campi di trifoglio che si doveva cominciare a falciare il giorno dopo, o, in ogni caso, avere il piacere di sentire caldo per potersi poi rinfrescare di nuovo.

Il signor Woodhouse, che aveva già fatto il suo piccolo giro nella parte più alta del giardino, dove neppure lui immaginava salisse umidità dal fiume, non si mosse più; e sua figlia decise di restare con lui, così che la signora Weston potesse lasciarsi convincere dal marito a godere di quel movimento e di quella varietà che il suo spirito sembrava chiedere.

Il signor Knightley aveva fatto quel che era in suo potere per divertire il signor Woodhouse. Libri di incisioni, cassetti di medaglie, cammei, coralli, conchiglie, e ogni altra collezione della famiglia contenuta nei suoi armadi era stata preparata per il suo vecchio amico, per passare la mattinata; e tale gentilezza era servita perfettamente allo scopo. Il signor Woodhouse si era divertito enormemente. La signora Weston era venuta a fargli vedere tutte quelle cose, che ora avrebbe mostrato a Emma; ed era fortunato di non avere altra rassomiglianza con un bambino se non nell'assoluta mancanza di gusto per ciò che vedeva, giacché era lento, costante e metodico. Tuttavia, prima che cominciasse il secondo esame, Emma andò nell'atrio a osservare liberamente per qualche istante l'ingresso e il terreno della casa, ed era appena arrivata lì quando apparve Jane Fairfax, che veniva veloce dal giardino, con l'aria di essere in fuga. Non aspettandosi d'incontrare così presto la signorina Woodhouse, all'inizio trasalì: la signorina Woodhouse era proprio la persona che stava cercando.

«Vorreste usarmi la gentilezza», disse, «quando chiedono di me, di dire che sono andata a casa? Sto andando via proprio ora. Mia zia non si è accorta di quanto si è fatto tardi, né di quanto tempo siamo rimaste fuori, ma io sono sicura che ci sarà bisogno di noi, e sono ben decisa ad andarmene subito. Non ho detto nulla a nessuno. Provocherei solo disturbo e dispiacere. Alcuni sono andati alle peschiere, e altri al viale dei tigli. Non si accorgeranno della mia assenza fino a che non saranno rientrati tutti; e quando se ne accorgeranno, vorrete avere la bontà di dire che me ne sono andata?»

«Certo, se lo desiderate; ma non vorrete tornare a piedi a Highbury da sola?»

«Sì! Cosa potrà mai succedermi di male? Cammino veloce. Sarò a casa in venti minuti».

«Ma è troppo lontano, davvero, per camminare da sola. Lasciate che vi accompagni il domestico di mio padre. Lasciate che ordini la carrozza. Può essere qui in cinque minuti».

«Grazie, grazie, assolutamente no. Preferisco passeggiare. Come potrei avere paura di camminare da sola proprio io, che nel giro di così poco tempo potrò essere incaricata di sorvegliare degli altri!».

Parlava con grande agitazione; ed Emma rispose, con molto giudizio: «Questa non è una buona ragione perché vi esponiate a un pericolo adesso: devo ordinare la carrozza. Anche il caldo costituirebbe un pericolo; siete già stanca».

«Lo sono», rispose lei, «sono stanca; ma non è quel tipo di stanchezza... una buona passeggiata mi darà ristoro. Signorina Woodhouse, sappiamo tutti cosa significa, qualche volta, essere stanchi nello spirito. Il mio, lo confesso, è esausto. La più grande cortesia di cui mi possiate dare prova sarà nel lasciarmi fare come desidero, e nel dire solo che me ne sono andata, quando si renda necessario».

Emma non ebbe nulla da ribattere. Vide come stavano le cose e comprendendo i suoi sentimenti, la aiutò ad abbandonare la casa immediatamente, e badò che se ne andasse indisturbata con lo zelo di un'amica. L'ultimo sguardo di Jane fu di gratitudine, e le sue parole, «Oh, signorina Woodhouse, che consolazione poter stare sole, qualche volta!», sembrarono esplodere da un cuore oppresso, e alludere in parte alla continua sopportazione che doveva mettere in atto perfino verso alcuni di coloro che più l'amavano. "Una casa come quella! Una zia come quella!", si disse Emma, rientrando nell'atrio. "Ho compassione di voi. E più mostrate la vostra sensibilità per quei loro veri e propri orrori, più mi piacerete".

Jane non se ne era andata da più di un quarto d'ora, ed Emma e il padre avevano appena finito di guardare alcune vedute di piazza San Marco a Venezia, quando entrò nella stanza Frank Churchill: Emma non aveva pensato a lui, si era dimenticata di pensare a lui, ma fu molto contenta di vederlo. Adesso la signora Weston sarebbe stata tranquilla. La cavalla nera era irreprensibile; avevano ragione quelli che avevano detto che il motivo era da attribuirsi alla signora Churchill. Era stato trattenuto da una temporanea ripresa dell'indisposizione di lei; un attacco di nervi che era durato per qualche ora, e aveva abbandonato del tutto l'idea di venire, fino a molto tardi; e se avesse saputo quanto caldo avrebbe sofferto durante la cavalcata e come sarebbe arrivato tardi, pur con tutta la sua fretta, credeva che non sarebbe venuto affatto. Il caldo era eccessivo; non ne aveva mai sofferto l'uguale; desiderava quasi essere rimasto a casa, nulla lo debilitava quanto il caldo; poteva tollerare ogni grado di freddo, e così via, ma il caldo era insopportabile, e si sedette il più lontano possibile dagli esigui resti del fuoco del signor Woodhouse, con aria molto miserevole.

«Appena mi sentirò un po' più fresco, dovrò tornare indietro. Ho potuto disimpegnarmi a stento, ma avevano tanto insistito perché venissi! Immagino che tra un momento ve ne andrete tutti; la riunione sta per sciogliersi. Ho incontrato *una* mentre stavo arrivando... Che follia, con questo tempo! Un'assoluta follia!».

Emma ascoltava e guardava, e presto si avvide che la condizione di Frank Churchill non poteva meglio definirsi che con l'espressione "cattivo umore". C'erano certi che, quando sentivano caldo, erano sempre arrabbiati. Questa poteva essere la sua costituzione; e visto che sapeva che mangiare e bere spesso era la cura di quei disturbi accidentali, gli raccomandò di prendere qualcosa per ristorarsi; avrebbe trovato abbondanza di tutto nella sala da pranzo, e con umanità indicò la porta.

No... non avrebbe mangiato. Non aveva appetito; gli avrebbe fatto sentire ancora più caldo... Dopo due minuti, tuttavia, cedette, a proprio beneficio, e borbottando qualcosa a proposito della birra d'abete, uscì dalla stanza.

Emma dette di nuovo tutta la sua attenzione al padre, dicendo tra sé:

"Sono lieta di aver smesso di essere innamorata di lui. Non mi piacerebbe un uomo che si altera così facilmente per una mattina calda. Il carattere mite e facile di Harriet non ci farà caso".

Lui stette via a sufficienza per potersi concedere un pasto molto sostanzioso, e tornò sentendosi molto meglio, assai più tranquillo, e affabile nei modi, di nuovo se stesso, capace di avvicinare una seggiola, interessarsi alle loro occupazioni e rammaricarsi in modo ragionevole per essere arrivato così tardi. Non era del suo umore migliore, ma pareva stesse facendo del suo meglio per riprendersi; e alla fine si mise a dire con amabilità delle sciocchezze. Stavano guardando vedute della Svizzera.

«Appena mia zia si sarà rimessa, andrò all'estero», disse. «Non avrò pace fino a che non avrò visto qualcuno di quei posti. Una volta o l'altra avrete i miei schizzi da guardare; o il mio diario di viaggio, o il mio poema da leggere. Farò qualcosa che mi renderà famoso».

«Può darsi, ma non si tratterà di schizzi fatti in Svizzera. In Svizzera non ci andrete mai. Vostro zio e vostra zia non vi permetteranno mai di lasciare l'Inghilterra».

«Si potrebbe convincere anche loro a partire. A lei si potrebbe prescrivere un clima caldo. Ho una discreta speranza che si vada tutti all'estero. Io dovrei viaggiare. Sono stanco di non far niente. Ho bisogno di cambiare aria. Dico sul serio, signorina Woodhouse, qualunque cosa possano immaginare quei vostri occhi tanto penetranti; sono stufo dell'Inghilterra e la lascerei domani, se potessi».

«Siete stufo del benessere e della possibilità di fare i vostri comodi! Non potete inventarvi qualche privazione, ed esser contento di rimanere?»

«Sono stanco del benessere e della possibilità di fare i miei comodi! Sbagliate completamente. Non credo di godere né dell'una né dell'altra cosa. Sono soffocato in ogni questione materiale. Non mi considero per nulla un essere fortunato».

«Però non siete così infelice come quando siete arrivato. Andate a mangiare e a bere un altro poco, e starete benissimo. Un'altra fetta di carne fredda, un altro bicchiere di Madera con l'acqua vi metteranno quasi in condizioni di parità con il resto di noi».

«No, non mi muoverò. Rimarrò seduto accanto a voi. Siete la mia migliore cura».

«Domani andremo a Box Hill; voi verrete con noi. Non è la Svizzera, ma sarà pur qualcosa, per un giovanotto che ha tanto bisogno di un cambiamento. Volete restare e venire con noi?»

«No, no davvero; tornerò a casa col fresco della sera».

«Ma potete tornare di nuovo col fresco di domattina».

«No, non ne varrebbe la pena. Se vengo, sarò di cattivo umore».

«Allora vi prego di rimanere a Richmond».

«Ma se ci rimango, sarò di umore ancora peggiore. Non posso sopportare il pensiero che tutti voi sarete lì senza di me».

«Queste sono difficoltà che dovete risolvere da solo. Scegliete voi il vostro grado di malumore. Io non vi solleciterò più».

Ora il resto del gruppo stava tornando, e in breve furono tutti riuniti. Molti sentirono un grande piacere vedendo Frank Churchill; altri presero la cosa con molta tranquillità; ma ci fu un sentimento generale di disagio e di agitazione quando venne spiegata la scomparsa della signorina Fairfax. Visto che era tempo che tutti se ne andassero, ebbero fine le discussioni sull'argomento; e con brevi disposizioni conclusive per il progetto del giorno seguente, si separarono. La piccola tendenza di Frank Churchill a escludere se stesso diminuì talmente che le sue ultime parole a Emma furono:

«Be', se *voi* desiderate che io rimanga e prenda parte all'escursione, rimarrò».

Lei comunicò con un sorriso la sua accettazione; e solo un'ingiunzione proveniente da Richmond avrebbe potuto farlo ritornare prima della sera seguente.

Capitolo quarantatreesimo

Ebbero una gran bella giornata per Box Hill; e tutte le altre circostanze esterne relative all'organizzazione, alla disposizione dei posti e alla puntualità, facevano prevedere una gita piacevole. Il signor Weston assunse la direzione di tutto, servendo da intermediario tra Hartfield e la canonica, e tutti arrivarono per tempo: Emma e Harriet andarono insieme; la signorina Bates e sua nipote con gli Elton; i signori a cavallo. La signora Weston rimase con il signor Woodhouse. Non mancava loro null'altro che essere lieti, una volta arrivati. Viaggiarono per sette miglia, nella prospettiva di divertirsi, e appena arrivati ebbero tutti un'esplosione di ammirazione; ma nel complesso il bilancio della giornata fu negativo. C'era una languidezza, una mancanza di allegria, una mancanza d'unione, che risultarono insuperabili. Si divisero troppo in gruppetti. Gli Elton camminavano insieme; il signor Knightley si prese cura della signorina Bates e di Jane; ed Emma e Harriet si misero con Frank Churchill. Il signor Weston cercò inutilmente di farli armonizzare meglio. All'inizio parve una divisione accidentale, ma sostanzialmente non cambiò mai.

Il signore e la signora Elton, in verità, non mostrarono alcuna avversione a mescolarsi con gli altri, e a essere quanto più potevano gradevoli; ma durante le due ore che passarono sulla collina sembrò operare una volontà di separazione, tra gli altri gruppi, troppo forte perché una bella vista, o una merenda fredda, o l'allegria di un signor Weston bastassero a eliminarla.

All'inizio Emma sentì una noia completa. Non aveva mai visto Frank Churchill così silenzioso e sciocco. Non diceva nulla che valesse la pena d'ascoltare; guardava senza vedere, ammirava senza capire, ascoltava senza sapere cosa lei dicesse.

Mentre lui era così tedioso, non c'era da stupirsi che lo fosse anche Harriet, ed entrambi risultassero insopportabili.

Andò meglio quando tutti si sedettero; un bel po' meglio, per il gusto di Emma, perché Frank Churchill divenne loquace e allegro, facendo di lei il suo oggetto principale. Ogni speciale attenzione che poteva esserle riconosciuta le fu riconosciuta. Divertirla, e riuscire piacevole ai suoi occhi, pareva essere l'unica cosa di cui gli importava, ed Emma, felice di essere animata, non dispiaciuta di essere adulata, divenne anche lei allegra e disinvolta, e gli diede tutto l'amichevole incoraggiamento, il permesso di essere galante, che gli aveva riconosciuto nel primo e più vivace periodo del loro rapporto; ma che ora, a parere di lei, non significava nulla, anche se a giudizio della maggior parte degli osservatori doveva avere un'aria che nessun'altra parola inglese se non *flirt* poteva descrivere in modo adeguato. «Il signor Frank Churchill e la signorina Woodhouse hanno flirtato eccessivamente». Si stavano esponendo proprio a questa frase, e a che venisse scritta in una lettera a Maple Grove da parte di una signora, e in una lettera per l'Irlanda da parte di un'altra. Non che Emma fosse vivace e spensierata per una felicità reale; era piuttosto perché si sentiva meno felice di quel che si era attesa. Rideva, perché era delusa; e anche se trovava simpatiche le attenzioni del giovane, e le riteneva tutte, fossero dettate da amicizia, o da ammirazione, o da voglia di scherzare, molto divertenti, esse non riconquistavano il suo cuore. Non desiderava che lui fosse altro che un amico.

«Quanto vi sono obbligato», diceva lui, «per avermi detto di venire quest'oggi! Non fosse stato per voi, avrei certamente perduto tutta la gioia di questa escursione. Avevo proprio deciso di ripartire».

«Sì, eravate molto irritato, e non so a proposito di cosa, se non perché eravate arrivato troppo tardi per le fragole migliori. Sono stata un'amica più gentile di quanto avreste meritato. Ma voi eravate umile, pregavate caldamente che vi si ordinasse di venire».

«Non dite che ero irritato. Ero stanco. Il caldo mi aveva messo a terra».

«Fa più caldo oggi».

«Non direi proprio. Oggi mi sento benone».

«Vi sentite benone perché siete sotto controllo».

«Sotto il vostro controllo... Sì».

«Forse volevo che diceste questo, però intendevo dire: perché vi state controllando. Ieri, in un modo o nell'altro, avevate rotto le barriere, ed eravate fuggito al dominio di voi stesso: ma oggi ci siete tornato dentro, e visto che io non posso essere sempre con voi, è meglio credere che il vostro carattere sia sotto il vostro controllo che sotto il mio».

«Finisce per essere la stessa cosa. Non posso avere il dominio di me senza un motivo. Voi mi date ordini, sia che parliate o no. E potete essere sempre con me. Voi siete sempre con me».

«A partire dalle tre di ieri. Il mio influsso perpetuo non può essere cominciato prima, altrimenti non sareste stato così di malumore».

«Dalle tre di ieri! Questo è il momento che decidete voi. Io credevo di avervi vista per la prima volta in febbraio».

«La vostra galanteria non può proprio ricevere risposta. Ma», continuò abbassando la voce, «nessuno parla all'infuori di noi, ed è un po' troppo dire sciocchezze per divertire sette persone silenziose».

«Io non dico nulla di cui dovermi vergognare», rispose lui con vivace impudenza. «Vi ho vista per la prima volta in febbraio. Che tutti quelli che si trovano sulla collina mi sentano, se possono. Che le mie parole echeggino fino a Mickleham da una parte e a Dorking dall'altra. Vi ho vista per la prima volta in febbraio». E poi, sussurrando: «I nostri compagni sono troppo intorpiditi. Cosa dobbiamo fare per scuoterli? Ogni sciocchezza andrà bene. Così parleranno. Signore e signori, ricevo dalla signorina Woodhouse (che, dovunque si trovi, presiede) l'ordine di dire che lei desidera sapere a cosa state pensando».

Alcuni risero, e risposero con buonumore. La signorina Bates disse un mucchio di cose: la signora Elton si gonfiò di sdegno all'idea che la signorina Woodhouse presiedesse; la risposta del signor Knightley fu la più distinta.

«È proprio sicura, signorina Woodhouse, che le piacerebbe sentire a cosa stiamo pensando tutti?»

«Oh no, no!», esclamò Emma ridendo con quanta più noncuranza poté, «per nessuna ragione al mondo. È l'ultima cosa di cui vorrei sostenere ora l'urto. Fatemi sentire qualsiasi cosa eccetto quello a cui state pensando tutti. O meglio, non proprio tutti. Di uno o due di voi, forse», e dette un'occhiata al signor Weston e a Harriet, «potrei non aver paura di conoscere i pensieri».

«È un genere di cose», esclamò con tono risoluto la signora Elton, «in cui non avrei ritenuto di avere il privilegio di indagare. Ebbene, forse, in qualità di *chaperon* della comitiva... io non mi sono mai trovata in nessun circolo... escursioni esplorative... signorine... donne sposate...».

I suoi borbottii erano diretti soprattutto al marito; lui mormorò in risposta:

«Verissimo, amore mio, verissimo. Precisamente così, davvero, inaudito, ma certe signore dicono qualsiasi cosa. È meglio che passi come uno scherzo. Ognuno sa il riguardo che ti è dovuto».

«La cosa non va», sussurrò Frank a Emma, «la maggior parte di loro si sono offesi. Li attaccherò con più abilità. Signore e signori, la signorina Woodhouse mi impone di dire che rinuncia al suo diritto di sapere esattamente a cosa possiate pensare tutti quanti, e chiede a ciascuno di voi solo qualcosa di molto divertente, in modo generico. Siete in sette, oltre a me (che, come lei ha la bontà di dire, sono già molto divertente), e chiede a ciascuno di voi solo una cosa molto brillante, in prosa o in versi, originale o ripetuta, o due cose un pochino brillanti o altrimenti tre cose molto sciocche davvero, e si impegna a ridere di cuore di tutte quante».

«Oh, benissimo», esclamò la signorina Bates, «non ho da preoccuparmi. "Tre cose molto sciocche davvero!". Questo farà al caso mio, sapete, non è così?», guardando intorno con la più allegra aspettativa del consenso di tutti. «Non credete tutti che ci riuscirò?».

Emma non poté resistere.

«Ah, signora, ci potrà essere una difficoltà. Scusate, ma avrete un limite nel numero; solo tre alla volta».

La signorina Bates, ingannata dalla pretesa cerimoniosa delle sue maniere, non colse immediatamente il senso, ma quando esso improvvisamente le si rivelò, non bastò a farla irritare, anche se un lieve rossore fece capire che poteva averle dato un po' fastidio.

«Ah, già, certo! Sì, comprendo quello che vuole dire», volgendosi al signor Knightley, «tenterò di frenare la mia lingua. Devo rendermi molto sgradevole, o non avrebbe detto una cosa simile a una vecchia amica».

«Mi piace la vostra idea», esclamò il signor Weston. «Accolta, accolta. Farò del mio meglio. Farò un gioco di parole. Quanto varrà un gioco di parole?»

«Poco, ho paura, papà, molto poco», rispose il figlio, «ma saremo indulgenti soprattutto con il primo che si fa avanti».

«No, no», disse Emma, «non avrà una valutazione scarsa. Un gioco di parole del signor Weston varrà per lui e la sua vicina. Avanti, signore, sentiamo».

«Mi chiedo io stesso se sia molto brillante», disse il signor Weston. «È troppo elementare, ma eccolo. Quali sono le due lettere dell'alfabeto che esprimono perfezione?»

«Quali le due lettere! Che esprimono perfezione! Non saprei davvero».

«Ah, non lo indovinerete mai. Voi», disse volgendosi a Emma, «sono certo che non lo indovinerete mai. Ve lo dirò io. M e A, "Em-ma"... Capite?».

La comprensione e il compiacimento furono simultanei. Poteva essere una freddura assai mediocre, ma Emma ci trovò materia per ridere e divertirsi, e così fecero Frank e Harriet. Non sembrò avere lo stesso effetto sul resto della compagnia; alcuni presero un'aria sciocca, e il signor Knightley disse gravemente:

«Questo spiega il tipo di cosa brillante che si desidera, e il signor Weston se l'è cavata benissimo; ma ha messo nei guai tutti gli altri. La perfezione non sarebbe dovuta venire così presto».

«Oh, quanto a me, dichiaro che devo essere scusata», disse la signora Elton; «davvero non mi ci posso provare... non mi piace affatto questo genere di cose. Una volta mi venne mandato un acrostico sul mio proprio nome, che non mi piacque affatto. Sapevo da chi veniva. Un detestabile bellimbusto! Tu sai chi intendo», facendo un cenno al marito. «Cose di tal genere vanno bene per Natale, quando si sta seduti intorno al focolare; ma sono del tutto fuori di posto, a mio parere, durante le escursioni estive. La signorina Woodhouse mi deve scusare. Non sono di quelle che hanno battute su tutti a disposizione. Non pretendo di essere arguta. Ho una buona dose di vivacità a modo mio, ma è proprio necessario che sia io a giudicare quando è bene che io parli e quando è bene che freni la mia lingua. Saltateci, ve ne prego, signor Churchill. Saltate il signor E., Knightley, Jane e me. Non abbiamo nulla di brillante da dire... nessuno di noi».

«Sì, sì, per favore saltatemi», aggiunse il marito, con una sorta di irrisoria consapevolezza, «io non ho nulla da dire che possa divertire la signorina Woodhouse, o qualsiasi altra giovane signora. Un vecchio marito buono a niente. Facciamo una passeggiata, Augusta?»

«Molto volentieri. Sono proprio stufa di esplorare per tanto tempo uno stesso posto. Venite, Jane, prendetemi per l'altro braccio».

Ma Jane declinò, e marito e moglie si allontanarono. «Una coppia felice!», disse Frank Churchill appena non poterono sentirlo. «Come sono fatti l'uno per l'altra! Davvero fortunati, se si considera che si sono sposati dopo una superficiale conoscenza nata in un ritrovo pubblico! Si erano conosciuti, credo, da poche settimane a Bath! Proprio fortunati, perché la conoscenza dell'indole di una persona che può dare Bath, come qualunque altro luogo pubblico, ammonta a zero assoluto; non ce ne può essere alcuna. È solo vedendo le donne nelle loro case, nel loro ambiente, come sono sempre, che ci si può fare l'idea giusta. Senza ciò, è tutta una storia di congetture e di fortuna; e di solito sarà cattiva fortuna. Quanti uomini si sono impegnati, sulla base di una breve conoscenza, e si sono pentiti per tutto il resto della vita!».

La signorina Fairfax, che fino a quel momento aveva parlato raramente, se non con quelli con cui aveva fatto comunella, ora parlò:

«Queste cose capitano senz'altro». Fu fermata da un colpo di tosse. Frank Churchill si volse verso di lei per sentire.

«Stavate parlando», disse con gravità. E lei recuperò la voce.

«Volendo solo notare che anche se tali sfortunate combinazioni capitano alle volte sia a uomini che a donne, non posso immaginare che siano molto frequenti. Può scaturire un affetto frettoloso e imprudente, ma in genere poi c'è abbastanza tempo per ravvedersi. Vorrei si capisse che a mia vista solo caratteri deboli, indecisi (la cui felicità deve sempre essere dipendente dal caso), tollereranno che una conoscenza non felice divenga un inconveniente, un'oppressione per sempre».

Lui non rispose; lanciò solo un'occhiata e si inchinò con deferenza; e subito dopo disse in tono vivace:

«Ebbene, mi fido così poco del mio giudizio, che, qualora io debba sposarmi, spero qualcuno sceglierà la moglie per me. Volete farlo voi?», volgendosi verso Emma. «Volete scegliermi una moglie? Sono certo che mi piacerebbe qualsiasi persona su cui lasciaste cadere la vostra scelta. Voi fate l'interesse della famiglia, sapete», con un sorriso a suo padre. «Trovatemi qualcuna. Non c'è fretta. Adottatela, educatela».

«Fino a renderla simile a me».

«Da ogni punto di vista, se potete».

«Benissimo. Accetto l'incarico. Avrete una moglie incantevole».

«Deve essere molto vivace e avere gli occhi color nocciola. Non mi interessa altro. Andò all'estero per un paio di anni, e quando tornerò verrò da voi a ricevere una moglie. Ricordate».

Non c'era pericolo che Emma se ne dimenticasse. Era proprio un incarico che toccava tutti i suoi sentimenti favoriti. Non sarebbe stata proprio Harriet la persona descritta? Eccettuati gli occhi color nocciola, due anni ancora avrebbero potuto renderla come lui desiderava. Forse pensava proprio a Harriet in quel momento; chi poteva dirlo? Il fatto che si affidasse a lei per l'educazione sembrava implicarlo.

«Ebbene, zia», disse Jane alla signorina Bates, «dobbiamo andare a raggiungere la signora Elton?»

«Se vuoi, cara. Ben volentieri. Sono prontissima. Ero pronta ad andare con lei prima, ma adesso sarà la stessa cosa. Presto la raggiungeremo. Eccola; no, quella è un'altra. Quella è una delle signore del gruppo che è venuto nella carrozza irlandese, non le somiglia per nulla, garantisco che...».

Si allontanarono, seguite, dopo mezzo minuto, dal signor Knightley. Rimasero solo il signor Weston, suo figlio, Emma e Harriet; e l'allegria del giovanotto raggiunse ora un'intensità quasi sgradevole. Perfino Emma si stancò alla fine di adulazioni e battute e desiderò invece passeggiare tranquilla con uno qualunque degli altri, o di sedere quasi sola, senza nessuno che le stesse intorno, a guardare tranquillamente le belle vedute sotto di lei. La comparsa dei servitori che li cercavano per avvertirli che le carrozze erano pronte le risultò molto gradita; e anche il trambusto per raccogliere le varie cose e prepararsi a partire, e la premura della signora Elton per avere per prima la *sua* carrozza, furono sopportati di buon grado, con la prospettiva del tranquillo viaggio di ritorno che doveva concludere i molti problematici divertimenti di quella giornata di piacere. Sperava di non essere mai più coinvolta in un altro gruppo del genere, composto di tante persone male assortite.

Mentre aspettava la carrozza, si trovò accanto il signor Knightley. Lui si guardò intorno come per assicurarsi che non ci fosse vicino nessuno, poi disse:

«Emma, devo ancora una volta parlarvi come sono abituato a fare: un privilegio più tollerato che concesso, magari, ma devo approfittarne ancora. Non posso vedervi agire malamente senza protestare. Come avete potuto essere tanto dura con la signorina Bates? Come avete potuto essere così insolente, con le vostre battute, verso una donna del suo carattere, della sua età e della sua posizione? Emma, non lo avrei pensato possibile».

Emma rifletté, arrossì, sentì dispiacere, ma tentò di volgere la cosa in ridere:

«Ma come potevo non dire ciò che ho detto? Nessuno sarebbe riuscito a trattenersi. Non era poi una tale cattiveria! Scommetto che non mi ha compreso».

«Vi assicuro di sì. Ha capito proprio tutto ciò che volevate dire. Successivamente ne ha parlato. E vorrei aveste sentito come ne ha parlato, con quale candore e generosità. Vorrei aveste sentito che onore faceva alla vostra sopportazione, dato che riuscivate a usarle tutte le attenzioni di cui lei si sente sempre oggetto da parte vostra e di vostro padre, pur mentre la sua compagnia deve essere così noiosa».

«Oh!», esclamò Emma. «So che al mondo non c'è creatura migliore di lei: ma dovrete concedermi che la bontà e il ridicolo in lei sono mescolati in modo quanto mai fastidioso».

«Sono mescolati», disse lui, «lo ammetto; e se lei fosse di condizioni agiate, potrei ogni tanto cogliere la prevalenza del ridicolo sulla bontà. Se fosse una donna ricca, lascerei correre ogni innocente assurdità, e non me la piglierei con voi per i vostri modi disinvolti. Se fosse vostra pari, quanto a posizione... Ma, Emma, pensate a quanto ciò sia lontano dalla realtà. È povera; è decaduta dall'agiatezza per cui era nata; e se vive fino alla vecchiaia, decadrà necessariamente ancora di più. La sua posizione dovrebbe assicurarle la vostra compassione. È stata proprio una cattiveria! Vi ha conosciuto quand'eravate bambina, vi ha visto crescere da quel periodo in cui la sua considerazione era un onore; e adesso deve vedere che, spensieratamente e in un momento d'arroganza, la prendete in giro, la umiliate, e davanti a sua nipote, anche, e davanti ad altri, molti dei quali (o almeno alcuni) potrebbero essere completamente influenzati dal modo in cui la trattate voi. Questo non è piacevole per voi, Emma, ed è tutt'altro che piacevole per me: ma devo, e intendo, intendo proprio, dirvi la verità, finché posso, traendo soddisfazione dal mostrarmi vostro amico consigliandovi lealmente, e fidando che una volta o l'altra mi renderete più giustizia di quanto non possiate fare adesso».

Mentre parlavano avanzavano verso la carrozza; questa era pronta e, prima che lei potesse ribattere, lui l'aveva aiutata a salire. Aveva frainteso i sentimenti che le avevano fatto volgere il viso dall'altra parte, e tenere chiusa la bocca. Si trattava solamente di collera contro se stessa, di mortificazione, e di profondo dispiacere. Non era stata capace di parlare e, una volta dentro la carrozza, si accasciò per un istante, sopraffatta; poi, rimproverandosi di non essersi congedata, di non aver dato alcun segno di apprezzamento, e di essersene andata con l'aria di essere imbronciata, si affacciò con la voce e la mano pronte a mostrare che le cose non stavano così; ma era troppo tardi. Lui si era allontanato, e i cavalli erano in movimento. Emma continuò a guardare indietro, ma inutilmente; ben presto, con una velocità che sembrava straordinaria, si trovavano a metà della discesa, ormai del tutto lontani. Era irritata più di quanto avrebbe potuto esprimere, quasi più di quanto potesse nascondere. Non si era mai sentita così agitata, mortificata, addolorata, in nessuna situazione della sua vita. Era rimasta fortemente impressionata. Non si poteva negare la verità di quel che lui aveva detto. Se ne sentiva profondamente toccata. Come aveva potuto essere così brusca, così crudele con la signorina Bates! Come aveva potuto esporsi a una così cattiva opinione da parte di una persona a cui teneva! E come aveva potuto tollerare che lui la lasciasse senza dire una parola di gratitudine, di consenso, di normale cortesia!

Il passare del tempo non bastò a tranquillizzarla. Più ci rifletteva, e più sembrava trarne dispiacere. Non era mai stata così depressa. Fortunatamente non era necessario parlare. C'era solo Harriet, che pareva anche lei abbattuta, stanca, e molto disposta a tacere; ed Emma sentì le lacrime che le rigavano le guance per quasi tutto il tragitto, senza darsi la pena di frenarle, straordinarie com'erano.

Capitolo quarantaquattresimo

La sfortunatissima escursione a Box Hill non lasciò per tutta la sera la mente di Emma. Come potesse essere considerata dagli altri membri del gruppo, lei non avrebbe saputo dire. A casa propria, e con diversi modi, ciascuno poteva ripensarci con diletto; ma a suo modo di vedere era stata la mattinata più totalmente sciupata, più completamente priva di ragionevole soddisfazione immediata e più detestabile ancora nel ricordo, che mai avesse passate. Un'intera serata di giochi a carte con il padre era una delizia, in confronto. In quella, c'era un piacere vero, perché dedicava le più dolci ore delle ventiquattro al benessere di lui, e sentiva che, per poco che potesse essere meritato il grado del suo tenero affetto e della sua profonda stima, lei non poteva, nel complesso del suo comportamento, essere passibile di severo rimprovero. Come figlia, sperava di non essere senza cuore. Sperava che nessuno potesse dirle: «Come avete potuto essere tanto dura con vostro padre? Io devo, intendo dirvi la verità, finché posso». La signorina Bates non avrebbe più... no, mai più! Se le attenzioni future avessero potuto cancellare il passato, poteva sperare di essere perdonata. Spesso era stata negligente, la coscienza glielo diceva; più negligente, forse, nel pensiero che nei fatti; sprezzante, sgarbata. Ma non sarebbe più stato così. Trasportata dal suo senso di pentimento, intendeva far visita alla signorina Bates già la mattina seguente: e quello sarebbe stato il principio, da parte sua, di rapporti regolari, paritari, fatti di gentilezza.

Quando venne mattina non aveva cambiato idea, e si mosse per tempo, perché nulla potesse impedirle di andare. Non era improbabile, pensava, incontrare per la strada il signor Knightley; o forse sarebbe potuto venire mentre lei stava facendo la sua visita. Non aveva nulla in contrario. Non si sarebbe vergognata dell'atteggiamento da penitente, che così giustamente e veracemente la caratterizzava. I suoi occhi erano rivolti a Donwell mentre camminava, ma non lo vide.

«Le signore erano tutte a casa». Non si era mai rallegrata di quelle parole prima, né era mai entrata prima nel corridoio, o aveva salito le scale, con il desiderio di portare piacere; ma solo per obbligare con qualche cortesia, per ricavarne soddisfazione personale, se non per ridere poi alle loro spalle.

Ci fu un certo trambusto al suo arrivo; un bel po' di movimento e di scambio di parole. Udì la voce della signorina Bates, qualcosa doveva esser fatta in fretta e furia; la cameriera aveva l'aria impaurita e goffa; sperava che lei si compiacesse di attendere un momento, ma poi la introdusse troppo presto. La zia e la nipote parvero scappare tutt'e due nella stanza accanto. Per un attimo ebbe una chiara impressione di Jane con l'aria malatissima; e prima che la porta si fosse rinchiusa su di loro, sentì la signorina Bates che diceva: «Be', mia cara, le racconterò che ti sei messa a letto, e non c'è dubbio che tu sia malata davvero».

La povera vecchia signora Bates, gentile e umile come sempre, aveva l'aria di non capire bene quel che stava succedendo.

«Temo che Jane non stia molto bene», disse, «ma non so; a me dicono che sta bene. Credo che mia figlia verrà tra un momento, signorina Woodhouse. Spero troviate una sedia. Vorrei che Hetty non se ne fosse andata. Sono poco capace... Avete una sedia, signorina? Vi siete seduta nel punto che vi piace? Sono sicura che verrà tra poco».

Emma sperava veramente che fosse così. Per un attimo temette che la signorina Bates si tenesse lontana da lei. Ma la signorina Bates non tardò molto. «Felicissima e obbligatissima..».., ma la coscienza di Emma le disse che non c'era la stessa loquacità di prima, che c'era meno disinvoltura nell'atteggiamento e nei modi. Una molto amichevole richiesta di notizie sulla signorina Fairfax, sperava, avrebbe potuto provocare un ritorno degli antichi sentimenti. E l'effetto sembrò immediato.

«Ah, signorina Woodhouse, come siete buona! Immagino abbiate sentito... e siete venuta per rallegrarvi. La cosa non pare certo rallegrare me, davvero», lasciando sgorgare una lacrima o due, «ma sarà molto doloroso per noi separarci da lei dopo averla avuta con noi per tanto tempo; e adesso ha un terribile mal di testa, dopo avere scritto tutta la mattina: lettere così lunghe, sapete, al colonnello Campbell e alla signora Dixon. "Mia cara", ho detto io, "ti vuoi accecare", perché c'erano sempre lacrime nei suoi occhi. Non c'è da stupirsi. È un gran cambiamento; e sebbene sia straordinariamente fortunata, un posto, suppongo, come nessuna giovane donna ha mai trovato prima all'inizio della sua carriera, non crediateci ingrate, signorina Woodhouse, per una fortuna così sorprendente», di nuovo spargendo lacrime, «ma, poverina, se vedeste il mal di testa che ha! Quando si soffre molto, sapete, non si può godere per una fortuna come si dovrebbe. Non potrebbe essere più depressa. A guardarla, nessuno penserebbe quanto sia contenta e felice di avere trovato un posto del genere. Voi perdonerete se non si presenta a voi; non è in grado di farlo, si è ritirata nella sua camera; voglio che rimanga sdraiata sul letto. "Mia cara", ho detto, "racconterò che ti sei messa a letto", ma non è così; sta passeggiando per la stanza. Ma adesso che ha scritto le sue lettere, dice che presto si sentirà bene. Le dispiacerà moltissimo di non vedervi, signorina Woodhouse, ma la vostra bontà la scuserà. Vi hanno fatto attendere alla porta; me ne vergogno davvero, ma c'è stata un po' di trambusto, perché è successo che non abbiamo sentito bussare, e fino a che non siete stata sulle scale, non sapevamo che stesse arrivando qualcuno. "*È solo la signora Cole*", ho detto io, "stai sicura. Nessun altro verrebbe in visita così presto". "Ebbene", ha detto lei, "bisognerà rassegnarsi, prima o poi, e tanto vale farlo adesso". Ma poi è entrata Patty, e ha detto che eravate voi. "Oh!", ho detto io, "è la signorina Woodhouse: sono sicura che sarai contenta di vederla". "Non posso vedere nessuno", ha detto lei; poi si è alzata, e ha voluto andarsene; ecco perché vi abbiamo fatto aspettare, e ne siamo molto spiacenti e vergognose. "Se devi andare, cara", ho detto io, "vai pure, e racconterò che ti sei messa a letto"».

Emma provò un sincero interesse. Recentemente il suo cuore si era intenerito nei confronti di Jane; e questo quadro delle sue attuali sofferenze agì come una cura di ogni precedente ingeneroso sospetto, e non lasciò in lei altro che compassione, e ripensando ai sentimenti meno giusti e meno benevoli del passato si sentì obbligata ad ammettere che Jane poteva naturalmente decidere di incontrare la signora Cole o qualunque altra vera amica, mentre avrebbe ben potuto non tollerare di incontrare lei. Dette voce ai suoi sentimenti, con rammarico e con fervida premura, desiderando sinceramente che le circostanze di cui apprendeva l'effettiva accettazione dalle labbra della signorina Bates fossero il più possibile convenienti e confortevoli per la signorina Fairfax. Doveva essere una dura prova per tutte quante loro, disse Emma; lei aveva creduto che si sarebbe aspettato fino al ritorno del colonnello Campbell.

«Che gentile!», rispose la signorina Bates. «Ma voi siete sempre gentile».

Quel «sempre» non era accettabile: e per tagliare corto con quella insopportabile gratitudine, Emma chiese direttamente:

«Dove va la signorina Fairfax? Posso chiederlo?»

«Da una certa signora Smallridge, una donna deliziosa, proprio superiore, per occuparsi dell'educazione delle sue tre bambine, delle bimbe deliziose. Nessuna situazione potrebbe essere più comoda: eccettuate, forse, la famiglia della signora Suckling e quella della signora Bragge: ma la signora Smallridge è amica intima di tutt'e due e sta nelle vicinanze: abita a sole quattro miglia di distanza da Maple Grove. Jane sarà a sole quattro miglia da Maple Grove».

«Immagino che sia la signora Elton la persona a cui la signorina Fairfax deve...».

«Sì, la nostra buona signora Elton. L'amica più infaticabile e autentica. Non ha voluto accettare un rifiuto. Non ha consentito a Jane di dire di no; perché quando Jane ha sentito la cosa per la prima volta (è stato l'altro ieri, proprio la mattina che eravamo a Donwell), quando Jane ha sentito la cosa per la prima volta, era proprio decisa a non accettare l'offerta, e per le ragioni che voi dite; proprio come dite voi, aveva deciso di non impegnarsi fino al ritorno del colonnello Campbell, e niente poteva convincerla ad accettare un impiego per il momento, e così ha ripetuto più volte alla signora Elton; non immaginavo proprio che avrebbe cambiato idea, ma la buona signora Elton, che non sbaglia mai nei suoi giudizi, ha visto più in là di me. Non tutti avrebbero insistito in quel suo modo cortese, o avrebbero rifiutato di accettare la risposta di Jane; ma lei ieri ha dichiarato con decisione che non avrebbe scritto il rifiuto, come Jane l'aveva pregata di fare; avrebbe atteso, e proprio ieri sera si è deciso che Jane ci andrà. Una vera sorpresa per me! Non me lo sarei mai aspettato! Jane ha preso da una parte la signora Elton, e le ha detto subito che ripensando ai vantaggi del posto presso la signora Smallridge aveva risolto di accettarlo. Io l'ho saputo solo quando tutto era stato deciso».

«Avete passato la serata dalla signora Elton?»

«Sì, tutte quante; la signora Elton ci aveva invitate. È stato deciso così sulla collina, mentre facevamo un giro con il signor Knightley. "Dovete tutti passare la serata con noi", ha detto. "Senz'altro, bisogna che veniate tutti"».

«C'era anche il signor Knightley, è così?»

«No, il signor Knightley no; ha declinato l'invito fin dall'inizio; e sebbene credessi che sarebbe venuto, perché la signora Elton ha dichiarato che non l'avrebbe perdonato, lui non è venuto; ma mia madre, e Jane, c'eravamo tutte quante, e abbiamo avuto una serata molto piacevole. Amici così cortesi, sapete, signorina Woodhouse, si devono sempre trovare piacevoli, anche se ognuno sembrava alquanto esausto dopo l'escursione della mattinata. Anche il piacere, sapete, stanca, e non posso dire che tra loro ci fosse qualcuno che sembrasse divertirsi molto. Tuttavia, per conto mio la riterrò sempre un'escursione molto piacevole, e mi sentirò riconoscente verso i cortesi amici che mi hanno voluta nel gruppo».

«La signorina Fairfax, immagino, anche se voi non ve ne siete accorta, si era andata decidendo nel corso dell'intera giornata».

«Oserei dire che sia così».

«Quando verrà il momento, sarà un brutto momento per lei e per tutti i suoi amici, ma spero che il suo lavoro goda di ogni beneficio... Voglio dire, quanto al carattere e ai modi della famiglia».

«Grazie, cara signorina Woodhouse. Sì, ci sarà proprio tutto ciò che è necessario a renderla felice. Eccetto i Suckling e i Bragge, non c'è altra famiglia con bambini così liberale ed elegante, in tutta la cerchia delle conoscenze della signora Elton. La signora Smallridge è una donna incantevole! Un tenore di vita quasi pari a quello di Maple Grove, e quanto alle bambine, a eccezione dei piccoli Suckling e dei piccoli Bragge, non ci sono da nessuna parte bambini così eleganti e carini. Jane sarà trattata con tanto riguardo e gentilezza! Non sarà che piacere, una vita di piacere. E il suo compenso! Davvero non posso azzardarmi a dirvi il suo compenso, signorina Woodhouse. Anche voi, abituata come siete alle grandi cifre, stentereste a credere che si possa dare così tanto a una persona giovane come Jane».

«Ah, signora», esclamò Emma, «se gli altri bambini sono come ricordo di essere stata io stessa, riterrei che cinque volte la somma che ho sentito nominare come compenso in tali occasioni sarebbe guadagnata a caro prezzo».

«Voi siete così nobile nelle vostre idee!».

«E quando se ne va la signorina Fairfax?»

«Presto, presto davvero: questa è la cosa peggiore. Tra quindici giorni.

La signora Smallridge ha molta fretta. La mia povera madre non riesce a rassegnarsi. Così cerco di distrarre la sua mente da quel pensiero, e le dico: "Avanti, mamma, non ci pensiamo più"».

«Perderla spiacerà a tutti i suoi amici; e non saranno contenti il colonnello e la signora Campbell nell'apprendere che ha trovato impiego prima del loro ritorno?»

«Sì, Jane è sicura che lo saranno; e tuttavia, questa è una situazione che lei non può sentirsi giustificata a rifiutare. Io sono rimasta così meravigliata quando ha detto la prima volta cosa aveva risposto alla signora Elton, e nel momento stesso in cui la signora Elton veniva a farmi le sue congratulazioni in proposito! È stato prima del tè, no, aspettate, non poteva essere prima del tè, perché stavamo per giocare a carte; eppure era prima del tè, perché mi ricordo di avere pensato... Oh, ora mi ricordo, ci sono; è accaduto qualcosa prima del tè, ma non questo. Il signor Elton è stato chiamato fuori della stanza prima del tè, perché il figlio del vecchio John Abdy voleva parlargli. Povero vecchio John, ho una grande considerazione per lui; è stato impiegato di mio padre per ventisette anni; e adesso, povero vecchio, è in un letto, e soffre molto per la gotta alle articolazioni. Devo andare a fargli visita oggi e così Jane, sono certa, se mai esce. E il figlio del povero John è venuto a parlare con la signora Elton per richiedere un aiuto alla parrocchia: lui è benestante, sapete, essendo servitore capo della Corona, stalliere, e tutte le altre cose di questo genere, eppure non riesce a mantenere suo padre senza qualche aiuto; così quando è tornato il signor Elton, ci ha riferito quel che gli aveva detto John lo stalliere, e allora si è saputo del calesse spedito a Randalls per prendere il signor Frank Churchill e riportarlo a Richmond. Questo è quel che è successo prima del tè. È stato dopo il tè che Jane ha parlato con la signora Elton».

La signorina Bates non dette a Emma il tempo di dire quanto completamente nuova le risultasse quella circostanza; ma visto che, pur senza supporre possibile che lei potesse ignorare i particolari della partenza del signor Frank Churchill, la signorina Bates proseguiva dandoglieli tutti, la cosa non aveva importanza.

Quello che il signor Elton aveva appreso dallo stalliere in merito, e che era il succo di quel che sapeva lo stalliere e di quel che sapeva la servitù di Randalls, era che era venuto un messaggero da Richmond, subito dopo il ritorno del gruppo di Box Hill, e che l'arrivo di questo messaggero, però, non aveva costituito affatto una sorpresa; e che il signor Churchill aveva scritto poche righe al nipote, che nel complesso contenevano delle informazioni piuttosto buone sulla salute della signora Churchill, e lo esortavano solamente a non ritardare il suo ritorno oltre alla mattina successiva di buon'ora; ma che siccome il signor Frank Churchill aveva deciso di andare direttamente a casa, senza aspettare proprio, e che apparentemente il suo cavallo aveva preso un'infreddatura, Tom era stato mandato subito a chiamare il calesse, e lo stalliere era rimasto fuori e l'aveva visto passare, con il ragazzo che andava veloce e guidava con molta fermezza.

In tutto questo non c'era nulla che destasse stupore o interesse, e l'attenzione di Emma ci si concentrò sopra solo perché si combinava col tema che già le riempiva la mente. La colpiva il contrasto tra la posizione so-

250

ciale della signora Churchill e quella di Jane Fairfax; una era tutto, l'altra nulla; e restò a riflettere sulla diversità del destino della donna, senza pensare a dove fissava lo sguardo, fino a che fu scossa dalla signorina Bates, che stava dicendo:

«Ah, so a cosa pensate, pensate al pianoforte. Cosa se ne farà? Verissimo. La povera cara Jane ne parlava proprio adesso. "Tu dovrai andartene", ha detto. "Tu e io dobbiamo separarci. Questo non è il posto per te... Ma rimanga pure", ha detto poi. "Ospitatelo fino a che non ritorna il colonnello Campbell. Ne parlerò con lui; e lui sistemerà le cose per me; mi aiuterà a uscire da tutte le mie difficoltà". E a tutt'oggi, a quanto credo, lei non sa se sia un regalo di lui o della figlia».

Adesso Emma fu costretta a pensare al pianoforte; e il ricordo di tutte le sue fantasiose e ingiuste ipotesi di una volta fu così poco piacevole che presto si convinse che la sua visita fosse durata abbastanza, e ripetendo tutto ciò che poteva azzardarsi a dire a proposito dei sentiti auguri che faceva, prese congedo.

Capitolo quarantacinquesimo

Le pensose riflessioni di Emma, mentre andava a casa a piedi, non furono interrotte, ma quando entrò nel salotto trovò qualcuno che doveva riscuoterla. Durante la sua assenza erano arrivati il signor Knightley e Harriet, che stavano seduti con suo padre. Il signor Knightley si alzò immediatamente, e con un atteggiamento decisamente più grave del solito disse:

«Non volevo partire senza vedervi, ma non ho tempo, e quindi devo andare via subito; mi reco a Londra a passare alcuni giorni con John ed Isabella. Avete qualcosa da mandare o da dire, a parte gli "affettuosi saluti" che nessuno porta mai?»

«Proprio nulla: Ma che progetto improvviso!».

«Sì... piuttosto... È un po' che ci stavo pensando».

Emma si sentì certa che non l'avesse perdonata; non sembrava più lo stesso. Il tempo, però, pensò, gli avrebbe suggerito che dovevano essere di nuovo amici. Mentre lui stava in piedi, come sul punto di andar via, ma senza decidersi, il padre cominciò con le sue domande.

«Be', mia cara, e ci sei arrivata bene? E come hai trovato la mia degna vecchia amica e sua figlia? Immagino che debbano essere rimaste molto riconoscenti per la tua visita. La cara Emma è andata a far visita alla signora e alla signorina Bates, come vi ho detto prima, signor Knightley. È sempre così premurosa con loro!».

Emma arrossì per questa lode immeritata; e sorridendo, e scuotendo il capo, gesto che diceva tutto, lanciò un'occhiata al signor Knightley. Le parve come se ci fosse una fugace espressione a lei favorevole, come se gli occhi di lui apprendessero la verità da quelli di lei, e tutto quel che c'era stato di buono nei sentimenti di lei venisse immediatamente raccolto e apprezzato. Lui la guardò con intenso rispetto. Lei ne provò una profonda soddisfazione, e un momento dopo questa divenne ancora più grande a causa di un piccolo gesto di più che comune amicizia da parte di lui. Le prese la mano; se fosse stata lei a fare la prima mossa, non avrebbe saputo dirlo (poteva darsi, magari, che gliel'avesse offerta), ma lui le prese la mano, la strinse, e certo era sul punto di portarsela alle labbra, quando per un qualche pensiero o qualche altro motivo, improvvisamente la lasciò andare. Perché dovesse sentire un tale scrupolo, perché dovesse cambiare idea quando la cosa era quasi fatta, lei non poté capirlo. Avrebbe mostrato più discernimento, pensò lei, se non si fosse fermato. L'intenzione, tuttavia era inequivocabile; e fosse che i suoi modi in genere avevano così poca galanteria, o che altro, lei pensò che nulla gli si addiceva tanto. In lui, la cosa prendeva un carattere così semplice, eppure così dignitoso. Lei non riusciva a pensare a quel tentativo senza provare una grande soddisfazione. Voleva dire un'amicizia così perfetta! Lui li lasciò subito dopo, e in un attimo se ne era già andato. Si muoveva sempre con la sveltezza di uno spirito che non sapeva cosa fosse l'indecisione o l'indugio, ma adesso era parso più veloce del solito nel dileguarsi.

Emma non poteva pentirsi di essere andata dalla signorina Bates, però avrebbe voluto essersi congedata dieci minuti prima; sarebbe stato un grande piacere parlare con il signor Knightley dell'impiego di Jane Fairfax. Né poteva sentirsi spiacente che lui andasse a Brunswick Square, perché sapeva quanto piacere avrebbe fatto loro la sua visita; essa però avrebbe potuto avere luogo in un momento migliore, e se poi lei ne fosse stata informata in anticipo, la cosa le sarebbe riuscita più gradita. Tuttavia si erano separati come ottimi amici; lei non poteva ingannarsi sul significato dell'espressione di lui, e della sua galanteria troncata a metà: tutto tendeva ad assicurarle di avere riconquistato completamente la sua stima. Apprese che si era trattenuto per mezz'ora. Che peccato che lei non fosse ritornata prima!

Nella speranza di distrarre i pensieri del padre dal fatto spiacevole della partenza del signor Knightley per Londra, una partenza così improvvisa, e per giunta a cavallo, tutte cose che lei sapeva avrebbero provocato una pessima impressione, Emma raccontò la notizia relativa a Jane Fairfax, e non si ingannò nel far conto sul suo effetto: rappresentò un utilissimo contraltare, perché lo interessò senza disturbarlo. Da tempo si era abituato all'idea che Jane Fairfax trovasse impiego come governante, e ne poteva parlare allegramente; ma la partenza del signor Knightley per Londra era stato un colpo inatteso.

«Sono davvero molto contento, mia cara, nel sentire che si è sistemata bene. La signora Elton è molto buona e gradevole, e immagino che le sue conoscenze saranno come devono essere. Spero che il posto sia asciutto, e che abbiano dei riguardi per la sua salute. Dovrebbe essere un obbiettivo di primaria importanza, come sono sicuro che lo è sempre stato da parte mia nei confronti della povera signorina Taylor. Sai, cara, lei sarà per questa nuova signora quel che per noi fu la signorina Taylor. E spero che per un verso lei faccia meglio della signorina Taylor e non venga indotta ad andarsene dopo che quella casa è stata la sua per tanto tempo».

Il giorno successivo portò notizie da Richmond che fecero passare tutto il resto in second'ordine. Giunse a Randalls un espresso per annunciare la morte della signora Churchill! Anche se il nipote non aveva avuto speciali motivi per affrettare il suo ritorno a causa di lei, la signora non era vissuta più di trentasei ore dopo che lui era tornato. Un improvviso attacco di natura diversa da tutto quanto poteva essere prevedibile date le sue condizioni generali l'aveva portata via dopo una breve lotta. La grande signora Churchill non c'era più.

La cosa fu sentita come devono essere sentite queste cose. Tutti mostrarono un certo grado di gravità e di dolore; tenerezza verso la scomparsa, sollecitudine per gli amici sopravvissuti; poi, dopo un periodo di tempo ragionevole, curiosità di sapere dove sarebbe stata seppellita. Goldsmith ci dice che quando una bella donna si abbassa alla follia, non le rimane che morire[7]; ma quando si abbassa a essere sgradevole, è da raccomandarsi la stessa soluzione, che può cancellare la cattiva fama. La signora Churchill, dopo essere risultata antipatica per almeno venticinque anni, adesso era trattata con indulgenza piena di compassione. Su una cosa fu pienamente giustificata. Prima non era mai stato accettato che fosse veramente malata. Quella fine la assolse da tutto il capriccio e tutto l'egoismo delle malattie immaginarie.

Povera signora Churchill! Di sicuro aveva sofferto molto; più di quanto non si pensasse; e una pena continua non poteva non inasprire il carattere. Era un triste evento, un brutto colpo; pur con tutti i suoi difetti, cos'avrebbe fatto il signor Churchill senza di lei? La perdita doveva essere davvero terribile per il signor Churchill. Il signor Churchill non si sarebbe mai ripreso... Perfino il signor Weston scosse il capo, prese un'aria solenne, e disse: «Ah, povera donna, ma chi l'avrebbe immaginato?». E decise che il suo lutto sarebbe stato il più decoroso possibile; e sua moglie sospirò e fece riflessioni morali sulle larghe balze del suo vestito con compassione e giudizio, sincera e posata. Quale sarebbe stato l'effetto su Frank, fu tra le prime cose che entrambi si chiesero. Fu un pensiero che anche Emma ebbe presto. Il carattere della signora Churchill, il dolore di suo marito... la mente di Emma intrattenne brevemente tutt'e due questi pensieri con rispetto e compassione, poi con animo sollevato si soffermò a meditare sul contraccolpo che avrebbe ricevuto Frank da quell'evento: che beneficio, che libertà ne avrebbe tratto. In un attimo distinse tutto il bene che poteva venirne. Ora una sua inclinazione verso Harriet Smith non avrebbe incontrato ostacoli. Nessuno temeva un signor Churchill indipendente dalla moglie; un uomo semplice, che si lasciava guidare, e che suo nipote avrebbe potuto persuadere a qualsiasi cosa. Tutto quel che restava da desiderare era che il nipote provasse quell'inclinazione, giacché, con tutta la buona volontà che lei metteva in quella causa, Emma non poteva ritenersi certa che quel sentimento avesse già preso forma.

Harriet si comportò molto bene in quella circostanza, con grande dominio di sé. Quali che fossero le più brillanti speranze che potesse coltivare, non lasciò trapelare nulla. Emma fu contenta di notare in lei una tale prova di ritrovata forza di carattere, e si trattenne da qualsiasi allusione che potesse mettere a rischio il suo mantenimento. Così parlarono della morte della signora Churchill con reciproca reticenza.

A Randalls ricevettero brevi lettere di Frank, che facevano sapere tutto ciò che era di importanza immediata in merito al loro stato e ai loro progetti. Il signor Churchill stava meglio di quanto avrebbe potuto aspettarsi; e la loro prima tappa, appena il funerale fosse partito per lo Yorkshire, sarebbe stata la casa di un vecchio amico a Windsor, a cui il signor Chur-

---

[7] Riferimento a una canzone del romanzo di O. Goldsmith, *Il vicario di Wakefield* (1766).

chill prometteva da dieci anni una visita. Per il momento non si poteva far nulla per Harriet; auguri per il futuro era tutto quel che Emma poteva ancora fare.

Una preoccupazione più impellente era quella di mostrare attenzione per Jane Fairfax, le cui prospettive si chiudevano (mentre si spalancavano quelle di Harriet), e il cui impegno ora non consentiva ritardo da parte di nessuna persona di Highbury che volesse usarle cortesia, cosa che per Emma era divenuta un desiderio di primaria importanza. Nessun rimpianto era tanto forte in lei come quello per la sua passata freddezza; e la persona che lei aveva trascurato per tanti mesi era proprio quella su cui adesso avrebbe voluto riversare ogni riguardo o simpatia. Desiderava esserle utile; desiderava far vedere che valore aveva per lei la sua compagnia, e mostrarle rispetto e considerazione. Decise di convincerla a passare una giornata a Hartfield. Fu spedito un biglietto in tal senso. L'invito venne declinato, e con un messaggio verbale.

«La signorina Fairfax non stava abbastanza bene da scrivere», e quando il signor Perry capitò in visita a Hartfield, quella stessa mattina, si seppe che era tanto indisposta da avere bisogno di una visita del medico, anche se contro la sua volontà, e che soffriva di forti mal di capo e di febbre nervosa a un livello tale da fargli mettere in dubbio la possibilità che potesse andare dalla signora Smallridge alla data prevista. La sua salute sembrava per il momento del tutto rovinata: l'appetito era svanito, e sebbene non ci fossero segni allarmanti, in modo assoluto, nulla in merito all'affezione polmonare che costituiva il perenne motivo d'apprensione della famiglia, il signor Perry non si sentiva tranquillo per lei. Credeva che si fosse presa sulle spalle un compito superiore alle sue forze, e che di questo si fosse accorta lei stessa, sebbene non volesse ammetterlo. Il suo spirito sembrava sopraffatto. La sua attuale casa, lui non poteva non osservare, era tutt'altro che adatta a chi soffrisse di un disturbo nervoso, sempre confinata come era in una stanza; lui avrebbe preferito che la situazione fosse diversa, e poi doveva riconoscere che la buona zia di Jane, che pure era una sua vecchia amica, non era la migliore compagna in caso di un'indisposizione di quel tipo. Non potevano essere messe in dubbio la premura e le attenzioni della zia; di fatto, erano semmai eccessive. E lui temeva molto che la signorina Fairfax ne ricavasse più male che bene: Emma ascoltava con fervida partecipazione; sempre più addolorandosi per lei, e guardandosi intorno nel suo zelo di scoprire un sistema per essere utile. Portarla lontano da sua zia, fosse pure per un'ora o due, farle cambiare aria e ambiente, e proporle una conversazione tranquilla e ragionevole, magari per un paio d'ore, le avrebbe potuto giovare; e la mattina successiva scrisse di nuovo per dire, nel linguaggio più pieno di comprensione che riuscì a trovare, che sarebbe passata con la carrozza a qualsiasi ora fosse piaciuta a Jane, ricordando che il signor Perry si era espresso con decisione a favore di un tale esercizio per la sua paziente. La risposta non fu che questa breve nota:

«Ringraziamenti e rispetti da parte della signorina Fairfax, che tuttavia non è in grado di fare alcun esercizio».

Emma sentì che la sua lettera meritava una risposta migliore; ma non era impossibile prendersela con quelle parole, la cui tremante e incerta scrittura dimostrava così chiaramente l'indisposizione, e si mise solo a pensare a quale sarebbe stato il migliore modo per combattere quell'avversione a lasciarsi vedere o assistere. Quindi, nonostante la risposta, ordinò la carrozza e andò dalla signora Bates, sperando che Jane potesse essere convinta a unirsi a lei, ma non servì; la signora Bates venne allo sportello della carrozza, colma di gratitudine e d'accordo con lei nel modo più assoluto nel ritenere che un po' d'aria avrebbe potuto fare molto bene, e fu tentato tutto ciò che si poteva fare, tramite dei messaggi, ma tutto invano. La signorina Bates fu costretta a tornare indietro senza alcun esito; Jane non si lasciava minimamente persuadere; la sola proposta di uscire pareva peggiorare la sua condizione. Emma desiderava poterla vedere, e poter mettere alla prova le sue arti di persuasione, ma ancor prima che potesse accennare a questo desiderio, la signorina Bates fece capire che aveva promesso alla nipote di non fare entrare i casa a nessun costo la signorina Woodhouse... Di fatto la verità era che la povera Jane non tollerava di vedere nessuno, assolutamente nessuno; alla signora Elton, in verità, non si era potuto negare l'accesso, e la signora Cole aveva tanto insistito... e la signora Perry aveva detto tanto... ma a parte costoro, Jane realmente non voleva vedere nessuno.

Emma non ci teneva a essere classificata con le signore Elton, le signore Perry e le signore Cole che volevano entrare a forza dappertutto; né poteva sentire alcun diritto di preferenza lei stessa, quindi si rassegnò e fece solo alla signorina Bates altre domande in merito all'appetito e al vitto della nipote, a cui lei desiderava poter contribuire. Su questo punto la povera signorina Bates era molto abbattuta e molto comunicativa; Jane non voleva toccare cibo; il signor Perry prescriveva cibi nutrienti; ma qualunque cosa potessero procurare (e nessuno aveva mai avuto dei vicini così buoni) risultava sgradita.

Emma, una volta a casa, chiamò subito la governante, per esaminare le sue provviste; e immediatamente fu inviata alla signorina Bates un po' di fecola d'anemone di primissima qualità, con un biglietto molto amichevole. Mezz'ora dopo la fecola tornava indietro, con mille ringraziamenti da parte della signorina Bates: La cara Jane non si sarebbe data pace se non fosse stata rimandata indietro; era una cosa che lei non poteva prendere... e inoltre insisteva nell'affermare che lei non aveva assolutamente bisogno di nulla.

Quando Emma seppe che Jane Fairfax era stata vista girovagare per i campi, a una certa distanza da Highbury, il pomeriggio di quello stesso giorno in cui, con la scusa di non essere in grado di fare nessun esercizio, aveva perentoriamente rifiutato di uscire con lei in carrozza, non le rimase più alcun dubbio, mettendo insieme ogni cosa, sul fatto che Jane fosse decisa a non accettare da lei alcuna cortesia. Questo le dispiacque molto. Sentiva pena per una condizione che non sembrava che più pietosa per via di questo genere d'agitazione spirituale, di incoerenza di azione e di squilibrio delle facoltà; e la mortificava vedere che si attribuiva tanto poco credito ai suoi buoni sentimenti, o si faceva tanto poco conto della sua amicizia; ma aveva la consolazione di sapere che le sue intenzioni erano buone, e di essere in grado di dire a se stessa che se il signor Knightley avesse potuto essere a conoscenza di tutti i suoi tentativi per assistere Jane Fairfax, e avesse anzi potuto guardarle nel cuore, non avrebbe trovato, in quell'occasione, nulla da rimproverarle.

Capitolo quarantaseiesimo

Una mattina, più o meno dieci giorni dopo la morte della signora Churchill, Emma fu chiamata al piano di sotto da una visita del signor Weston, che non poteva fermarsi più di cinque minuti, e desiderava parlare con lei personalmente. Lui le andò incontro sulla porta del salotto, e dopo essersi solo limitato a chiederle, con un normale tono di voce, come stava, l'abbassò immediatamente per dire, senza essere sentito da suo padre:

«Potreste venire a Randalls a qualsiasi ora stamattina? Fatelo, se vi è possibile. La signora Weston desidera vedervi. Deve assolutamente vedervi».

«Sta male?»

«No, no, niente affatto, è solo un poco agitata. Avrebbe voluto chiedere la carrozza e venire da voi, ma deve vedervi da sola, e questo, sapete..», facendo un cenno verso il padre, «...ehm! Potete venire?»

«Ma certamente. Immediatamente, se volete. È impossibile rifiutarvi quello che mi chiedete in questo modo. Ma di che cosa può trattarsi? Veramente non sta male?»

«Vi assicuro... ma non fate altre domande. Saprete tutto a suo tempo. La faccenda più inspiegabile! Ma zitti, zitti!».

Indovinare che cosa potesse voler dire tutto questo era impossibile perfino per Emma. L'atteggiamento di lui sembrava annunciare qualcosa di davvero importante: ma visto che la sua amica stava bene, Emma cercò di conservarsi tranquilla, e dopo che ebbe comunicato al padre che avrebbe fatto adesso la sua passeggiata, lei e il signor Weston furono presto fuori della casa insieme, diretti a Randalls a passo veloce.

«Ebbene», disse Emma, quando ebbero passato di un po' il cancello del viale, «ebbene, signor Weston, informatemi di cosa è successo».

«No, no», rispose lui con gravità. «Non chiedetelo a me. Ho promesso a mia moglie di lasciare che fosse lei a dirvelo. Lei saprà comunicarvelo meglio di quanto possa fare io. Non siate impaziente, Emma; lo saprete fin troppo presto».

«Comunicarmelo!», esclamò Emma, restando immobile per il terrore. «Dio mio... Signor Weston, ditemelo subito. È successo qualcosa a Brunswick Square. Ne sono certa. Ditemi, vi esorto a dirmi subito di cosa si tratta».

«No, veramente, vi sbagliate».

«Signor Weston, non scherzate con me. Pensate a quante delle persone che mi sono più care si trovano adesso a Brunswick Square. Di chi si tratta? Vi chiedo, in nome di tutto ciò che è sacro, di non cercare di nascondermelo».

«Parola mia, Emma...».

«Parola vostra! E perché non chiamate in causa il vostro onore? Perché non assicurarmi, sul vostro onore, che la notizia non ha nulla a che vedere con nessuno di loro? Santo Cielo! Di cosa devo dunque essere informata, che non si riferisca a un componente di quella famiglia?»

«Sul mio onore», disse lui molto seriamente, «non si riferisce a loro. Non è in alcun modo collegata con nessuna persona che porti il nome Knightley».

Emma ritrovò coraggio, e riprese a camminare.

«Ho avuto torto», continuò lui, «a usare l'espressione "comunicarvelo". Non avrei dovuto farlo. Di fatto, la notizia non concerne voi, concerne solo me, almeno speriamo. Hm! In breve, mia cara Emma, non c'è motivo che vi preoccupiate. Non voglio dire che non sia una cosa spiacevole, ma potrebbe anche essere peggio. Se camminiamo veloci, saremo a Randalls tra poco».

Emma sentì che doveva attendere; e adesso non le costava troppo sforzo. Quindi non fece altre domande, solo lasciò libero corso alla sua immaginazione, e questa le suggerì ben presto la possibilità che si trattasse di qualche faccenda di denaro (una cosa venuta alla luce all'improvviso, di natura spiacevole, nella situazione finanziaria della famiglia), una cosa che era stata messa in luce da ciò che era capitato di recente a Richmond. La sua fantasia lavorava in modo febbrile. Forse una mezza dozzina di figli naturali, e il povero Frank perdeva l'eredità! Questo, anche se molto spiacevole, non l'avrebbe addolorata. Non destava più che una viva curiosità.

«Chi è quel signore a cavallo?», chiese Emma, mentre procedevano, parlando più per aiutare il signor Weston a mantenere il segreto che ad altro scopo.

«Non lo so. Uno degli Otway. Non è Frank; ve lo assicuro, non è Frank. Non lo vedrete. Ora sarà a mezza strada da Windsor».

«Allora vostro figlio è stato presso di voi?»

«Oh sì... non lo sapevate? Be', be', non ha importanza».

Rimase in silenzio per un momento; poi aggiunse, in tono molto più cauto e volutamente dimesso:

«Sì, Frank è venuto stamani, solo per chiedere come stavamo».

Si affrettarono, e in un momento furono a Randalls. «Ebbene, cara», disse lui mentre entravano nella stanza, «l'ho portata con me e adesso spero che presto ti sentirai meglio. Vi lascio sole. Indugiare non serve a nulla. Non sarò lontano, se avete bisogno di me». Ed Emma lo sentì distintamente aggiungere, in tono più basso, prima che lasciasse la stanza: «Ho mantenuto la parola. Lei non l'immagina nemmeno».

La signora Weston aveva un'aria così malata, e pareva così turbata, che l'inquietudine di Emma aumentò; e appena furono sole, disse con fervore:

«Cosa c'è, mia cara amica? Qualcosa di molto spiacevole, vedo, è capitato; fatemi sapere subito di cosa si tratta. Sono rimasta in sospeso per tutta la strada. Noi detestiamo entrambe l'incertezza. Non fate che la mia continui. Vi farà bene parlare della vostra angoscia, di qualunque cosa possa trattarsi».

«Davvero non ne hai idea?», disse la signora Weston con voce tremante. «Non puoi, mia cara Emma... non puoi indovinare cosa stai per sentire?»

«Che la cosa riguardi il signor Frank Churchill, questo posso indovinarlo».

«Hai ragione. Riguarda lui, e te lo dirò subito», riprendendo il suo lavoro, come risoluta a non rialzare gli occhi. «È stato qui stamani per una faccenda davvero straordinaria. Ci risulta impossibile esprimere la nostra sorpresa. È venuto a parlare al padre su un tema... ad annunziare un sentimento...».

Si fermò per prendere fiato. Emma prima pensò a se stessa, poi a Harriet.

«Più che un sentimento, in verità», riprese la signora Weston, «un fidanzamento, un fidanzamento vero e proprio... Cosa dirai, Emma... che cosa diranno tutti, quando si saprà che Frank Churchill e la signorina Fairfax sono fidanzati; anzi, che sono fidanzati da molto tempo!».

Emma trasalì dalla sorpresa, e inorridita esclamò:

«Jane Fairfax!... Mio Dio! Non direte sul serio? Non vorrete dire proprio questo?».

«Hai ogni motivo per rimanere stupita», rispose la signora Weston, sempre distogliendo gli occhi, e continuando a parlare con trasporto, perché Emma avesse tempo di riprendersi. «Puoi ben rimanere stupita. Ma è proprio così. Tra loro c'è un fidanzamento ufficiale fin dall'ottobre scorso, combinato a Weymouth, e tenuto segreto a tutti. Nessun altro lo sa all'infuori di noi, né i Campbell, né la famiglia di lei, né quella di lui. È così stupefacente che sebbene io ne sia perfettamente convinta, tuttavia la cosa mi sembra ancora quasi incredibile. Trovo difficile ritenerla vera... Credevo di conoscerlo».

Emma sentiva appena quel che veniva detto. La sua mente era divisa tra le due idee: la sua conversazione di una volta con lui a proposito della signorina Fairfax; e la povera Harriet; e per qualche tempo seppe solo fare esclamazioni, e chiedere conferma, ripetuta conferma.

«Ebbene», disse alla fine, cercando di riprendersi; «questa è una cosa a cui dovrò pensare almeno mezza giornata prima di poterla comprendere. Come! Fidanzato con lei per tutto l'inverno, prima che l'uno o l'altra venissero a Highbury?»

«Fidanzato dall'ottobre scorso, fidanzato in segreto. Mi ha ferito, Emma, moltissimo. E ha ferito allo stesso modo suo padre. Una parte del suo comportamento non lo possiamo scusare».

Lei riflettè un momento, poi rispose: «Non fingerò di non capirvi; e per darvi tutto il sollievo che posso, siate certa che nessun effetto del tipo che voi temete è seguito alle sue attenzioni nei mie confronti».

La signora Weston alzò lo sguardo, timorosa di crederlo; ma il volto di Emma mostrava la stessa decisione delle sue parole.

«Perché possiate trovare meno difficile credere a questa mia affermazione della mia attuale completa indifferenza», continuò Emma, «vi dirò anche che c'è stato un periodo, nella prima fase della nostra conoscenza, in cui mi piaceva, in cui ero molto pronta a sentire un interesse per lui, anzi lo ho perfino sentito, e come sia finito, è forse sorprendente. Per fortuna, tuttavia, è finito. Veramente, da qualche tempo, almeno da tre mesi a questa parte, non ho pensato affatto di lui. Potete credermi, signora Weston. Questa è la pura verità».

La signora Weston la baciò piangendo di gioia; e quando poté articolare parola, le assicurò che questa dichiarazione le aveva fatto più bene di qualsiasi altra cosa al mondo.

«Il signor Weston sentirà quasi altrettanto sollievo», disse. «Di questo ci eravamo fatti un cruccio. Era un desiderio che accarezzavamo da tempo, che voi due poteste unirvi l'uno all'altra, e ci eravamo convinti che fosse avvenuto. Immagina cosa ho provato pensando a te».

«L'ho scampata; e che io l'abbia scampata, può essere motivo di grata meraviglia per voi e per me. Ma questo non assolve lui, signora Weston; e devo dire che è molto biasimevole. Che diritto aveva di cercare di piacere, come è certamente piaciuto, di fare oggetto di costanti attenzioni qualsiasi giovane donna, come certamente ha fatto, mentre in realtà apparteneva a un'altra? Non sapeva quanto male avrebbe potuto fare? Poteva essere certo che non mi avrebbe fatto innamorare di lui? Ha fatto proprio male, proprio male».

«Da qualcosa che ha detto, mia cara Emma, immagino piuttosto...».

«E come ha potuto lei accettare un simile comportamento! Impassibile davanti a dei testimoni! Guardare, mentre ripetuti omaggi venivano tributati a un'altra donna, sotto i suoi occhi, e non risentirsene. Questo è un grado di indifferenza che non posso capire, né posso rispettare».

«Ci sono stati dei malintesi tra loro, Emma; lui lo ha detto espressamente. Non ha avuto il tempo di entrare molto nei particolari. È stato qui solo un quarto d'ora, e in una condizione di agitazione che non ha consentito il pieno uso nemmeno del tempo in cui è potuto restare, ma che ci fossero dei malintesi lo ha detto decisamente. La crisi attuale, in verità, pareva fosse stata provocata proprio da questi; e tali malintesi probabilmente saranno nati per la scorrettezza del suo comportamento».

«Scorrettezza! Oh, signora Weston... è un rimprovero troppo tenero. Molto, molto più che scorrettezza! Lo ha fatto cadere in basso, non so dire quanto, l'ha fatto cadere in basso nella mia opinione. Talmente diverso da come dovrebbe essere un uomo! Nemmeno l'ombra di quella retta integrità, di quella ferma adesione alla verità e ai princìpi di quel disprezzo per i trucchi e le meschinità che un uomo dovrebbe dimostrare in ogni atto della sua vita».

«Avanti, cara Emma, adesso devo prendere le sue parti; perché anche se in questo caso ha sbagliato, lo conosco da abbastanza tempo per poter garantire che possiede molte, moltissime buone qualità; e...».

«Buon Dio!» esclamò Emma, senza starla a sentire. «E anche la signora Smallridge! Jane era ormai sul punto di iniziare a lavorare come governante! Quale terribile indelicatezza da parte di lui! Sopportare che lei si impegnasse, sopportare che lei solo pensasse a una tale soluzione!».

«Non ne sapeva proprio nulla, Emma. Per questo sono in grado di assolverlo completamente. È stata una decisione che lei ha preso per suo conto, senza comunicargliela, o almeno senza comunicargliela in modo convincente. Fino a ieri so che lui era all'oscuro dei suoi piani. Li ha appresi all'improvviso, non so come, se non tramite una lettera o un messaggio; ed è stata la scoperta di quel che lei stava facendo, di questo suo piano, che l'ha deciso a farsi avanti subito, a confessare tutto allo zio, a rimettersi alla sua bontà e, insomma, a porre fine alla misera serie di sotterfugi che era durata così a lungo».

Emma iniziò ad ascoltare meglio.

«Presto avrò sue notizie», continuò la signora Weston. «Al momento di andar via mi ha detto che avrebbe scritto presto: e ha parlato in un modo che sembrava promettere molti particolari che non potevano essere dati ora. Aspettiamo dunque questa lettera. Può darsi che porti qualche attenuante. Potrà rendere comprensibili e scusabili molte cose che adesso non capiamo. Non siamo severi, non ci affrettiamo a condannarlo. Dobbiamo avere pazienza. Io debbo volergli bene; e adesso che ho chiarito un punto, l'unico che veramente importava, desidero sincerarmi che tutto volga al meglio, e sono pronta a sperare che sia così. Devono avere sofferto parecchio tutt'e due, con tale sistema di segreti e occultamenti».

«Le sofferenze che ha avuto», ribatté Emma asciutta, «non sembra che gli abbiano fatto tanto male. E come l'ha presa il signor Churchill?»

«In modo molto favorevole per suo nipote; ha dato il suo consenso quasi senza difficoltà. Pensa a quante ne sono successe in quella famiglia in una settimana! Fintanto che viveva la povera signora Churchill, immagino non avrebbe potuto esserci nemmeno una speranza, una probabilità, una possibilità; ma le sue spoglie non hanno fatto in tempo a trovare riposo nella tomba di famiglia che suo marito viene convinto ad agire in modo esattamente contrario a quello che avrebbe chiesto lei. Che benedizione, quando un'influenza ingiusta non sopravvive alla tomba! Non c'è voluto molto a convincerlo a dare il suo consenso».

"Ah!", pensò Emma, "avrebbe fatto altrettanto per Harriet".

«La cosa è stata sistemata ieri sera, e Frank è partito stamani appena s'è fatto giorno. Si è fermato a Highbury, dalle Bates, per un po', poi è venuto qui; ma aveva tanta fretta di tornare dallo zio, a cui in questo momento è più necessario che mai, che, come ti ho detto, non ha potuto restare con noi che un quarto d'ora. Era molto agitato, davvero molto, a un tale livello da farlo sembrare una creatura del tutto diversa da come l'avevo visto prima. Oltre a tutto il resto, c'era stato il colpo di trovarla così ammalata, una cosa che prima lui non sospettava; pareva proprio molto provato da tutto ciò che sentiva».

«Davvero credete che la relazione sia stata portata avanti con una tale assoluta segretezza? I Campbell, i Dixon, nessuno sapeva niente del fidanzamento?».

Emma non riuscì a pronunciare il nome di Dixon senza arrossire un poco.

«Nessuno. Nemmeno uno di loro. Ha assicurato che a saperlo c'erano stati solo loro due».

«Be'», disse Emma, «immagino che a poco a poco ci abitueremo all'idea, e auguro loro felicità. Ma non smetterò mai di ritenerlo un modo di fare davvero abominevole. Cos'altro è stato se non una trama di ipocrisia e di inganni, sotterfugi e tradimenti. Venire tra noi esibendo franchezza e semplicità; e una tale alleanza segreta, per giudicarci tutti! Eccoci qui, per tutto l'inverno e la primavera, completamente presi in giro, mentre ci immaginavamo tutti sullo stesso livello di verità e di onore, con tra noi due persone che magari hanno continuato a fare confronti e a giudicare sentimenti e parole che non si aveva alcuna intenzione di lasciar sentire a entrambe. Perciò devono accettare le conseguenze, se hanno sentito dire l'uno sul conto dell'altro cose non perfettamente gradite!».

«Su questo sono del tutto tranquilla», rispose la signora Weston. «Sono sicura di non aver detto nulla a nessuno dei due a proposito dell'altro che non avessero potuto sentire entrambi».

«Siete fortunata. Il vostro unico errore non è andato oltre al mio orecchio, quando immaginaste un certo nostro amico innamorato della signora».

«È vero. Ma visto che ha sempre avuto un'ottima opinione della signorina Fairfax, non avrei mai potuto sbagliare al punto di dire male di lei; e quanto a parlar male di lui, non ne correvo alcun pericolo».

A questo punto comparve, a poca distanza dalla finestra, il signor Weston, evidentemente in attesa. Sua moglie con un cenno l'invitò a entrare; e mentre lui si avvicinava, aggiunse: «Adesso, mia cara Emma, lascia che ti preghi di dire e mostrare sul volto tutto ciò che può tranquillizzarlo e convincerlo a essere contento di questa unione. Cerchiamo di trarne il meglio che sia possibile e, in verità, si può in piena onestà dire quasi qualsiasi cosa in favore di lei. Non è una famiglia con cui si possa andare fieri di imparentarsi, ma se questo non ha peso per il signor Churchill, perché dovrebbe averne per noi? E può essere una situazione molto fortunata per lui, per Frank intendo, essersi legato con una ragazza di tale fermezza di carattere e assennata come l'ho sempre reputata e come sono ancora portata a ritenerla, nonostante questa grande deviazione dalla correttezza in senso stretto. E quante cose si potrebbero dire, a proposito della sua situazione, per giustificare il suo errore!».

«Molto, davvero!», esclamò Emma con calore. «Se c'è una situazione in cui una donna può essere perdonata per pensare solo a se stessa, è una situazione come quella di Jane Fairfax. Di persone del genere si può quasi dire che "il mondo non è loro amico, né la legge del mondo"»[8].

Andò incontro al signor Weston che entrava, con un viso sorridente, esclamando:

«Mi avete fatto un bello scherzo, parola mia! Era un trucco, immagino, per giocare con la mia curiosità, e mettere alla prova la mia capacità di penetrazione. Ma mi avete spaventata sul serio. Ho pensato che aveste perduto la metà del vostro patrimonio, almeno. Ed ecco che, invece di esserci motivo di condoglianze, si scopre che c'è motivo di felicitazioni... Mi felicito con voi, signor Weston, con tutto il cuore, per la prospettiva di avere come nuora una delle più amabili e istruite giovani donne d'Inghilterra».

Lui incrociò uno sguardo o due con la moglie e si convinse che tutto andava bene come proclamava quel discorso; e l'effetto positivo sul suo spirito fu immediato. L'atteggiamento e la voce ripresero l'abituale vivacità; le strinse la mano con cordialità e gratitudine, e affrontò l'argomento in modo da dimostrare che ora non servivano altro che tempo e convinzione per ritenere che quel fidanzamento non fosse una cosa cattiva. Le sue compagne suggerirono solo quel che poteva sedare l'imprudenza o appianare le obiezioni; e quando ebbero finito di parlarne, e lui ne ebbe discusso di nuovo con Emma durante la loro passeggiata di ritorno a Hartfield, aveva perfettamente accettato l'idea, e non era lontano dal pensare che fosse la miglior cosa che Frank avesse potuto fare.

Capitolo quarantasettesimo

«Harriet, povera Harriet!». In queste parole si condensavano le tormentose idee di cui Emma non riusciva a liberarsi, e che per lei costituivano la vera sofferenza di tutta quella faccenda. Frank Churchill si era comportato molto male nei suoi confronti, molto male in più di un senso, ma non

[8] W. Shakespeare, *Romeo e Giulietta*, V, I, 72.

era tanto la condotta di lui, quanto la propria che la faceva tanto arrabbiare. Era la situazione difficile in cui lui l'aveva messa rispetto a Harriet che dava il colore più fosco al suo affronto. Povera Harriet! Essere per la seconda volta la vittima delle idee sbagliate e delle lusinghe di lei! Il signor Knightley aveva previsto il vero quando aveva detto, una volta: «Emma, non siete stata un'amica per Harriet Smith». Temeva di non averle reso che cattivi servizi. È pur vero che non doveva attribuire a se stessa, in questo caso come nel precedente, la sola e prima responsabilità del pasticcio; e di avere suggerito sentimenti che in caso diverso non sarebbero mai entrati nella fantasia di Harriet; perché Harriet aveva confessato la sua ammirazione e la sua preferenza per Frank Churchill prima che lei potesse neppure fare un cenno in proposito; ma si sentiva del tutto colpevole di avere incoraggiato quel che avrebbe potuto reprimere. Avrebbe potuto impedire che Harriet si lasciasse andare a quei sentimenti e li nutrisse. La sua influenza sarebbe bastata. E ora sentiva in tutta coscienza che avrebbe dovuto impedirli. Sentiva di avere messo a rischio la felicità della sua amica su basi quanto mai inadeguate. Il buon senso avrebbe dovuto portarla a dire a Harriet che non doveva consentirsi di pensare a lui, e che c'erano cinquecento probabilità contro una che lui sentisse mai nulla per lei. «Ma ho paura», aggiunse, «di avere avuto ben poco buon senso».

Era estremamente irritata con se stessa. Se non avesse potuto essere irritata anche con Frank Churchill, sarebbe stato atroce. Quanto a Jane Fairfax, almeno poteva liberarsi l'anima da ogni attuale preoccupazione nei suoi confronti. Sarebbe bastata l'ansia per Harriet; non aveva più alcun bisogno di sentirsi infelice per Jane, le cui pene e la cui cattiva salute avevano, naturalmente, la stessa origine, e dovevano essere ugualmente in via di guarigione. Per lei i giorni dell'anonimato e della disgrazia erano finiti. Presto sarebbe stata bene, felice e prospera. Emma poteva immaginarsi ora perché fosse stato fatto così poco conto delle sue premure. Quella scoperta chiariva molti elementi secondari. Senza dubbio c'era stata di mezzo la gelosia. Agli occhi di Jane, lei era stata una rivale; ed era ovvio che fosse stata respinta qualunque offerta d'aiuto o di attenzione che lei potesse aver fatto. Un po' d'aria fresca nella carrozza di Hartfield sarebbe stata una tortura, la fecola d'amone proveniente dalla dispensa di Hartfield sarebbe stata velenosa. Ora comprendeva tutto, e fino a dove la sua mente poteva liberarsi dalla rabbia ingiusta e egoista, riconosceva che Jane Fairfax non sarebbe stata innalzata o felice al di sopra dei suoi meriti. Ma la povera Harriet era una preoccupazione così grave! Emma poteva disporre di ben poca simpatia per altri. Temeva che questa seconda delusione sarebbe stata più cocente della prima. Avrebbe dovuto esserlo, considerando che l'oggetto questa volta era collocato così in alto; e a giudicare dall'effetto apparentemente più forte che aveva avuto sull'animo di Harriet, tanto di provocare in lei riservatezza e controllo di sé, sarebbe stato proprio così. Comunque, doveva comunicare la penosa verità il più presto possibile. Una impegno alla segretezza era ciò che il signor Weston le aveva trasmesso al momento di separarsi. Per ora, la cosa doveva rimanere un segreto assoluto: il signor Churchill aveva insistito su questo, come segno di rispetto per la moglie che aveva da poco perduto; e tutti convenivano che questo non era più di quanto il decoro

«Buon Dio!», esclamò Emma. «È stato un errore proprio increscioso, proprio deplorevole! Cosa si deve fare?».

«E dunque, se mi aveste capito, non mi avreste incoraggiata. A ogni modo, perlomeno, non posso trovarmi peggio che se la persona fosse stata quell'altra; e adesso... è possibile...».

Fece una breve pausa. Emma non poteva parlare.

«Non mi stupisco, signorina Woodhouse», riprese, «che dobbiate sentire una grande differenza tra i due, nei miei confronti come in quelli di chiunque. Voi dovete ritenere l'uno cinquecento milioni di volte al di sopra dell'altro. Spero però, signorina Woodhouse, che supponendo... che se... per quanto possa apparire strano... Ma sapete che sono state proprio le vostre parole, secondo cui erano successe cose anche più meravigliose, e avevano avuto luogo matrimoni di disparità ancor più grande di quella che c'è tra il signor Frank Churchill e me; e quindi sembra come se anche una cosa come questa possa essere già accaduta... e se dovessi essere così fortunata, più di quanto le parole non possano esprimere, da... se il signor Knightley dovesse veramente... se non desse importanza alla disparità, spero, cara signorina Woodhouse, che voi non vi opporrete e non cercherete di creare ostacoli. Siete troppo buona per voler far questo, ne sono sicura».

Harriet stava dritta accanto a una finestra. Emma si volse a guardarla, costernata, e disse in fretta:

«Pensate che il signor Knightley ricambi il vostro affetto?»

«Sì», rispose Harriet con modestia, ma senza timore, «devo dire che ne sono convinta».

Gli occhi di Emma si ritrassero immediatamente; sedette a riflettere in silenzio, in un atteggiamento fisso, per alcuni minuti. Pochi istanti bastarono a farle conoscere il proprio cuore. Una mente come la sua, una volta spalancata al sospetto, procedette rapidamente. Toccò, ammise, riconobbe tutta la verità, Perché era una cosa tanto peggiore che Harriet fosse innamorata del signor Knightley che di Frank Churchill? Perché il problema diveniva tanto atrocemente maggiore per il fatto che Harriet aveva qualche speranza di essere contraccambiata? Le attraversò la mente, con la velocità di una freccia, il fatto che il signor Knightley non poteva sposare altre, se non *lei*!

Il suo comportamento, al pari del suo cuore, le si manifestò in quei brevi istanti. Vide tutto con una chiarezza che non aveva mai avuto la fortuna di possedere prima. Con quanta scorrettezza aveva agito nei confronti di Harriet! Quant'era stata sconsiderata, indelicata, irrazionale, ottusa la sua condotta! Che cecità, che follia l'aveva guidata! La sensazione la colpì con terribile forza, ed era pronta a chiamarla con i nomi più cattivi che ci siano. Un po' di rispetto per se stessa, tuttavia, malgrado tutti quei demeriti, una certa preoccupazione per sua persona, e un forte senso di giustizia nei riguardi di Harriet (non ci sarebbe stato bisogno di *compassione* per la ragazza che si credeva amata dal signor Knightley, ma la giustizia chiedeva che non fosse adesso resa infelice da una dimostrazione di freddezza) fecero in modo che Emma decidesse di rimanere seduta e di sopportare ancora con calma, se non addirittura con apparente gentilezza. Di fatto, nel suo interesse, conveniva indagare fino a che punto giungessero le speranze di Harriet; e Harriet non aveva fatto nulla per perdere il rispetto e la premura che Emma aveva suscitato e mantenuto volontariamente, o per meritare di essere disprezzata dalla persona i cui consigli non l'avevano mai guidata bene. Quindi, riscuotendosi dai suoi pensieri e dominando le proprie emozioni, si volse nuovamente verso Harriet e, con un tono più accattivante, riprese di bel nuovo il colloquio; giacché il tema con cui era iniziato, la straordinaria storia di Jane Fairfax, era oramai tramontato e svanito. Nessuna delle due pensava ad altro che al signor Knightley, e a se stessa.

Harriet, che era rimasta immersa in una fantasticheria non priva di consolazione, fu però contentissima di esserne richiamata dal tono ora incoraggiante di un tale giudice e di una tale amica come la signora Woodhouse, e non attendeva che un invito per raccontare, con grande anche se trepidante gioia, la storia delle sue speranze. Le trepidazioni di Emma, mentre interrogava e mentre ascoltava, vennero nascoste meglio di quelle di Harriet, ma non erano meno grandi. La sua voce non vacillava; ma la sua anima subiva tutto il turbamento conseguente a quella sua evoluzione, a quell'esplosione minacciosa, a quella confusione di emozioni improvvise e sconcertanti. Ascoltava con molta pena interiore, ma con grande pazienza esteriore, il racconto dettagliato di Harriet. Non si poteva aspettare che fosse metodico, o ben costruito, o ben narrato; ma, una volta spogliato di tutti punti deboli e le ripetizioni, conteneva una sostanza capace di abbattere il suo spirito, specialmente corroborata come era dalle situazioni che la sua memoria portava a sostegno del miglioramento dell'opinione del signor Knightley nei confronti di Harriet.

Harriet era consapevole di una differenza nel suo comportamento, dal momento di quei risolutivi giri di danza. Emma sapeva che in quell'occasione lui l'aveva trovata molto superiore all'aspettativa. Da quella sera, o almeno dal momento in cui la signora Woodhouse l'aveva incoraggiata a pensare a lui, Harriet aveva cominciato ad accorgersi che lui le parlava molto di più di quanto non fosse solito fare prima, e che aveva verso di lei dei modi davvero diversi; dei modi pieni di gentilezza e cortesia. Negli ultimi tempi aveva avvertito questo in modo crescente. Quando erano andati tutti a passeggiare insieme, era venuto così spesso a camminarle accanto, e le aveva parlato in maniera talmente incantevole! Sembrava davvero volerla conoscere bene. Emma sapeva che era stato proprio così. Aveva osservato spesso quel cambiamento, quasi nella stessa misura. Harriet riportò le espressioni di approvazione e di lode da parte di lui, ed Emma sentì che corrispondevano esattamente a quel che lei sapeva della sua opinione di Harriet. Lui le riconosceva il merito di essere senza fronzoli o affettazione, di avere sentimenti semplici, onesti e generosi. Emma sapeva che lui vedeva in Harriet quei lati encomiabili; ne aveva parlato con lei più di una volta. Molte cose che vivevano nella memoria di Harriet, molti piccoli particolari delle attenzioni che lui le aveva tributato, uno sguardo, un discorso, uno spostarsi da una sedia a un'altra, un implicito complimento, una preferenza intuita, non erano stati osservati, perché non erano stati sospettati, da Emma. Circostanze che potevano crescere fino a costituire una relazione di mezz'ora, e che contenevano varie prove, per quella delle due che le aveva viste, erano passate inosservate a quella che ora li apprendeva; ma i due episodi che furono ricordati per ultimi, i due che a Harriet parevano più promettenti, non avevano mancato di essere notati da parte della stessa Emma. Il primo era il suo camminare con lei in disparte dagli altri, nel viale dei tigli a Donwell, dove erano rimasti a passeggiare per qualche tempo prima che venisse Emma, e lui si era dato la briga (lei ne era convinta) di attirarla con sé lontano dal gruppo, e all'inizio le aveva parlato con più confidenza di quanta non avesse mostrata fino ad allora, davvero molta confidenza! (Harriet non poteva ripensarci senza arrossire). Pareva quasi che le stesse chiedendo se il suo affetto era impegnato. Ma appena era sembrato che lei (la signorina Woodhouse) stesse per avvicinarsi a loro, aveva cambiato argomento e aveva preso a parlare di agricoltura. Il secondo episodio era che era rimasto a chiacchierare con lei per circa mezz'ora prima che Emma tornasse dalla sua visita, proprio l'ultima mattina che era stato a Hartfield, nonostante che, arrivando, avesse detto di non potersi fermare nemmeno cinque minuti; e durante quella conversazione le aveva confidato che, anche se doveva andare a Londra, partiva assai malvolentieri, il che era ben più (Emma lo sentiva) di quanto avesse confessato a lei. Il grado maggiore di confidenza verso Harriet, dimostrato quest'ultimo punto, le dette una grave pena.

Quanto alla prima di queste due circostanze, dopo un po' di riflessione, Emma arrischiò la domanda: «Ma non può essere che... non è possibile che mentre vi chiedeva, come voi pensate, dello stato dei vostri affetti, volesse alludere al signor Martin, e che agisse nell'interesse del signor Martin?». Ma Harriet respinse vigorosamente il sospetto.

«Il signor Martin! No davvero... Non c'è stato alcun accenno al signor Martin. Spero di sapere fare di meglio, adesso, che essere innamorata del signor Martin, o di venire sospettata di esserlo».

Quando Harriet ebbe finito la sua dichiarazione, pregò la sua cara signorina Woodhouse di dirle se non aveva delle buone basi per sperare.

«Non avrei mai avuto la presunzione di pensarci, all'inizio», disse, «se non fosse stato per voi. Mi avete detto di osservarlo attentamente e di lasciare che il suo comportamento fosse la regola del mio, e così ho fatto. Ma adesso mi pare di sentire di poterlo meritare; e che, se lui dovesse scegliermi, non sarebbe poi una cosa tanto straordinaria».

L'amarezza causata da questo discorso, la tanta amarezza, rese necessario da parte di Emma il massimo sforzo per consentirle di rispondere:

«Harriet, mi arrischierò solo a dire che il signor Knightley è l'ultimo uomo al mondo che darebbe intenzionalmente a una donna l'impressione di sentire per lei più di quello che senta effettivamente».

Harriet parve pronta ad adorare la sua amica per una frase così soddisfacente; ed Emma fu salvata da espansioni e carezze, che in quel momento sarebbero state una terribile penitenza, solo dal rumore del passo di suo padre. Stava attraversando l'atrio. Harriet era troppo agitata per incontrarlo: non poteva calmarsi, il signor Woodhouse ne sarebbe stato allarmato... era meglio che se ne andasse; quindi, con il più pronto incoraggiamento da parte dell'amica, si eclissò da un'altra porta, e quando se ne fu andata, l'esplosione spontanea dei sentimenti di Emma fu tale: «Oddio! Potessi non averla mai incontrata!».

Il resto della giornata e della notte successiva furono a stento sufficienti per i suoi pensieri. Emma era sconcertata dalla confusione di tutto ciò che le era precipitato addosso nel corso di quelle ultime poche ore. Ogni momento aveva portato una nuova sorpresa; e ogni sorpresa doveva essere per lei motivo di umiliazione. Come comprendere tutto ciò! Come comprendere gli inganni contro se stessa, tra cui era vissuta! Gli sbagli, la cecità della sua mente e del suo cuore! Rimase seduta, fece un giro, esplorò la propria camera, esplorò il vivaio: ovunque andasse, qualunque posizione assumesse, percepiva di avere agito con estrema debolezza; di essere stata dominata dagli altri in modo estremamente mortificante, di avere ingannato se stessa in modo ancor più mortificante, sentiva di essere infelice e che probabilmente avrebbe scoperto che il giorno presente non era che il principio della sua infelicità.

Capire, capire del tutto il proprio cuore fu la cosa che tentò di fare per prima. A tale scopo furono dedicati tutti i momenti liberi consentiti dalle esigenze di suo padre, e ogni momento d'involontaria distrazione.

Per quanto tempo il signor Knightley le era stato così caro, come ogni suo sentimento diceva chiaramente che adesso era? Quando era cominciata la sua influenza, quella influenza? Quando aveva preso, nel suo cuore, il posto che Frank Churchill aveva occupato una volta per breve tempo? Ritornò al tempo trascorso; confrontò i due, li paragonò per il posto che avevano occupato nella sua stima, dal momento in cui aveva conosciuto il secondo, e come avrebbero dovuto essere paragonati da lei in ogni momento, se mai, oh, se mai, per una sorte benedetta, le fosse venuto in mente di fare un paragone. Vide che non c'era mai stato un momento in cui non avesse considerato il signor Knightley infinitamente superiore, o in cui le sue attenzioni non le fossero riuscite infinitamente più care. Vide che nel convincere se stessa, nell'immaginare, e nell'agire in modo opposto, si era del tutto ingannata, e aveva totalmente ignorato il proprio cuore; insomma, che non era mai stata innamorata di Frank Churchill.

Questa fu la conclusione della prima serie di riflessioni. Questa la conoscenza di se stessa, la risposta che formulò alla prima domanda della sua indagine, e senza doverci impiegare molto tempo. Ne rimase dolorosamente indignata; vergognosa di ogni suo sentimento, eccetto quello a lei rivelato: il suo affetto per il signor Knightley. Ogni altra parte della sua anima era disgustosa.

Con insopportabile vanità aveva creduto di conoscere il segreto dei sentimenti di tutti; con imperdonabile arroganza si era proposta di sistemare il destino di ciascuno. Adesso aveva la prova di essersi sbagliata in tutti i sensi; e non si era limitata a non far nulla; aveva combinato dei guai. Aveva fatto del male ad Harriet, a se stessa, e, temeva molto, anche al signor Knightley. Se questa unione particolarmente sbilanciata avesse dovuto avere luogo, il biasimo di averne costruito il principio si riversava tutto su di lei; perché l'interesse di lui doveva ritenere che fosse stato prodotto solo dalla consapevolezza di quello di Harriet; e anche se questo non fosse stato il caso, lui non avrebbe mai conosciuto Harriet, se non per la sciocchezza di lei, Emma.

Il signor Knightley e Harriet Smith! Era un'unione da lasciare sbigottiti quanto mai. Il legame tra Frank Churchill e Jane Fairfax diventava una cosa comune, banale, del tutto ordinaria, e in confronto non suscitava nessuna sorpresa, non presentava nessuna disparità, non forniva nessun argomento di discorsi o di pensieri. Il signor Knightley e Harriet Smith!

Che elevazione da parte di lei! Che degradazione, per lui! Emma inorridì nel pensare come questo dovesse farlo scadere nell'opinione di tutti, nel prevedere i sorrisi, gli scherni, le battute che avrebbe provocato a sue spese; la mortificazione e lo sdegno del fratello, i mille inconvenienti per lui. Poteva essere? No, era impossibile. Eppure, era tutt'altro che impossibile. Era una cosa nuova che un uomo dalle capacità eccezionali venisse catturato da facoltà molto inferiori? Era una cosa nuova che un uomo fosse troppo affaccendato per cercare, e diventasse preda di una ragazza che andava in cerca di lui? Era una cosa nuova che qualcosa in questo mondo fosse ineguale, incoerente, incongruo, o che il caso e l'occasione (come seconde cause) guidassero l'umano destino?

Oh, non avesse mai innalzato Harriet! Perché non l'aveva lasciata dove avrebbe dovuto, e dove lui le aveva detto che avrebbe dovuto lasciarla! Se lei, con una stupidità che nessuna lingua poteva esprimere, non le avesse impedito di sposare l'ineccepibile giovanotto che l'avrebbe resa felice e rispettabile nel livello sociale a cui avrebbe dovuto appartenere, tutto sarebbe andato bene; non ci sarebbero state tutte queste orribili conseguenze.

Come poteva mai Harriet aver avuto la presunzione di innalzare i suoi pensieri al signor Knightley! Come aveva potuto avere il coraggio di immaginarsi la prescelta da un uomo del genere prima di riceverne assicurazione! Ma Harriet era meno umile, aveva meno scrupoli di prima. Pareva sentisse poco la propria inferiorità, sia di mente che di posizione sociale. Era sembrata accorgersi più del calo che avrebbe avuto il signor Elton sposando lei, di quanto non sembrasse ora accorgersi di quello del signor Knightley. Ahimè, non era sua la colpa anche di questo? Chi si era data pena, se non lei, di far crescere l'idea che Harriet aveva di sé? Chi, se non lei, le aveva insegnato che doveva innalzarsi, se possibile, e che meritava senz'altro una buona posizione nel mondo? Se Harriet, un tempo umile, era divenuta vanitosa, era anche questo colpa sua.

Capitolo quarantottesimo

Fino a quel momento, in cui subiva la minaccia di perderlo, Emma non aveva mai saputo quanta parte della sua felicità dipendesse dall'essere la prima per il signor Knightley: la prima nei suoi interessi, la prima nell'affetto. Convinta che fosse così, e ritenendo fosse suo diritto esserlo, ne aveva goduto senza rifletterci; e solo adesso che temeva di essere soppiantata sentiva quale importanza enorme questo avesse avuto. Per molto, moltissimo tempo, aveva sentito di essere stata la prima; giacché, non essendoci parentele femminili da parte di lui, non c'era che Isabella che potesse accampare pretese paragonabili alle sue, ed Emma aveva sempre saputo esattamente quanto lui amasse e stimasse Isabella. Ma in passato, per molti anni, era stata lei la prima. Non l'aveva meritato; spesso era stata negligente o ribelle, non aveva tenuto conto dei suoi consigli, o ci si era perfino opposta deliberatamente, cieca alla metà dei suoi meriti, e pronta a litigare con lui perché non voleva riconoscere la sua fasulla, insolente stima di se stessa; eppure, per affetto familiare e abitudine, e per virtù delle sua intelligenza, lui l'aveva amata, e aveva vigilato su di lei fin da quando era ragazza, sforzandosi di migliorarla, ansioso di vederla agire bene; sforzi e ansie che nessun'altra persona aveva condiviso. Nonostante tutti i propri difetti, lei sapeva di essergli cara; o forse avrebbe potuto dire molto cara. Quando però i suggerimenti della speranza, che a questo punto dovevano seguire, si presentavano, lei non poteva presumere di dare loro libero corso. Harriet Smith poteva ritenersi non indegna di essere amata in modo speciale, esclusivo, appassionato dal signor Knightley. Lei non poteva. Non poteva illudersi con l'idea della cecità del suo interesse per lei. Aveva ricevuto una prova molto recente della sua imparzialità. Come s'era scandalizzato per il suo comportamento verso la signorina Bates! Come era stato diretto e energico il modo in cui si era espresso con lei a questo proposito! Non troppo energico perché lei potesse offendersene, ma troppo, troppo energico perché potesse provenire da un sentimento più tenero di un rispetto della giustizia e di una lucida benevolenza. Emma non aveva alcuna speranza, nulla che meritasse di chiamarsi tale, che lui potesse nutrire per lei quel genere d'affetto che era in questione adesso; c'era però una speranza (in certi momenti assai tenue, in altri molto più forte) che Harriet potesse essersi illusa, e desse più importanza del dovuto alle sue attenzioni a lei. Doveva desiderare che così fosse, per il bene di lui, anche se lei stessa non ne avrebbe ricavato altro beneficio che il vederlo rimanere scapolo tutta la vita. Se avesse potuto essere certa di questo, in verità, del fatto che non si sarebbe sposato affatto, credeva che sarebbe stata perfettamente contenta. Pur che lui continuasse a essere lo stesso signor Knightley per lei e per suo padre, lo stesso signor Knightley per tutti, pur che tra Donwell e Hartfield non andasse perduto nulla di quel prezioso scambio di amicizia e di fiducia, la sua pace sarebbe stata completamente garantita. Il matrimonio, di fatto, non si sarebbe adattato al suo caso. Sarebbe stato incompatibile con i suoi doveri verso suo padre, e con quel che sentiva per lui. Nulla avrebbe potuto separarla da suo padre. Non si sarebbe sposata, anche se il signor Knightley avesse chiesto la sua mano.

Era suo ardente desiderio che Harriet rimanesse delusa; e sperava che quando le fosse riuscito di vederli di nuovo, sarebbe stata perlomeno in grado di appurare che probabilità ci fossero. D'ora in poi li avrebbe osservati attentamente; e per quanto avesse fatto dei deplorevoli errori fino ad allora, anche su coloro che aveva tenuto sotto osservazione, non riusciva ad ammettere di poter essere accecata in questo caso. Lui poteva tornare da un giorno all'altro. Presto sarebbe stato possibile osservare, terribilmente presto sembrava, quando i suoi pensieri prendevano quella certa piega. Intanto, decise di non vedere Harriet. Ulteriori discussioni non avrebbero giovato alla faccenda. Era decisa a non sentirsi convinta fin quando poteva dubitare; eppure, non aveva alcuna autorità per opporsi alle confidenze di Harriet. Parlarne sarebbe servito solo a provocare irritazione. Perciò le scrisse una lettera cortese ma ferma, pregandola per il momento di non venire a Hartfield; ammettendo che era sua convinzione che fosse meglio evitare ogni ulteriore discussione confidenziale su *quel certo argomento*; e sperando che potessero passare alcuni giorni prima che si incontrassero di nuovo senza la presenza di altri (era contraria solo a incontrarla a tu per tu), e che sarebbero state in grado di comportarsi come se avessero dimenticato la conversazione del giorno precedente. Harriet non si oppose, anzi approvò e si mostrò grata.

Questo punto era appena stato deciso quando arrivò una visita che un po' strappò i pensieri di Emma dall'unico tema che li aveva occupati, nel sonno e nella veglia, durante le ultime ventiquattr'ore: la signora Weston, che era andata a far visita alla nuora prescelta, e tornando verso casa era passata da Hartfield, quasi tanto per un dovere verso Emma quanto per far piacere a se stessa, al fine di riferirle tutti i particolari di un colloquio così interessante.

Il signor Weston l'aveva accompagnata dalla signorina Bates, e aveva fatto molto bene fino all'ultimo la sua parte in questa cruciale visita di riguardo; ma lei, avendo poi potuto persuadere la signorina Fairfax a prendere un po' d'aria con lei, tornava adesso con molte più cose da dire, e molte più cose da dire con soddisfazione, di quante non ne avrebbe potute fruttare un quarto d'ora passato nel salotto della signorina Bates con tutto l'impaccio che scaturiva dal senso d'imbarazzo.

Emma aveva un po' di curiosità; e cercò di ricavare il massimo da tutto ciò che raccontava la sua amica. La signora Weston era andata a fare quella visita con un bel po' di agitazione lei stessa; e dapprima aveva desiderato di non andarci affatto, per il momento, di poter invece solo scrivere alla signorina Fairfax e rimandare la visita di cerimonia finché non fosse passato un po' di tempo e il signor Churchill potesse adattarsi all'idea che il fidanzamento diventasse pubblico; perché, tutto considerato, pensava che quella visita non potesse essere fatta senza portare a delle chiacchiere; ma il signor Weston aveva pensato diversamente; era estremamente ansioso di mostrare la sua approvazione alla signorina Fairfax e alla sua famiglia, e non immaginava che la visita potesse provocare qualche sospetto; o, seppure l'avesse provocato, che ciò potesse portare alcuna conseguenza; perché «notizie di tal genere», osservava, «finivano sempre per diffondersi». Emma sorrise, e capì che il signor Weston aveva un'ottima ragione per dire così. Insomma, erano andati, e grandissima era stato l'evidente disagio e la confusione della signorina. Non era quasi riuscita a proferire parola, e ogni sguardo e ogni atto avevano mostrato quanto profondamente la coscienza la facesse soffrire. La calma e viva soddisfazione della vecchia signora, e l'intensa gioia della figlia, che era stata fin troppo felice per parlare come al solito, avevano costituito una scena gradevole, eppure quasi commovente. Erano tutt'e due così veramente degne di rispetto nella loro gioia, così disinteressate in ogni sentimento; pensavano tanto a Jane; tanto a tutti gli altri, e così poco a se stesse, da attirarsi ogni benevolenza. La recente malattia della signorina Fairfax aveva offerto alla signora Weston una buona scusa per invitarla a prendere aria; prima aveva voluto esimersi, ma aveva ceduto alle insistenze; nel corso della loro passeggiata, la signora Weston, grazie ai suoi delicati incoraggiamenti, aveva superato a tal punto il suo imbarazzo da portarla a conversare di quell'importante argomento. Delle scuse per il suo silenzio apparentemente sgarbato al loro primo incontro, e fervide espressioni della gratitudine che ora sentiva verso lei e il signor Weston, dovettero necessariamente aprire la discussione; ma una volta che queste effusioni furono messe da parte, parlarono un bel po' della situazione attuale e del futuro del fidanzamento. La signora Weston era persuasa che una tale conversazione avesse dovuto procurare alla sua compagna un enorme sollievo, dato che ogni cosa era rimasta così a lungo serrata nella sua mente, ed era molto soddisfatta di quanto era stato detto in proposito.

«Circa l'intensità delle sue pene durante tutti quei mesi di segreti», continuò la signora Weston, «è stata profonda. Ecco una delle sue espressioni: "Non dirò che da quando mi sono fidanzata io non abbia avuto dei momenti felici; ma posso dire di non avere mai conosciuto la benedizione di una sola ora tranquilla"; e le labbra tremanti, Emma, che hanno detto ciò, erano una prova di verità che ho sentito fin in fondo al cuore».

«Povera ragazza!», disse Emma. «Pensa dunque di avere avuto torto ad acconsentire a un fidanzamento segreto?»

«Torto! Nessuno, credo, può biasimarla più di quanto lei stessa non sia disposta a biasimare se stessa. "La conseguenza", ha detto, "è stata per me uno stato di sofferenza continua; e così dovrebbe essere. Ma pur con tutta la punizione che può portare la cattiva condotta, questa rimane sempre cattiva condotta. La pena non è un'espiazione, e non potrò mai sentirmi senza colpa. Ho agito contro tutto il mio senso d'onestà; e la fortunata piega che hanno preso le cose, e la bontà di cui ora sono fatta oggetto, sono cose che la mia coscienza non riterrebbe possibili. Non dovete immaginare, signora", ha proseguito, "che io sia stata educata male. Non fate critiche ai princìpi o alle cure degli amici che mi hanno allevata. L'errore è stato tutto mio; e vi assicuro che, con tutte le scuse che sembrano offrire le circostanze presenti, avrò ancora paura di far sapere la storia al colonnello Campbell"».

«Povera ragazza!», disse nuovamente Emma. «Allora, suppongo, l'ama immensamente. Deve essere stato solo per amore che ha potuto essere indotta a fidanzarsi. Il suo affetto deve aver sopraffatto il suo giudizio».

«Sì, non dubito che gli voglia molto bene».

«Ho paura», ribatté Emma sospirando, «di avere spesso contribuito a renderla infelice».

«Da parte tua, tesoro mio, è stato fatto con molta innocenza. Ma probabilmente qualcosa di questo doveva esserci nei suoi pensieri, quando ha alluso ai malintesi a cui lui ci aveva accennato. Una conseguenza naturale dell'inganno in cui si era messa, ha detto, era stata di renderla irragionevole. La consapevolezza di avere fatto del male l'aveva esposta a mille inquietudini, trasformandola in una persona complicata e irritabile fino a un punto che per lui doveva essere stato, era stato difficile sopportare. "Non ho fatto il dovuto conto", ha detto, "del suo carattere e del suo spirito; il suo spirito delizioso, e quella gaiezza, quella giocosità naturale, che, in ogni altra circostanza, sono sicura, mi avrebbe costantemente affascinata, come hanno fatto all'inizio". Poi ha cominciato a parlare di te, e della grande gentilezza di cui le avevi dato prova durante la sua malattia; e con un rossore che mi mostrava come tutto ciò fosse coerente, mi ha pregata, quando ne avessi l'occasione, di ringraziarti; non avrei potuto ringraziarti a sufficienza, per tutto il desiderio e tutti i tentativi di farle del bene. Sentiva che tu non avevi mai ricevuto da parte sua un ringraziamento adeguato».

«Se io non la sapessi ora felice», disse Emma con serietà, «come, nonostante certe piccole ombre nate dagli scrupoli della sua coscienza, deve essere, non potrei tollerare questi ringraziamenti; giacché, signora Weston,

se si tirassero le somme del male e del bene che ho fatto a Jane Fairfax...
Ebbene», controllandosi e cercando di essere più vivace, «tutto questo va
dimenticato. Siete molto cortese a riferirmi questi interessanti particolari.
La fanno apparire in una luce quanto mai vantaggiosa. Sono sicura che è
molto buona, spero che sia molto felice. È giusto che il patrimonio sia
dalla parte di lui, perché credo che il merito sarà tutto dalla parte di lei».
   Una conclusione del genere non poteva rimanere senza una risposta da
parte dalla signora Weston. Lei aveva una buona opinione di Frank quasi
sotto ogni punto di vista e, quel che era di più, gli voleva molto bene,
così che la sua difesa fu calorosa. Parlò con una buona dose di ragione, e
un affetto almeno corrispondente, ma troppe erano le cose su cui doveva
sollecitare l'attenzione di Emma, che presto se ne partì per Brunswick
Square e Donwell; dimenticò di cercare di ascoltare; e quando la signora
Weston concluse con un: «Non abbiamo ancora ricevuto la lettera che
aspettiamo con tanta ansia, sai, ma spero che arrivi presto», fu costretta a
pensarci sopra prima di rispondere, e alla fine dovette rispondere a caso,
prima di poter rammentare quale lettera fosse quella che attendevano con
tutta quell'ansia.
   «Stai bene, Emma mia?», fu la domanda della signora Weston sul punto
di separarsi.
   «Oh! perfettamente. Io sto bene. Non mancate di mettermi al corrente
della lettera al più presto possibile».
   Le informazioni della signora Weston fornirono a Emma ulteriori motivi
di spiacevoli riflessioni, accrescendo la sua stima e la sua compassione, e
il suo senso di essere stata ingiusta in passato nei confronti di Jane Fairfax. Si rammaricava amaramente di non avere cercato di conoscerla meglio, e arrossiva per i sentimenti malevoli che certo ne erano stati, in
qualche misura, all'origine. Se avesse dato retta ai ben conosciuti desideri
del signor Knightley, riconoscendo alla signorina Fairfax quell'attenzione
che le era dovuta in ogni senso, se avesse cercato di conoscerla meglio, se
avesse fatto quanto era in suo potere per diventarne intima, se avesse tentato di trovare un'amica in lei, invece che in Harriet Smith, probabilmente
le sarebbero state risparmiate tutte le sofferenze che ora la schiacciavano.
Nascita, talento ed educazione avevano nella stessa misura identificato
l'una come una compagna per lei, tale da essere ricevuta con gratitudine,
e l'altra... cos'era? Pur supponendo non fosse mai stata ammessa nella
confidenza della signorina Fairfax su quella importante faccenda (cosa
più che probabile) tuttavia, se l'avesse conosciuta come avrebbe dovuto, e
come avrebbe potuto, lei sarebbe stata preservata dagli orribili sospetti di
un sentimento sconveniente verso il signor Dixon, idea che lei stessa
aveva non solo tanto scioccamente inventata e nutrita, ma che aveva diffusa in un modo tanto imperdonabile; un'idea che temeva molto fosse
stata motivo di vera sofferenza per la delicatezza dei sentimenti di Jane,
per via della leggerezza o della superficialità di Frank Churchill. Di tutti i
motivi d'ansia che avevano schiacciato Jane dal momento del suo arrivo a
Highbury, Emma era convinta di avere fornito lei stessa il peggiore. Doveva essere stata una perenne nemica. Non potevano trovarsi tutt'e tre insieme senza che lei minacciasse in mille modi la pace di Jane Fairfax; e a
Box Hill, forse, s'era vista l'agonia di uno spirito giunto all'estremo della
sopportazione.

La serata di quel giorno fu molto lunga e triste a Hartfield. Il tempo aggiunse quanto poteva alla malinconia. Venne una pioggia tempestosa, e non restò traccia del luglio se non negli alberi e negli arbusti che il vento maltrattava, e nella lunghezza del giorno, che non fece che rendere visibile più a lungo quello scenario tanto crudele.

Il tempo ebbe un'influenza sul signor Woodhouse, che poté solo sentirsi in modo tollerabile grazie a un'attenzione quasi incessante da parte della figlia, e a sforzi che non le erano mai costati tanto. Questo la faceva pensare al loro primo incontro a tu per tu la sera del matrimonio della signora Weston; ma allora era arrivato il signor Knightley subito dopo il tè, e aveva allontanato ogni malinconica fantasticheria. Ahimè! Quelle incantevoli prove dell'attrazione esercitata da Hartfield, che erano all'origine di quel genere di visite, avrebbero potuto in breve non esserci più. L'immagine che lei si era fatta allora delle privazioni dell'inverno che si avvicinava si era dimostrata sbagliata; nessun amico li aveva abbandonati, nessun piacere era andato perduto. Ma le previsioni attuali, lei temeva, non sarebbero state contraddette in quel modo. La prospettiva che ora le si apriva davanti era minacciosa a un livello tale da non potersi dissolvere del tutto, e che rischiava di non poter conoscere neppure temporanee schiarite. Se accadeva tutto quel che poteva accadere nella cerchia delle sue amicizie, Hartfield non avrebbe potuto non rimanere relativamente desolata; e lei sarebbe stata lasciata a vivacizzare il padre solo con lo spirito di una donna dalla felicità distrutta.

Il bambino che sarebbe nato a Randalls avrebbe costituito un legame anche più caro di quanto non fosse lei; e il cuore e il tempo della signora Weston sarebbero stati impegnati. L'avrebbero persa; e probabilmente, in gran parte, avrebbero perso anche suo marito. Frank Churchill non sarebbe più ritornato tra loro; e la signorina Fairfax, era ragionevole immaginarlo, avrebbe presto smesso di appartenere a Highbury. Si sarebbero sposati, sistemandosi a Enscombe o nelle sue vicinanze. Tutti quelli che l'avevano amata le sarebbero stati sottratti; e se a queste perdite si doveva aggiungere anche quella di Donwell, quale compagnia allegra o intelligente sarebbe rimasta a portata di mano? E il signor Knightley non sarebbe più venuto lì a passare una piacevole serata! E non avrebbe più fatto una visitina in ogni momento, come se avesse sempre intenzione di scambiare la sua casa con la loro! Come lo si poteva sopportare? E se avesse dovuto essere perso per loro a causa di Harriet, se d'ora in poi si fosse dovuto ritenere che trovasse nella compagnia di Harriet quel che desiderava; se Harriet avesse dovuto essere l'eletta, la prima, la più cara, l'amica, la moglie a cui si sarebbe rivolto per tutto quel che c'è di più bello nell'esistenza; cosa avrebbe allora potuto accrescere l'infelicità di Emma, se non la riflessione, mai molto lontana dalla sua mente, che tutto questo fosse stata opera sua?

Quando la pena arrivava a questo punto, Emma non poteva trattenere un sussulto, o un grave sospiro, o perfino evitare di passeggiare avanti e indietro per la stanza per qualche secondo; e l'unica fonte da cui poteva derivare qualche conforto, un po' di calma, era la decisione di comportarsi meglio, e la speranza che, per inferiori quanto ad animazione e gioia che potessero essere quell'inverno e ogni futuro inverno della sua vita, in confronto a quello passato, essi l'avrebbero trovata più giudiziosa, migliorata nella conoscenza di se stessa, e le avrebbero lasciato, una volta trascorsi, meno cose da rimpiangere.

Capitolo quarantanovesimo

Il tempo fu molto simile la mattina successiva; la stessa solitudine, la stessa tristezza pareva regnare a Hartfield. Ma nel pomeriggio si schiarì; il vento divenne più mite; le nubi furono spazzate via: comparve il sole; fu di nuovo estate. Con tutta l'animazione portata da un simile cambiamento, Emma decise di andare all'aria aperta al più presto possibile. Non le era mai parsa così attraente e squisita la vista, l'odore, la sensazione della natura, calda e brillante dopo la tempesta. Anelava alla serenità che quelle cose avrebbero potuto portare a mano a mano; ed essendo capitato subito dopo pranzo il signor Perry, con un'ora libera da dedicare a suo padre, Emma non perse tempo a correre al vivaio. Là, con lo spirito rinfrescato e i pensieri un po' sollevati, aveva fatto qualche giro, quando vide passare per la porta del giardino, e venire verso di lei, il signor Knightley. Era il suo modo di far sapere che era tornato da Londra. Emma aveva pensato a lui un attimo prima, come se fosse senza dubbio a sedici miglia di distanza. Non ci fu tempo che per un velocissimo aggiustamento mentale. Doveva essere posata e calma. Mezzo minuto dopo erano insieme. I «Come state?» furono tranquilli e controllati da entrambe le parti. Lei chiese dei loro amici comuni: stavano tutti bene. Quando li aveva lasciati? Solo quella mattina. Doveva avere fatto una cavalcata sotto la pioggia. «Sì». Voleva passeggiare con lei, Emma scoprì. Un momento prima aveva fatto capolino nella sala da pranzo, e siccome lì non c'era bisogno di lui, aveva preferito rimanere fuori. Emma pensò che non avesse l'aria contenta, né parlava in modo contento; e la causa prima era, forse, come le suggerivano i suoi timori, che potesse aver comunicato i suoi progetti al fratello e fosse rimasto male per il modo in cui erano stati recepiti.

Passeggiarono insieme. Lui taceva. Emma pensò che la guardasse spesso e cercasse di ottenere una visione più completa del suo volto di quanto tornasse comodo a lei di offrirgli. E questa supposizione produsse un altro timore. Probabilmente lui voleva parlarle del suo sentimento per Harriet; forse non aspettava che di essere incoraggiato per cominciare. Lei non si sentiva, non poteva sentirsi di condurre il discorso su un tema del genere. Lui doveva pensarci del tutto da solo. Eppure, non poteva tollerare quel silenzio. In lui era proprio innaturale. Emma rifletté, si decise, e, cercando di sorridere, cominciò:

«Ora che siete tornato, sentirete delle notizie che vi sorprenderanno alquanto».

«Davvero?», disse lui con tranquillità, e guardandola: «Di che tipo?»

«Oh, del miglior tipo del mondo: un matrimonio».

Dopo avere aspettato un momento, come per accertarsi che lei non volesse dire altro, rispose:

«Se volete alludere alla signorina Fairfax e a Frank Churchill, lo so già».

«E com'è possibile?», esclamò Emma, girando verso lui le sue guance rosse; perché, mentre parlava, le era venuto in mente che lui potesse avere fatto una visita dalla signora Goddard strada facendo.

«Ho ricevuto stamattina alcune righe dal signor Weston sulle faccende della parrocchia; alla fine mi ha riferito, in breve, ciò che era successo».

Emma si sentì spalancare il cuore, e poté dire subito, con più calma:

«Voi forse siete rimasto meno stupito di chiunque di noi, perché avevate i vostri sospetti. Non ho dimenticato che una volta cercaste di mettermi all'erta. Vorrei avervi ascoltato... ma...», abbassando la voce e con un grave sospiro, «pare che io sia destinata a non vedere niente».

Per qualche istante non fu detta una parola, e lei non sospettava di avere provocato alcun particolare interesse, quando si sentì tirare il braccio sotto a quello del compagno, e se lo sentì premere contro il cuore di lui, e lo sentì dire, in un tono estremamente intenso, a voce bassa:

«Il tempo, mia carissima Emma, il tempo guarirà la ferita. Il vostro eccellente giudizio... il vostro impegno per amore di vostro padre... so che non vi consentirete...». Il suo braccio le venne premuto nuovamente, mentre lui aggiungeva, con tono più rotto e sommesso: «I sentimenti della più calda amicizia... che sdegno... abominevole canaglia!». E in tono più forte e fermo concluse con: «Presto se ne sarà andato. Presto saranno nello Yorkshire. Sono spiacente per lei. Meritava un miglior destino».

Emma lo capì; e appena poté riaversi dal moto di piacere destato da quella tenera premura, rispose:

«Siete molto gentile... ma vi sbagliate, e devo farvi ricredere. Non ho bisogno di questo genere di compassione. La mia cecità in merito a quanto stava succedendo mi ha indotto ad agire nei loro riguardi in un modo di cui dovrò sempre vergognarmi, e scioccamente sono stata tentata a dire e fare molte cose che ben possono espormi a spiacevoli supposizioni, ma non ho altra ragione di dispiacere se non quella di non avere conosciuto il segreto prima».

«Emma!», esclamò lui, guardandola con intensità. «Dite davvero?», ma controllandosi: «No, no, vi capisco... perdonatemi; quello che dite basta a farmi contento. Lui non è oggetto di rammarico, proprio! E non passerà molto tempo, spero, prima che ciò venga riconosciuto non solo dalla vostra ragione. Fortuna che i vostri sentimenti non ne sono rimasti più presi! Vi devo confessare che dai vostri modi non sono riuscito a comprendere il grado di ciò che sentivate; potevo solo essere certo che c'era una preferenza... e una preferenza che non ho mai potuto credere lui meritasse. Fa disonore agli uomini. E deve ricevere in premio quella leggiadra fanciulla? Jane, Jane, sarete sfortunata».

«Signor Knightley», disse Emma, cercando di rispondere con allegria, ma in realtà confusa, «mi trovo in una situazione straordinaria. Non posso lasciarvi continuare nel vostro errore; eppure, forse, dal momento che i miei modi hanno creato una tale impressione, ho altrettanti motivi per vergognarmi di confessare che non ho mai sentito nulla per la persona di cui parliamo, di quanto potrebbe essere naturale avere per una donna nel confessare proprio l'opposto. Ma la verità è che non l'ho mai amato».

Il signor Knightley ascoltava in perfetto silenzio. Lei desiderava che parlasse, ma lui non lo faceva. Immaginò di dovere dire di più prima di avere diritto alla sua clemenza; ma era duro essere obbligata ad abbassarsi ancora nella sua opinione. Tuttavia proseguì:

«Ho ben poco da dire in difesa del mio comportamento. Sono stata tentata dalle sue attenzioni, e ho lasciato trasparire il mio piacere. Una vecchia storia, probabilmente, un caso comune, né più né meno di quanto è successo a centinaia di donne prima di me; eppure questo basta a rendere la cosa più scusabile in una che si vanta delle propria intelligenza come me. Molte circostanze hanno favorito la tentazione. Lui era il figlio del signor Weston, era continuamente qui, lo ritenevo sempre molto gradevole; insomma», con un sospiro, «per quanto io cerchi di ingigantire le cause, alla fine confluiscono tutte in questa: la mia vanità si è sentita adulata, e ho accettato le sue attenzioni. In ultimo, però, di fatto, da tempo non ho più attribuito a esse alcun significato: le ho reputate un'abitudine, un vezzo, nulla che comportasse serietà da parte mia. Lui mi ha ingannata, ma non mi ha fatto del male. Non mi sono mai sentita interessata a lui. E ora posso capire abbastanza il suo comportamento. Non ha mai desiderato che io provassi interesse per lui. Non era che uno schermo per nascondere la sua reale situazione con un'altra. Il suo obiettivo era accecare tutti quanti lo circondavano; e nessuno, io credo, poteva essere accecato meglio di me, salvo che io non sono stata accecata, la mia buona fortuna ha voluto... insomma, in un modo o nell'altro, non correvo alcun pericolo da parte sua».

Aveva sperato una risposta, qualche parola che le dicesse che il suo comportamento era perlomeno comprensibile; ma lui rimase muto, e, a quanto lei poté giudicare, immerso nei suoi pensieri. Alla fine, più o meno col suo normale tono di voce, disse:

«Non ho mai avuto un'alta opinione di Frank Churchill, posso però immaginare di averlo valutato meno di quanto meritasse. L'ho conosciuto solo in modo superficiale. E anche se finora non l'ho sottovalutato, può darsi che faccia una buona riuscita. Con una donna come quella ha un'opportunità. Non ho alcun motivo di volergli del male, e per via di lei, la cui felicità dipenderà dalla bontà del suo carattere e del suo comportamento, certamente gli auguro ogni bene».

«Non dubito che saranno felici insieme», disse Emma. «Credo che l'affetto che c'è tra loro sia reciproco e sincero».

«È proprio un uomo fortunato!», rispose il signor Knightley, con energia. «A un'età così, a ventitré anni, quando un uomo si sceglie una moglie, di solito fa una cattiva scelta. A ventitré anni essersi aggiudicato una simile fortuna! Che anni di felicità ha davanti a sé costui, per quanto può giungere il calcolo umano a prevedere! Sicuro dell'amore di una donna tale, un amore disinteressato, giacché il carattere di Jane Fairfax garantisce il suo disinteresse; ogni cosa in suo favore, parità di posizione, voglio dire, per ciò che riguarda lo stare con gli altri e tutte le abitudini e le maniere che contano; parità sotto ogni aspetto eccetto uno, e quell'uno, dal momento che non si può dubitare della purezza del cuore di lei, è di tale natura da accrescere la sua felicità, perché lui sarà felice di darle gli unici vantaggi che le mancano. Un uomo vorrebbe dare a una donna una casa migliore di quella da cui la prende; e colui che può farlo, quando non esiste dubbio sull'affetto di lei, deve, credo, essere il più felice dei mortali. Frank Churchill è in verità il favorito della fortuna. Ogni cosa volge al suo bene. Incontra una ragazza a una stazione d'acque termali, conquista il suo affetto, e neppure tutta la sua negligenza basta a disgustarla; e se lui e la sua famiglia avessero cercato per tutto il mondo una moglie perfetta per lui, non ne avrebbero potuto trovare una migliore. C'è una zia che rappresenta un ostacolo. La zia muore. Lui non deve far altro che parlare. I suoi amici cercano ansiosamente di renderlo felice. Lui ha trattato male tutti, e tutti sono più che felici di perdonarlo. È un uomo davvero fortunato!».

«Parlate come se lo invidiaste».

«E lo invidio, Emma. Per un certo verso è oggetto della mia invidia».

Emma non poté dire altro. Pareva che un'altra mezza frase sarebbe bastata a introdurre il tema di Harriet, e il sentimento immediato di Emma fu di evitarlo. Fece il suo piano; avrebbe parlato di qualcosa di completamente diverso: i bambini di Brunswick Square; e non attendeva che il momento per aprire bocca quando il signor Knightley la fece sobbalzare dalla sorpresa, dicendo:

«Non volete chiedermi quale sia la ragione dell'invidia. Vedo che siete risoluta ad astenervi da ogni curiosità. Siete saggia, ma io non posso esserlo. Emma, devo dirvi ciò che voi non volete chiedermi, anche se un momento dopo potrò desiderare di non averlo detto».

«Oh, allora non lo dite, non lo dite», esclamò lei con fervore. «Aspettate un po', rifletteteci sopra, non comprometettevi».

«Grazie», disse lui, con accento di profonda mortificazione, e non pronunciò più neppure una sillaba.

Emma non poteva sopportare di addolorarlo. Lui desiderava confidarsi con lei, forse di consultarla, e qualunque cosa dovesse costarle, doveva ascoltare. Avrebbe potuto confortare la sua decisione, o fare sì che si rassegnasse; avrebbe potuto riconoscere le dovute lodi di Harriet o, sostenendo i vantaggi della sua indipendenza, sollevarlo da quello stato di indecisione che doveva essere più insopportabile di ogni cosa a una mente come la sua. Nel frattempo, erano giunti alla casa.

«Voi entrerete, suppongo», disse lui.

«No», rispose Emma, del tutto confermata nella sua decisione dal tono abbattuto in cui lui ancora parlava, «mi piacerebbe fare un altro giro. Il signor Perry non se n'è andato». E, dopo avere fatto pochi passi, aggiunse: «Vi ho fermato poco fa con poco garbo, signor Knightley, e, temo, vi ho addolorato. Ma se avete il desiderio di parlarmi come a un'amica, o di chiedere la mia opinione su qualcosa che avete in mente, come amica, davvero, sono ai vostri ordini. Starò a sentire quello che volete. Vi dirò esattamente ciò che penso».

«Come un'amica!», ripeté il signor Knightley. «Emma, questa, ho paura, è una parola... no, non voglio affatto... Un momento, perché dovrei esitare? Mi sono già spinto troppo avanti per potermi nascondere. Emma, accetto la vostra offerta. Per strano che sembri, la accetto, e vi parlerò come a un'amica. Ditemi, dunque, non ho qualche possibilità di poter riuscire?».

Si fermò, nel suo fervore, in attesa di conoscere la risposta alla sua domanda, e l'espressione dei suoi occhi la soverchiò.

«Mia carissima Emma», disse, «perché carissima sarete sempre, quale che possa essere il risultato di questa ora di conversazione, mia carissima, mia adorata Emma... ditemelo subito. Dite *no,* se dovete dirlo». Lei veramente non riusciva a dire nulla. «Tacete», esclamò lui con grande animazione, «tacete del tutto! Adesso non chiedo altro».

Emma era quasi sul punto di soccombere all'agitazione del momento. Il timore di essere svegliata dal più felice dei sogni era forse il suo sentimento dominante.

«Non so fare discorsi, Emma», riprese lui subito, e in un tono di tenerezza così sincero, risoluto e chiaro da riuscire molto convincente: «Se vi amassi meno, sarei capace di parlarne di più. Ma sapete come sono. Da me non sentite altro che verità. Io vi ho rimproverata, vi ho fatto delle prediche, e voi lo avete sopportato come nessuna altra donna in Inghilterra l'avrebbe sopportato. Tollerate le verità che vorrei dirvi adesso, mia carissima Emma, come avete tollerato le altre. La maniera, forse, può non essere quella più accattivante. Dio sa che sono stato un innamorato molto mediocre. Ma voi mi capite. Sì, vedete, voi capite i miei sentimenti... e li ricambierete, se potrete. Per il momento, non chiedo che di sentire, di sentire di nuovo la vostra voce».

Mentre lui parlava, la mente di Emma era impegnatissima, e, con tutta la meravigliosa rapidità del pensiero, era riuscita, pur senza perdere una parola, ad afferrare e comprendere l'esatta verità di tutto quanto; a capire che le speranze di Harriet erano state interamente senza fondamento, un errore, un malinteso, un malinteso totale come i suoi, che Harriet non era nulla, che lei era tutto, che ciò che aveva detto a proposito di Harriet era stato preso per il linguaggio dei suoi sentimenti, e che l'agitazione, i dubbi, la riluttanza, lo scoraggiamento che lei gli aveva comunicato, erano tutti stati presi come forme di scoraggiamento da parte sua. E non solo ci fu tempo per comprendere queste cose, con tutta l'intensa gioia che le accompagnava; ci fu tempo anche per gioire perché il segreto di Harriet non le era sfuggito, e di decidere che non era necessario che lo rivelasse e che anzi non avrebbe dovuto farlo. Era tutto qui il servizio che adesso poteva rendere alla sua povera amica; giacché quanto a quell'eroismo di sentimento che avrebbe potuto suggerirle di implorarlo a trasferire il suo interesse da lei a Harriet, come quella infinitamente più degna delle due (o anche quanto all'ancor più semplice sublimità di decidere di dirgli di no una volta per tutte, senza consentire a darne la ragione, visto che lui non poteva sposare entrambe), quell'eroismo Emma non l'aveva. Sentiva, nei confronti di Harriet, compassione e contrizione; ma non le passò per la mente nessun folle impulso di generosità, che contrastasse ciò che poteva presentarsi come probabile o ragionevole. Aveva guidato male l'amica, e non avrebbe mai smesso di rimproverarselo; ma il suo giudizio era solido come i suoi sentimenti, e tanto forte quanto era stato precedentemente nel riprovare per lui un matrimonio di quel genere, in quanto troppo sperequato e degradante. La sua strada era chiara, anche se non del tutto liscia. E allora, pregata in quel modo, parlò. Cosa disse? Naturalmente quel che doveva. Una signora lo fa sempre. Disse a sufficienza da fargli capire che non c'era da perdere le speranze... e per invitarlo a dire di più. Lui, a un certo punto, le aveva perse, le speranze; aveva ricevuto un tale invito alla cautela e al silenzio da soffocare, per il momento, ogni illusione; lei aveva cominciato con il rifiutare di ascoltarlo. Il cambiamento era stato forse alquanto improvviso; la proposta di lei di camminare ancora, il suo riprendere la conversazione a cui aveva appena messo fine, potevano sembrare alquanto straordinari! Emma sentiva l'incoerenza di quel cambiamento; ma il signor Knightley fu tanto cortese da passarci sopra, e da non cercare altra spiegazione.

Raramente, molto raramente la verità totale si addice alle confessioni degli esseri umani; raramente può avvenire che non si mascheri, o non si alteri qualcosa; ma dove, come in questo caso, anche se viene alterato il comportamento, i sentimenti non lo sono, la cosa può avere scarsa importanza. Il signor Knightley non poteva attribuire ad Emma un cuore più tenero di quel che non avesse, o un cuore più pronto ad accettare il suo.

Lui, di fatto, non aveva minimamente sospettato la sua influenza. L'aveva seguita nel vivaio senza nessun piano di mettere alla prova il potere di quell'influenza. Era venuto con l'ansia di vedere come lei sopportava il fidanzamento di Frank Churchill, senza scopo egoistico, senza altro scopo che di tentare, se lei gliene avesse dato l'opportunità, di calmarla e consolarla. Il resto era stato un prodotto del momento, l'effetto immediato, sui suoi sentimenti, di quel che aveva udito. L'assicurazione, che lo aveva riempito di felicità, della totale indifferenza di lei verso Frank Churchill, della completa libertà del suo cuore nei suoi confronti, aveva fatto nascere la speranza che, più avanti, lui stesso avrebbe potuto guadagnare il suo affetto: ma non era stata una speranza immediata; lui aveva soltanto, nel momentaneo prevalere dell'ardore sul giudizio, aspirato a sentirsi dire che lei non gli proibiva di tentare di conquistarla. E le speranze più grandi, che si erano dischiuse a un certo punto, erano state ancor più deliziose. L'affetto, che lui aveva chiesto il permesso di creare, se avesse potuto, l'aveva già ottenuto! Nel giro di mezz'ora era passato da una condizione d'animo di completa angoscia a qualcosa di così simile a una felicità perfetta da non potersi chiamare con altro nome.

Identico fu il cambiamento di lei. Era bastata mezz'ora a dare a ciascuno di loro la stessa preziosa certezza di essere amato, a liberare ciascuno dei due dallo stesso livello di ignoranza, di gelosia, di sfiducia. Da parte di lui c'era stata una gelosia di antica data che risaliva all'arrivo, o perfino all'attesa, di Frank Churchill. Era stato innamorato di Emma e geloso di Frank Churchill, più o meno a partire dallo stesso periodo, giacché uno dei due sentimenti l'aveva probabilmente illuminato circa l'altro. Era stata la gelosia per Frank Churchill a farlo partire. La gita a Box Hill l'aveva fatto decidere. Voleva risparmiarsi di vedere che a lui venivano permesse, incoraggiate, nuove attenzioni. Era andato via per imparare a essere indifferente. Ma era andato nel luogo sbagliato. C'era troppa felicità domestica nella casa del fratello; la donna lì aveva un'immagine troppo amabile (Isabella era troppo simile ad Emma, ne differiva solamente in quelle inferiorità che lo colpivano, e facevano sempre risaltare ai suoi occhi le doti dell'altra), perché quel soggiorno potesse produrre qualche effetto, anche se fosse durato più a lungo. Tuttavia, aveva continuato ostinatamente a rimanerci, un giorno dopo l'altro, fino a che la posta mattutina di quello stesso giorno aveva portato la storia di Jane Fairfax. Allora, insieme con la letizia che doveva aver sentita, e che non aveva avuto alcuno scrupolo a sentire, non avendo mai creduto che Frank Churchill meritasse Emma, c'era stato tanto tenero interesse, tanta ansia per lei, che non era potuto rimanere di più. Era tornato a cavallo sotto la pioggia; e subito dopo pranzo era andato a piedi a Hartfield, per vedere come la più dolce e la migliore delle creature, perfetta pur con tutti i suoi difetti, sopportasse la scoperta.

L'aveva trovata agitata e depressa. Frank Churchill era una canaglia. L'aveva sentita dichiarare che lei non l'aveva mai amato. Il carattere di Frank Churchill non era così terribile. Lei era la sua Emma, che gli aveva dato la mano e la parola, quando erano rientrati in casa; e se lui avesse potuto pensare a Frank Churchill in quel momento, forse l'avrebbe ritenuto un gran bravo ragazzo.

Capitolo cinquantesimo

Che sentimenti totalmente differenti Emma riportava in casa, rispetto a quelli con cui era uscita! Allora non aveva osato sperare più che un po' di sollievo dalla sua pena; ora si trovava in una squisita agitazione di felicità, di una felicità che, per di più, credeva sarebbe divenuta anche maggiore una volta passatale l'agitazione.

Sedettero a prendere il tè: lo stesso gruppo di persone intorno alla stessa tavola... quante volte s'era raccolto! E quante volte i suoi occhi erano caduti sulle stesse piante nel prato, e avevano notato lo stesso magnifico effetto del sole a occidente! Ma mai in quelle condizioni di spirito, mai in uno stato simile; e fu con difficoltà che poté chiamare a raccolta quanto bastava della sua normale personalità per essere l'attenta padrona di casa, o addirittura la figlia attenta.

Il povero signor Woodhouse era a mille miglia dal sospettare quel che si stava tramando contro di lui nel petto di quell'uomo che accoglieva così cordialmente, augurandosi con tanta sollecitudine che durante la cavalcata non avesse preso un raffreddore. Se avesse potuto vedere il cuore, gli sarebbe importato ben poco dei polmoni; ma non avendo la più lontana idea del male imminente, né la minima percezione di qualcosa di straordinario nell'aspetto e nei modi di quei due, ripeté loro in tutta tranquillità tutte le novità che aveva appreso dal signor Perry, e continuò a parlare con grande soddisfazione, non sospettando minimamente la notizia che loro avrebbero potuto dargli in cambio.

Finché il signor Knightley rimase con loro, la grande agitazione di Emma continuò; ma quando lui se ne fu andato, cominciò a tranquillizzarsi e a moderarsi; e nel corso della notte insonne, con cui scontò una sera come quella, trovò due punti così seri a cui pensare, da farle sentire che anche la sua felicità doveva ricevere qualche spinta. Suo padre, e Harriet. Non poteva stare da sola senza sentire tutto il peso delle loro chiare pretese; e come proteggere al massimo il benessere di entrambi, quello era il problema. Quanto a suo padre, la risposta era facile. Lei non sapeva ancora cosa avrebbe chiesto il signor Knightley. Ma una breve consultazione del suo cuore ebbe per conseguenza il più solenne proposito di non abbandonare mai il padre. Pianse alla sola idea, come per un peccato di pensiero. Finché lui viveva, avrebbe dovuto essere solo un fidanzamento; si illudeva tuttavia che, se fosse stato rimosso il pericolo che lei andasse via, quel fidanzamento sarebbe potuto divenire per lui una fonte di benessere. Come poter fare del suo meglio per Harriet, era un problema più difficile; come risparmiarle ogni sofferenza non necessaria;

come riparare, per quanto era possibile; come sembrare il meno possibile la sua nemica? Su questi punti la sua perplessità e la sua pena erano molto grandi, e la sua mente dovette passare e ripassare attraverso i mille rimproveri e i mille rimpianti più amari e dolorosi che avesse mai provato. Riuscì solo a pensare, alla fine, di evitare ancora di incontrarla, e comunicare per lettera tutto ciò che doveva essere detto; che sarebbe stato più che mai desiderabile che in quel preciso momento si fosse potuto allontanare Harriet da Highbury e, concependo ancora un piano nei suoi riguardi, pensò alla possibilità di procurarle un invito a Brunwick Square. Isabella aveva trovato simpatica Harriet; e qualche settimana a Londra avrebbe potuto offrirle qualche divertimento. Non riteneva fosse nell'indole di Harriet mancare di riportare un beneficio dalla novità e dalla varietà, dalle strade, dai negozi, e dai bambini. In qualunque caso, sarebbe stata una prova di attenzione e cortesia da parte sua, cioè di colei cui tutto era dovuto; sarebbe stata una temporanea separazione; un allontanare il brutto giorno in cui avrebbero dovuto ritrovarsi tutti quanti insieme.

Si alzò di buon'ora e scrisse la sua lettera a Harriet; un'occupazione che la lasciò così seria e quasi rattristata, che il signor Knightley, recandosi a Hartfield per colazione, non arrivò proprio troppo presto; e la mezz'ora che lei riuscì poi a trovare per ripercorrere con lui lo stesso terreno, tanto letteralmente quanto metaforicamente, fu proprio necessaria a ridarle una buona parte della felicità della sera prima.

Non l'aveva lasciata da molto, certo non da un tempo sufficiente perché lei sentisse la minima inclinazione a pensare ad altri, quando le fu portata una lettera da Randalls, una grossa lettera; lei indovinò quel che doveva contenere, e rimpianse il fatto che fosse necessario leggerla. Ora si era completamente riconciliata con Frank Churchill; non desiderava spiegazioni, voleva solo tenere per sé i suoi pensieri, e quanto a comprendere quel che lui scriveva, era certa di non esserne capace. Tuttavia bisognava adattarcisi. Aprì il plico, ed era proprio così: un messaggio della signora Weston per lei introduceva la lettera di Frank Churchill alla signora Weston:

Ho il grande piacere, mia cara Emma, di spedirti la lettera qui acclusa. So che le renderai completa giustizia, e non ho dubbi in merito al suo felice effetto. Credo non saremo più sostanzialmente in disaccordo intorno allo scrivente; ma non voglio trattenerti con una lunga prefazione. Stiamo benissimo. Questa lettera è stata la cura di tutto il piccolo nervosismo che ho sentito di recente. Non mi è piaciuto molto il tuo colorito di martedì, ma era una mattina poco lieta; e anche se tu non vorrai mai riconoscere di essere influenzata dal tempo, credo che tutti noi si risenta del vento di nord-est. Mi sono preoccupata parecchio per il tuo caro papà durante la tempesta del pomeriggio di martedì e di ieri mattina, ma ieri sera ho avuto la consolazione di sentire dal signor Perry che non lo ha fatto ammalare. Sempre tua,

A.W.

[Alla Signora Weston]

Windsor, luglio

Mia cara signora, se ieri mi sono fatto capire, questa lettera sarà attesa; ma che lo sia o meno, so che sarà letta con affetto e indulgenza. Siete tutta bontà, e credo ci sarà bisogno proprio di tutta la vostra bontà per scusare certi aspetti della mia condotta passata. Ma sono stato perdonato da una persona che aveva ancor più ragioni di risentimento. Mentre scrivo, il mio coraggio cresce. È molto difficile per chi è ricco essere umile. E ho già incontrato un tale successo in due richieste di perdono che posso correre il rischio di ritenermi troppo sicuro del vostro, e di quello dei vostri amici che hanno motivo di ritenersi offesi. Dovete tutti tentare di capire la natura esatta della mia situazione quando sono arrivato la prima volta a

Randalls; dovete considerarmi come una persona che aveva un segreto da conservare a ogni costo. Questo era il fatto. Il mio diritto a mettermi in una situazione che richiedeva quei sotterfugi è un'altra questione. Non voglio discuterla qui. Quanto alla mia tentazione a ritenerlo *un diritto*, rimando ogni critica malevola a una casa di mattoni, con finestre a saracinesca al piano terreno e finestre a battenti al piano superiore, a Highbury. Io non osavo farle la corte apertamente; le mie difficoltà, nella situazione che esisteva allora a Enscombe, devono essere troppo ben note perché ci sia bisogno di chiarimenti; e io sono stato tanto fortunato da averla vinta, prima che ci separassimo a Weymouth, e da indurre il più retto animo femminile che esista a farmi la carità di abbassarsi a un fidanzamento segreto. Se avesse rifiutato, ne sarei impazzito. Ma voi direte subito, che speranza avevate facendo così? Cosa vi aspettavate? Qualsiasi cosa, ogni cosa: contavo sul tempo, sulla fortuna, sulle circostanze, su lenti effetti, su improvvise esplosioni, sulla perseveranza e sulla stanchezza, sulla malattia e la salute. Ogni possibilità di bene era davanti a me, e i primi benefici erano assicurati con l'ottenere le sue promesse di fede e di reciprocità. Se vi è necessaria un'ulteriore spiegazione, ho l'onore, mia cara signora, di essere il figlio di vostro marito, e il vantaggio di ereditare una disposizione a ben sperare, che ha un valore che nessuna eredità di case o di terre può uguagliare. Vedetemi dunque, in tali circostanze, arrivare a Randalls per la mia prima visita; e quanto a questo sono consapevole di avervi fatto un torto, perché quella visita avrebbe potuto essere fatta prima. Voi volgerete uno sguardo all'indietro e vedrete che non sono venuto finché la signora Fairfax non fu a Highbury; e dato che la persona trascurata foste voi, mi perdonerete senz'altro; ma devo far leva sulla compassione di mio padre ricordandogli che per tutto il tempo in cui sono rimasto assente dalla sua casa ho perso il beneficio di conoscere voi. Il mio comportamento, durante la felicissima settimana che ho passato con voi, non mi ha esposto, io spero, a rimproveri, eccetto che per un aspetto. E dunque vengo alla parte principale, l'unica importante, della mia condotta mentre ero un membro della vostra famiglia, l'unica parte che mi causi ansia o richieda una spiegazione approfondita. È con il più grande rispetto, e la più calda amicizia, che nomino la signorina Woodhouse; mio padre penserà forse che dovrei aggiungere: con la più grande mortificazione. Alcune parole che lui ha lasciato cadere ieri hanno manifestato la sua opinione, e io stesso riconosco di essere passibile di qualche rimprovero. Il mio comportamento con la signorina Woodhouse indicava, io credo, più di quanto non avrebbe dovuto. Per assecondare un occultamento che mi era tanto essenziale, sono stato portato a fare un uso che andava al di là del consentito del tipo di intimità che si era subito creata tra noi. Non posso negare che la signorina Woodhouse fosse il mio scopo apparente, ma sono certo che vorrete prestare fede alla dichiarazione che, se non fossi stato convinto della sua indifferenza, nessuna considerazione egoistica mi avrebbe indotto a continuare. La signorina Woodhouse, pur amabile e deliziosa com'è, non mi ha mai dato l'idea di una giovane donna portata a nutrire sentimenti; e che fosse perfettamente libera da qualsiasi tendenza a innamorarsi di me, era mia convinzione non meno che mio desiderio. Riceveva le mie attenzioni con una gioia così disinvolta, amichevole e festosa, che era proprio ciò di cui avevo bisogno. Parevamo intenderci. Vista la nostra rispettiva situazione nel mondo, quelle attenzioni parevano essere suo diritto, e come tali erano sentite. Se la signorina Woodhouse abbia cominciato davvero a capirmi prima della fine di quelle due settimane, non posso dire; quando le ho fatto visita per congedarmi, ricordo di essere stato sul punto di confessare la verità, e allora ho immaginato che non fosse priva di sospetti; ma non ho dubbi che poi mi abbia scoperto, almeno in certa misura. Può non aver sospettato tutto, ma la sua prontezza deve avere indovinato una parte. Non ne posso dubitare. Quando la cosa sarà più chiara di quanto non sia adesso, vi accorgerete che non l'ha colta interamente di sorpresa. Spesso me lo ha fatto capire. Ricordo che al ballo mi disse che avevo un debito di gratitudine nei confronti della signora Elton per le sue attenzioni alla signorina Fairfax. Spero che questa storia del mio comportamento verso di lei sarà accettata da voi e da mio padre come una grande attenuante per ciò che vi è sembrato scorretto. Fintanto che ritenete che io sia in colpa verso Emma Woodhouse, non potrò meritar nulla da nessuno di voi due. Assolvetemi qui, e procuratemi, quando sarà consentito, l'assoluzione e la benevolenza di Emma Woodhouse, verso cui nutro un tale fraterno affetto da desiderare di vederla profondamente e felicemente innamorata al pari di me. Qualsiasi strana cosa io abbia detto o fatto durante quelle due settimane, ora ne avete la chiave. Il mio cuore era a Highbury, e la mia preoccupazione era di portarci anche il mio corpo quanto più spesso possibile, e con il minor sospetto possibile. Se ricordate qualche stranezza, attribuitela alla giusta ragione. Del pianoforte di cui si è tanto parlato ritengo necessario dire solo che il suo acquisto rimase assolutamente ignoto alla signorina F., che non mi avrebbe mai consentito di mandarlo, se fosse stato chiesto il suo parere. Va al di là delle mie forze, mia cara signora, il renderle giustizia per la delicatezza mostrata durante tutto il periodo del fidanzamento. Presto, lo spero intensamente, la conoscerete a fondo voi stessa. Non ci sono parole che possano descriverla. Deve dirvi da sola ciò che lei è, ma non con le parole, perché non c'è mai stata creatura umana che così di proposito occultasse i propri meriti. Dopo avere cominciato questa lettera, che risulterà più lunga del previsto, ho ricevuto notizie da lei. Mi offre un resoconto positivo delle sue condizioni di salute, ma siccome non si lamenta mai, non oso fidarmi. Vorrei avere la vostra opinione in merito al suo colorito. So che presto andrete a trovarla; lei ha molta paura di questa visita. Forse essa è già stata fatta. Datemi vostre notizie al più presto; sono impaziente di sentire tutti i particolari. Ricordate per quanti pochi minuti io sia rimasto a Randalls, e in che stato di eccitazione, di follia: e non mi sono ancora ripreso molto; sono ancora fuori di me dall'infelicità e dalla pena. Quando penso alla bontà e al favore che ho incontrato, alle grandi doti e alla pazienza di lei, e alla generosità di mio zio, impazzisco dalla contentezza; ma quando ripenso a tutto il malessere che ho causato a lei, e a quanto poco io meriti d'essere perdonato, impazzisco dalla rabbia. Se solo potessi rivederla! Ma non devo ancora proporlo. Mio zio ha mostrato troppa bontà perché io voglia abusarne. Devo ancora aggiungere ancora qualcosa a questa lunga lettera. Non avete ancora sentito tutto quel che è opportuno che sentiate. Ieri non ho potuto dare particolari coerenti; ma il carattere improvviso, e, da un certo punto di vista, intempestivo con il quale la cosa è venuta alla luce, richiedono delle spiegazioni; giacché anche se l'avvenimento del ventisei scorso, come voi concluderete, mi ha improvvisamente aperto le più liete prospettive, non mi sarei arrischiato a fare passi così prematuri, non fosse stato per le circostanze del tutto particolari che non mi permettevano di perdere una sola ora. Mi sarei ben guardato dal precipitare le cose, e lei avrebbe sentito ogni mio scrupolo con accresciuta forza e finezza. Ma non potevo agire altrimenti. L'affrettato impegno che aveva assunto con quella donna... A questo punto, mia cara signora, sono stato costretto a interrompere bruscamente la lettera, per provvedere a calmarmi. Ho fatto una passeggiata per la campagna, e adesso, spero, sono abbastanza padrone di me stesso per far sì che il resto della mia lettera sia quello che dovrebbe essere. Di fatto, se mi guardo indietro, rimango umiliato. Mi sono comportato in modo vergognoso. E posso qui riconoscere che i miei modi, che hanno reso la signorina W. sgradevole alla signorina F., sono stati molto biasimevoli. Li ha disapprovati *lei*, e questo avrebbe dovuto bastare. Il fatto che si trattasse di un mio stratagemma per nascondere la verità, lei non l'ha ritenuto sufficiente. Ne è rimasta contrariata; irragionevolmente, ho pensato; mi pareva che lei fosse in mille occasioni scrupolosa e cauta più del necessario; l'ho giudicata perfino fredda. Ma aveva sempre ragione. Se avessi dato retta al suo giudizio, e avessi mantenuto il mio atteggiamento allegro nei limiti che lei riteneva corretti, avrei evitato la più grande infelicità che io abbia mai conosciuta. Abbiamo litigato. Ricordate la mattina passata a Donwell? Lì ogni piccola divergenza già affiorata precedentemente è giunta a una crisi. Sono arrivato tardi; l'ho trovata che si avviava a casa da sola, e volevo accompagnarla, ma lei non l'ha consentito. Ha rifiutato assolutamente di permettermelo, e questo sul momento mi è parso irragionevole. Ora, però, non vi colgo che un livello di discrezione molto naturale e coerente. Mentre io, per occultare agli altri il nostro fidanzamento, mi comportavo per un'ora con riprovevole zelo verso un'altra donna, lei avrebbe dovuto acconsentire l'ora successiva a una proposta che avrebbe reso inutile ogni precedente cautela? Se qualcuno ci avesse incontrato mentre camminavamo insieme tra Donwell e Highbury, si sarebbe sospettata la verità. Io però sono stato tanto folle da irritarmi. Ho messo in dubbio il suo affetto. Più ancora ne ho dubitato il giorno seguente, a Box Hill; quando, provocata da quel comportamento da parte mia, da una trascuratezza così vergognosa e insolente nei suoi riguardi, e da quella apparente devozione alla signorina W. che ogni donna dotata di giudizio avrebbe trovato impossibile tollerare, lei ha espresso il suo risentimento in frasi per me del tutto intelligibili. Insomma, mia cara signora, è stata una lite senza colpa per ciò che si riferiva a lei, e detestabile da parte mia; e la sera stessa io sono tornato a Richmond, sebbene potessi rimanere con voi fino alla mattina dopo, solo perché dovevo essere in collera con lei quanto più potevo. Anche allora, non ero così sciocco da non intendere riconciliarmi, col tempo; però mi sentivo offeso, offeso dalla freddezza, e me ne sono andato convinto che avrebbe dovuto essere lei a fare il primo passo. Non cesserò mai di rallegrarmi che voi non abbiate partecipato all'escursione a Box Hill. Se aveste visto il mio contegno, non posso immaginare che avreste più pensato bene di me. L'effetto che ha avuto su di lei è evidente dalla immediata decisione che portò: appena capì che ero proprio andato via da Randalls, accettò l'offerta di quella insistente signora Elton, che aveva un modo di trattarla, sia detto per inciso, che mi ha sempre riempito di indignazione e di odio. Non devo mettere sotto accusa quello spirito di sopportazione che ha trovato così generosa espressione nei miei confronti; altrimenti leverei vibranti proteste contro la dose di sopportazione di cui quella donna ha potuto godere. "Jane", proprio! Osserverete che io non mi sono ancora permesso di chiamarla con quel nome, nemmeno con voi. Pensate dunque a cosa devo avere sopportato, nel sentire gli Elton passarselo tra loro con tutta la volgarità di una inutile ripetizione, e tutta l'insolenza di una immaginaria superiorità. Abbiate pazienza con me, finirò tra poco. Lei ha accettato quell'offerta, decisa a rompere completamente con me, e il giorno successivo mi ha scritto per dirmi che non ci saremmo più più incontrati. *Sentiva che il fidanzamento era una fonte di pena e infelicità per entrambi: lo scioglieva.* Questa lettera mi è giunta proprio la mattina della morte della mia povera zia. Ho risposto nel giro di un'ora; ma per la confusione in cui mi trovavo, e le tante faccende che mi sono piovute addosso allo stesso tempo, la mia risposta, invece di partire con tutte le molte lettere del giorno, è rimasta chiusa nel mio scrittoio; e io, confidando di avere scritto a sufficienza da soddisfarla, anche se erano solo poche righe, ritenni di poter stare tranquillo. Fui alquanto deluso di non ricevere da lei una pronta risposta; ma trovai delle scuse per lei, e avevo troppo da fare, e (posso aggiungerlo?) ero troppo felice delle mie prospettive per essere eccessivamente suscettibile. Andammo a Windsor, e due giorni dopo ricevetti da lei un pacco: tutte le mie lettere, restituite! E al tempo stesso poche righe per posta, che dichiaravano la sua estrema sorpresa di non avere ricevuto la minima risposta alla sua ultima, e aggiungevano che visto che il silenzio su un punto come quello non poteva essere frainteso, e che si doveva auspicare in uguale modo per entrambi che ogni decisione che da ciò dipendeva venisse presa al più presto, lei mi mandava ora, con un mezzo sicuro, tutte le mie lettere, e mi chiedeva, nel caso non potessi rimandarle subito le sue, provvedendo a mandarle a Highbury entro una settimana, che dopo quel periodo gliele inoltrassi a...; in breve, mi si presentò davanti agli occhi l'indirizzo completo del signor Smallridge, presso Bristol. Conoscevo quel nome, il luogo, sapevo tutto in proposito, e subito capii cosa aveva fatto. Era perfettamente appropriato a quella decisione di carattere che le conoscevo; e la segretezza che aveva mantenuto intorno a quel disegno nella sua lettera precedente indicava anch'esso la sua ansiosa delicatezza. Per nulla al mondo avrebbe pensato a minacciarmi. Pensate che colpo; immaginate come maledissi i disguidi postali, prima di scoprire la mia distrazione. Cosa si doveva fare? Solo una cosa. Dovevo parlare allo zio. Senza la sua approvazione non potevo sperare che mi si desse nuovamente ascolto. E gli parlai. Le circostanze erano in mio favore; la recente perdita aveva ammansito il suo orgoglio e, prima di quanto io avessi previsto, era già del tutto rassegnato e condiscendente; alla fine, pover'uomo, poté dire, con un profondo sospiro, che desiderava potessi trovare nel matrimonio altrettanta felicità di quanta ne aveva trovata lui. Io ho sentito che sarebbe stata di un tipo diverso. Siete disposta a commiserarmi per quel che devo avere sofferto nel rivelare a lui il mio caso, per la mia incertezza mentre era in gioco tutto? No, non commiseratemi fino a che non dico come giunsi a Highbury e vidi come l'avevo fatta ammalare. Non commiseratemi finché non vi descrivo il suo viso estenuato, malato. Sono giunto a Highbury proprio nell'ora in cui, sapendo che loro facevano colazione tardi, ero certo di avere una buona probabilità di trovarla sola. Non sono stato deluso; e alla fine non sono stato deluso nemmeno nello scopo del mio viaggio. Ho dovuto allontanare a forza di persuasione un bel po' di ostilità, molto ragionevole, molto giusta. Ma adesso è fatta; ci siamo riconciliati, ci amiamo anche di più, e neppure il minimo screzio potrà più sussistere di nuovo tra noi. Ora, mia cara signora, vi lascerò; non ho potuto concludere prima. Mille e mille grazie per tutta la bontà di cui mi avete dato prova, e diecimila per le premure che il cuore vi suggerirà nei confronti di lei. Se pensate che io sia più felice di quel che merito, condivido la vostra opinione. La signorina W. dice che sono il prescelto dalla fortuna. Spero abbia ragione. In un punto la mia fortuna è indiscutibile; quello di potere firmare come

il vostro riconoscente e affezionato figliolo,
F. C. Weston Churchill

Capitolo cinquantunesimo

Questa era la lettera che doveva toccare il cuore di Emma. Fu costretta, nonostante la sua precedente decisione contraria, a renderle tutta la giustizia che la signora Weston si attendeva. Appena giunse al proprio nome, non seppe resistere; ogni riga che si riferiva a lei era commovente, e quasi tutte erano gradevoli; e quando cessò quell'incanto, continuò a sentire la forza di quegli argomenti, sia nel tornare in modo naturale alla considerazione d'una volta per lo scrivente, sia nel subire la fortissima attrazione

285

che ogni descrizione di sentimenti doveva avere per lei in quel momento. Non si fermò fino a che non fu arrivata alla fine; e nonostante fosse impossibile non sentire che lui aveva avuto torto, pure aveva avuto meno torto di quanto lei avesse supposto, e aveva sofferto, ed era molto spiacente, ed era così grato alla signora Weston, e così innamorato della signorina Fairfax, e lei stessa era così felice, che non poteva essere severa; e se lui avesse potuto entrare nella stanza, lei gli avrebbe di certo stretto la mano con la cordialità di sempre.

La lettera le fece così buona impressione che, quando il signor Knightley si ripresentò, volle fargliela leggere. Era sicura che la signora Weston desiderasse che la lettera fosse fatta conoscere, specialmente a una persona che, come il signor Knightley, aveva visto tanto da biasimare nel comportamento di Frank Churchill.

«Sarò lietissimo di darci un'occhiata», disse lui, «ma mi pare lunga. Me la porterò a casa stasera».

Ma questo non si poteva fare. Il signor Weston sarebbe ripassato nel tardo pomeriggio, ed Emma doveva restituirgliela.

«Preferirei parlarvi», rispose lui; «ma siccome pare che lo esiga la giustizia, lo farò».

Incominciò, fermandosi tuttavia quasi subito per dire: «Se mi fosse stato offerto di vedere una delle lettere inviate da questo signore alla matrigna qualche mese fa, Emma, non l'avrei presa con tanta indifferenza».

Andò un poco avanti, leggendo per conto suo; poi, con un sorriso, osservò: «Hm... un bell'esordio pieno di cerimonie: ma è la sua maniera. Lo stile di un uomo non deve servire di regola a quello di un altro. Non saremo severi».

«Mi verrà naturale», aggiunse poco dopo, «dire la mia opinione ad alta voce mentre leggo. Facendolo, mi sentirò vicino a voi. Non sarà una gran perdita di tempo: ma se vi dispiace...».

«Per nulla. Anzi lo desidererei».

Il signor Knightley tornò alla sua lettura con maggiore alacrità.

«Qui scherza», disse, «quanto alla tentazione. Sa di avere torto, e non ha nessun elemento ragionevole da addurre. Male. Non avrebbe dovuto fidanzarsi. "La disposizione di suo padre": ma è ingiusto verso suo padre. Il temperamento sanguigno del signor Weston ha aiutato tutte le sue rette e onorevoli attività; ma il signor Weston si è meritato ogni attuale agio prima di tentare di ottenerlo. Verissimo; non è venuto fino a che non è stata qui la signorina Fairfax».

«E io non ho dimenticato», disse Emma, «quanto eravate sicuro che sarebbe potuto venire prima, se l'avesse voluto. Ci passate sopra con molta generosità, ma avevate proprio ragione».

«Non ero del tutto imparziale nella mia valutazione, Emma; eppure credo che, se anche non ci foste stata di mezzo voi, avrei ugualmente diffidato di lui».

Quando venne al punto in cui si parlava della signorina Woodhouse, fu costretto a leggere tutto il passo a voce alta... tutto quel che si riferiva a lei, con un sorriso, un'occhiata, uno scuotere del capo; una parola o due di assenso o di disapprovazione; o soltanto d'amore, a seconda di ciò che richiedeva l'argomento; concludendo tuttavia, seriamente, e, dopo matura riflessione, con un:

«Molto male, anche se avrebbe potuto essere peggio. Questo è un giocare in modo pericolosissimo. È in debito con il caso per meritare un' assoluzione. Non può giudicare le sue maniere nei vostri riguardi. Sempre di fatto ingannato dai propri desideri, e poco riguardoso di quanto non sia il proprio tornaconto. Immagina che voi abbiate intuito il suo segreto. Abbastanza naturale, con la sua mente piena di intrighi, che deve sospettare lo stesso negli altri! Come pervertono l'intelletto, il mistero e l'astuzia! Emma mia, tutto questo non serve forse a dimostrare sempre di più la bellezza della verità e della sincerità in tutti i nostri rapporti?».

Emma annuì, arrossendo di sensibilità per via di Harriet, senza poterne offrire alcuna sincera spiegazione.

«Fareste meglio a continuare», disse.

E lui così fece, ma presto si fermò di nuovo per dire:

«Il pianoforte! Ah! Quello fu il gesto di un uomo molto, molto giovane, troppo giovane per riflettere se l'imbarazzo non sarebbe stato di molto superiore al piacere. Un'idea da ragazzo, proprio! Non so capire come un uomo possa desiderare di dare a una donna una prova d'affetto di cui sa che lei farebbe volentieri a meno; e sapeva che lei, se avesse potuto, avrebbe impedito che lo strumento arrivasse».

Dopo questo, tirò avanti per un bel po' senza interrompersi. La confessione di Frank Churchill di essersi comportato male fu la prima cosa a richiamare più di una parola, quando ci arrivò.

«Perfettamente d'accordo con voi, signore», fu la sua osservazione a quel punto. «Vi siete comportato proprio in modo vergognoso. Non avete mai scritto una riga più vera». E avendo letto ciò che veniva subito dopo sulla ragione del loro litigio, e sul suo persistere ad agire in modo completamente opposto al senso di giustizia di Jane Fairfax, fece una pausa più lunga per dire: «Questo è malissimo. L'aveva indotta a mettersi, per causa sua, in una situazione di una difficoltà e di un disagio estremi, mentre il suo primo scopo avrebbe dovuto essere quello di impedire che lei soffrisse senza necessità. Lei deve aver avuto molti più ostacoli di lui da superare per poter continuare la corrispondenza. Lui avrebbe dovuto rispettare anche gli scrupoli irragionevoli, se ce ne fossero stati; ma quelli di lei erano tutti ragionevoli. Dobbiamo considerare l'unica colpa di lei, e ricordare che aveva fatto male ad acconsentire al fidanzamento, per sopportare l'idea che debba avere sofferto una simile punizione».

Emma sapeva che adesso lui arrivava al punto della gita a Box Hill, e si sentì a disagio. La sua condotta era stata così scorretta! Se ne vergognava profondamente, e temeva la prossima occhiata di lui. Tuttavia quel passo fu letto con fermezza, attenzione, e senza alcuna osservazione; e, eccetto uno sguardo di sfuggita a lei, subito ritirato, per paura di darle un dolore, non pareva esistesse alcun ricordo di Box Hill.

«Non è proprio il caso di fare l'elogio della delicatezza dei nostri buoni amici, gli Elton», fu la sua osservazione successiva. «I suoi sentimenti sono naturali. Cosa! Decisa addirittura a rompere del tutto con lui! Sentiva che il fidanzamento era una fonte di pena e infelicità per entrambi... lo scioglieva. Questo può davvero mostrare quel che lei sentiva per il suo comportamento... Ebbene, deve essere proprio uno straordinario...».

«No, no, continuate. Vedrete quanto soffre».

«Spero di sì», rispose il signor Knightley senza commuoversi, e riprendendo la lettera: «Smallridge! Che vuol dire questo? Cos'è tutto ciò?».

«Si era impegnata ad andare come governante dei bambini della signora Smallridge, una cara amica della signora Elton, una vicina di Maple Grove; e, per inciso, mi chiedo come la signora Elton sopporti la delusione».

«Non dite nulla, mia cara Emma, mentre mi obbligate a leggere, neppure della signora Elton. Una pagina ancora, e avrò finito. Che lettera scrive costui!».

«Vorrei la leggeste con atteggiamento più benevolo verso di lui».

«Be', qui c'è del sentimento. Sembra che abbia sofferto nel trovarla malata. Certo, non posso dubitare che non le voglia bene. "Ci amiamo ancor di più". Spero possa continuare per molto tempo a sentire tutto il valore di una tale riconciliazione. Nei ringraziamenti è molto liberale, ne spande migliaia e le sue decine di migliaia. "Più felice di quel che merito". Via, qui conosce se stesso. "La signorina Woodhouse dice che sono il prescelto dalla fortuna". Queste sono state le parole della signorina Woodhouse, vero? E una bella conclusione... e rieccovi la lettera. Il prescelto dalla fortuna! È così che lo avete chiamato, è vero?».

«Non mi pare siate rimasto contento della lettera come me; eppure dovete, o almeno spero dobbiate, giudicarlo meglio, dopo averla letta. Spero che lo riscatti un po' ai vostri occhi».

«Sì, certo che lo riscatta. Ha avuto gravi colpe, colpe di sconsideratezza e incoscienza; e condivido molto la sua opinione nel ritenersi più felice di quanto non meriti: ma dato che è, senza dubbio, davvero affezionato alla signorina Fairfax, e presto, si può sperare, avrà il vantaggio di esserle sempre accanto, sono pronto a credere che il suo carattere migliorerà, e acquisterà da quello di lei la fermezza e la delicatezza di princìpi che gli mancano. E adesso lasciate che vi parli di qualcos'altro. Ora mi sta tanto a cuore l'interesse di un'altra persona che non posso pensare più a Frank Churchill. Dal momento che vi ho lasciata stamattina, Emma, la mia mente non ha fatto che arrovellarsi su un unico punto».

Seguì una descrizione di quel punto, in un linguaggio semplice, non affettato, signorile, che il signor Knightley usava anche con la donna di cui era innamorato: come riuscire a chiederla in sposa senza compromettere la felicità di suo padre.

La risposta di Emma fu pronta fin dalla prima parola. Mentre era in vita il suo caro padre, ogni cambiamento di situazione doveva risultarle impossibile. Non poteva abbandonarlo. Solo una parte, tuttavia, di questa risposta venne accettata. Che non fosse possibile lasciare solo suo padre, il signor Knightley lo sentiva non meno fortemente di lei; ma che qualsiasi cambiamento fosse inammissibile, non poteva concederlo. Ci aveva riflettuto molto profondamente, molto attentamente; prima aveva sperato di indurre il signor Woodhouse a trasferirsi con lei a Donwell; aveva voluto ritenerlo fattibile, ma la sua conoscenza del signor Woodhouse non gli permetteva d'illudersi troppo; e adesso confessava la sua convinzione che un tale trasloco avrebbe rappresentato un pericolo per il benessere del padre di lei, un pericolo forse anche per la sua sopravvivenza, che non doveva essere corso. Il signor Woodhouse portato via da Hartfield! No, sentiva che non bisognava tentarlo. Ma al progetto che era sorto dopo il sacrificio di questo, lui confidava che la sua cara Emma non avrebbe fatto obiezione; il progetto era che lui venisse accolto a Hartfield; che fin quando la felicità di suo padre (in altre parole, la sua vita) avesse richiesto che Hartfield continuasse a rimanere la sua residenza, tale sarebbe stata anche per lui.

A un trasferimento di tutti loro a Donwell, Emma aveva già pensato per un attimo. Come lui, aveva esaminato il progetto e l'aveva scartato; ma un'alternativa del genere non le era venuta in mente. Sentiva quanto affetto tale alternativa dimostrasse. Sentiva che, abbandonando Donwell, lui doveva sacrificare un bel po' di indipendenza, di ore e di abitudini; che vivendo costantemente con suo padre, e in una casa non sua, avrebbe dovuto sopportare davvero parecchio. Promise di rifletterci, e lo consigliò di ripensarci ancora; ma lui era pienamente convinto che nessuna riflessione avrebbe potuto modificare i suoi desideri e la sua opinione in proposito. Ci aveva dedicato, poteva assicurarle, una lunghissima e tranquilla riflessione; per tutta la mattina era stato a passeggiare lontano da William Larkins, per poter pensare da solo.

«Ah, c'è una difficoltà a cui non si è pensato!», esclamò Emma. «Sono certa che non piacerà a William Larkins. Dovrete ottenere il suo consenso, prima di chiedere il mio».

Promise, ciò nonostante, di pensarci; e quasi promise, per di più, di pensarci con l'intenzione di considerarlo un ottimo piano.

È significativo che Emma, tra i molti, moltissimi punti di vista da cui ora cominciava a considerare l'abbazia di Donwell, non fosse toccata da nessun senso di offesa verso il nipote Henry, i cui diritti d'erede presunto erano stati considerati prima con tanta ostinazione. Non poteva non pensare alla differenza che ne doveva venire al povero ragazzino; eppure, non ci fece sopra che un sorriso impertinente e consapevole, e si divertì a scoprire la vera causa di quella violenta opposizione al matrimonio del signor Knightley con Jane Fairfax o con chiunque altra, che a suo tempo aveva interamente ascritto ad amorevole sollecitudine di sorella e di zia.

Più Emma pensava a quella proposta, a quel progetto di sposarsi e continuare a vivere a Hartfield, più essa le piaceva. Gli inconvenienti di lui parevano diminuire, i vantaggi di lei crescere, la loro reciproca convenienza pareva superiore a ogni scomodità. Che amico sarebbe stato per lei nei periodi di ansia, di tristezza che aveva davanti a sé! Che compagno in tutti quei doveri e quelle cure di cui il tempo avrebbe accresciuto la malinconia!

Sarebbe stata fin troppo felice se non fosse stato per Harriet; ma ogni sua gioia sembrava implicare e favorire le sofferenze della sua amica, che adesso doveva addirittura essere esclusa da Hartfield. Dalla incantevole famiglia che Emma stava formando per se stessa, la povera Harriet, per una cautela meramente caritatevole, doveva essere tenuta lontana. Ci avrebbe perso da qualsiasi punto di vista. Emma non poteva rimpiangere la sua futura assenza come una diminuzione della sua felicità. In una famiglia come quella, Harriet non sarebbe stata che un peso morto; ma quanto alla povera ragazza, la necessità che la poneva in tale stato di punizione immeritata pareva particolarmente crudele.

Col tempo, ovviamente, il signor Knightley sarebbe stato dimenticato, e cioè soppiantato; ma non ci si poteva aspettare che questo avvenisse prestissimo. Il signor Knightley non avrebbe fatto nulla per aiutare quella cura; non avrebbe fatto come il signor Elton. Il signor Knightley, sempre così gentile, così sensibile, così pieno di vera delicatezza per ognuno, non avrebbe mai meritato di essere adorato meno di adesso; e davvero era troppo sperare, perfino da Harriet, che potesse innamorarsi di più di tre uomini nell'arco di un solo anno.

Capitolo cinquantaduesimo

Fu un enorme sollievo per Emma vedere che Harriet desiderava non meno di lei evitare un incontro. I loro rapporti erano già abbastanza dolorosi per lettera. Quanto sarebbe stato peggio, se fossero state costrette a incontrarsi!

Harriet si esprimeva più o meno com'era da attendersi, senza rimproveri, o senza dar segno di sentirsi maltrattata; eppure a Emma parve ci fosse un'ombra di risentimento, o qualcosa che ci si avvicinava parecchio, nello stile di lei, e questo non fece che far sembrare ancora più auspicabile che loro due rimanessero lontane. Forse era solo la sua coscienza, ma pareva che solo un angelo avrebbe potuto essere del tutto privo di risentimento, dopo un simile colpo.

Emma non ebbe difficoltà a ottenere l'invito da parte di Isabella; ed ebbe la fortuna di avere sufficiente ragione di chiederlo senza ricorrere a un'invenzione. C'era un dente malato. Harriet desiderava molto, e aveva desiderato, per qualche tempo, consultare un dentista. La moglie di John Knightley fu molto lieta di riuscire utile: qualunque cosa riguardasse problemi di salute costituiva per lei una raccomandazione, e sebbene non fosse tanto attratta da un dentista come dal signor Wingfield, non desiderava di meglio che di avere Harriet affidata dalle sue cure. Una volta stabilito questo con la sorella, Emma lo propose all'amica, e la trovò facile da persuadere. Harriet sarebbe andata; era invitata almeno per una quindicina di giorni, avrebbe fatto il viaggio nella carrozza del signor Woodhouse. Tutto fu organizzato e reso operativo, e Harriet arrivò sana e salva a Brunswick Square. Ora Emma poteva davvero godere delle visite del signor Knightley; poteva parlare e poteva ascoltare con autentica felicità, senza essere ostacolata da quel senso di ingiustizia, di colpa, di qualcosa di molto penoso, che l'aveva ossessionata quando ricordava che cuore deluso le stesse accanto, e a che brevissima distanza, e come esso dovesse sopportare sentimenti che lei stessa aveva maldiretto.

La differenza tra Harriet dalla signora Goddard e Harriet a Londra creava forse una differenza non immotivata in ciò che sentiva Emma; ma non poteva pensare a lei a Londra senza vederla piena di curiosità e di cose da fare, e questo avrebbe dovuto distoglierla dal passato e distrarla.

Emma non consentì che altre ansie prendessero subito nella sua mente il posto che aveva occupato Harriet. Aveva davanti a sé una comunicazione che lei solo poteva fare: la confessione a suo padre del fidanzamento; ma per il momento non ne voleva fare nulla. Aveva deciso di rimandare la rivelazione a quando la signora Weston fosse stata fuori pericolo e ristabilita. Nessun nuovo motivo d'agitazione doveva essere gettato in questo periodo tra quelli che lei amava, e la penosa faccenda non avrebbe dovuto far sentire il suo effetto su di lei prima del tempo stabilito. Avrebbe goduto almeno di un paio di settimane di distrazione e di tranquillità, per coronare ogni gioia più calda, ma più eccitante.

Presto decise, come un dovere e insieme un piacere, di occupare mezz'ora di questa vacanza dello spirito per fare visita alla signorina Fairfax. Sarebbe dovuta andare, ed era ansiosa di vederla; perché la rassomiglianza delle loro situazioni presenti accresceva ogni altra ragione di benevolenza. Sarebbe stata una soddisfazione segreta; ma la consapevolezza di una somiglianza di prospettive avrebbe certamente aumentato l'interesse con il quale lei si preparava ad ascoltare qualsiasi cosa Jane avesse avuto da dirle.

Andò. Una volta era arrivata in carrozza senza successo fino alla porta; ma non entrava in quella casa dalla mattina successiva a Box Hill, quando la povera Jane era in tale angoscia che l'aveva riempita di compassione, pur senza sospettare fino a che punto arrivassero le sue sofferenze. Il timore che la sua visita non fosse ancora gradita la decise, anche se era sicura che si trovasse in casa, ad attendere nell'ingresso, e a farsi annunciare. Udì Patty pronunciare il suo nome; ma non ci fu nessuna confusione come quella che l'altra volta la povera signorina Bates aveva reso così felicemente intelligibile. No, non sentì altro che l'immediata risposta: «Pregala di salire»; e un momento dopo Jane stessa le venne incontro sulle scale, piena di fervore come se sentisse che nessuna accoglienza da parte sua sarebbe stata sufficiente. Emma non l'aveva mai vista così raggiante, così giocosa, così attraente. Mostrava consapevolezza, animazione e calore: tutto ciò di cui il suo aspetto o i suoi modi potevano mai avere avuto bisogno. Si fece avanti tendendo la mano; e disse in tono basso, ma pieno di sentimento:

«È davvero molto gentile... Signorina Woodhouse, mi riesce impossibile esprimere... Spero vorrete credere... Scusatemi di essere così totalmente priva di parole».

Emma provò molto piacere, e presto avrebbe mostrato che lei non mancava di parole, se il suono della voce della signora Elton proveniente dal salotto non l'avesse frenata, e non avesse reso conveniente limitare tutto il suo senso di amicizia e di felicitazioni in una calorosa, calorosissima stretta di mano.

La signora Bates e la signora Elton stavano insieme. La signorina Bates era fuori, e questo spiegava perché tutto fosse prima così tranquillo. Emma avrebbe potuto desiderare che la signora Elton fosse altrove; ma era predisposta ad avere pazienza con tutti, e siccome la signora Elton la accolse con insolita affabilità, sperava che l'incontro non avrebbe fatto loro alcun male.

Ben presto pensò di avere indovinato i pensieri della signora Elton, e di capire perché fosse, come lei, d'ottimo umore; sentiva di essere la confidente della signorina Fairfax, e immaginava di conoscere cose che per gli altri erano ancora un segreto. Emma scoprì i segni di ciò immediatamente, nell'espressione del suo volto; e mentre faceva i suoi convenevoli alla signora Bates e sembrava badare alle risposte della buona vecchia signora, la vide ripiegare una lettera che apparentemente aveva letto a voce alta alla signorina Fairfax con una specie di ansiosa esibizione di mistero, e

291

riporla nella borsa viola e dorata lì accanto, mentre diceva con significativi cenni del capo:

«Possiamo finire questa un'altra volta, sapete. Non ci mancheranno le occasioni. E del resto avete già sentito tutto l'essenziale. Volevo solo dimostrarvi che la signora S. accetta le vostre scuse e non è offesa. Vedete in che modo delizioso scrive. Oh, è una creatura così dolce! Vi sarebbe piaciuta moltissimo, se ci foste andata... Ma non una parola di più. Siamo discrete... Diamoci un contegno. Zitte! Rammentate quei versi... non ricordo più ora da che poesia...

> Ché quando si tratta d'una dama,
> Ogni altra cosa cede il passo[9].

Ora, mia cara, dico io, nel nostro caso, invece che dama si legga... no! A buon intenditor poche parole. Sono in vena stamattina, no? Voglio tranquillizzarvi riguardo alla signora S. Il mio modo di presentare la cosa, vedete, l'ha completamente placata».

E di nuovo, bastò che Emma volgesse il capo per guardare il lavoro a maglia della signora Bates, perché lei aggiungesse quasi in un sussurro:

«Non ho fatto nomi, avrete notato. Oh, no! Cauta come un ministro di stato. Ho portato avanti la cosa benissimo».

Emma non ne poteva dubitare. Era uno sfoggio evidente, ripetuto in ogni possibile occasione. Quando tutte ebbero parlato per un po' d'amore e d'accordo del tempo e della signora Weston, Emma si sentì rivolgere bruscamente la parola:

«Non vi pare, signorina Woodhouse, che questa mascanzoncella della nostra amica si sia rimessa in modo delizioso? Non vi pare che la sua guarigione torni a grande onore di Perry?». A questo punto ci fu un'occhiata molto significativa diretta a Jane. «Parola mia, Perry le ha fatto recuperare la salute con velocità ammirevole! Oh, se l'aveste vista come l'ho vista io, nei momenti peggiori!». E mentre la signora Bates stava dicendo qualcosa a Emma, sussurrò ancora: «Non dirò di quale assistenza possa avere goduto Perry; non una parola su un certo giovane medico di Windsor... Oh, no, Perry avrà tutto il merito!».

«Non ho più avuto il piacere di vedervi, signorina Woodhouse», cominciò poco dopo, «dal giorno dell'escursione a Box Hill. Un'escursione silenziosa. Eppure, credo mancasse qualcosa. Le cose non parevano... cioè, pareva ci fosse una piccola nuvola sullo spirito di alcuni. Così almeno è parso a me, ma posso essermi sbagliata. A ogni modo, credo la gita abbia avuto successo, visto che ha lasciato la tentazione di tornarci. Che ne direste di riunire lo stesso gruppo ed esplorare un nuovo Box Hill, fintanto che il bel tempo dura? Deve essere lo stesso gruppo, sapete, proprio lo stesso gruppo, nessuno escluso».

Un momento dopo entrò la signorina Bates ed Emma non poté fare a meno di sentirsi divertita dalla perplessità della prima risposta che questa le diede, e che proveniva, lei suppose, dall'incertezza su ciò che si poteva dire, e dall'impazienza di dire tutto.

«Grazie, cara signorina Woodhouse, siete la gentilezza in persona... È impossibile dire... Sì, davvero, comprendo benissimo... le prospettive

---

[9] I versi provengono da una delle *Favole* di John Gray.

della cara Jane... insomma, non intendevo dire... Ma lei si è rimessa in modo incantevole... Come sta il signor Woodhouse? Ne sono tanto felice. È proprio al di là delle mie forze. Un piccolo gruppo così felice come trovate qui il nostro... Sì, davvero. Un giovanotto affascinante!... cioè, così affabile; voglio dire il buon signor Perry! Tante attenzioni per Jane...». E dalla grande e più che consueta espressione di ringraziamenti verso la signora Elton per la sua presenza, Emma indovinò che c'era stato un certo risentimento verso Jane da parte della canonica, che ora era stato graziosamente superato. In verità, dopo degli impercettibili sussurri, che cancellarono ogni dubbio, la signora Elton, parlando a voce più alta, disse:

«Sì, sono qui, mia buona amica; e ci sono stata così a lungo che in qualsiasi altro posto avrei ritenuto necessario fare le mie scuse: ma la verità è che aspetto il mio signore e padrone. Ha promesso di venirmi a prendere qui e di presentarvi i suoi rispetti».

«Che! Avremo il piacere di una visita del signor Elton? Questo sarà davvero un grande piacere! Perché so che i signori non vanno a fare visite la mattina, e il tempo del signor Elton è così preso!».

«Lo è, parola mia, signorina Bates. È proprio occupato da mattina a sera. La gente non finisce più di venire da lui, con questa e quella scusa. I magistrati, i sovrintendenti, i sagrestani sono sempre lì a cercare la sua opinione. Sembra che senza di lui non riescano a fare nulla. "Parola d'onore, signor E.", dico io spesso, "meglio voi di me. Non so cosa ne sarebbe delle mie matite e del mio strumento, se avessi la metà dei vostri visitatori". Già va abbastanza male così, giacché io li trascuro del tutto entrambi in modo imperdonabile. Credo di non avere suonato una sola battuta da quindici giorni. Ad ogni modo, verrà, ve lo assicuro: sì, proprio, per mettersi al servizio di tutte voi». E portando la mano alla bocca per non far sentire a Emma le sue parole: «Una visita di congratulazioni, sapete. Oh, sì, proprio indispensabile».

La signorina Bates si guardò intorno raggiante.

«Ha promesso di venire a raggiungermi appena si fosse liberato di Knightley; ma lui e Knightley si sono chiusi insieme per una fitta consultazione. Il Sig. E. è il braccio destro di Knightley».

Emma non avrebbe voluto lasciarsi sfuggire un sorriso per tutto l'oro del mondo, e disse solo: «Il signor Elton è andato a piedi a Donwell? Sentirà caldo nella passeggiata».

«Oh, no! È una riunione al Corona, una vera e propria riunione. Ci saranno anche Weston e Cole; ma mi è capitato di nominare solo quelli che sono alla testa. Immagino che il signor Elton e Knightley facciano come vogliono».

«Non avrete sbagliato il giorno?», disse Emma. «Sono quasi certa che la riunione al Corona abbia luogo domani. Il signor Knightley ieri era a Hartfield, e ne ha parlato come se dovesse avere luogo sabato».

«Oh, no, la riunione è di certo oggi», fu la brusca risposta, che significava impossibilità di qualsiasi errore da parte della signora Elton. «Credo proprio che questa sia la più seccante parrocchia che ci sia mai stata. A Maple Grove non sentivamo mai cose del genere».

«Lì la vostra parrocchia era piccola», disse Jane.

«Parola mia, cara, io non lo so, perché non ne ho mai sentito parlare».

«Ma lo provano le piccole dimensioni della scuola, di cui vi ho sentito dire che era sotto il patronato di vostra sorella e della signora Bragge; l'unica scuola, e non contava più di venticinque bambini».

«Ah, come siete brava, è verissimo. Avete un cervello che pensa! Dite un po', Jane, che carattere perfetto faremmo io e voi, se potessimo essere mescolate insieme. La mia vivacità e la vostra solidità produrrebbero la perfezione. Non che io voglia però insinuare che qualcuno non possa ritenere che voi siate già la perfezione. Ma silenzio, non una parola, vi prego».

Pareva una cautela non necessaria; Jane intendeva rivolgere la sua parola non alla signora Elton, ma alla signorina Woodhouse, come quest'ultima capì chiaramente. Il desiderio di darle qualche speciale segno di stima, per quel che permetteva l'urbanità, era molto evidente, anche se spesso non poteva manifestarsi che con uno sguardo.

Il signor Elton fece la sua comparsa. E la moglie lo accolse con un po' della sua spumeggiante vivacità.

«Bel lavoro, signor mio, parola mia; mandarmi qui a essere d'impiccio ai miei amici, tanto tempo prima che voi vi degnaste di venire! Ma sapete con che creatura sottomessa avevate a che fare. Sapevate che non mi sarei mossa finché non fosse comparso il mio signore e padrone. Sono stata qui seduta per un'ora, offrendo a queste signorine un esempio di vera obbedienza coniugale, perché chi può dire, sapete, se non ce ne sarà presto bisogno?».

Il signor Elton era così accaldato e stanco che tutto quello spirito pareva gettato al vento. Dovette fare i suoi convenevoli alle altre signore; ma poi passò a lamentarsi per il caldo che stava soffrendo, e per la camminata che aveva fatto per nulla.

«Quando sono arrivato a Donwell», disse, «non c'era traccia di Knightley. Proprio strano e incomprensibile, dopo il messaggio che gli ho mandato stamattina, e il biglietto col quale mi ha risposto, dicendo che sarebbe rimasto in casa di sicuro fino all'una».

«Donwell!», esclamò sua moglie. «Mio caro signor E., non siete mica stato a Donwell! Volete dire al Corona; venite dal Corona».

«No, quello è per domani; e proprio per questo volevo vedere Knightley oggi. È una mattina terribilmente calda! E poi sono passato per i campi», continuò nel tono di chi ha subìto un grave torto, «e questo ha peggiorato le cose. E poi non trovarlo in casa! Vi garantisco che non sono per nulla contento. E senza lasciare per me neanche una scusa, nemmeno un biglietto. La governante ha dichiarato che non sapeva che io fossi atteso. È una cosa davvero strana! E nessuno sapeva da che parte fosse andato. Forse a Hartfield, forse al Mulino dell'Abbazia, forse nei suoi boschi. Signorina Woodhouse, questo non sembra proprio il comportamento del nostro amico Knightley. Potete spiegarlo?».

Emma si divertì ad assicurare che la cosa era proprio straordinaria, e che non poteva dire una sillaba in difesa del signor Knightley. «Non riesco a immaginare», esclamò la signora Elton, reagendo a quel trattamento irrispettoso come dovrebbe fare una vera moglie, «non riesco a immaginare come abbia fatto una cosa del genere proprio a voi! L'ultima persona che uno si attenderebbe di vedere dimenticata! Mio caro signor E., deve aver lasciato un biglietto per voi, sono certa che lo ha fatto. Neppure Knightley potrebbe essere tanto eccentrico; e i suoi domestici se ne saranno dimenticati. Statene certo, è andata così: ed è plausibile che sia accaduto con i domestici di Donwell, che sono tutti, come spesso ho osservato, straordinariamente maldestri e trasandati. Di sicuro non vorrei un tipo come il suo Harry a fare da maggiordomo per nulla al mondo. E quanto alla signora Hodges, Wright la stima proprio poco. Ha promesso a Wright una ricetta, e non l'ha mandata mai».

«Ho incontrato William Larkins», continuò il signor Elton, «quando sono stato vicino alla casa, e mi ha detto che non avrei trovato il padrone, ma non ho voluto credergli. William pareva piuttosto di cattivo umore. Non sapeva cosa fosse successo al suo padrone negli ultimi tempi, ha detto, riusciva a stento a parlargli. Non mi importa un bel nulla delle lamentele di William, ma veramente era davvero molto importante che *io* vedessi Knightley oggi; e quindi è motivo di serio rammarico che io abbia dovuto fare questa passeggiata sotto il caldo per niente».

Emma sentì che non poteva fare di meglio che andarsene subito a casa. Con tutta probabilità proprio in quel momento era attesa là; e si sarebbe dovuto risparmiare al signor Knightley di diventare più aggressivo verso il signor Elton, se non verso William Larkins.

Fu felice, nel congedarsi, di scoprire che la signorina Fairfax era decisa ad accompagnarla fuori della camera, e addirittura a scendere le scale; questo le offrì l'opportunità, di cui subito approfittò, per dire:

«Forse è stato meglio che non ne abbia avuto la possibilità. Se voi non foste stata circondata da altri amici, avrei potuto essere tentata ad accennare un certo tema, a fare certe domande, a parlare più apertamente di quel che sarebbe stato del tutto corretto. Sento che sarei di certo stata impertinente».

«Oh!», esclamò Jane, con un rossore e un'esitazione che a Emma parvero donarle molto più di tutta l'eleganza della sua consueta compostezza. «Non ci sarebbe stato alcun rischio. Il rischio sarebbe stato che io vi stancassi. Non avreste potuto farmi più piacere che esprimendo un interesse... Davvero, signorina Woodhouse», e con tono più posato: «Essendo consapevole della mia cattiva condotta, la mia pessima condotta, è per me particolarmente confortante sapere che quelli tra i miei amici la cui buona opinione è più degna di essere conservata non sono più disgustati al punto di... ma non ho tempo per la metà di quel che vorrei dire. Desidererei solo fare scuse e chiedere perdono, e dire qualcosa in mio favore. Sento che è proprio necessario. Ma sfortunatamente... in breve, se la vostra compassione non vi fa stare dalla mia parte...».

«Oh, siete troppo scrupolosa, veramente», esclamò Emma con fervore e prendendole la mano. «Voi non mi dovete nessuna scusa; e tutte le persone a cui si potrebbe immaginare che voi le dobbiate sono così perfettamente soddisfatte, anzi così deliziate...».

«Siete molto buona, ma io so qual è stato il mio atteggiamento con voi... Così freddo e artificiale! Dovevo continuamente recitare una parte. È stata una vita d'inganni! So che devo avervi disgustata».

«Vi prego di non dire di più. Sento che tutte le scuse dovrebbero essere da parte mia... Perdoniamoci subito l'un l'altra. Quel che c'è da fare dobbiamo farlo al più presto, e credo che i nostri sentimenti non perderanno tempo. Spero abbiate belle notizie da Windsor».

«Molto belle».

«E la prossima notizia, suppongo, sarà che vi perderemo, proprio adesso che cominciavo a conoscervi».

«Oh, quanto a tutto ciò, naturalmente per ora non ci si può ancora pensare. Rimarrò qui finché non mi reclameranno il colonnello e la signora Campbell».

«Forse ancora non si può davvero risolvere nulla», rispose Emma con un sorriso, «ma, scusate, bisogna pensarci».

Il sorriso fu ricambiato, e Jane rispose:

«Avete ogni ragione; ci si sta pensando. E vi confesserò, sono sicura di potermi fidare, che quanto al nostro vivere con il signor Churchill a Enscombe, è deciso. Ci dovranno essere almeno tre mesi di lutto stretto; ma una volta che siano trascorsi, immagino che non ci sarà da attendere altro».

«Grazie, grazie. Questo è proprio quanto ci tenevo ad accertare. Oh, sapeste quanto mi piacciono le cose chiare e decise! Arrivederci, arrivederci».

Capitolo cinquantatreesimo

Tutti gli amici della signora Weston furono felici di saperla fuori pericolo, e se qualcosa poteva accrescere la soddisfazione di Emma per le sue condizioni di salute, questa fu la notizia che aveva dato alla luce una bambina. Emma aveva desiderato intensamente una signorina Weston. Non voleva riconoscere come ciò dipendesse dal suo intento di combinare, a suo tempo, un matrimonio tra lei e uno dei figli di Isabella; ma era convinta che una bambina avrebbe portato più gioia al padre e alla madre. Sarebbe stato un gran conforto per il signor Weston, quando fosse invecchiato (e perfino il signor Weston avrebbe potuto invecchiare nel giro di una decina d'anni), avere il focolare allietato dai giochi e dalle sciocchezze, dai capricci e dalle fantasie di una bambina che non dovesse mai essere allontanata da casa; e quanto alla signora Weston, nessuno poteva dubitare che una figlia avrebbe voluto dire moltissimo per lei; e sarebbe stato proprio un peccato se una persona che sapeva insegnare così bene non dovesse esercitare di nuovo le sue doti.

«Ha avuto il vantaggio, sapete, di fare pratica con me», continuò, «come "La Baronne d'Almane" con "La Comtesse d'Ostalis" in *Adelaide e Teodoro*[10] di Madame de Genlis; e adesso vedremo la sua piccola Adelaide educata con un sistema più perfetto».

«Cioè», rispose il signor Knightley, «gliele darà vinte più di quanto non abbia fatto con voi, e crederà di non dargliele vinte per nulla. Questa sarà l'unica differenza».

«Povera bimba!», esclamò Emma. «In questo modo, che ne sarà di lei?»

«Nulla di atroce. Il destino di migliaia. Sarà tremenda nell'infanzia, e si correggerà crescendo. Sto perdendo tutta la mia ostilità verso i bambini viziati, mia cara Emma. Io, che devo a voi tutta la mia felicità, non commetterei un gesto di orribile ingratitudine mostrandomi severo con loro?»

Emma rise e rispose: «Ma io ho goduto dell'aiuto di tutti i vostri tenta-

---

[10] Romanzo pubblicato alla fine del Settecento.

tivi di neutralizzare l'indulgenza degli altri. Dubito che il mio buon senso sarebbe bastato a correggermi».

«Davvero? Non ne ho alcun dubbio. La natura vi ha reso intelligente; la signorina Taylor vi ha dato dei princìpi. Siete stata fortunata. La mia ingerenza poteva fare tanto male che bene. Sarebbe stato più che naturale da parte vostra dire, che diritto ha costui di farmi la predica? E, temo, naturale per voi sentire che veniva fatto in modo antipatico. Non credo di avervi fatto del bene. Il bene era tutto mio, perché ho fatto di voi l'oggetto del più tenero affetto. Non avrei potuto pensare tanto a voi se di voi non fossi stato pazzo, perfino per i vostri difetti; e a forza di immaginare tanti errori, sono stato innamorato di voi fin da quando avevate tredici anni».

«Sono certa che mi siate stato utile», esclamò Emma. «Molto spesso sono stata influenzata da voi in senso positivo, più spesso di quanto non volessi riconoscere lì per lì. Sono proprio sicura che mi abbiate fatto del bene. E se quella povera piccina di Anna Weston deve essere viziata, compirete il più grande atto d'umanità facendo per lei quanto avete fatto per me, salvo innamorarvene quando avrà tredici anni».

«Quante volte, quando eravate una ragazza, mi avete detto con uno dei vostri sguardi malandrini: "Signor Knightley, farò questo e questo; il babbo dice che posso", oppure: "Ho il permesso della signorina Taylor"; qualcosa che voi sapevate che io non approvavo. In questi casi la mia ingerenza mi faceva sentire a disagio due volte, invece di una».

«Che creatura amabile ero! Nessuna meraviglia che doveste conservare una così affettuosa memoria dei miei discorsi».

«"Signor Knightley". Mi chiamavate sempre "Signor Knightley"; e, a forza d'abitudine, non ha un suono così formale. Eppure è formale. Voglio che mi chiamiate in qualche altro modo, ma non so come».

«Ricordo di avervi chiamato una volta "George", in uno di miei accessi d'amabilità, più o meno dieci anni or sono. L'ho fatto perché pensavo vi avrebbe offeso; ma visto che voi non faceste alcuna obiezione, non l'ho più fatto».

«E non mi potete chiamare "George" adesso?»

«Impossibile! Non vi chiamerò mai altro che "Signor Knightley". Non prometto neppure di uguagliare l'elegante concisione della Signora Elton chiamandovi signor K. Ma prometto», aggiunse subito, ridendo e arrossendo, «prometto di chiamarvi una volta col vostro nome di battesimo. Non dico quando, ma forse potrete immaginarvi dove accadrà; nella casa in cui N. unisce il suo destino a quello di M. nel bene e nel male».

Emma fu spiacente di non poter rendere più apertamente giustizia ad un importante servizio che il maggiore giudizio di lui le avrebbe potuto rendere, al consiglio che l'avrebbe salvata dalla peggiore di tutte le sue follie di donna, dal suo insistere nell'intimità con Harriet Smith; ma era un tema troppo delicato. Non poteva affrontarlo. Harriet era nominata molto raramente tra loro. Da parte di lui, questo poteva derivare solo dal fatto che non ci pensava; Emma invece propendeva ad attribuirlo a delicatezza, e a un sospetto, nato da certe apparenze, che la loro amicizia stesse declinando. Lei stessa si accorgeva che, se si fossero separate per qualsiasi altro motivo, di certo avrebbero corrisposto di più tra di loro, e che le lettere di Isabella non sarebbero state, come erano, quasi la sua unica fonte d'informazione. Lui poteva avere notato come stavano le cose. Il dispiacere di essere costretta a fare dei sotterfugi nei confronti di lui era di poco minore di quello di avere reso infelice Harriet.

Isabella dette della sua ospite notizie tanto buone quanto ci si poteva aspettare; appena arrivata le era sembrata depressa, il che pareva perfettamente naturale, perché c'era da consultare un dentista; ma, conclusa quella faccenda, non pareva trovare Harriet diversa da come la aveva conosciuta prima. Isabella, certo, non era un'osservatrice pronta; ma se Harriet non fosse stata in grado di giocare coi bambini, la cosa non le sarebbe sfuggita. Il benessere e le speranze di Emma vennero favoriti in modo più gradevole della decisione di fare rimanere Harriet più a lungo; le sue due settimane probabilmente sarebbero durate almeno un mese. Il signor John Knightley e sua moglie sarebbero venuti in campagna in agosto, e lei era invitata a restare fino a che non potessero accompagnarla.

«John non nomina neppure la vostra amica», disse il signor Knightley. «Ecco la sua risposta, se volete vederla».

Era la risposta alla sua comunicazione circa il suo progetto di matrimonio. Emma la prese con un vivace gesto della mano, con un'impazienza tutta trepidante di sapere cosa ne avrebbe detto, e per nulla scoraggiata dal sentire che non si faceva cenno alla sua amica.

«John prende parte come un fratello alla mia felicità», continuò il signor Knightley, «ma non è solito far complimenti; e anche se so che ha anche un'amicizia quanto mai fraterna per voi, si astiene a tal punto dall'infiorettare la cosa che qualunque altra giovane donna potrebbe ritenerlo piuttosto freddo nelle sue lodi. Ma non temo che voi vediate quello che scrive».

«Scrive come un uomo assennato», rispose Emma, quando ebbe letto la lettera. «Rispetto la sua sincerità. È chiaro che considera il fidanzamento tutto a mio vantaggio, ma che non dispera che, col tempo, io diventi degna del suo affetto, come voi mi ritenete già. Se avesse detto cose passibili di una diversa interpretazione, non l'avrei credute».

«Emma mia, non intende dire questo. Vuole dir solo...».

«Lui ed io saremmo ben poco diversi nel nostro modo di vedere», lo interruppe lei, con una sorta di serio sorriso. «Molto meno, forse, di quanto lui non pensi, se potessimo abbordare il tema senza cerimonie o riserve».

«Emma, mia cara Emma...».

«Oh!», esclamò lei con una gioia più spiccata. «Se immaginate che vostro fratello non vi renda giustizia aspettate solo che il mio caro padre sia al corrente del segreto, e ascoltate la sua opinione. Potete crederci, lui sarà ben lontano dal rendervi giustizia. Riterrà che tutta la felicità, tutto il vantaggio sia dalla vostra parte, e tutto il merito dalla mia. Spero non cominci subito a parlare di me come della "povera Emma". La sua tenera compassione verso il merito frustrato non può andare più in là».

«Ah!», esclamò lui. «Vorrei che convincere vostro padre del fatto che noi abbiamo tutti i diritti che scaturiscono dalla parità dei meriti di essere felici insieme fosse facile la metà di quanto lo sarà convincere John. Mi diverte una parte della lettera di John, l'avete notata? Devo dire che la mia informazione non l'ha sorpreso del tutto; in certo modo si aspettava di sentire qualcosa di simile».

«Se capisco vostro fratello, vuole dire che avevate già qualche idea di sposarvi. Non pensava proprio a me. A questo pare completamente impreparato».

«Sì, sì, ma mi diverte che abbia visto così a fondo nei miei sentimenti. Da cosa l'ha capito? Io non sono consapevole di alcuna differenza, nel mio umore o nella mia conversazione, che potesse prepararlo al mio prossimo matrimonio, adesso più che in qualsiasi altro momento. Ma immagino sia stato così. Suppongo ci sia stata qualche differenza quando stavo presso di loro giorni fa. Credo di non aver giocato coi bambini quanto di consueto. Ricordo che una sera i poveri ragazzi hanno detto: "Lo zio adesso sembra sempre stanco"».

Si avvicinava il momento in cui la notizia doveva venire maggiormente diffusa, e in cui si doveva valutare l'accoglienza che gli altri le avrebbero fatta. Appena la signora Weston si fu ripresa a sufficienza per potere ricevere le visite del signor Woodhouse, Emma, ritenendo di dovere impiegare a suo favore la gentile arte persuasoria dell'amica, decise di dare la notizia a casa, e poi a Randalls. Ma come comunicarla, infine, al padre? Si era impegnata a farlo in un certo momento in cui il signor Knightley sarebbe stato assente, altrimenti, quando si fosse venuti al punto, le sarebbe mancato il coraggio, e avrebbe dovuto rimandare la cosa; il signor Knightley avrebbe dovuto arrivare proprio in quell'attimo, e seguitare quel che lei avrebbe iniziato. Era costretta a parlare, e a parlare anche con allegria. Non doveva renderlo un argomento più decisamente doloroso per lui adottando lei stessa un tono malinconico. Non doveva sembrare che lo ritenesse una sfortuna. Con tutta la vivacità che riuscì a trovare, prima lo preparò a qualcosa di straordinario, poi, in poche parole, disse che se avessero potuto ottenere il suo consenso e la sua approvazione (e confidava che non sarebbe sorta alcuna difficoltà, giacché il progetto mirava ad aumentare la felicità di tutti) lei e il signor Knightley intendevano sposarsi; in questo modo Hartfield avrebbe ricevuto l'apporto costante della compagnia di quella persona a cui lei sapeva che lui era affezionato più che a chiunque altro al mondo, dopo le sue figlie e il signor Weston.

Poverino! All'inizio per lui fu un colpo considerevole, e cercò caldamente di dissuaderla. Più di una volta le venne richiamato alla mente che aveva sempre detto che non si sarebbe mai sposata, e che aveva garantito che sarebbe stato per lei molto meglio restare nubile; e le vennero ricordate la povera Isabella e la povera signorina Taylor. Ma non servì a nulla. Emma gli stava intorno tutta affettuosa e sorridente, e diceva che doveva essere così; e che lui non doveva classificarla con Isabella e con la signorina Weston, che sposandosi erano state portate via da Hartfield, provocando davvero un triste cambiamento; lei invece non se ne andava da Hartfield; lei sarebbe stata sempre lì; non introduceva nessun cambiamento nel numero dei componenti della famiglia o nel loro benessere, se non in meglio; ed era più che sicura che lui sarebbe stato assai più felice con il signor Knightley sempre accanto, una volta che si fosse assuefatto all'idea. Non voleva forse molto bene al signor Knightley? Non l'avrebbe certo negato, lei ne era sicura. Chi voleva consultare, per i suoi affari, se non il signor Knightley? Chi gli era tanto utile, chi tanto pronto a scrivere le sue lettere, chi tanto felice di assisterlo? Chi tanto allegro, premuroso, affezionato a lui? Non gli sarebbe piaciuto averlo sempre lì? Sì, tutto questo era verissimo. Il signor Knightley non poteva mai esserci con sufficiente frequenza; sarebbe stato lieto di vederlo ogni giorno; ma lo vedevano bene ogni giorno anche nella situazione attuale. Perché non potevano continuare come prima?

Non si poté fare in modo che il signor Woodhouse si adattasse presto all'idea; ma il peggio era superato, la cosa era stata detta; il tempo e la continua ripetizione avrebbero fatto il resto. Alle preghiere e alle assicurazioni di Emma seguirono quelle del signor Knightley, le cui affettuose lodi di lei resero l'argomento perfino gradito; e ben presto lui si abituò a sentirsi imbonire da ciascuno dei due, ogni volta che si presentava l'occasione. Ebbero tutto l'aiuto che poteva dare Isabella, con lettere che riportavano i termini della più calda approvazione; e la signora Weston fu pronta, appena si incontrarono nuovamente, a considerare l'argomento nella luce più vantaggiosa; prima di tutto come una cosa sistemata, e in secondo luogo come una buona cosa, ben consapevole dell'importanza quasi pari di tutt'e due le raccomandazioni per la mente del signor Woodhouse. Si accordarono su quel che si doveva fare; e dato che tutti quelli da cui era solito lasciarsi guidare lo assicuravano che sarebbe stato per la sua felicità, e che lui stesso aveva alcuni sentimenti che quasi ammettevano che fosse così, cominciò a riflettere che un giorno o l'altro (magari tra un anno o due) non sarebbe poi stato tanto male se avesse avuto luogo il matrimonio.

La signora Weston non dovette recitare una parte, non dovette fingere alcun sentimento, in tutto ciò che gli disse in favore delle nozze. Era stata estremamente sorpresa quando Emma le aveva rivelato la cosa per la prima volta; ma non ci vedeva che un aumento di felicità per tutti, e non ebbe alcuno scrupolo di fare tutto il possibile per convincerlo. Aveva una tale considerazione per il signor Knightley da pensare che meritasse perfino la sua carissima Emma; e sotto ogni aspetto era un matrimonio così appropriato, conveniente e irreprensibile, e da un certo punto di vista, un punto della massima importanza, così azzeccato, così particolarmente fortunato, che adesso pareva che Emma non avrebbe potuto innamorarsi di un altro senza correre dei rischi, e che fosse stata la più ottusa delle creature a non averci pensato e a non averlo desiderato molto tempo prima. Quali di quegli uomini che per posizione sociale avrebbero potuto fare la corte a Emma avrebbe rinunciato alla sua casa per Hartfield! E chi, se non il signor Knightley, poteva conoscere e sopportare il signor Woodhouse, così da rendere auspicabile una simile sistemazione! Nei progetti della signora Weston e di suo marito per un matrimonio tra Frank e Emma la difficoltà di togliere di mezzo il povero signor Woodhouse era stata sempre percepita. Come conciliare le pretese di Enscombe e di Hartfield era stato un continuo impedimento, meno riconosciuto dal signor Weston che da lei stessa, ma anche lui non era mai riuscito a concludere l'argomento meglio che con un: «Queste faccende si accomoderanno da sole; i giovani troveranno il modo». Ma in questo caso non c'era nulla da rimandare con una bizzarra ipotesi circa il futuro. Tutto andava bene, era chiaro, uguale. Né da una parte né dall'altra alcun sacrificio che si potesse definire tale. Era un matrimonio che recava in sé la più alta promessa di felicità, e senza una sola difficoltà vera, ragionevole, per contrastarla o procrastinarla.

La signora Weston, con la sua bimba sulle ginocchia, mentre si abbandonava a riflessioni di tal genere, era una delle donne più felici del mondo. Se qualcosa poteva aumentare la sua gioia, era l'accorgersi che presto il primo corredino di cuffiette sarebbe stato troppo piccolo per la piccina.

La notizia fu all'origine di una sorpresa generale ovunque si diffuse; e il signor Weston ne ebbe la sua parte per cinque minuti; ma cinque minuti bastarono a rendere l'idea familiare al suo spirito pronto. Vide i vantaggi del matrimonio, e se ne rallegrò con la stessa sincerità di sua moglie; ma la meraviglia della cosa presto si ridusse a niente; e in capo a un'ora non era lontano dal credere di averla sempre prevista.

«Deve essere un segreto, deduco», disse. «Cose di questo genere sono sempre un segreto, fino a che non si scopre che lo sanno tutti. Ditemi solo quando potrò parlarne apertamente. Mi domando se Jane abbia qualche sospetto».

Andò a Highbury la mattina successiva, e verificò questo punto. Le diede la notizia. Non era forse Jane come una figlia, la sua figlia maggiore? Doveva dirglielo, e siccome era presente la signorina Bates, la notizia passò, naturalmente, alla signora Cole, alla signora Perry e alla signora Elton immediatamente dopo. Non era più di quel che si erano attesi i protagonisti; avevano fatto i loro calcoli su quanto avrebbe fatto presto, una volta conosciuta a Randalls, a diffondersi a Highbury; e con grande acume erano convinti che sarebbero stati la meraviglia della serata in parecchie cerchie familiari.

In generale, fu un'unione che riscosse una larga approvazione. Alcuni potevano ritenere più fortunato lui, altri lei. Un gruppo poteva suggerire che tutti si trasferissero a Donwell, e lasciassero Hartfield alla famiglia di John Knightley; e un altro gruppo poteva prevedere disaccordo tra i loro domestici; tuttavia, nel complesso, non venne sollevata alcuna seria obiezione, salvo che in una casa, la canonica. Lì la sorpresa non fu mitigata da nessuna soddisfazione. Al signor Elton importò poco, in confronto a sua moglie; sperava solo che «adesso l'orgoglio della signorina fosse soddisfatto», e ipotizzò che lei «avesse sempre puntato a catturare Knightley, se le fosse riuscito»; e quanto al suo andare ad abitare a Hartfield, poté coraggiosamente esclamare: «Meglio lui di me!». Ma la signora Elton era proprio sconvolta. «Povero Knightley! Pover'uomo! Che tristezza per lui!». Era estremamente preoccupata perché, anche se lui era molto eccentrico, possedeva mille buone qualità. Come aveva potuto farsi mettere nel sacco così? Non lo riteneva affatto innamorato, proprio per nulla. Povero Knightley! Sarebbe stata la fine dei piacevoli rapporti con lui. Come era stato contento di venire a pranzo da loro ogni volta che lo avevano invitato! Ma adesso più niente di tutto ciò. Poveretto! Non più escursioni di gruppo a Donwell, organizzate apposta *per lei*. Oh, no! Ci sarebbe stata una signora Knightley a rovinare ogni festa. Davvero sgradevole! Ma a lei non dispiaceva per nulla avere parlato male della governante qualche giorno prima. Un piano assurdo, quello di vivere insieme! Non sarebbe mai riuscito. Lei conosceva una famiglia presso Maple Grove che ci aveva provato ed era stata costretta a separarsi prima della fine del primo trimestre.

Capitolo cinquantaquattresimo

Il tempo passò. Ancora qualche giorno, e sarebbe arrivato il gruppo da Londra. Era un cambiamento allarmante; e una mattina Emma ci stava pensando come a un avvenimento che doveva portarle parecchia agitazione e pena, quando entrò il signor Knightley e i pensieri spiacevoli furono messi da parte. Dopo le prime gradevoli chiacchiere, lui rimase zitto; e poi, in tono più grave, cominciò con:

«C'è qualcosa che devo dirvi, Emma; una grossa notizia».

«Buona o cattiva?», disse subito lei, guardandolo in viso.

«Non saprei come definirla».

«Oh, è buona, ne sono sicura. Lo vedo dalla vostra espressione. Fate uno sforzo per non sorridere».

«Ho paura», disse lui, assumendo un'espressione seria, «ho molta paura, mia cara Emma, che voi non sorriderete quando la sentirete».

«Veramente? Ma perché? Non posso immaginare che una cosa che a voi piace o che vi diverte non debba piacere anche a me, e divertirmi».

«C'è un argomento», rispose lui, «e spero ce ne sia un solo, su cui non la pensiamo allo stesso modo».

Fece una breve pausa, sorridendo di nuovo, tenendo gli occhi sul suo viso. «Non vi viene in mente nulla? Non vi ricordate di Harriet Smith?».

Le guance di lei arrossirono nel sentire quel nome, ed ebbe paura di qualcosa, anche se non sapeva di che.

«Vi ha già dato notizie, stamattina?», esclamò lui. «Credo di sì, e che sappiate tutto».

«No, non è così; non so nulla; vi prego di parlare».

«Siete preparata al peggio, vedo; e la notizia è davvero cattiva. Harriet sposa Robert Martin».

Emma sobbalzò, e questo non dava certo l'impressione che fosse preparata, e i suoi occhi dicevano con grande intensità: «No, è impossibile!». Ma le sue labbra erano chiuse.

«È proprio così», continuò il signor Knightley; «l'ho appreso dallo stesso Robert Martin. Mi ha lasciato nemmeno mezz'ora fa».

Lei continuava a guardarlo con il più eloquente sbigottimento.

«Trovate la cosa, Emma, sgradevole quanto io temevo. Come mi piacerebbe che la pensassimo allo stesso modo! Ma con il tempo sarà così. Il tempo, potete starne certa, farà in modo che uno di noi due la pensi diversamente; nel frattempo, non c'è bisogno che parliamo molto di questa cosa».

«Mi fraintendete, mi fraintendete proprio», rispose lei, facendo uno sforzo. «Non è che una cosa del genere adesso possa rendermi infelice, ma non posso crederci. Sembra impossibile! Non vorrete dirmi che le ha ripetuto la sua richiesta. Volete solo dire che intende farlo».

«Voglio dire che lo ha fatto», rispose il signor Knightley, con sorridente ma risoluta fermezza, «e che è stato accettato».

«Buon Dio!», esclamò lei. «Allora...». Poi, usando il suo cestino da lavoro come un pretesto per chinare la faccia e nascondere tutte le deliziose sensazioni di gioia e di sollievo che aveva da esprimere, aggiunse: «E adesso ditemi tutto; rendetemelo comprensibile. Avanti, dite: dove, quando? Fatemi sapere tutto. Io non sono mai rimasta tanto sorpresa, ma questo non mi rende infelice, ve lo garantisco. Come, come è stato possibile?».

«È una storia semplicissima. Lui è andato a Londra per affari tre giorni fa, e io gli ho chiesto di badare a certe carte che volevo mandare a John. Ha consegnato le carte a John, nel suo ufficio, ed è stato da lui invitato a unirsi al loro gruppo la stessa sera all'anfiteatro di Astley. Portavano da Astley i due ragazzi maggiori. Il gruppo era formato da nostro fratello e nostra sorella, Henry, John e la signorina Smith. Il mio amico Robert non ha saputo resistere. Lo sono andati a prendere strada facendo; tutti si sono divertiti un mondo; e mio fratello l'ha invitato a pranzo da loro il giorno dopo. Lui c'è andato, e nel corso di quella visita, a quel che ho capito, ha trovato modo di parlare a Harriet; e certo non le ha parlato invano. Accettandolo, lei lo ha reso felice quanto merita. È tornato qui con la diligenza di ieri, ed era da me stamattina immediatamente prima di colazione, per raccontarmi quanto era successo, prima di tutto circa i miei affari, poi circa i suoi. Ecco quanto posso riferirvi sul come, sul dove e sul quando. La vostra amica Harriet avrà da raccontarvi una storia assai più lunga quando la vedrete. Vi darà tutti i minuti particolari, che solo il linguaggio di una donna può rendere interessanti. Nelle nostre comunicazioni forniamo solo le grandi linee. Tuttavia devo dire che il cuore di Robert Martin pareva, tanto a lui che a me, traboccare addirittura; e che ha ricordato, anche se non era un'informazione indispensabile, che all'atto di lasciare il loro palco all'Astley mio fratello si era preso cura della moglie e del piccolo John, e che lui si era incamminato dietro di loro con la signorina Smith e Henry; e che a un certo punto si erano trovati in una tale confusione che la signorina Smith si era sentita piuttosto a disagio».

Si interruppe. Emma non osò tentare una risposta immediata. Se avesse parlato, era sicura che avrebbe tradito un livello quanto mai irragionevole di felicità. Doveva aspettare un momento, o lui l'avrebbe creduta pazza. Il silenzio di lei lo disturbava; ma dopo averla osservata per un poco, lui aggiunse:

«Emma, amore mio, avete detto che questa situazione non vi avrebbe adesso reso infelice; ma ho paura che vi dia più dispiacere di quanto vi aspettavate. La posizione sociale di lui è uno svantaggio, ma dovete considerarla tale da soddisfare la vostra amica; e vi garantisco che penserete sempre meglio di lui via via che lo conoscerete di più. Rimarreste colpita più che piacevolmente dal suo giudizio e dai suoi buoni princìpi. Per quel che riguarda l'uomo, non potreste desiderare la vostra amica in mani migliori. La sua posizione sociale io la cambierei, se potessi; e questo è già dire parecchio, ve lo assicuro. Voi ridete di me per William Larkins; ma sarebbe altrettanto drammatico per me dover fare a meno di Robert Martin».

Voleva che Emma alzasse gli occhi e sorridesse; ed essendo riuscita a contenere il suo sorriso in limiti ragionevoli, Emma così fece, e rispose lietamente:

«Non dovete sentirvi dispiaciuto di dovermi far rassegnare a questo matrimonio. Penso che sia un ottimo partito per Harriet. I parenti di lei forse sono peggiori di quelli di lui. Quanto a rispettabilità non ci può essere dubbio che lo sono. Sono rimasta silenziosa solo per via della sorpresa, della sorpresa eccessiva. Non potete immaginare quanto la notizia mi sia giunta inattesa; fino a che punto non fossi preparata; poiché avevo ragione di credere che lei negli ultimi tempi fosse più contraria a lui, molto più di quanto non lo fosse prima».

«Dovreste conoscere meglio la vostra amica», rispose il signor Knightley; «ma io direi che è una ragazza di buon carattere, dal cuore tenero, incapace di essere davvero contraria a un giovane che dica di amarla».

Emma non poté fare a meno di ridere, rispondendo:

«Parola mia, credo che la conosciate bene quanto me. Ma, signor Knightley, siete proprio sicuro che l'abbia addirittura accettato? Potrei supporre che col tempo riesca ad accettarlo; ma può averlo già fatto? Non l'avrete frainteso? Stavate parlando di altre cose: di affari, di mostre di bestiame, o di nuove seminatrici, non avete potuto, nella confusione di tanti argomenti, capire male? Forse non era della mano di Harriet che era sicuro, ma delle dimensioni di qualche famoso ovino».

Il contrasto tra l'aspetto e l'atteggiamento del signor Knightley e di Robert Martin era così forte, in quel momento, ai sensi di Emma, e così forte era il ricordo di tutto quel che Harriet aveva così di recente manifestato, tanto fresco il suono di quelle parole, pronunciate con tutta quell'energia: «No, spero di saper fare di meglio, adesso, che essere innamorata del signor Martin», che davvero si attendeva che la notizia si dimostrasse, in qualche modo, prematura. Non poteva essere diversamente.

«Avete il coraggio di dire questo?», esclamò il signor Knightley. «Avete il coraggio di ritenermi un tale idiota da non sapere di cosa sta parlando un uomo? Cosa meritate?»

«Oh, io merito sempre il miglior trattamento, perché non ne tollero altri; e perciò dovete darmi una risposta semplice e diretta. Siete proprio certo di capire in che rapporti siano ora il signor Martin e Harriet?»

«Sono sicurissimo», rispose lui, pronunciando le parole con grande chiarezza, «che mi abbia detto che lei lo ha accettato; e che non c'era nulla di oscuro, nulla di dubbioso, nelle parole da lui usate, e credo di potervi dare una prova che deve essere così. Ha chiesto il mio parere su quel che doveva fare adesso. Lui non conosceva altri che la signora Goddard a cui rivolgersi per informazioni sui parenti o gli amici della ragazza. Potevo suggerire qualcosa di più conveniente che andare dalla signora Goddard? L'ho assicurato che non ero in grado di farlo. Allora ha detto che avrebbe cercato di vederla nel corso della giornata di oggi».

«Sono perfettamente convinta», rispose Emma con un raggiante sorriso, «e auguro loro, sinceramente, ogni felicità».

«Siete sostanzialmente cambiata, da quando abbiamo parlato in precedenza di questo argomento».

«Spero di sì, perché allora ero una sciocca».

«E anch'io sono cambiato; perché ora sono dispostissimo a concedervi che Harriet sia piena di buone qualità. Mi sono preso la briga, per amor vostro, e anche per via di Robert Martin, che ho sempre avuto ragione di credere che non avesse smesso di amarla, di conoscerla più da vicino. Spesso le ho parlato a lungo. Dovete aver visto che lo facevo. Qualche volta, in verità, ho creduto che voi quasi mi sospettaste di difendere la causa del povero Martin, e questo non è stato mai il caso; ma tutte le mie osservazioni mi hanno convinto che sia una ragazza ingenua, amabile, con una buona istruzione, ottimi princìpi, che colloca tutta la sua felicità negli affetti e nelle cose pratiche della vita domestica. Per molto di questo, non ne dubito, deve ringraziare voi».

«Me!», esclamò Emma, scuotendo il capo. «Ah povera Harriet!».

Si controllò, tuttavia, e si sottomise tranquillamente a delle lodi che andavano oltre i suoi meriti.

La loro conversazione fu subito dopo chiusa dall'entrata del padre di Emma. A lei non dispiacque. Desiderava rimanere sola. La sua mente era in uno stato di agitazione e meraviglia che le rendeva impossibile il raccoglimento. Aveva voglia di ballare, di cantare, di gridare, e fino a che non poté muoversi tutt'intorno, e non si fu messa a parlare da sola, ridendo e riflettendo, non riuscì a combinare nulla di ragionevole.

Il padre veniva ad avvertire che James era uscito per attaccare i cavalli, prevedendo la loro scarrozzata a Randalls, che adesso avveniva ogni giorno; perciò ebbe un'immediata scusa per scomparire.

Non sarà difficile immaginare la gioia, la gratitudine, la squisita letizia delle sue sensazioni. Allontanato il solo ostacolo, la sola ombra nella prospettiva del benessere di Harriet, Emma correva veramente il pericolo di diventare troppo felice per sentirsi tranquilla. Cosa desiderava mai? Null'altro che di divenire più degna di lui, che nelle intenzioni e nel giudizio era stato sempre così superiore a lei. Null'altro che le lezioni della sua passata follia potessero insegnarle più umiltà e circospezione in futuro.

Era seria, molto seria nella sua gratitudine e nelle sue decisioni: eppure non poteva frenare il riso, talvolta proprio nel bel mezzo di quelle. Doveva ridere di una tale conclusione! Quale fine della triste delusione di cinque settimane prima! Che cuore... che Harriet!

Ora avrebbe provato piacere al suo ritorno. Ogni cosa sarebbe stata un piacere. Sarebbe stata una vera gioia conoscere Robert Martin.

Tra le più serie e sentite ragioni di gioia c'era la riflessione che presto sarebbe cessata ogni necessità di tenere nascosto qualcosa al signor Knightley. La finzione, l'equivoco, il mistero, che lei detestava così tanto praticare, presto avrebbero potuto finire. Ora poteva prepararsi a dare a lui quella piena e completa confidenza che la sua natura era prontissima a riconoscere come un dovere.

Con uno stato d'animo quanto mai allegro e felice, Emma si avviò col padre: non ascoltava sempre, ma sempre approvava ciò che lui diceva; e, con le parole o col silenzio, assecondava la persuasione, di cui lui si compiaceva, di essere obbligato ad andare a Randalls ogni giorno, o la povera signora Weston sarebbe rimasta delusa.

Arrivarono. La signora Weston era sola nel salotto; ma avevano appena avuto notizie della bambina, e il signor Woodhouse aveva ricevuto i ringraziamenti che attendeva per la sua visita, quando si scorsero attraverso la tendina due figure che passavano davanti alla finestra.

«Sono Frank e la signorina Fairfax», disse la signora Weston. «Stavo proprio per riferirvi della nostra gradevole sorpresa nel vederlo arrivare stamane. Resta fino a domani, e la signorina Fairfax ha potuto essere persuasa a passare la giornata con noi. Spero che entrino».

Mezzo minuto dopo erano nella stanza. Emma fu estremamente felice di vedere Frank, ma c'era un certo imbarazzo, una quantità di ricordi che creavano impaccio, da una parte e dall'altra. Si incontrarono con cordialità, sorridendo, ma con una consapevolezza che sulle prime non permise di dire molto; e quando tutti si furono seduti di nuovo, ci fu per un certo tempo un tale imbarazzo tra loro, che Emma cominciò a dubitare che il desiderio che aveva da parecchio tempo, ora soddisfatto, di vedere di nuovo Frank Churchill, e di vederlo con Jane, avrebbe potuto darle un piacere corrispondente. Tuttavia, quando il signor Weston si unì al gruppo, e fu mandato a prendere la bambina, non mancarono più gli argomenti o l'animazione, o il coraggio e l'opportunità per Frank Churchill di avvicinarsi a lei e dire:

«Devo ringraziarvi, signorina Woodhouse, per il cortesissimo messaggio di perdono contenuto in una delle lettere della signora Weston. Spero che il tempo non vi abbia reso meno pronta a perdonare. Spero non ritratterete ciò che avete detto allora».

«No davvero», esclamò Emma, lietissima di cominciare, «niente affatto. Sono proprio contenta di vedervi e di stringervi la mano, e di farvi personalmente le mie felicitazioni».

Lui la ringraziò di tutto cuore, e per qualche tempo continuò a parlare con il più vivo fervore della sua gratitudine e della sua felicità.

«Non ha una bel colorito?», disse lui, volgendo gli occhi verso Jane. «Meglio di quanto non abbia mai avuto? Vedete come le vogliono bene mio padre e la signora Weston».

Ma il suo umore presto tornò allegro, e con occhi ridenti, dopo avere accennato all'atteso ritorno dei Campbell, fece il nome di Dixon. Emma arrossì e gli proibì di pronunciarlo in sua presenza.

«Non posso mai pensarci», esclamò, «senza una gran vergogna».

«La vergogna», rispose lui, «è tutta mia, o dovrebbe esserlo. Ma è possibile che non abbiate avuto sospetti? Voglio dire negli ultimi tempi. Prima, so che non ne avevate».

«Non ho mai avuto il più piccolo sospetto, ve l'assicuro».

«Questo mi pare proprio stupefacente. Una volta sono stato sul punto... e vorrei averlo fatto... sarebbe stato meglio. Ma nonostante facessi sempre cose sbagliate, erano cattivi sbagli, tali da non rendermi alcun servigio. Sarebbe stata una trasgressione molto più lieve se avessi rotto il vincolo del segreto e vi avessi detto tutto».

«Ora non vale la pena di recriminare», disse Emma.

«Ho qualche speranza», riprese lui, «che mio zio possa essere persuaso a fare una visita a Randalls; desidera esserle presentato. Quando saranno tornati i Campbell, li incontreremo a Londra, e rimarremo là, penso, fino a che potremo condurla nel nord. Ma adesso sono così distante da lei; è duro, signorina Woodhouse! Fino a stamattina non ci siamo incontrati una sola volta dal giorno della nostra riconciliazione. Non mi compatite?».

Emma espresse la sua pietà così gentilmente, che con un improvviso accenno di allegria lui esclamò:

«Ah, a proposito», poi, abbassando la voce e assumendo per un momento un'aria grave, «spero che il signor Knightley stia bene». Fece una pausa. Essa arrossì e rise. «So che avete visto la mia lettera, e penso possiate ricordare il mio augurio in vostro favore. Lasciatemi ricambiare le vostre congratulazioni. Vi assicuro che ho accolto la notizia con l'interesse e la soddisfazione più cordiali. È un uomo che non posso avere la presunzione di lodare».

Emma fu lietissima, e desiderava solo che lui continuasse nello stesso stile; ma la mente di Frank tornò subito dopo ai propri interessi e alla sua Jane, e le prime parole che disse furono:

«Avete mai visto una pelle come la sua? Così liscia e delicata! Eppure senza essere di fatto bionda. Non la si può chiamare bionda. È una carnagione eccezionale, con le ciglia e i capelli scuri, una carnagione unica! E così pure la signora che la possiede. Tanto colore quanto basta per la bellezza».

«Ho sempre ammirato la sua carnagione», rispose Emma con malizia, «ma non ricordate di quando trovavate da ridire perché era così pallida? Quando cominciammo a parlare di lei. Ve lo siete proprio dimenticato?»

«Oh no! Che sfacciato ero! Come potevo osare...».

Ma rise tanto cordialmente al ricordo che Emma non poté fare a meno di dire:

«Sospetto che pur con tutte le vostre perplessità di allora, vi divertivate un mondo a imbrogliarci tutti. Ne sono sicura. Sono sicura che per voi era una consolazione».

«Oh, no, no, no... come potete sospettarmi di una cosa simile? Io ero la creatura più infelice!».

«Non tanto infelice da essere insensibile all'allegria. Sono sicura che per voi fosse una fonte di gran sollazzo sentire che ci stavate ingannando tutti. Forse sono tanto più pronta a sospettarlo perché, a dirvi il vero, credo mi sarei piuttosto divertita se mi fossi trovata in una situazione del genere. Credo ci sia un po' di somiglianza tra noi».

Lui si inchinò.

«Se non proprio nella nostra indole», aggiunse lei subito, con uno sguardo di autentica sensibilità, «c'è una somiglianza nel nostro destino; il destino che ha tutta l'aria di volerci unire con due persone tanto superiori a noi».

«È vero, è vero», rispose lui con fervore. «No, non è vero per quel che riguarda voi. Voi non potete trovare chi vi superi, ma è verissimo nel caso mio. Lei è proprio un angelo. Guardatela. Non è come un angelo, in ogni gesto? Notate la curva della sua gola. Notate i suoi occhi, mentre li solleva per guardare mio padre. Sarete lieta di sentire», proseguì in un sussurro piegando il capo e facendosi tutto serio, «che mio zio intende darle tutti i gioielli di mia zia. Dovranno avere una nuova incastonatura. Sono deciso a farne mettere alcuni in un ornamento per il suo capo. Non sarà bello, tra i suoi capelli scuri?»

«Proprio bellissimo», rispose Emma; e parlava con tanta gentilezza, che lui, per la gratitudine, esplose:

«Come sono felice di vedervi di nuovo! E di vedervi con un così bel colorito! Per nessuna cosa al mondo avrei voluto mancare a quest'incontro. Certo vi sarei venuto a cercare a Hartfield, se non foste venuta».

Gli altri avevano cominciato a parlare della bambina, e la signora Weston aveva raccontato di un piccolo spavento che aveva avuto la sera prima, perché la piccina non sembrava stare bene. Credeva di essere stata sciocca, ma aveva avuto paura ed era stata a un soffio dal mandare a chiamare il signor Perry. Forse avrebbe dovuto vergognarsi, ma il signor Weston era stato inquieto quasi quanto lei. Dieci minuti dopo, però, la bambina era stata di nuovo perfettamente bene. Questa era la sua storia, ed era riuscita a suscitare soprattutto l'interesse del signor Woodhouse, che la elogiò molto per avere pensato di mandare a chiamare Perry, e si doleva soltanto che non l'avesse fatto. Avrebbe dovuto sempre mandare a chiamare Perry, se la bambina avesse avuto l'aria di soffrire il più piccolo disturbo, anche solo per un momento. Non era mai troppo presto per mettersi in allarme, né doveva farsi scrupolo di mandare a chiamare Perry troppo spesso. Forse era un peccato che non fosse venuto la sera prima; giacché, nonostante la bambina adesso sembrasse star bene, tutto considerato sarebbe stato probabilmente meglio se Perry la avesse vista.

Frank Churchill sentì il nome.

«Perry!», disse a Emma, e, mentre parlava, cercò di attirare l'attenzione della signorina Fairfax. «Il mio amico, il signor Perry! Cosa dicono del signor Perry? È stato qui stamani? E come va in giro adesso? Si è procurato la carrozza?».

Emma non tardò a ricordare, e capì, e mentre si univa alle risate, era evidente dall'atteggiamento di Jane che anche lei sentiva, anche se fingeva di non sentire.

«Ho avuto un sogno così straordinario!», esclamò lui. «Non posso mai pensarci senza ridere. Ci sente, ci sente, signorina Woodhouse. Lo vedo dalla sua guancia, dal suo sorriso, dal suo inutile tentativo di rimanere seria. Guardatela. Non vedete che in questo istante le si presenta davanti agli occhi proprio il passo della sua lettera in cui mi riportava quella notizia... che tutta la mia sventatezza le appare davanti... che non può pensare ad altro, nonostante faccia finta di ascoltare gli altri?».

Jane fu costretta a sorridere apertamente per un attimo, e il sorriso indugiava ancora quando si volse verso di lui, dicendo con un tono di voce consapevole, basso, eppure fermo:

«Come possiate sopportare simili ricordi, è una cosa che mi stupisce! Qualche volta sono importuni... come fate ad andarli a pescare!».

Lui ebbe da dire parecchio in risposta, e cose divertenti; ma i sentimenti di Emma concordavano soprattutto con Jane, nella discussione; e all'atto di lasciare Randalls, quando si presentò spontaneamente un paragone tra i due uomini, lei sentì che, per quanto fosse contenta di vedere Frank Churchill e nutrisse amicizia per lui, non si era mai resa conto a tal punto dell'infinita superiorità di carattere del signor Knightley. E la felicità di questo giorno tanto gioioso arrivò al culmine nell'animata contemplazione del valore di lui, esaltato da quel paragone.

Capitolo cinquantacinquesimo

Se Emma ancora aveva, ogni tanto, una qualche ansia per Harriet, momentanei dubbi sulla possibilità che lei guarisse del tutto del suo sentimento per il signor Knightley, e fosse veramente capace di accettare un altro uomo senza sentire forzata la sua inclinazione, non dovette soffrire a lungo del ripresentarsi di una tale incertezza. Pochi giorni dopo la famiglia di John Knightley e Harriet tornarono da Londra, e non appena Emma poté avere l'opportunità di restare da sola per un'ora con Harriet si persuase completamente (per inesplicabile che sembrasse la cosa) che

Robert Martin aveva interamente soppiantato il signor Knightley, e adesso costituiva tutto il suo ideale di felicità.

Harriet era un po' sofferente; sulle prime aveva un'aria un po' sciocca, ma una volta che ebbe riconosciuto di essere stata presuntuosa e stolta, di essersi imbrogliata da sola, prima, la sua sofferenza e la sua confusione parvero svanire con le parole, e lasciarla senza recriminazioni per il passato, e con la più piena esultanza per il presente e per il futuro; giacché, quanto all'approvazione della sua amica, Emma aveva subito allontanato ogni timore di tale genere, andandole incontro con le più incondizionate congratulazioni. Harriet fu felicissima di dare ogni particolare della serata all'anfiteatro di Astley, e del pranzo del giorno successivo; poteva indugiarvi sopra con la massima soddisfazione. Ma cosa spiegavano quei particolari? Il fatto era, come Emma poteva adesso riconoscere, che a Harriet era sempre piaciuto Robert Martin; e che l'ostinazione di lui nell'amarla era stata irresistibile. Oltre a questo, la cosa era destinata a rimanere per sempre incomprensibile a Emma.

L'avvenimento, comunque, era lieto, e ogni giorno le dava nuova ragione di considerarlo tale. Si venne a sapere chi erano i genitori di Harriet. Risultò figlia di un commerciante, sufficientemente ricco da poterle garantire il generoso mantenimento di cui lei aveva sempre goduto, e abbastanza dignitoso da aver sempre desiderato di tenere la cosa segreta. Tale era il sangue azzurro che Emma era stata così pronta a garantire prima! Magari era puro come il sangue di molti gentiluomini; ma quale parentela stava preparando al signor Knightley, o ai Churchill, o perfino al signor Elton! La macchia dell'illegittimità, non velata dalla nobile origine o dalla ricchezza, sarebbe stata davvero una macchia.

Da parte del padre non fu sollevata alcuna obiezione; il giovanotto fu trattato con liberalità; tutto andò per il meglio; e quando Emma giunse a conoscere Robert Martin, che adesso fu presentato a Hartfield, riconobbe in lui tutto quell'atteggiamento assennato e meritevole che autorizzava le migliori speranze per la sua piccola amica. Emma non dubitava che Harriet sarebbe stata felice con qualunque brav'uomo; ma con lui, e nella casa che lui offriva, ci sarebbero state delle speranze in più: di sicurezza, di stabilità e di miglioramento. Sarebbe stata collocata tra coloro che la amavano, e che avevano più giudizio di lei; abbastanza ritirata per essere sicura, e abbastanza impegnata per mantenersi di buon umore. Non sarebbe mai stata indotta in tentazione, né sarebbe rimasta esposta al rischio di essere scovata dalla tentazione. Sarebbe stata rispettabile e felice; ed Emma riconobbe che era la più fortunata creatura del mondo ad avere saputo destare un affetto così costante e perseverante in un uomo come quello; o, se non proprio la più fortunata, la seconda per fortuna dopo di lei.

Harriet, necessariamente distolta per via degli impegni con i Martin, venne sempre meno a Hartfield; cosa di cui non c'era da lamentarsi. L'intimità tra lei ed Emma doveva estinguersi; la loro amicizia doveva trasformarsi in un genere più calmo di benevolenza; e fortunatamente ciò che doveva essere, ed era necessario che fosse, sembrava già avesse avuto inizio, e nel modo più graduale e naturale.

Prima della fine di settembre Emma accompagnò Harriet in chiesa, e la vide andare sposa a Robert Martin con una soddisfazione tanto completa che nessun ricordo, perfino di quelli relativi al signor Elton che stava loro davanti, poté offuscare. Forse, in verità, in quel momento, lei non vide nel signor Elton altro che il sacerdote la cui benedizione all'altare avrebbe potuto scendere su di lei prossimamente. Così Robert Martin e Harriet Smith, l'ultima delle tre coppie che si erano formate, fu la prima a essere unita in matrimonio.

Jane Fairfax aveva già lasciato Highbury, ed era tornata alle comodità del suo amato focolare presso i Campbell. Anche i Churchill erano a Londra, e non aspettavano che il mese di novembre.

Il mese intermedio fu quello fissato, per quanto potessero rischiare di fissare, da Emma e dal signor Knightley. Avevano stabilito che il loro matrimonio dovesse essere celebrato mentre John e Isabella si trovavano ancora a Hartfield, così da consentire loro un'assenza di quindici giorni per passare la luna di miele sulla costa, secondo il loro piano. John e Isabella, e tutti gli altri amici, approvarono unanimemente. Ma il signor Woodhouse, come si sarebbe potuto convincere il signor Woodhouse ad acconsentire, lui che non aveva menzionato il loro matrimonio se non come un evento lontano?

Quando fu dapprima sondato in proposito, rimase talmente abbattuto che perdettero quasi ogni speranza. Una seconda allusione, però, produsse meno dispiacere. Cominciò a pensare che la cosa doveva accadere, e che lui non poteva impedirla; un passo molto promettente dell'animo sulla strada della rassegnazione. Però continuava a non essere felice. Anzi, pareva così tanto l'opposto, che alla figlia mancò il coraggio. Non poteva sopportare di vederlo soffrire, di sapere che immaginava di essere trascurato; e anche se la sua intelligenza si lasciò quasi convincere dai due Knightley che, una volta avvenuto il matrimonio, l'infelicità del padre sarebbe presto passata, Emma esitava... non riusciva a portare avanti la cosa.

In questo stato di indecisione furono assistiti non da una improvvisa illuminazione della mente del signor Woodhouse, o da un improvviso cambiamento del suo sistema nervoso, ma dall'operare dello stesso sistema in un'altra direzione. Una notte il pollaio della signora Weston fu saccheggiato di tutti i tacchini, evidentemente per opera umana. Anche altri pollai delle vicinanze subirono perdite. Il signor Woodhouse, nel suo timore, vedeva già in un tale furto un'effrazione. Si sentiva molto preoccupato, e se non fosse stato il senso di protezione offertogli dalla presenza del genero, sarebbe morto di paura ogni notte della sua vita. L'energia, la risolutezza e la presenza di spirito dei due Knightley avevano tutta la sua stima. Finché c'era uno di loro a proteggere lui e le sue cose, Hartfield era salva. Ma il signor John Knightley doveva essere nuovamente a Londra alla fine della prima settimana di novembre.

Il risultato di quell'ansia fu che con un consenso molto più spontaneo e lieto di quanto la figlia avesse mai osato sperare per il momento, lei poté fissare il giorno delle sue nozze e fu chiesto al signor Elton, prima che fosse trascorso un mese dalle nozze del signore e la signora Martin, di unire in matrimonio il signor Knightley e la signorina Woodhouse.

La cerimonia fu come tanti altri sposalizi in cui gli sposi non badano a fare sfoggio; e la signora Elton, dai particolari che le vennero riferiti dal marito, si fece l'idea che fosse stata estremamente meschina e assai inferiore alla propria. «Ben poco raso bianco, pochi veli con i merletti; una cosa pietosa! Selina avrebbe sgranato tanto d'occhi, quando l'avesse saputo». Ma, nonostante queste lacune, i voti, le speranze, la fiducia, le predizioni della piccola cerchia di veri amici presenti alla cerimonia furono interamente corrisposti dalla perfetta felicità dell'unione.

Indice

Biblioteca Economica Newton, sezione dei Paperbacks
Pubblicazione settimanale, 2 aprile 2002
Direttore responsabile: G.A. Cibotto
Registrazione del Tribunale di Roma n. 16024 del 27 agosto 1975
Fotocomposizione: Primaprint s.n.c., Viterbo
Stampato per conto della Newton & Compton editori s.r.l., Roma
presso la Grafica Veneta s.r.l., Trebaseleghe (PD)
Distribuzione nazionale per le edicole: A. Pieroni s.r.l.
Viale Vittorio Veneto 28 – 20124 Milano – telefono 02-632461
telex 332379 PIERON I – telefax 02-63246232
Consulenza diffusionale: Eagle Press s.r.l., Roma

Biblioteca Economica Newton

I Big Newton

Biblioteca Economica Newton

Classici

98

In copertina: Arthur Hughes, *Memories*, The Watts Gallery, Compton

Titolo originale: *Emma*

Seconda edizione: aprile 2002
© 1996 Newton & Compton editori s.r.l.
Roma, Casella postale 6214

ISBN 88-8183-528-2

www.newtoncompton.com

Stampato su carta Robbia della Cartiera di Germagnano